ANNEXES
DES CAHIERS
D'ÉTUDES HISPANIQUES MÉDIÉVALES

Directeur : Georges Martin

L'historien et ses personnages

Études sur l'historiographie espagnole médiévale

Madeleine Pardo

ANNEXES DES CAHIERS D'ÉTUDES
HISPANIQUES MÉDIÉVALES

VOLUME 17

ENS ÉDITIONS
2006

Ouvrage publié avec le soutien de la Région Rhône-Alpes

Illustration de couverture :
Seing royal de la charte privilège par laquelle Jean II confirme la donation de la ville de Parades de Nava faite par Henri III à Fernando de Antequera. 1408, juillet, 11, Alcalá de Henares.
Archivo General de Simancas, PTR. LEG. 58, 99. (Photo Cacho).

ISSN 1764-4399
ISBN 978-2-84788-104-2

École normale supérieure Lettres et sciences humaines
15, parvis René Descartes
BP 7000
69342 Lyon cedex 07
tél. 04 37 37 60 22 – fax 04 37 37 60 96

Avant-propos

Ce livre est composé de dix études, publiées entre 1966 et 2001 ; c'est dire qu'elles ponctuent un long parcours dans le temps d'une vie et dans celui des recherches qui ont pu l'occuper ; c'est dire aussi qu'elles ont parfois demandé un travail important d'actualisation ou même de restructuration.

Certaines des études ici réunies sont nées au cours des recherches qui ont abouti à celui qui en est devenu l'objet principal, et le sujet d'une thèse de doctorat : l'historien Alfonso de Palencia (1424-1492). C'est sur lui également que ce livre s'achève, non en raison de cette suprématie, mais parce que son œuvre marque, nous semble-t-il, un seuil extrême dans cette immense et prodigieuse entreprise que constitue, dans la Castille du XVe siècle, l'écriture de l'histoire.

Ainsi est venue s'ordonner dans ce livre une réflexion inspirée par la lecture de quelques textes. Si elle a pu conduire à des perspectives plus larges, ou à la mise en relief de schémas persistants, les textes sont toujours premiers. Ils témoignent tous des préoccupations, des perplexités et aussi des inventions des historiens plus ou moins chroniqueurs, romanciers ou biographes, qui ont entrepris, sur commande ou de leur propre initiative, d'écrire l'histoire de leur temps, sans oublier celle du passé : un passé que l'imagination et la mémoire s'efforcent de mieux raccorder au présent.

Partant d'une des marges de l'historiographie, c'est-à-dire de la frontière imprécise entre le monde réel et celui de la fiction, et suivant au fil des chroniques la relation fondamentale, fondatrice, qui lie l'historien, le roi et les nobles, cette réflexion vient aboutir, avec l'œuvre d'Alfonso de Palencia, au cœur même de l'histoire, là où événements et personnages sont inextricablement mêlés et analysés par un regard nouveau. C'est pourtant se retrouver sur une nouvelle marge ou devant une nouvelle forme de transgression : l'historien, au comble de sa puissance, y crée cette fois son propre univers.

À première vue, l'étude initiale consacrée à « L'itinéraire spirituel de Berzebuey » semble se situer en dehors de ce cadre chronologique et thématique. Elle peut pourtant venir s'y inscrire, soit comme une sorte d'instance prologale – il est d'ailleurs significatif qu'une étude de prologues marque les deux seuils du livre –, soit parce qu'elle donne, à sa manière, les clés principales des études qui suivent : la nécessaire relation entre le roi et le sage, l'importance du livre, l'émergence du *je* et de l'autobiographie. Le sage Berzebuey n'est pas très éloigné de l'historien, soucieux certes de servir son roi, mais aussi de plus en plus soucieux de sa propre personne, et en quête d'une voix. Si le *je* de Berzebuey apparaît au seuil du livre, celui d'Alfonso de Palencia le clôt. Mais on ne saurait oublier les voix entendues en chemin : celle de Gutierre Díaz de Games ou celle de Gonzalo Chacón pour ne citer que les plus importantes. Non seulement l'historiographie, luxuriante, se diversifie, mais elle s'enrichit de toutes ces prises de parole et de toutes ces présences qui contribuent, s'il en était encore besoin, à effacer la frontière entre l'histoire et la littérature.

Le principal facteur d'unité de ce livre réside peut-être dans l'approche même des textes. En dépit d'un effort de rigueur, on pourra lui faire grief d'une excessive liberté ; c'est pourquoi les termes de *réflexions*, *commentaires*, qui reviennent à plusieurs reprises, ne relèvent pas ici de la simple précaution ou convention rhétorique : ils expriment à leur façon un certain face-à-face, personnel, avec les textes.

Je remercie vivement monsieur Georges Martin qui a pris l'initiative de cette publication et m'a encouragée à la mener à son terme.

1. FICTION ET RÉALITÉ :
LES INVENTIONS DE L'HISTOIRE

L'itinéraire spirituel de Berzebuey*

Dans son prologue, qui est tout à la fois guide de lecture et d'apprentissage du savoir, guide par conséquent de sagesse et de vie, Ibn al-Muqaffa illustre et prouve par un *exemplum* cinq des principes fondamentaux qu'il énonce. Il ne le fait pas, en tout cas pas de la même façon, c'est-à-dire sous la forme d'une narration, lorsqu'il énonce une règle pourtant essentielle : le sage doit être le premier bénéficiaire de son savoir, il doit en retirer d'abord pour lui-même les premières leçons et les premiers profits. Se contentant de la *similitudo*, Ibn al-Muqaffa dit que le sage ne doit pas être semblable à la source qui, faisant profiter tout le monde de son eau, « ne retire rien pour elle-même de ses services »[1], selon la traduction d'André Miquel. Ou, selon la version castillane, « *ca sería en esto atal commo la fuente que beven todos della e aprovecha a todos, et ella non ha de aquel provecho cosa ninguna* ». De même que sans les œuvres – justes – le savoir et la sagesse sont morts, le sage qui n'œuvre pas d'abord justement et judicieusement pour lui-même cesse d'être un sage.

María Jesus Lacarra a remarqué cette absence et proposé de trouver l'*exemplum* approprié dans le dernier chapitre, le chapitre 18, « *De la gulpeja et de la paloma et del alcaraván* », qui, en effet, boucle parfaitement le livre, lui donnant « *un carácter unitario y cerrado* »[2]. Or l'*exemplum* est peut-être déjà là, somptueux, au seuil du livre, non sous la forme que l'on aurait pu attendre, mais amplifié aux proportions d'un chapitre : c'est la « vie » de Berzebuey, dite par lui, et à laquelle on donne tantôt le nom de biographie, tantôt celui d'autobiographie ou encore celui de biographie à la première personne. On y voit comment un savant devenu sage dirige et gouverne pour son plus grand bien et son meilleur profit les étapes de

* Première publication : « L'itinéraire spirituel de Berzebuey », *Crisol*, 21, 1996, p. 89-101.

1. Ibn al-Muqaffa, *Le livre de Kalila et Dimna*, traduit de l'arabe par André Miquel, Paris : Klincksieck, 1957, p. 13. La version castillane est citée selon *Calila e Dimna*, J. M. Cacho Blecua et M. J. Lacarra (éd.), Madrid : Clásicos Castalia, 133, 1984, p. 94.

2. María Jesus Lacarra, *Cuentística medieval en España. Los orígenes*, Saragosse : Departamento de literatura española, 1979, p. 115.

ses études et de sa vie ; on y voit surtout comment il essaie de résoudre de la façon la plus judicieuse les questions et même les conflits que sa quête peut susciter. Pouvait-on mieux illustrer la nécessité de commencer par bien se « conseiller » et se persuader soi-même qu'en montrant ainsi dans les étapes et les perplexités de sa propre vie le travail actif des forces du savoir jusqu'à devenir vie exemplaire, exemple vivant d'une sagesse non seulement apprise et comprise, mais aussi découverte, acquise, une sagesse à la fois justifiée et professée ?

La meilleure façon de montrer que le sage doit commencer par lui-même n'est-elle pas aussi qu'il s'inscrive, en s'écrivant ou en se faisant écrire, au seuil du livre de sagesse ? Qu'il s'agisse d'une initiative surprenante et d'une origine d'ailleurs mal définie, telle qu'elle apparaît dans l'abrupte version castillane, ou de la juste et sage rétribution demandée au roi en échange du service rendu, comme le dit la version arabe traduite par André Miquel[3], on voit aisément ce que le sage Berzebuey gagne à se trouver ainsi associé à l'écriture et au livre, à figurer au seuil du livre. Il y gagne tout : la gloire, la victoire sur la mort, l'immortalité[4]. Mais s'est-on suffisamment demandé si cette vie en ouverture apporte quelque chose au livre, si le livre lui-même « gagne », si l'on ose dire, quelque chose à être ainsi introduit par la vie de Berzebuey et non pas seulement par le récit plus ou moins circonstancié de l'aventure initiale ? Car il convient, semble-t-il, de dissocier – du moins dans un premier temps – cette aventure dont le récit, déjà fait, rapporte la quête, la découverte et la traduction du livre, actions qui en effet méritent la gloire et la donnent à la fois au découvreur et au livre découvert, de l'autobiographie qui suit. Cette autobiographie constitue un chapitre presque autonome et raconte un deuxième itinéraire (ou le même), c'est-à-dire l'accès à la sagesse, à la vraie vie[5]. Mais le récit de la vie bien « ordonnée » du sage est-il aussi le bon ordre pour le livre ?

3. *Le livre de Kalila*..., p. 28-29.

4. On sait que le désir de *fama* figure aussi dans le prologue du *Sendebar*. Voir M. J. LACARRA, *Cuentística medieval*..., p. 106-107.

5. Dans le texte d'A. Miquel la vie de Borzouyeh est la même que celle que propose la version castillane : « Bozorjmehr s'étendit longuement sur ce chapitre en mettant tout son zèle à lui donner perfection et éclat ; il le consacra à Borzouyeh, parla des différentes étapes de sa vie, fit l'examen de ses croyances religieuses et de ses recherches philosophiques » (*Le livre de Kalila*..., p. 29). Il est intéressant de noter que sur ce point, comme sur d'autres, la version que propose R. R. Khawam va dans le sens d'une plus grande (peut-être excessive ?) cohérence narrative ; le sage Bouzourdj-mihr qui est chargé par le roi d'écrire la vie de Barzawayh est également chargé d'y inclure la mission en Inde dans une biographie devenue parfaitement (trop ?) cohérente et complète : « Tu parleras de ses jeunes années en le plaçant dans son milieu familial et professionnel. Tu mentionneras la mission vers les pays de l'Inde que nous lui avions confiée [...]. » Mais la biographie qui est racontée au chapitre suivant coïncide pourtant avec les récits des deux versions déjà citées. IBN AL-MUQAFFA, *Le pouvoir et les intellectuels ou les aventures*

De quel livre s'agit-il ? Il faut distinguer, bien entendu, la collection de fables proprement dite et un corpus plus ample, c'est-à-dire la collection précédée de l'histoire de son « invention » et de son « inventeur », à laquelle il faut ajouter l'histoire de la création même du livre[6]. Puis un autre corpus : la collection, son histoire et le prologue d'Ibn al-Muqaffa. Où situer exactement l'histoire particulière de la vie de Berzebuey dans l'histoire complexe et mouvante de l'ensemble du corpus ? On sait bien que celui-ci a pu bouger, que l'ordre et le nombre – pour ne pas dire le contenu – de ses parties ont pu être modifiés. La vie de Berzebuey, telle qu'elle est contenue dans le chapitre qui lui est consacré, est-elle comprise dans une sorte de noyau générateur, ou bien est-elle venue s'ajouter ou s'insérer, comme le font les *exempla*, dans une œuvre restée ouverte ? Ibn al-Muqaffa semble bien l'avoir à la fois trouvée et sérieusement modifiée, comme l'ont montré les travaux de Christiensen et de Gabrieli[7]. C'est en tout cas Ibn al-Muqaffa qui a fait précéder l'ensemble d'un texte prologal. Le corpus qui est aujourd'hui proposé aux lecteurs que nous sommes se déroule dans un certain ordre. Cet ordre, il faut le redire, a pu varier, mais en dépit de variations assez considérables dans le récit des commencements et dans l'accès au livre-collection, il semble autoriser un ordre de lecture qui va du prologue vers la collection de fables en passant par le récit de l'« invention » de cette collection et par celui de la vie de son « inventeur-traducteur ». La vie de Berzebuey fait désormais partie du canon du *Calila*.

Le premier effet de cette autobiographie exemplaire est d'« isoler » le sage : dans son itinéraire, rapporté à la première personne, Berzebuey est ou apparaît seul, bien plus seul qu'il ne l'était dans son aventure initiale rapportée à la troisième personne. Les guides que sont les parents parfaits, les maîtres écoutés, les livres déjà lus, les philosophes déjà étudiés, ont fait leur œuvre. Les maîtres ensuite consultés ne font entendre leur voix qu'à travers la sienne. Les premières enquêtes, d'ailleurs, tournent court. L'intelligence et la raison, éveillées par le savoir, doivent poursuivre leur enquête personnelle et solitaire et choisir librement, en connaissance de cause – sans se perdre en route en de vaines recherches, car la vie est courte –, la meilleure voie. Berzebuey est donc son propre conseiller et ne dialogue plus qu'avec lui-même, avec son âme. Pour soutenir sa raison, il pourra toujours avoir recours – ou feindre de le faire – à la force

---

de Kalîla et Dimna, traduction intégrale sur les manuscrits par René R. Khawam, Paris : Maisonneuve et Larose, 1985.

6. Il s'agit de l'histoire du roi Debchelim et du sage Bidpai telle que la rapporte la préface de Ali B. Ach-Chah al-Farisi.

7. Arthur Christiensen, « La légende du sage Buzurjmihr », *Acta orientalia*, 8, 1930, p. 81-128 ; et Francesco Gabrieli, « L'opera di Ibn al-Muqaffa », *Rivista degli studi orientali*, 13, 1932, p. 197-247.

persuasive de l'*exemplum*, que ce soit dans le fil de sa réflexion ou dans celui du récit qu'il en fait, sans qu'il soit toujours aisé de tracer la frontière entre ces deux temps, pour retrouver le vrai temps de l'*exemplum*. Il peut s'agir de simples comparaisons ou d'une allégorie compliquée, ou encore de trois narrations, qui se trouvent insérées dans le texte considéré comme une interpolation d'Ibn al-Muqaffa ; si le premier *exemplum*, « Le voleur et le rayon de lune », et le troisième, « Le marchand et le joueur de harpe », n'ont rien qui puisse vraiment surprendre le lecteur, il en va autrement du second, « Les deux amants ». En effet, n'est-il pas quelque peu irrévérencieux de comparer l'homme en quête de vérité, allant d'une religion à l'autre, avec un amant ridicule, pris en quelque sorte dans la souricière pour le moins équivoque d'une histoire d'adultère qui, soit dit en passant, permet à la femme – rusée et trompeuse – de faire son entrée dans le *Calila* ? Faudrait-il y voir une volonté de contraste ou un dénigrement supplémentaire des religions, ou tout simplement un sourire ? Les deux autres *exempla*, quoique moins surprenants, ne sont pas non plus dépourvus de malice ; on peut retenir en tout cas qu'aussi bien le voleur que l'amant, les deux voleurs en somme, ne sont pas dénigrés comme tels, mais parce qu'ils sont assez sots pour se faire prendre. Ces trois *exempla*, d'ailleurs, ne prouvent rien si ce n'est la capacité d'Ibn al-Muqaffa à briser le sérieux, à faire diversion et à brouiller ses traces.

Mais, qu'il raconte ou non des « histoires » pour mieux se raconter, pour mieux se convaincre ou nous convaincre, ou pour mieux se cacher, le sage apparaît seul : telle est la condition et l'effet de tout retour sur soi, si fictif soit-il. C'est aussi, on le sait, dans la solitude que s'exerce et se manifeste la vraie sagesse pour devenir autorité.

Pour qui lit dans l'ordre, selon Ibn al-Muqaffa, en commençant par le prologue et en suivant les conseils qui y sont donnés, c'est-à-dire en n'avançant dans le livre qu'en ayant bien compris ce qui précède, la vie de Berzebuey est à coup sûr exemplaire, c'est-à-dire qu'elle est la parfaite illustration de ces conseils. À tel point qu'Ibn al-Muqaffa pourrait tout aussi bien avoir construit sur cette vie plus ou moins remaniée par lui sa doctrine du savoir et l'exposé qu'il en fait. Il est inutile de suivre de façon détaillée la liste des rapprochements possibles ; citons entre autres la nécessaire participation personnelle à l'acquisition du savoir, à sa mise en valeur, à sa mise en pratique, le désir de bien comprendre, d'aller au plus profond, au plus vrai et au plus utile pour soi-même et pour les autres, la capacité de déjouer les pièges de toute sorte et en particulier ceux que tendent certaines religions, ces faux amis qui sont autant de voleurs de vie et de voleurs d'âmes ; bref, un « *arte para se guardar* »[8] qui a bien compris les dangers de la goutte de

8. *Calila*..., p. 120.

miel, mais aussi ce que peuvent rapporter au pauvre, dans sa misère, les quelques grains de blé qu'il décide enfin de défendre.

La version castillane, abrupte, mal liée, accentue dès l'abord cet effet d'*exemplum* en s'ouvrant directement sur le voyage en Inde dont l'initiative revient à Berzebuey[9]. Ce voyage est entrepris, avec l'autorisation et l'aide du roi, à la suite d'une erreur de lecture du médecin philosophe, ou plus exactement à la suite d'une interprétation erronée, parce que littérale, des livres lus. Le responsable de l'erreur, Berzebuey, deviendra le héros de la quête et le sujet de l'autobiographie. La différence entre le premier et le deuxième chapitre se fait tout d'abord par le passage de la troisième à la première personne, une première personne qui apparaîtra de nouveau dans le *Calila*, dans les «*historias vividas*» analysées par María Jesús Lacarra[10]. Mais ici cette première personne, dans la version castillane, surgit brusquement sans que l'on sache d'où ni pourquoi.

Dans la version arabe que nous donne à lire André Miquel, il en va autrement : l'autobiographie vient s'inscrire de façon logique et cohérente dans le déroulement parfait d'un schéma de rétribution. La surprise que pourrait provoquer l'apparition du *je*, et peut-être aussi celle que pourrait susciter l'audace de la demande du sage, est atténuée sinon effacée par la double médiation de la grâce royale et de l'intervention de Bozorjmehr, chargé par le roi d'écrire la biographie de Borzouyeh[11]. Bozorjmehr assure donc le relais entre le roi et Borzouyeh, entre le récit principal et le récit «secondaire», transformant ce qui était autobiographie en biographie à la première personne. C'est par la voix de Bozorjmehr, autorisée par le roi, que passe celle de Borzouyeh[12]. Et c'est encore le roi qui, ayant entendu la lecture du chapitre, le déclare digne d'admiration, donnant ainsi son accord.

L'histoire de Borzouyeh est donc ici écrite en réalité à la gloire du roi et pour son service, puisque celui-ci avait demandé à Bozorjmehr d'écrire un chapitre qui «respecterait fidèlement la vérité et constituerait une exhortation à obéir aux rois»[13]. Borzouyeh, le loyal serviteur, celui qui a découvert le livre, le héros de la quête, l'emporte dans ce texte sur Borzouyeh le sage. Quant au roi qui l'a envoyé, il n'a commis aucune erreur. C'est bien un livre de sagesse qu'il souhaite obtenir et non des plantes

9. Dans leur introduction, J. M. CACHO BLECUA et M. J. LACARRA indiquent cette valeur exemplaire à propos du voyage en Inde (*Calila*..., p. 25).

10. À propos des histoires vécues racontées à la première personne dans le *Calila*, voir les commentaires de M. J. LACARRA, *Cuentística*..., p. 67.

11. Sur les deux sages, voir l'étude d'A. CHRISTIENSEN, art. cit.

12. Dans le texte de R. R. Khawam, Barzawayh raconte sa vie à Bouzourdj-mihr; tout devient donc parfaitement cohérent (*Le pouvoir et les intellectuels*..., p. 100).

13. *Le livre de Kalila*..., p. 29.

miraculeuses, à la différence du roi de la *General estoria* qui, s'il a pris l'initiative de la quête, a commis l'erreur de lecture.

L'interprétation peut aller dans les deux sens : soit que Borzouyeh, sous couvert de service royal, réussisse à obtenir par une « ruse », par la *niti*[14], le récit de sa vie, soit que le roi se serve de la vie de ce parfait serviteur pour la gloire de son règne. On peut quand même remarquer que la demande de Borzouyeh est introduite en premier lieu par le souci d'exemplarité : « Ce serait, pour ceux qui viendraient après moi, une leçon pleine d'enseignement, une façon de perpétuer après ma mort le souvenir de ma vie ici-bas. »[15] Mais la vraie leçon de tout cela n'est-elle pas parfaitement exprimée à la fin de ce chapitre : « [...] ceux-là seuls sont nobles que les rois, dans [l'exercice de] leur puissance, ennoblissent et élèvent »[16] ?

Dans la version castillane, l'autobiographie de Berzebuey apparaît aussitôt après le récit du voyage en Inde, sans introduction ni intermédiaire. Cette proximité, un peu incohérente, permet au moins de mieux rapprocher les deux « voyages » et de tenter de situer le second par rapport au premier. Il serait illusoire, et peut-être erroné, de chercher entre les deux le lien d'une logique narrative, autre que le héros lui-même. Pourtant c'est Berzebuey qui, dans son autobiographie, établit un lien entre sa vie et cet épisode initial. À la fin de son deuxième voyage, il déclare : « [...] *et torneme de las tierras de India a mi tierra, después que ove trasladado este libro.* »[17] De même, quand il a voulu montrer que l'exercice désintéressé de la médecine ne l'a pas empêché de jouir de la faveur des princes et des biens de ce monde, il a affirmé un peu plus haut :

> *Et non me estorvó esto de aver buena parte de este mundo et de la privança de los reyes ante que fuese a India. Et después que torné, ove más de lo que quería*[18].

Le deuxième voyage est sans doute plus qu'un complément ou une suite ; c'est une deuxième version, plus didactique, du premier, sa version morale et philosophique. Ses étapes décisives, prises en charge par un *je* exemplaire, semblent bien coïncider avec la découverte et la traduction du livre devenu, plus que le but ou le guide, la vie même du sage. Et le sage traducteur, premier témoignage et presque premier « ressuscité », se trouve bien à sa vraie place à la fois exemplaire et médiatrice, « traductrice » entre l'allégorie initiale et la collection d'*exempla*. L'autobiographie, premier effet de la vérité du livre, joue bien son rôle de « garant » d'une

14. Voir à ce sujet Georg BOSSONG, « Sémantique et structures textuelles dans le *Livre de Calila et Dimna*. Essai de théorie textuelle appliquée », *Cahiers de linguistique hispanique médiévale*, 4, 1979, p. 173-203.

15. *Le livre de Kalila...*, p. 28-29.

16. *Ibid.*, p. 29.

17. *Calila...*, p. 121.

18. *Ibid.*, p. 107.

vérité plus vaste et qui la dépasse ; car si le sage choisit sa voie, il ne se présente pas moins comme l'héritier d'une sagesse dans laquelle il s'inscrit. Tel est, selon André Miquel, le sens de l'autobiographie chez les auteurs arabes[19]. Et si l'on suit l'invitation d'Ibn al-Muqaffa à chercher toujours le vrai sens, le sens caché, ne peut-on aller jusqu'à dire que la vie de Berzebuey est précisément la garantie d'une bonne traduction du livre et même sa traduction véritable ? Cette vie serait alors plus qu'un exemple, si important soit-il, dans le livre, ou un exemple qui représenterait le livre, elle devient le livre lui-même.

Dans ces réflexions ordonnées en forme d'itinéraire ou de vie apparaît le passage consacré aux religions. Il est difficile, s'il s'agit bien d'une interpolation ou d'un remaniement, d'en fixer les frontières textuelles, de même qu'il est difficile d'en mesurer la réelle portée morale ou philosophique. Cet examen critique des *leyes* – qu'il ne faut pas confondre, semble-t-il, avec la *religion*, c'est-à-dire avec l'ascétisme, le renoncement – est-il une simple étape dans un *cursus*, une discussion d'école ? Ou au contraire la trace, si ce n'est l'expression, des inquiétudes réelles d'Ibn al-Muqaffa, mazdéen, sans doute manichéen ou tenté de l'être, et mal converti à l'islam[20] ? Les très anciens conflits entre le corps et l'âme, entre la matière et l'esprit, entre la foi et la raison, entre ce monde et l'autre, devaient être particulièrement aigus dans les milieux intellectuels de Basra et de Bagdad au VIIIe siècle, où ils se mêlaient sans doute à des engagements plus politiques.

La vie de Berzebuey est d'ailleurs, plutôt que la recherche d'une vérité, celle d'une pratique, d'un mode de vie qui, tout en voulant judicieusement garantir l'essentiel, c'est-à-dire *el otro siglo*, n'évite pas toujours les incohérences ni les compromis. La résolution finale, adoptée comme à contrecœur ou en quelque sorte par défaut, se fonde sur le pessimisme et le scepticisme plus que sur une adhésion ou une espérance ; et, en dépit de cette résolution finale, l'ensemble reste comme en suspens, comme en

19. Sur l'autobiographie chez les auteurs arabes, voir la préface d'A. Miquel à sa traduction de la vie d'Ousâma : « Et parce qu'ils sont et se veulent justement des garants, leur vie, leur personne ne sont jamais, dans l'acte d'écriture au moins, qu'une collection de preuves. D'abord ils doivent s'abriter eux-mêmes derrière d'autres garants. Leur "je" se présente comme l'héritier d'une tradition, le dépositaire d'autres témoignages signés par le père, le maître ou le livre. Ensuite, l'auteur voudra faire, pour lui-même, la preuve qu'il aura su prendre le relais, devenir à son heure garant pour les successeurs. Ce ne sont donc pas les "sentiments", les attitudes d'une personne qui importent, mais les étapes d'une vie, mieux, d'un cursus, lequel efface la personne derrière le cours des choses, le chemin de la vie derrière celui des études » ; A. Miquel (éd. et trad.), *Des enseignements de la vie. Souvenirs d'un gentilhomme syrien du temps des croisades*, Paris : Imprimerie nationale, 1983, p. 13. Lorsqu'il commente la classification des autobiographies faite par F. Rosenthal, A. Miquel donne comme exemple de la seconde catégorie, « le domaine de la morale et de la religion », le personnage de Borzouyeh.

20. Voir à ce propos F. Gabrieli, art. cit.

attente, laissant l'étrange sentiment de frustration d'une histoire non finie, même si la version castillane propose une fin plus explicite :

Et tornóse mi fazienda a querer ser [en] religión et emendar mis obras quanto podiese, porque fallase ante mí anchura sin fin en la casa de Dios a do non mueren los que aí son, nin acaeçen aí tribulaçiones. Et así avría guardado mi parte para folgar, et sería seguro de mi alma ante que moriese. Et saber esto es muy noble cosa[21].

D'une façon générale, la vie et le monde sont présentés, religions comprises, religions surtout, comme un immense piège dans lequel l'homme ne doit pas tomber[22]. La vision du monde ne sera guère différente dans la collection d'*exempla*.

Son «*arte para se guardar*», qui relève à la fois du pari et de la ruse, Berzebuey l'a malgré tout construit sur deux certitudes, ou données comme telles : l'existence de l'âme et celle de la vie après la mort. C'est sur ces certitudes d'une importance considérable que ce rationaliste fonde son raisonnement et cherche le meilleur parti. Son ignorance initiale n'est donc pas absolue, de même que sa résolution finale reste empreinte d'un pessimisme sceptique. Mais ce parcours n'en reste pas moins l'exemple de celui que doit faire tout homme – tout homme «*entendido*» – entre la découverte des limites physiologiques et matérielles de sa condition d'homme et de son impuissance à y remédier complètement, et la seule issue raisonnable qui lui reste : un renoncement prudent.

En dépit de différences évidentes et considérables, l'itinéraire de Berzebuey n'est donc pas totalement étranger à celui qui est devenu le modèle parfait du chemin qui mène de la révélation de la condition de l'homme au renoncement absolu. Les connaissances et les frontières de la médecine ne sont jamais qu'une façon de montrer la confrontation impuissante avec la vieillesse, la maladie et la mort, les trois célèbres rencontres, auxquelles s'ajoute la quatrième, celle du moine errant, du renonçant.

Si à propos du voyage en Inde on a évoqué à juste titre les aventures initiatiques des héros, il faut sans doute, à propos de ce second voyage, évoquer aussi cette autre grande aventure humaine qui précisément s'est déroulée en Inde, avec les conséquences que l'on sait. Non que l'on prétende situer la vie du sage Berzebuey et, d'une façon générale, la sagesse du *Calila*

21. Le texte arabe dans la traduction d'A. Miquel dit simplement : «J'en vins ainsi à me contenter de mon sort et à faire tout ce que je pouvais en vue de ma vie future ; j'espérais trouver à ce sujet, dans le passé, des exemples qui me montreraient la bonne voie et par lesquels je pourrais me laisser diriger et secourir» (*Le livre de Kalila*..., p. 48). Comparé à celui-ci, le texte castillan est quand-même plus ferme dans l'espoir (*Calila*..., p. 121).

22. Rappelons que le titre de la traduction castillane de la version occidentale est *Exemplario contra los engaños y peligros del mundo*. Voir à ce propos Marta HARO, «Repercusión de elementos técnico-narrativos en el didactismo del *Exemplario contra los engaños y peligros del mundo*», *in : Historias y ficciones*, Valence : Universitat de València, Departament de filología espanyola, 1992, p. 121-129.

dans la tradition des découvertes et des renoncements du prince Gautama ou, si l'on préfère, de Shakyamuni Bouddha. Les choses, ainsi présentées, seraient simplistes et probablement erronées. Il s'agirait plutôt de reconnaître quelques possibles traces et de ne pas leur refuser toute signification, car ces traces, même si elles sont diffuses, peuvent engager à mieux explorer le versant indien du *Calila*; elles peuvent engager aussi, toujours à partir de ce même versant et dans les avatars d'un double itinéraire compliqué, à mieux explorer les possibles rapports entre deux œuvres, le *Calila* et le *Barlaam*, souvent citées ensemble mais entre lesquelles on n'a longtemps tendu, à notre connaissance, d'autre pont que celui de l'utilisation des *exempla* ou, au mieux, celui d'*exempla* communs. Récemment, il est vrai, ces deux œuvres ont été associées ainsi que d'autres (*Bocados de oro*, *Poridad de poridades* et *Visión deleytable*) dans l'étude consacrée par Marta Haro au « Viaje sapiencial en la prosa didáctica castellana », où l'on peut voir à la fois la permanence et les variations de certains schémas[23]. Mais il conviendrait peut-être, si cela n'a pas déjà été fait, de resserrer la comparaison entre le *Calila* et le *Barlaam.*

Sans se laisser prendre aux mirages des filiations et des dérivations faciles, et sans méconnaître le rôle et l'importance d'autres sources, en particulier des sources grecques, il serait peut-être utile de remonter à cette sorte de tronc commun qu'a pu être la vie de Bouddha dans ses différents « états » et en particulier dans sa version arabe. Quelle « vie », quelle forme de sagesse a véhiculée, en particulier à Bagdad au VIIIe siècle, le Kitab Budhasaf mufrad, version de la légende de Buddha, contemporaine des premières traductions arabes ? Ibn al-Muqaffa est-il vraiment l'auteur de l'une de ces versions[24] ? Et s'il l'est, est-il imaginable que cela n'ait eu aucune incidence sur sa propre quête de la sagesse et sur le *Calila* ?

Certes, rien de plus différent de cette vie – ni de celle de Josafat –, du moins à ses débuts, que celle de Berzebuey dont l'enfance, parfaite, n'a été précédée d'aucune prédiction, n'a fait l'objet d'aucune protection particulière, d'aucun maintien forcé dans l'ignorance ; et l'on a vu que son parcours est loin d'être aussi radical. Mais les deux parcours ont malgré tout des points communs : découverte des limites physiologiques de l'homme, rejet de la religion des pères, construction personnelle d'une sagesse fondée sur le renoncement.

23. *Id.*, « El viaje sapiencial en la prosa didáctica castellana de la Edad Media », *in :* Alan DEYERMOND et Ralph PENNY (dir.), *Actas del I congreso anglo-hispano (Huelva, 1992), II : Literatura*, Madrid : Castalia, 1993, p. 59-71.

24. Comme il est dit dans l'introduction d'Olga T. Impey et John E. Keller à *Barlaam e Josafat*, John E. KELLER et Robert W. LINKER (éd.), Madrid : CSIC (Clásicos hispánicos), 1979, p. XXIV.

Ces deux œuvres, le *Calila* et le *Barlaam*, semblent en tout cas être venues se déposer, et peut-être confluer, dans l'œuvre d'un auteur castillan du XIVe siècle : don Juan Manuel. On sait que nombre de ses *exempla* procèdent – mais par quel chemin ? – du *Calila*. D'où vient que la lecture de la vie de Berzebuey invite si souvent à évoquer non seulement la cinquième partie du *Conde Lucanor*, mais aussi le *Libro de los estados* ? Le sage médecin n'essaie-t-il pas d'abord de faire son salut par l'exercice parfait de son état[25] ? N'est-il pas conscient du risque d'en changer ? Il fait le tour des religions, qu'il trouve trop nombreuses et suspectes. Il cherche, pour assurer son salut, une vérité à laquelle puisse adhérer sa raison. Et même s'il affirme la supériorité de l'ascèse et du renoncement, il ne refuse pas les honneurs et les richesses de ce monde.

Si Juan Manuel a connu la version du *Calila* que nous connaissons, c'est-à-dire s'il a lu comme nous cette vie de Berzebuey, elle a sans doute coïncidé avec certaines de ses préoccupations. Sans être christianisée[26], elle était restée suffisamment ouverte dans sa sagesse et elle était devenue suffisamment suggestive dans sa traduction, qui est une forme de christianisation, pour que Juan Manuel puisse l'inclure aussi dans sa réflexion et, pourquoi pas, s'en souvenir au moment de donner sa propre version du *Barlaam* dans le *Libro de los estados*. Dans cette version, il faut le rappeler, la prédiction a disparu, les *sectas* sont refusées et la raison tient une grande place.

Les conclusions de Berzebuey après son examen critique et son refus des religions semblent bien, dans la fermeté du castillan, poser les termes d'un débat et même d'un conflit entre *saber* et *creer* :

> *Et nin fallé en ninguna dellas razón que fuese verdadera nin derecha, nin tal que la creyese omne entendido et non la contradixiese con razón. Et después que esto vi, non fallé carrera por donde siguiese a ninguno dellos. Et sope que, si yo creyese lo que non sopiese, que sería atal commo el ladrón engañado que fabla en un ejemplo*[27].

25. Berzebuey, médecin parfait, a dû être très bien accueilli à une époque où cet « état », comme l'ensemble des états de la société, était l'objet de codifications qui soulignaient certaines règles « professionnelles ». Trois textes importants leur sont consacrés : celui qui se trouve dans la loi 10 du titre 9 de la seconde *Partida*, celui que consacre aux médecins le *Libro de las confesiones* de Martín Pérez vers 1316, et le chapitre 96 de la première partie du *Libro de los estados*. Juan Manuel y montre la nécessité pour le médecin d'avoir des qualités autres que la connaissance de son art et insiste sur la nécessité de la loyauté : « *Ca si el omne natural mente non a buen entendimiento et lo que entiende non es sinon por las çiençias que sabe, a la ora quel sacaren de aquello que a leydo, tan poco recabdo sabrá y dar commo si nunca lo oviese oydo* » (JUAN MANUEL, *Libro de los estados, in : Obras completas, I*, José Manuel BLECUA (éd.), Madrid : Gredos, 1982, p. 405). Pour une étude comparée de ces trois textes, voir la thèse (inédite) d'Hélène THIEULIN PARDO, *Les manuels de confession en Castille au XIVe et au XVe siècle*, Paris-Sorbonne, 1993, p. 346-349. [Il existe désormais une édition du *Libro de las confesiones* : Martín PÉREZ, *Libro de las confesiones : una radiografía de la sociedad medieval española*, Antonio GARCÍA Y GARCÍA, Bernardo ALONSO RODRÍGUEZ et Francisco CANTELAR RODRÍGUEZ (éd.), Madrid : BAC, 2002.]

26. Elle le sera dans les versions occidentales. Voir M. J. LACARRA, *Cuentística*..., p. 174.

27. *Calila*..., p. 108-109.

Sans doute ce *creer* fait-il surtout référence à la crédulité, comme semblent l'indiquer les traductions françaises des sources arabes[28]. Crédulité et manque de réflexion sont bien des thèmes majeurs de la littérature exemplaire, et l'*exemplum* du voleur et du rayon de lune semble aller dans ce sens. Mais il s'agit ici de réflexions philosophiques et de religion. La crédulité ne pourrait-elle être interprétée à un autre niveau ? La lecture de ces phrases ne pouvait-elle, en tout cas, évoquer pour un lecteur chrétien en quête de vérité un conflit entre la foi et la raison, conflit qui, très probablement, avait déjà préoccupé Ibn al-Muqaffa ? C'est précisément ce conflit que Julio, dans le *Libro de los estados*, veut résoudre dans sa démonstration : « *Que crea el omne lo que non vee nin puede alcanzar con razón.* »[29]

28. A. Miquel traduit : « Quand j'eus fait ces constatations, je vis bien que je ne pouvais, sur aucun chemin, emboîter le pas à l'un quelconque de ces gens-là et que, si je me disais d'accord avec eux sans savoir de quoi il s'agissait, je ferais comme cet homme dont la crédulité fut trompée » (*Le livre de Kalila*..., p. 36). Chez R. R. Khawam on trouve : « Je me conduisais de la même manière que celui qui avait cru ce qu'il avait entendu et avait été trompé par le fait même d'y croire » (*Le pouvoir et les intellectuels*..., p. 105).

29. Juan Manuel, *op. cit.*, p. 32.

Le roi Rodrigue ou Rodrigue roi*

> Œdipe. – Mais ce qu'il est honteux de commettre, il n'est pas glorieux d'en parler. Qu'attendez-vous, au nom des dieux? Cachez-moi loin d'ici, tuez-moi, jetez-moi à la mer, il n'importe, là où vous ne me verrez plus jamais!
> (*Œdipe roi*)
>
> – À quoi leur servira-t-il que je repose à leurs portes?
> (*Œdipe à Colone*)

Un pluriel et un singulier

Lire les «Légendes de Rodrigue, dernier roi wisigoth d'Espagne»[1], c'est d'abord affronter un redoutable pluriel; celui de la mouvance, de la latence et de la réactivation, de la mutation aussi et des contaminations de toutes sortes[2]; celui du temps long, de l'espace large et différencié; c'est le pluriel des perspectives diverses, celles des vainqueurs et des vaincus, mais aussi des héritiers, ou du moins de ceux d'après, des vainqueurs ou qui se veulent tels, qui inventent leur histoire après avoir découvert ou retrouvé le pouvoir de l'historiographie. L'écriture de l'histoire ne cessera plus d'être agissante, miroir et masque, arme et propagande et aussi acte de fondation[3]. Un pluriel donc, et difficile : celui de la multiplicité et surtout celui du mal ou indifférencié.

* Première publication : «Le roi Rodrigue ou Rodrigue roi», *Imprévue*, 1, 1983, p. 61-105.

1. [Tel était le thème proposé aux candidats au concours de l'agrégation d'espagnol en 1982-1983, point de départ de cette réflexion.]

2. Tout cela a été magistralement analysé par René Cotrait, *Le comte Fernán González. Genèse de la légende*, Grenoble : Imprimerie Allier, 1977. Il serait passionnant de comparer les deux genèses.

3. [Voir à propos des premières émergences historiographiques sur ce thème la remarquable analyse à la fois rigoureuse et suggestive de Georges Martin, «La chute du royaume wisigothique d'Espagne dans l'historiographie chrétienne des VIIIe et IXe siècles. Sémiologie socio-historique», *Cahiers de linguistique hispanique médiévale*, 9, 1984, p. 207-233, repris dans *Histoires de l'Espagne médiévale. Historiographie, geste, romancero, Annexes des Cahiers de linguistique hispanique médiévale*, 11, 1997, p. 11-42. Nous citerons d'après cette dernière édition.]

Peut-on trouver un fil d'Ariane pour ce labyrinthe ou transformer le labyrinthe en itinéraire plus commode, sinon moins ardu, en le faisant quête d'un singulier, d'un point fixe : Rodrigue ? Ce singulier-là n'est pas simple. Il est point de convergence, faussé par le pluriel-singulier de dernier, mis en concurrence de surcroît avec le singulier de l'Espagne (elle-même plurielle ?). Comment ne pas être tenté alors par une ultime réduction ? Rodrigue est un bouc émissaire.

Mais cette métaphore ne peut plus relever d'un usage banal et imprécis. Ces mêmes ouvrages qui sont responsables de la tentation se dressent aussitôt contre elle[4]. On ne peut plus dire bouc émissaire à propos de n'importe qui et surtout pas n'importe comment. Faut-il refuser la tentation par crainte d'une lecture erronée ? Parce que notre lecture ne permet pas toujours de retrouver les mécanismes stricts – nous dirions volontiers orthodoxes – que ces ouvrages fondent, de retrouver surtout leur fonctionnement radical, sans lequel ces mécanismes n'ont plus de raison d'être, ne sont pas ? Si le malaise est là, il peut avoir deux causes : ou ce mécanisme victimaire n'existe pas ici et nous nous sommes trompée, ou nous ne savons pas bien lire. Convaincue que la seule erreur grave – la seule hérésie – serait un placage arbitraire, nous acceptons le doute et dirons les émergences que nous croyons reconnaître. D'autres liront mieux, ou liront autrement.

Le malaise vient aussi d'ailleurs. N'allons-nous pas, malgré un effort de rigueur, bousculer un peu faits et choses, indifférencier fable et histoire, non pas comme le fait l'invention positive de l'imaginaire historique, qui est vérité, mais dans l'amalgame confus, qui est mensonge ? Et les historiens, descendants du très sérieux Pérez de Guzmán, ne nous enverraient-ils pas rejoindre – très modestement – les coupables de délit de « *trufa* » ou « *mentira paladina* » ? Les historiens ont travaillé et travaillent sur Rodrigue. Leurs travaux s'efforcent de rectifier les idées reçues[5]. Mais ils ne veulent pas détruire les mythes, encore moins l'imaginaire, qui appartiennent aussi à l'histoire. Ils veulent seulement les désigner. Quant à nous, nous ne faisons que réfléchir sur un imaginaire.

Un mécanisme pourtant semble s'installer : le roi Rodrigue devient un Rodrigue roi. On l'invente dernier : c'est une instauration ; on le fait transgresseur, puis expiateur. Il est chassé ou se condamne lui-même à l'exil et à

4. Il s'agit bien entendu des ouvrages de René GIRARD : *La violence et le sacré*, Paris : Grasset, 1972 ; *Des choses cachées depuis la fondation du monde*, recherches avec J. M. Oughourlian et Guy Lefort, Paris : Grasset, 1978 ; *Le bouc émissaire*, Paris : Grasset, 1982.

5. Il faut une fois de plus souligner l'importance de l'œuvre de C. SÁNCHEZ ALBORNOZ sur tout ce qui concerne l'histoire et l'historiographie de l'époque qui nous intéresse. Plus près de nous se trouvent les analyses fondamentales de Abilio BARBERO et Marcelo VIGIL, *La formación del feudalismo en la Península ibérica*, Barcelone : Editorial Crítica, 1978.

la mort. Royauté, transgression, purgation : allons jusqu'au bout et disons réconciliation, fondation. Une chose nous semble certaine : il a fallu à un moment et dans un lieu donnés un dernier roi wisigoth d'Espagne, et il a fallu démonter pour les remonter les mécanismes de l'alliance. Cette fonction paradoxalement fondatrice de Rodrigue, nous la situerions volontiers entre deux tombeaux :

– la découverte – l'invention – du sépulcre de Viseo : le roi perdu est retrouvé (nous sommes au IXe siècle) ;

– le carillon des cloches de Viseo, cinq siècles plus tard peut-être : le roi pécheur est sauvé, son âme sort du tombeau[6].

Les thèmes de la destruction et de la restauration de l'Espagne, celui surtout de la *sangre de los Godos* ont fait le lien, et l'imagination, qui n'est pas innocente, le reste. Mais avant, il s'est passé une histoire qui a fait perdre l'Espagne à et par son dernier roi. Les historiens analysent avec rigueur le pourquoi et le comment. L'imaginaire, lui, se donne un bouc émissaire, mais il est rigoureux, à sa façon.

Le bouc émissaire

Le mécanisme victimaire, tel que l'a démonté et défini René Girard, est une bonne clé – nous n'osons dire la bonne – pour pénétrer dans l'imaginaire historique qui nous concerne. Il montre aussitôt des notions fondamentales, et en premier lieu la crise. Provoquée par la violence du désir mimétique qui engendre à l'infini des doubles et produit toujours du même, elle détruit la communauté par l'indifférenciation : c'est la crise indifférenciée ou la crise sacrificielle[7]. Voici ensuite la causalité, souvent confondue, surtout au Moyen Âge, avec la culpabilité et la responsabilité. Cette responsabilité, dans la production d'un bouc émissaire, est double, car elle se réfère à ce qui est ainsi désigné et à qui la désigne. C'est déjà rencontrer le problème de la vérité, mais la vérité, par rapport à la victime émissaire, ne consiste pas seulement à dire si elle fut vraiment coupable ou responsable, volontairement ou involontairement. C'est, plus fondamentalement, la croyance ou la non-croyance en cette culpabilité et surtout l'adhésion ou la non-adhésion de la victime émissaire à la croyance qui la fait telle, que parfois elle partage ou finit par partager. On aura reconnu la lecture des textes de persécution qui peuvent être écrits et lus dans la

6. C'est en effet au XIVe siècle que ce miracle apparaît dans les textes et vient s'incorporer à la légende telle que nous la connaissons.

7. Voir essentiellement R. GIRARD, *La violence*..., chap. 2 et 6, et *Des choses*..., p. 20. Il est intéressant de suivre l'analyse critique que fait R. Girard de la *mimésis* et surtout de suivre avec lui le passage du désir mimétique d'*appropriation* à la *mimésis* de *l'antagoniste* (*Des choses*..., p. 34-35).

perspective des persécuteurs ou des persécutés[8]. Que la victime non pas soit, mais se sache et se déclare innocente (et non pas seulement parce qu'elle se sait le jouet de forces qui la manipulent mais qui maintiennent intacte la relation avec la souillure) est en effet une grande révolution, et grande est aussi celle qui la fait vraiment voir innocente[9].

Le bouc émissaire oppose au tous contre tous un tous contre un[10] et montre donc à la fois la communauté et sa victime. Même si l'attention se déplace de la première vers la seconde, il n'en reste pas moins vrai que la communauté se fonde par ce qu'elle exclut[11]. À la violence destructrice de la crise indifférenciée elle oppose l'interdit, qui selon René Girard la dessine en creux, et le rituel, qui la dessine en relief en faisant souvent transgresser l'interdit[12]. La victime, maléfique avant, devient bénéfique après : tel est le sens des deux Œdipe de Sophocle dont nous verrons plus loin qu'ils ne sont pas totalement différents de nos deux Rodrigue. Ainsi se produit le sacré, celui du mythe ou du primitif[13]. Mais n'oublions pas le sacré du Lévitique qui purge Israël pour lui permettre de retrouver Dieu. Et puisque Dieu – du moins le Yahvé de l'Ancien Testament – semble parfois lui-même choisir des boucs émissaires ou désigner un dernier survivant (ce qui est la même chose), nous voici confrontés au vertigineux problème de la relation entre la violence des hommes et la violence de Dieu[14].

Nous espérons que tout familier des légendes de Rodrigue aura été interpellé au passage, ou du moins se sera senti concerné. Passer de Dieu à Rodrigue, tel qu'il est imaginé, n'est en aucune façon *redescendre sur terre*, mais bien rester au cœur du problème qu'a posé aux historiens du Moyen Âge l'écriture de l'histoire : le problème du dire vrai.

8. Voir surtout dans *Le bouc*..., p. 7-38, l'analyse du texte de Guillaume de Machaut dans lequel les juifs sont dits coupables de la peste, et p. 23, les stéréotypes de persécution.

9. On sait que pour R. GIRARD ce sont les textes évangéliques qui révèlent de façon radicale et irréversible la fausseté du sacré violent. La victime se proclame innocente (« Mon Père, pardonne-leur, parce qu'ils ne savent pas ce qu'ils font », Luc, XXIII, 34) et toute violence est renvoyée à l'homme. Voir *Des choses*..., p. 219 ; *Le bouc*..., p. 127 *sq.*

10. Ce sont bien entendu les formulations de R. Girard.

11. R. GIRARD, *La violence*..., p. 438.

12. *Id.*, *Des choses*..., p. 18-25.

13. C'est le thème de *La violence et le sacré*, et l'explication qui y est donnée du mythe : voir en particulier « La genèse des mythes et des rituels » (p. 135 *sq.*). Pour le bouc émissaire du Lévitique, voir *Des choses*..., p. 153.

14. Si l'ensemble des textes judéo-chrétiens dénonce ce mécanisme victimaire, les textes vétéro-testamentaires restent encore ambigus puisque « c'est Dieu qui assume la violence et qui fonde l'humanité en chassant Adam et Ève loin de lui » (*Des choses*..., p. 166). La perspective mythique est donc encore là. Mais si Romulus et Caïn sont tous deux des meurtriers fondateurs, Caïn, lui, est un assassin. Le mythe est « subverti » (*Des choses*..., p. 168 *sq.*). *La violence de Dieu* est le titre d'un ouvrage de Pierre CHAUNU, Paris, Robert Laffont, 1978.

Dire vrai

Dire vrai, c'est d'abord dire, car c'est un devoir, et se taire est un mensonge qui abolit la mémoire fondatrice[15]. C'est aussi tout dire et ici intervient le problème du témoignage, du vu et de l'entendu, de l'autorité, du crédible (l'écart entre le réel et le fantastique n'étant pas ce qu'il est pour nous). C'est surtout dire juste, montrer les causes et les effets, désigner les responsabilités et les mérites, car l'histoire doit rendre à chacun ce qui lui revient. Au temps aussi il faut rendre justice en l'ordonnant par les dates, les repères de toute sorte ou toute forme de chronologie. C'est aussi dire utile, car l'*exemplum* est partout, guide efficace, preuve irréfutable ou pédagogie (et cette histoire-là ne saurait refuser a priori ce que nous nommons fable, puisque Aristote lui-même accordait en certains cas plus de force démonstrative à la fable qu'à l'histoire). Dire vrai, c'est retrouver sous le particulier le général ou l'universel, la « sententia »[16]. C'est écrire pour la gloire d'une communauté, d'une lignée ou d'un prince, et aussi pour la gloire de Dieu en le montrant à l'œuvre dans une histoire qu'il a créée, et dans laquelle il est intervenu en s'inscrivant personnellement dans le temps historique des hommes. C'est se situer par rapport au salut et c'est, selon la formule de Pierre Chaunu, « une prospection rationnelle du passé »[17].

Mais qui n'aura reconnu, en même temps que l'Écriture et la Parole, ou le Texte et la Glose, la persistance du discours rhétorique et de la vérité qu'il veut produire ? Le juste/injuste du judiciaire pour accuser ou défendre, l'utile/nuisible du délibératif pour conseiller ou déconseiller, le beau/laid de l'épidictique pour louer ou blâmer[18] ? Or nous savons bien que la vérité produite par la rhétorique est suspecte, mais cet art, ce savoir de mieux en mieux connu et manié, peut, joint au premier, donner le formidable pouvoir d'organiser la mémoire. On en a usé très vite. Si l'écart reste longtemps imprécis entre ce que nous nommons fable et histoire, il ne l'est pas moins entre ce que nous nommons histoire et document, puisque

15. Renvoyons à quelques ouvrages essentiels : Benoît LACROIX, O. P., *L'historien au Moyen Âge*, conférence Albert-le-Grand, 1966, Montréal-Paris : Institut d'études médiévales-Vrin, 1971 ; Bernard GUENÉE (dir.), *Le métier d'historien au Moyen Âge. Études sur l'historiographie médiévale*, Paris : Publications de la Sorbonne, 1977 ; *id.*, *Histoire et culture historique dans l'Occident médiéval*, Paris : Aubier-Montaigne, 1980. On peut également consulter avec profit l'étude de Victor FRANKL, *El Antijovio de Jiménez de Quesada*, Madrid : Cultura hispánica, 1962. Voulant éclairer le concept de vérité au XVIe siècle, l'auteur remonte largement plus haut et son analyse nous concerne.

16. Sur l'importance de cette démarche dans l'œuvre d'Alphonse X, voir Francisco RICO, *Alfonso el Sabio y la General estoria*, Barcelone : Ariel, 1972, en particulier p. 167 *sq.*

17. P. CHAUNU, *op. cit.*, p. 132.

18. On aura reconnu le schéma proposé par Roland BARTHES dans « L'ancienne rhétorique », *Communications*, 16, 1970, p. 172-229, p. 210.

l'histoire fonde, prouve, légitime aussi bien les champs du monastère que la couronne du roi : c'est un immense cartulaire[19]. Et, bien sûr, un instrument politique ; le rapport roi-historiographie ne va cesser de se resserrer et l'*inventio* d'en dépendre. Mais quand Alphonse X fait écrire *el fecho de España*, il fait encore son métier de roi, vicaire de Dieu, responsable de la communauté et de l'honneur de l'Espagne[20].

L'histoire est un récit et une cause, mais c'est bien parce qu'elle est pardessus tout un formidable tribunal que les règles du raconter deviennent plus strictes et que Fernán Pérez de Guzmán traduit Pedro de Corral et la *Crónica sarracina* devant le tribunal des censeurs-historiens pour les condamner sans appel. Célèbre est le verdict ; est-il toujours bien compris ?

La transgression de Pedro de Corral

En cette fin du Moyen Âge espagnol, Pérez de Guzmán a eu plus que nul autre une très haute conception de l'histoire et du statut de l'historien. Le Prologue des *Generaciones y semblanzas* tourne inlassablement autour de « *la verdad del fecho como pasó* », et l'on a parfois l'impression que va se dégager une vérité qui n'est plus celle que plus haut nous avons essayé d'approcher par le discours bien *moyenâgeux* de l'énumération et de la compilation. Ce n'est pas ici le lieu d'analyser tout ce Prologue[21], mais Pedro de Corral est notre affaire[22].

19. Jean-Philippe GENET, « Cartulaires, registres et histoire : l'exemple anglais », *in* : B. GUENÉE (dir.), *Le métier d'historien*..., p. 95-129.

20. Sur l'importance de l'histoire comme instrument politique on ne compte plus les analyses. On en trouvera de très pertinentes dans les ouvrages que nous avons cités. [Voir également dans le présent ouvrage « Noblesse et monarchie », note 3.] Pour mieux cerner le problème particulier de Rodrigue, nous renvoyons à A. BARBERO et M. VIGIL, *op. cit.*, en particulier chap. 6, « La historiografía de la época de Alfonso III », p. 232 *sq.* Sur l'importance politique de l'historiographie dans l'Espagne du XVe siècle, il faut toujours se reporter à Robert B. TATE, *Ensayos sobre la historiografía peninsular del siglo XV*, Madrid : Gredos, 1970.

21. [Même si ce texte est souvent cité, il ne sera pas inutile d'en rapporter le début : « *Muchas vezes acaesçe que las corónicas e estorias que fablan de los poderosos reyes e notables prínçipes e grandes cibdades son avidas por sospechosas e inçiertas e les es dada poca fe e abtoridat, lo qual entre otras cabsas acaeçe e viene por dos : la primera, porque algunos que se entremeten de escrivir e notar las antigüedades son onbres de poca vergüeña e más les plaze relatar cosas extrañas e maravillosas que verdaderas e çiertas, creyendo que non será avida por notable la estoria que non contare cosas muy grandes e graves de crer, ansi que sean más dignas de maravilla que de fe, como en otros nuestros tienpos fizo un liviano e presuntooso onbre llamado Pedro de Coral en una que se llamó Corónica Sarrazina, otros la llamavan del Rey Rodrigo, que más propiamente se puede llamar trufa o mentira paladina. Por lo qual, si al presente tienpo se platicase en Castilla aquel muy notable e útil ofiçio que en el tienpo antiguo que Roma usava de grant poliçía e çivilidad, el qual se llamava çensoria, que avía poder de esaminar e corrigir las costunbres de los çibdadanos, él fuera bien digno de áspero castigo* » (Fernán PÉREZ DE GUZMÁN, *Generaciones y semblanzas*, R. B. TATE (éd.), Londres : Tamesis, 1965, p. 1).]

22. Pour Pedro de Corral, voir plus loin « Pelayo et la fille du marchand : réflexions sur la *Crónica sarracina* », note 2.

Le premier temps de l'argumentation traite de la dégradation des «*crónicas e estorias que fablan de los poderosos reyes e notables principes e grandes çibdades*»[23]. Ceci montre déjà l'importance de l'enjeu, de l'honneur qui est en cause, donc de la responsabilité de l'historien : en relief le rôle public (positif) et en creux la charge officielle (négative). Ces histoires sont souvent «*sospechosas e inçiertas*». On leur accorde «*poca fe e avtoridad*». La première cause est une usurpation de la fonction («*algunos que se entremeten*») par de faux historiens qui n'ont pas le sens de l'honneur de leur charge («*de poca vergüeña*») et qui substituent leur plaisir à leur devoir («*más les plaze*»). Être historien est donc un véritable état bien codifié, avec ses lois et son éthique. Ces usurpateurs font erreur sur le bien, ici le *notable*. Ainsi se trouvent opposées aux choses «*verdaderas e çiertas*» les «*cosas estrañas e maravillosas*» :

> [...] *mas les plaze relatar cosas estrañas e maravillosas que verdaderas e çiertas, creyendo que non será avida por notable la estoria que non contare cosas muy grandes e graves de crer, ansí que sean más dignas de maravilla que de fe*[24].

À première vue, c'est donc bien une opposition *fe/maravilla* que nous trouvons par rapport à une *verdad = autoridad*. Et c'est comme un exemple extrême de cette confusion usurpatrice et éhontée qu'apparaît Pedro de Corral («*liviano e presuntuoso ombre*») avec son œuvre dégradée («*una que se llamó* [...] *otros la llamaban*»), ou plutôt son anti-histoire («*que más propiamente se puede llamar trufa o mentira paladina*»). La première conclusion se confirme : *mentira* s'oppose à *verdad* (*verdad* qui est, ne l'oublions pas, double : celle que produit l'histoire et celle qu'on lui accorde). L'affaire est déjà assez grave pour que Pérez de Guzmán regrette l'absence des censeurs romains, dont la fonction de gardiens de l'ordre public et des bonnes mœurs («*gran poliçía e civilidad* [...] *examinar e corrigir las costumbres*») représente ici l'histoire. Corral serait bien «*digno de áspero castigo*».

Nous avons cru la cause entendue et jugée. Ce qui est condamné, c'est l'imagination mensongère, les *histoires* et le *roman*. Nous avons tort. Le *Ca* qui immédiatement renoue l'argumentation accusatrice n'est pas un rebondissement, une accusation de plus; c'est le vrai délit, la *sententia*. L'usurpateur mensonger est un falsificateur de *fama*; or c'est la juste *fama* qui trace la frontière entre le vrai et le faux. Que s'est-il passé? Pérez de Guzmán a très bien vu que la *Crónica sarracina* n'était pas de l'histoire – c'est l'évidence même. La meilleure façon de la dénoncer n'est pas de la situer ailleurs – et où l'aurait-il rangée? –, c'est de la garder dans le système, de lui faire transgresser l'interdit, et de l'exclure. Du même coup, la loi nous est donnée.

23. F. PÉREZ DE GUZMÁN, *op. cit.*, p. 1.
24. *Loc. cit.*

Le crime est plus grand encore si nous lisons bien. Cette transgression, provoquée par une sorte de désir mimétique d'appropriation d'une histoire-objet, peut être cause de crise destructrice de l'ordre moral et social, de crise indifférenciée. Car ceux qui fondent cet ordre (« *reyes e principes, cavalleros, sabios e letrados* ») et qui font leur *ofiçio* pour la *fama*, se voyant mal ou non rétribués par l'histoire, cesseront de bien le faire, c'est-à-dire de le faire. On voit combien il est important que soit établie la différence entre *el estoriador* (ordre) et le *trufador* (désordre). *El estoriador* fait lui-même partie des *sabios e letrados* (quoique différent, puisque dépositaire et producteur de leur *fama*). Il est une fonction qui joue un rôle dans un corps social, et ce corps social ne pouvant bien fonctionner que par la parfaite complémentarité des corps différents qui le composent, si une pièce fonctionne mal (*el trufador*), l'ensemble est détruit. Le *trufador* est un traître.

Il reste à dire la dernière conséquence d'un tel délit. *El estoriador* peut être lui-même découragé de faire son métier, et c'est alors la disparition de l'histoire, la vraie destruction. Par quel malicieux hasard, ou au contraire par quelle volonté, ce discours dénonciateur est-il devenu dans le manuscrit de l'Escorial (manuscrit X-I-12) l'un des deux prologues de la *Crónica sarracina*[25] ?

25. [Ces accusations de Pérez de Guzmán sont peut-être inspirées en partie par des rivalités politiques, c'est-à-dire une appartenance à des *bandos* contraires, comme le suggère Ramón MENÉNDEZ PIDAL (éd.), *Floresta de leyendas heroicas españolas. Rodrigo, el último Godo*, 3 vol., Madrid : Clásicos castellanos (62, 71 et 84), 1958, 1, p. XCIX. Elles témoignent en tout cas du succès obtenu par la *Crónica sarracina*, un succès que l'imprimerie viendra très tôt confirmer. Le public auquel s'adressait Corral était large en effet et pouvait être séduit par ces *histoires* que l'histoire venait cautionner. Car il se pourrait que la violence de Pérez de Guzmán montre non seulement le succès de la *Crónica sarracina*, mais aussi le crédit qu'on lui accordait, ce qui d'ailleurs justifierait les accusations. Il convient de rappeler que dans la tradition manuscrite la *Crónica sarracina* et la *Crónica del Moro Rasis* se sont trouvées liées. Dans leur introduction à l'édition de la *Crónica del Moro Rasis, versión del Ajbar Muluk Al-Andalus de Ahmad Ibn Muhammad Ibn Musa Al-razi, 889-955 ; romanzada para el rey don Dionis de Portugal hacia 1300 por Mohamad, alarife, y Gil Pérez, clérigo de don Perianes Porçel*, Madrid : Gredos, 1975, Diego CATALÁN et María Soledad de ANDRÉS décrivent trois manuscrits (Ca, Es et Mo), dans lesquels la traduction de Rasis se trouve interrompue à la mort du roi Acosta, la *Crónica sarracina* venant relayer le récit. Il en est de même dans le manuscrit de la Bancroft Library (University of California at Berkeley, Bancroft Library, ms. UCB 143, vol. 124), décrit et analysé par Antonio CORTIJO OCAÑA, « La *Crónica del Moro Rasis* y la *Crónica sarracina* : dos testimonios desconocidos », *La Corónica*, 25 (2), 1997, p. 5-29. L'histoire de Rodrigue se trouve ainsi précédée d'une description de l'Espagne et d'une chronologie des rois de l'Espagne préislamique. Sans doute, comme le fait remarquer A. Cortijo Ocaña, le début abrupt de la *Crónica sarracina*, qui commence après la mort du roi Acosta, invite-t-il à combler un vide chronologique et narratif, mais aussi peut-être un déficit d'autorité. Tout cela entraînerait l'introduction d'un passé devenu prologal et légitimant, à l'initiative peut-être de Corral lui-même, qui, selon une hypothèse de D. Catalán, pourrait être le traducteur de Rasis. Ce prologue en tout cas renforçait l'autorité de l'œuvre, qui pouvait dès lors se lire comme une chronique. Et c'est bien ainsi qu'a été lu le volume 124 de la Bancroft Library, où une main du XVIe siècle a inscrit : « *Historia de la destruyción y renuevo de las Españas* » (A. CORTIJO OCAÑA, art. cit., p. 8). Toutefois, selon l'argumentation convaincante d'A. Cortijo, s'il s'agit de deux œuvres destinées à être lues ensemble, il s'agit bien de deux œuvres distinctes, et la

La deuxième raison qui, selon Pérez de Guzmán, détruit la vérité en histoire, est la dépendance de l'historien par rapport au roi et au prince. La *verdad del fecho como pasó* est dégradée par le *complaçer e lisonjar*. À première vue, Pedro de Corral n'est pas concerné. Mais l'œuvre n'a-t-elle vraiment rien à voir avec la royauté ? Ni avec la *fama* ? De cette *fama* dont il a été tant parlé, il faut bien dire un mot. María Rosa Lida de Malkiel a montré les significations complexes que recouvrent ce but et ce mobile de plus en plus présents dans les mentalités de la fin du Moyen Âge[26]. Le désir de gloire est un mobile puissant et un but légitime, mais parce que production génératrice de bien et de vertu. La gloire est donc reconnaissance du juste mérite, et si l'historien, au lieu de simplement témoigner d'une gloire extérieure, en devient de plus en plus le créateur, c'est toujours par rapport à une gloire ainsi comprise. La restriction bien connue (« *la buena fama cuanto al mundo* ») n'est pas une simple précaution oratoire de Pérez de Guzmán, mais la reconnaissance d'un bien supérieur. En un mot cette gloire-là n'est pas la seule immortalité. Quant à celle de l'historien, ce n'est pas la gloire par les lettres – tentation de Pedro de Corral ? –, mais par la dignité de l'histoire.

La *Crónica sarracina* semble donc être une définition a contrario. Mais nous serions naïfs si, croyant avoir bien compris la leçon, nous ne faisions que changer de sorcières, débusquant non plus le mensonge = fable mais le mensonge = injustice (à commencer par la gloire de l'œuvre et de l'auteur). Tout cela, nous devons bien sûr le chercher, mais sans oublier que si Pérez de Guzmán a fait de Pedro de Corral le transgresseur de l'interdit ainsi désigné, c'est pour montrer qu'il n'est pas historien. Nous le savions déjà, mais nous savons maintenant au nom de quoi on se faisait exclure. Pour nous avoir donné un mauvais bouc émissaire, l'auteur de la *Sarracina* en devient lui-même un pour que cesse toute dangereuse confusion[27].

Crónica del Moro Rasis garde sa fonction prologale. Ce même désir de compléter et d'accréditer la *Crónica sarracina* explique peut-être qu'elle soit également précédée dans certains manuscrits d'autres prologues (une partie de la *Atalaya* de Martínez de Toledo, un passage du prologue qui précède les *Trabajos de Hércules* de Enrique de Villena, ou une adaptation du prologue des *Generaciones y semblanzas* dans le manuscrit cité plus haut). Est-ce le résultat d'une simple compilation de copistes ou celui d'une recherche délibérée d'une plus grande autorité, elle-même provoquée par les accusations de Pérez de Guzmán ? Comme on peut le constater, les choses sont loin d'être encore tout à fait claires pour ce qui concerne les liens entre Corral, la *Crónica del Moro Rasis* et la *Crónica sarracina*, ainsi que pour la relation à établir (cause ou effet ?) entre le texte de Pérez de Guzmán, la réception de l'œuvre de Corral et sa transmission manuscrite. Quoi qu'il en soit, tout cela ne pouvait qu'élargir et satisfaire un public de plus en plus intéressé par le passé national.]

26. Maria Rosa Lida de Malkiel, *La idea de la fama en la Edad Media castellana*, Mexico : Fondo de cultura económica, 1952, en particulier p. 269-276.

27. [La violence des accusations portées par Pérez de Guzmán contre Pedro de Corral, transgresseur évident, masque peut-être celle d'une autre critique plus profonde et plus politique, mais moins facile à formuler ; elle apparaît plus loin dans le prologue à propos des possibles

N'y a-t-il pas autre chose ? Pérez de Guzmàn reste peut-être lui-même enfermé dans son propre système. Pour dire ce qui est probablement la vraie et cette fois nouvelle *sententia*, à savoir que l'histoire n'est pas affaire de foi, mais le produit digne de foi de la réflexion des hommes, il dresse un interdit parfaitement acceptable mais qui cache une autre frontière. Et cette autre frontière, voulait-il ou pouvait-il la montrer autrement ? Il serait faux de croire que Pérez de Guzmán élimine Dieu de l'histoire. Au contraire, il veut lui rendre sa vraie place. Quand il a lui-même bien analysé dans ses *Generaciones y semblanzas* les causes humaines qui ont pu entraîner les désordres du règne de Jean II, il invoque aussi l'action de la Providence. La grande erreur de Corral est peut-être d'avoir usurpé, en contant un miracle, la justice insondable de Dieu. Quoi qu'il en soit, Rodrigue passe par la *Crónica sarracina*, qui est Rasis (auquel se sont ajoutés d'autres éléments encore mal connus).

La querelle des doubles et l'invention du dernier

Ces doubles obsédants – Witiza/Rodrigue – ne seraient, sans la catastrophe finale, qu'un exemple de plus du problème majeur que fut pour les rois wisigoths d'Espagne la forme d'accession au pouvoir royal : on sait qu'en dépit des canons conciliaires, des anathèmes et des précautions prises par l'association à l'exercice du pouvoir, les choses étaient loin d'être claires dans les faits[28]. Quant à la catastrophe, elle ne serait elle-même qu'un exemple de plus de la menace constante d'invasion, de l'utilisation de forces étrangères par les « refugæ » (les fils de Witiza ne pensaient sans doute pas faire autre chose), et ne devint ce qu'elle fut que par l'ampleur et la tournure qu'elle prit. Nos doubles sont donc d'abord le produit de confuses et violentes réalités. Dans la perception de cette réalité par ceux qui la vécurent, puis dans la mémoire et dans l'imaginaire – quel que soit le régime historique de leur fonctionnement –, ils sont restés. Le partage semble d'abord se

mensonges qui ont pu être introduits dans la chronique royale après que la rédaction en eut été retirée à Alvar García. Il est possible, bien sûr, que le véritable ennemi soit, tout autant que les fables de Corral, les mensonges de ceux qui ont usurpé l'histoire de Jean II et envers lesquels Pérez de Guzmán a peut-être joué lui-même un rôle de « censeur ». Sur ce prologue de Pérez de Guzmán et les possibles raisons qui l'amenèrent à l'écrire, voir les remarques et les hypothèses de C. FERNÁNDEZ GARRIDO et de F. GÓMEZ REDONDO qui se trouvent exposées plus loin dans « Place et fonction du portrait du roi », note 28. Quelles que soient les motivations, les étapes et les dates de la rédaction de ce prologue, il reste un texte fondateur dans l'historiographie du XVe siècle en Espagne. C'est pourquoi nous lui avons donné le nom de « prologue-manifeste » ; voir Marie Madeleine DUBRASQUET PARDO, *Alfonso de Palencia, historien. Études sur les Gesta hispaniensia*, thèse de doctorat, Université de Paris 3, Paris : Presses universitaires du Septentrion (désormais Atelier national de reproduction des thèses), 2001, p. 327.]

28. Comme l'ont bien montré entre autres Edward A. THOMPSON, *Los Godos en España*, Madrid : Alianza Editorial, 1971 ; et A. BARBERO et M. VIGIL, *op. cit.*

faire par la culpabilité : un coupable dans chaque camp, puis deux dans le même camp, enfin un, mais qui se retrouve double lui-même.

Les historiens apportent un démenti de plus en plus formel à cette création de doubles et paradoxalement la renforcent. On nous dit : oui, ils furent rois tous deux, mais l'un après l'autre. Quant à la culpabilité, ce n'est plus leur affaire. On nous montre comment et pourquoi la force d'expansion musulmane put s'installer dans un État wisigoth en crise. Et c'est ici que l'histoire complique quand l'imaginaire avait simplifié. Elle produit implacablement de nouvelles, mais réelles cette fois, indifférenciations : il y a bien eu complicité et collaboration, les musulmans furent au début les garants des biens des chrétiens, ceux-ci ne sont pas, comme on l'avait cru, partis en masse, la fameuse frontière du nord existait déjà, et de l'autre côté il y avait autre chose, mais pas ce qu'on nous avait dit[29]. Nos doubles sont peut-être le signe de la complexité du réel.

Par le titre, on ne peut pas les départager : ils furent rois wisigoths, non pas légitime et usurpateur, mais rois ; le premier par association-succession au père, le second par élection ; le fameux *senatus* qui fit Rodrigue roi avait bien, semble-t-il, autorité pour le faire[30]. Qu'était alors un roi pour les Wisigoths d'Espagne ? Son pouvoir n'avait cessé de s'affirmer en même temps que celui des grands possesseurs de domaines et de charges, et en même temps que celui de l'Église. *Alter Christus*, donc sacré – par l'onction à l'époque où nous nous situons –, il incarne la relation communauté/Dieu en même temps qu'il représente l'unité politique de l'État, de plus en plus resserrée par les liens de dépendance, eux-mêmes renforcés par le serment de *fidelitas* (confondue avec la *fides*). À Dieu était renvoyée l'élection, confirmée par le peuple à travers une assemblée définie par les conciles. Le serment liait d'abord le roi, puis tout le monde, et tout transgresseur était châtié. Au roi pourtant, on devait obéissance, car, dans son cas, c'était à Dieu de faire ou de défaire. On sait ce que tout cela pouvait fonder, reproduire ou masquer. Et si nous redisons ces choses désormais bien connues[31], c'est pour souligner qu'en même temps que les structures qui provoquèrent la grande crise (l'invasion) se trouvaient bien en place les mécanismes d'une idéologie capable de l'interpréter. Tout était déjà là : la perte du royaume, la confiscation, l'indignité, l'anathème, le châtiment ou le pardon, la pénitence aussi et enfin le sacré. Sans compter l'élection par Dieu non seulement du roi mais d'un peuple et d'une terre.

Le roi ne sera jamais fondamentalement autre chose par la suite dans l'Espagne médiévale. Si l'on veut trouver quelque différence, c'est chez

29. *Ibid.*, en particulier p. 279 *sq.*

30. C. SÁNCHEZ ALBORNOZ, « El Senatus visigodo. Don Rodrigo, rey legítimo de España », *Cuadernos de historia de España*, 6, 1946, p. 5-99.

31. A. BARBERO et M. VIGIL, *op. cit.*, p. 105-154.

les Astures et les Vascones qu'il faut chercher. Mais ce pouvoir naissant s'est vite affirmé par l'héritage wisigothique et a fini par construire son roi sur une idéologie peut-être jamais perdue, en tout cas revenue en force. Si la succession héréditaire et patrilinéaire l'a emporté, l'élection ne sera jamais oubliée, doctrine de théoriciens ou justification des usurpateurs. Alphonse X a choisi, mais hésité. Ainsi se sont justifiés les Trastamare[32] et de façon plus complexe les Rois Catholiques. Si le devoir d'obéissance l'emporte, jamais le rêve de destruction du tyran ne sera aboli : que l'on songe à Montiel, à Ávila... Quant à Dieu, il continuera, en principe, de faire et de défaire les rois.

Plus tentés par le variable que par le permanent – ou toute forme de résistance –, nous sommes naturellement portés à chercher dans notre imaginaire l'évolution = variation, c'est-à-dire les différentes cristallisations autour de situations historiques diverses. Il faut le faire. Sans oublier pourtant que la récupération d'un passé devenu présent se fait d'autant mieux que ce passé n'est ni différent, ni difficile, ni mauvais à penser. De plus en plus attentifs certes au particulier et au présent, pris dans des structures qui sans doute ont subi des variations, ainsi que les idéologies, gens d'Église, rois-historiens, historiens des rois ou historiens tout court – pour ne rien dire de notre historien-romancier – pourront toujours adhérer au schéma fondateur du légendaire de Rodrigue et en faire leur profit. La seule explication n'est pas leur conviction qu'il existe des lois générales ; c'est une adhésion plus profonde à cette interprétation de la crise comme châtiment d'un roi coupable. Et le roi, on le sait, est le favori de la sélection victimaire[33] ; mais il faut qu'il soit dernier. Tel est Rodrigue. Car à ce terrible jeu de qui perd gagne, c'est Rodrigue qui a fini par gagner.

Il semble prouvé qu'il fut roi à la mort de Witiza[34] et pourtant, chez le Toledano et Alphonse X, Witiza survit à sa destitution (nouvelles sources ou renforcement des doubles ?). Quant au Witiza-Acosta de Rasis, c'est un Witiza bon, un double de signe opposé. Devenu Acosta dans la *Crónica de 1344* et dans la *Crónica sarracina*, il est faux, mais c'est par lui que va vraiment passer le problème des fils rejetés, non plus parce qu'à eux s'étend l'anathème mérité par le père, mais parce qu'ils sont – encore – doubles et cause de crise, d'une tentative de partage qui cette fois ne serait pas un exemple de plus de ce qui s'était déjà fait (Leovigilde-Hermenegilde), mais autre chose, dont on n'a pas voulu. Ils seront en tout cas la première transgression de Rodrigue, non par usurpation, car on sait ce qu'il en

32. Voir Joaquín GIMENO CASALDUERO, *La imagen del monarca en la Castilla del siglo XIV*, Madrid : Selecta de revista de Occidente, 1972, ainsi que les travaux de J. M. NIETO SORIA, cités plus loin dans « Place et fonction du portrait du roi dans les chroniques royales », note 10.

33. R. GIRARD, *La violence*..., p. 25, 132, 158 ; *Le bouc*..., p. 33.

34. C. SÁNCHEZ ALBORNOZ, « El Senatus visigodo... ».

était des droits des fils, mais par violation du serment devenu de serment de roi serment de tuteur = père. C'est une vraie préfiguration de l'affaire de la Cava.

Ces fils, sans doute d'une importance capitale dans l'histoire, ont été rejetés : ils sont flous, anonymes ou presque, même s'il nous faut bien accorder du crédit à un certain Ardo qui n'a plus rien pour lui[35]. Tous les héritiers, y compris le neveu que la légende a sur le tard donné à Rodrigue, disparaissent pour faire place au dernier. Bien marquer le dernier est le travail de l'histoire (toujours le souci des chronologies et des généalogies) ; le créer, l'inventer, reste son travail (pour bien situer, donc pour bien définir). Et c'est ici que l'imaginaire prend toute son importance. Implacables, des sources anciennes et l'histoire récente nous disent que Rodrigue mourut pendant la bataille du Guadalete[36]. Mais on mettra longtemps à le faire vraiment mourir.

Avant de poursuivre, revenons aux deux Œdipe et d'abord à Œdipe roi : étranger, boiteux, il déchiffre l'énigme et, vainqueur du monstre, est choisi comme roi. Mais la peste ravage Thèbes. Œdipe, parricide et incestueux sans le savoir, en est la cause, car il souille tout autour de lui. Terrifié par cette révélation, il se crève les yeux, demande la mort ou l'exil pour que la ville soit purifiée. C'est une illustration parfaite du mécanisme victimaire et de ses stéréotypes[37]. Voici maintenant Œdipe à Colone. Exilé, mais cette fois malgré lui, chassé par des fils qu'il hait et maudit, et maudissant aussi sa cécité, mendiant et guidé par ses filles, il a erré longtemps pour aller livrer à une terre étrangère un corps qui sera bénéfique pour la terre qui le recevra après sa mort. Ses fils essaient en vain de le ramener « à leurs portes ». Mais il refuse et se dirige seul vers le lieu secret de sa mort mystérieuse, c'est-à-dire de la rencontre du dieu, et ne livre son secret qu'à son hôte : Thésée[38].

35. A. BARBERO et M. VIGIL, *op. cit.*, p. 203-204.

36. C. SÁNCHEZ ALBORNOZ, « Dónde y cuándo murió don Rodrigo, último rey de los Godos », *Cuadernos de historia de España*, 3, 1945, p. 5-105.

37. Œdipe porte tous les signes qui, sous une apparente différence, sont une menace d'indifférenciation ; il est étranger, il commet des crimes fondamentaux et il est roi : « [...] c'est cette position même, centrale et fondamentale, qui l'isole des autres hommes et fait de lui un hors-caste » (R. GIRARD, *La violence...*, p. 25). On sait également que toute grande catastrophe naturelle est assimilée à la crise indifférenciée.

38. « Quand il me prédit mes épreuves sans nombre, le dieu m'annonça qu'elles prendraient fin au bout de longues années, dans une contrée où d'augustes déesses me feraient asseoir, m'accueilleraient, et que là, doublant la dernière borne de mon misérable parcours, mon séjour deviendrait source de bénédiction pour mes hôtes et de calamités pour ceux qui m'ont banni. Et il a dit qu'apparaîtraient des signes : un tremblement du sol, des grondements du tonnerre, l'éclair de Zeus [...] » (*Œdipe à Colone, in :* SOPHOCLE, *Théâtre complet*, Paris : Garnier-Flammarion, 1964, p. 263-264).

Ayant affaire à un dernier roi, nous ne pouvons pas oublier Œdipe, mais Rodrigue n'a pas la structure exemplaire du mythe et il nous faut bien tenir compte du temps, du lieu, des diverses sources de l'historiographie et des divers projets de l'imaginaire. Le mécanisme victimaire qui fait d'Œdipe un *dernier* ne l'exclut d'un présent maléfique que pour le projeter dans un futur de signe opposé, qu'il fonde par la mort. La peste a cessé à Thèbes, mais non la guerre, et le corps du roi protégera le royaume de Thésée de l'invasion des Thébains. Si nous partons nous-même en quête d'un *dernier*, il faut poser la question : pour qui ? et pour quoi faire ? Par-dessus la complexité des faits et des légendes – et en dépit, disons-le très simplement, de nos très insuffisantes connaissances[39] –, nous proposerons trois possibles *derniers* : un *faux dernier*, un *dernier des autres*, un *dernier pour nous*.

Le faux dernier : nous nommons ainsi celui qui ne fait que perdre la bataille, ou qui laisse à Witiza la culpabilité et parfois même la responsabilité « chronologique » de l'arrivée des musulmans. Paradoxalement, il est sans doute celui de ses partisans. Mais nous le disons faux, soit parce qu'il n'est pas vu en fonction du futur, soit parce qu'innocent. Il ne fonde rien. Sans doute la *Mozárabe* de 754 marque-t-elle son arrivée par un « tumultuose » où l'on reconnaît les partisans de Witiza[40]. C'est déjà marquer, mais il ne s'agit pas d'un vrai crime.

Le noyau fondateur de la perception de la crise comme châtiment de Dieu doit être cherché, semble-t-il, dans le *Cronicón de Moissac*[41]. Les recherches récentes soulignent de plus en plus l'importance de la *Marca Hispánica* – dite presque toujours *Gallia* tant qu'elle appartient aux Wisigoths d'Espagne et *Gothia* quand elle a passé sous le pouvoir des Francs – pour une bonne compréhension de l'historiographie des temps qui nous concernent[42]. Le *Cronicón de Moissac* donne l'essentiel : un roi coupable (ici Witiza), un crime, la luxure (« deditus in feminis »), l'exemple contagieux et destructeur d'un ordre (« exemplo suo sacerdotes ac populum luxuriose uiuere docuit »), la colère de Dieu (« irritans furorem Domini »), la punition (« Sarraceni tunc in Spania ingrediuntur »). Le schéma, jusqu'ici parfait, se détraque. Rodrigue apparaît, roi et non coupable (« Gothi super se

39. Pour ce qui concerne les sources et en particulier les sources musulmanes, nous avons travaillé essentiellement à partir des textes proposés dans les *Reliquias de la poesía épica española*, Ramón MENÉNDEZ PIDAL (éd.), Madrid : CSIC - Instituto de cultura hispánica, 1951.

40. « Rudericus tumultuose regnum, ortante senatu invadit » (cité par C. SÁNCHEZ ALBORNOZ, « El Senatus visigodo... », p. 34). À propos de cette double perception de la culpabilité chez les mozarabes, parmi lesquel se trouvaient des représentants ou descendants de l'aristocratie witizana, voir R. MENÉNDEZ PIDAL (éd.), *Floresta*..., t. 1, p. XXV-XXXVI.

41. Nous citerons d'après le texte des *Reliquias*..., p. 1.

42. Pour ce qui concerne l'histoire des derniers rois wisigoths d'Espagne de l'autre côté des Pyrénées et l'importance du rôle joué par la *Gallia Gothica*, voir A. BARBERO et M. VIGIL, *op. cit.*, p. 240-246 [et G. MARTIN, « La chute du royaume wisigothique... », p. 17-23].

Rudericum regem constituunt»). Il perd la bataille et c'est la fin du royaume wisigoth d'Espagne («Sicque regnum Gothorum in Spania finitur»)[43].

La *Pseudo Isidoriana*, dans la première moitié du XIe siècle, en sait beaucoup plus, car elle connaît les sources musulmanes et l'art de raconter[44]. Le coupable est le même (Witiza), le crime aussi, mais cette fois incarné dans le viol de la très jolie fille de Julián. À la contagion de la luxure se substitue ou s'ajoute celle de la violence déclenchée par le désir de vengeance du père. Rodrigue a été fait roi contre les fils de l'autre[45], mais les musulmans étaient déjà là. Il ne fait que perdre la bataille et mourir. Perdre une telle bataille est un signe, mais non suffisant.

Le dernier des autres est celui des vainqueurs, qui sans doute ont fourni l'outillage pour dire et raconter ce que fut la transgression et comment elle fut châtiée. Celui des vrais vainqueurs (les musulmans) et des faux, ceux qui se sont joints à eux, puis mélangés à eux au point d'avoir la même apparente interprétation : le roi avait mérité son châtiment, car il était maléfique. Mais, devenu bénéfique pour la gloire des musulmans, le devint-il vraiment pour les autres ? C'est en tout cas ce *dernier des autres* qui, regardé du dehors ou encore du dedans, devient vraiment le transgresseur : il transgresse le rituel et l'interdit (maison et fille de Julián), devient impie, puis idole parée sur le champ de bataille, précipitée dans une mort sans gloire et obscurément mystérieuse. Ne croyons pas qu'il y perde en grandeur et qu'on ne l'ait fait transgresseur que pour mieux rehausser la gloire de le vaincre. Il y a dans cette construction un mécanisme plus profond, qui tend à renforcer la transgression, à faire le roi encore plus roi avant de le sacrifier. Mais ici encore le schéma, qui serait parfait, se détraque : car ce dernier roi reste celui des autres.

La source peut-être la plus ancienne, Aben Abdelhâken (IXe siècle), dit presque tout[46]. C'est un récit, donc l'ordre est important. À Julián l'honneur de l'ouvrir : viol de sa fille, vengeance, arrivée des musulmans (sans oublier la feinte anthropophagie) ; voici ensuite la maison fermée (« *en España* »), le refus d'ajouter une serrure, le roi voyeur-violeur qui déchiffre pour sa perte l'énigme. Il voit la prophétie peinte et écrite. Il perd la bataille et Dieu le tue (« *hasta que Dios (sea excelso) mató a Rodrigo y a sus compañeros* »). Et le récit se ferme sur la disparition de cette idole où l'on peut reconnaître bien sûr

43. [À propos du *Cronicón de Moissac*, voir Cruz Montero Garrido, *La historia, creación literaria; el ejemplo del cuatrocientos*, Madrid : Fundación Menéndez Pidal - Universidad autónoma (Fuentes cronísticas de la historia de España, 8), 1995, chap. 4, p. 178, note 31.]

44. Voir D. Catalán et M. S. de Andrés, introduction à la *Crónica del Moro Rasis*, éd. cit., plus particulièrement p. XXXII-XLVIII.

45. « [...] et quoniam essent pueri, habitatores terre noluerunt eos regnare super se, sed elegerunt sibi regem nomine Rodericum [...] » (*Reliquias*..., p. 3). [Voir C. Montero Garrido, *op. cit.*, p. 179.]

46. *Ibid.*, p. 7-9. [Voir C. Montero Garrido, *op. cit.*, note 16, p. 172, et note 17, p. 180.]

les attributs du pouvoir royal, mais surtout un roi des idolâtres qui apparaît devant les croyants.

On ne sait toujours pas ce que disait exactement Rasis sur Rodrigue ni comment il racontait[47]. Si son récit fut bien celui qui réapparaît dans la *Crónica de 1344* et dans la *Crónica sarracina*, il est somptueux : trois viols (le serment de tuteur, une maison sans doute mieux décrite et le viol de la jeune fille). Rodrigue voyeur-violeur deux fois ? Et deux viols entrelacés ? Il est probable que la maison était celle d'Hercule, c'est-à-dire que l'énigme était renforcée en même temps qu'était créée une querelle de fondateurs[48]. Le Rodrigue de Rasis était sans aucun doute un grand Rodrigue.

Aben Al Cotia, lui, descend de Witiza : il est « *hijo de la goda* »[49]. Son récit est le plus dégradant, mais on ne peut s'en étonner. Curieux, d'ailleurs, ce récit, comme s'il réunissait deux façons de voir et de dire. Le titre de dernier roi wisigoth d'Espagne est donné à Gaitiza qui laisse en mourant trois fils. Rodrigue est un simple général nommé par le roi défunt. Les musulmans, on ne sait trop comment, sont déjà en Espagne (cet honneur semble bien en effet, comme le dit Pidal, refusé à Julián[50]). Rodrigue fait appel aux fils de Gaitiza, mais ceux-ci font dire à Tarik que Rodrigue est un homme vil. Il est vaincu (« *Alá puso en fuga a Rodrigo* ») et meurt (« *cargado con el peso de las armas, se arrojó al río Beca y ya no se le halló* »). Plus de pierreries ni de trône. Plus de roi ? Dans un deuxième temps, comme pour se conformer à une autre tradition, voici les viols. Le premier n'est pas tout à fait celui que nous connaissions. La maison de Tolède est christianisée par l'arche et les Évangiles sur lesquels les rois prêtaient serment. Plus de serrures mais une « *grande consideración* » : on n'ouvre cette maison qu'à la mort d'un roi pour inscrire le nom du successeur. Rodrigue ne viole donc pas un secret, il usurpe : « *Al llegar a Rodrigo la autoridad real, se ciñó por sí mismo la corona, hecho que el pueblo cristiano no aprobó. Además abrió luego la casa y el arca.* »[51] Il n'en avait donc pas le droit, il n'était pas roi. Les peintures qu'il découvre avec la prophétie sont terriblement précises. Vient ensuite le viol de la fille de Julián *mercader*, rapidement conté. Tarik, dans un songe, entend le Prophète – entouré de guerriers semblables aux figures vues par Rodrigue – lui donner l'ordre d'aller de l'avant. Rodrigue sort avili

47. Rasis (897-955 ?) : nous renvoyons essentiellement aux introductions de la *Crónica de 1344*, Diego CATALÁN et María Soledad de ANDRÉS (éd.), Madrid : Gredos, 1971, et de la *Crónica del Moro Rasis*, éd. cit. On trouvera une bonne synthèse de l'état de la question dans C. MONTERO GARRIDO, *op. cit.*, p. 182-184.

48. Sur Hercule chez Rasis, voir l'introduction à la *Crónica del Moro Rasis*, éd. cit., p. LXXVI-LXXX [et C. MONTERO GARRIDO, *op. cit.*, p. 172-178].

49. Voir R. MENÉNDEZ PIDAL (éd.), *Floresta*..., t. 1, p. XXXVII-XXXIX.

50. *Ibid.*, p. XXXIX.

51. *Reliquias*..., p. 9-11.

quoique transgresseur de toute cette aventure racontée avec rancœur et la foi excessive d'un converti.

Selon Sánchez Albornoz, c'est l'auteur de l'*Ajbar Maymua* qui, au début du XIe siècle, a vraiment créé la légende sur la mort du roi. Ayant lu dans ses sources qu'on ne savait pas bien s'il était mort en se battant ou noyé, il le fait vraiment disparaître, laissant pour toute trace dans un marais un cheval blanc, une selle d'or ornée de rubis et d'émeraudes, un riche manteau brodé de pierreries et une botte : « *Sólo Alá sabe lo que le pasó pues no se tuvo noticia de él ni se le encontró vivo ni muerto.* »[52] De quoi rêver…

Le coupable n'est d'ailleurs pas toujours Rodrigue. Ishac ben-el-Hosayn, au Xe siècle, retient Gaitixa et son viol. Rodrigue apparaît comme un autre *faux dernier* et les musulmans sont là, feignant l'anthropophagie : « […] *habia ya sido muerto el rey y se habia designado a Rodrigo en su lugar ; lo mató Tarik también* […]. »[53] Ibn Jaldun, à la fin du XIVe siècle, dit encore Witiza coupable[54]. Rodrigue transgresseur et/ou vaincu dans la bataille est donc bien là et sa mort, on l'a vu. a de quoi faire rêver. Mais il reste le dernier des autres.

Un dernier pour nous. Quand la *Crónica profética* (écrite au printemps 883) bouscule la chronologie et situe en 714 l'arrivée des musulmans – toujours attribuée aux péchés des Wisigoths –, elle ne fait qu'ordonner l'histoire pour que l'accomplissement de la prophétie d'Ézéchiel se situe le jour de la Saint-Martin de l'an 883, au bout des cent soixante-dix ans que devait durer le pouvoir des musulmans en Espagne. La prophétie, venue sans doute des milieux mozarabes – mais on connaît un texte arabe qui annonce la fin prochaine de la domination musulmane –, dit qu'Ismaël, vainqueur de Gog parce que Gog a été abandonné par Dieu à cause de ses péchés, abandonnera Dieu à son tour et tombera sous le joug de Gog[55].

52. C. SÁNCHEZ ALBORNOZ, « Dónde y cuándo murió don Rodrigo… », p. 37-38.

53. *Reliquias…*, p. 1-2.

54. Comparant ce récit à celui de San Pedro Pascual, R. MENÉNDEZ PIDAL se pose la question de l'origine de cette légende peut-être connue de la cour de Grenade, où Ben Jaldún résida et où San Pedro Pascual fut martyrisé soixante ans auparavant. Pidal conclut : « *Lo seguro es que Ben Jaldún no recibió la leyenda de Witiza por conducto de los escritores árabes porque éstos atribuyen uniformemente al rey Rodrigo la deshonra de la hija de Julián* » (*Floresta…*, t. 1, p. 35). Quant à nous, nous n'avons pas retenu le Rodrigue de San Pedro Pascual comme *faux dernier* en raison de l'insistance apportée par l'auteur à montrer sur ce *dernier* la volonté de Dieu.

55. Pour ce qui concerne la *Crónica profética* et la construction de ce vertigineux comput, nous renvoyons à A. BARBERO et M. VIGIL, *op. cit.*, p. 247-256, où l'on trouvera la bibliographie nécessaire. Selon les auteurs, « *los 170 años de la supuesta profecía de Ezequiel son una invención cuyo origen en principio nos es desconocido, pero que probablemente se debe al autor de la Crónica Profética que conoció en el año 883 la fecha del 714 para la invasión musulmana* » (p. 256). [G. MARTIN, « La chute du royaume wisigothique… », a fait une belle analyse de la *Crónica profética* ; il en précise la place et le sens dans les œuvres historiographiques asturiennes du IXe siècle et souligne en particulier son providentialisme : le peuple gothique a perdu l'Espagne parce qu'il n'y eut point chez eux de pénitence, mais le peuple demeure et l'Espagne (le royaume) lui est promise (p. 30-35). Antérieur à la *Profética* est le *Testamentum* d'une donation faite par Alphonse II à la basilique

Il s'agit, on le voit, d'un parfait exemple de l'organisation politique et religieuse du temps qui va légitimer l'idéologie officielle, le lien direct avec les Wisigoths sans solution de continuité : restauration donc, et reconquête. Mais les choses sont plus complexes qu'on ne l'avait cru ; cette complexité apparaît dans l'analyse de la *Abeldense* et de la *Crónica de Alfonso III* dans ses deux versions *ovetense* et *rotense*. On y découvre bien des contradictions que nous n'avons pas le loisir d'analyser ici[56].

La *Profética* faisait de l'invasion la conséquence des péchés des Wisigoths, punis par Dieu pour n'avoir pas fait la pénitence. L'idée est importante si nous regardons vers l'arrière, ou vers l'avant[57]. La *Crónica de Alfonso III* retient l'idée de péché et la reporte aux règnes de Witiza et de Rodrigue (doubles retrouvés), attribuant pourtant à Witiza, comme l'avait fait la chronique de Moissac, la destruction de l'ordre social par la contagion de la luxure. Les deux versions disent que Rodrigue fut vaincu à cause des péchés des Goths[58]. Il reste donc englobé dans un ensemble et la malédiction s'étend sur lui. II ne serait qu'un *faux dernier* si quelque chose de différent ne se produisait. La *Profética* disait son ignorance à propos de la mort du roi, ainsi que la *rotense* et la *ovetense*[59]. Mais ces deux dernières désignent aussitôt le tombeau en terre consacrée. La fondation est faite ; que ce soit le roi qui parle (« Rudis namque nostris temporibus quum ciuitas Viseo et suburbis eius iussu nostro esset populatus [...] ») ou un *refundidor* qui substitue au « iussu nostro » un « a nobis », voici le tombeau et l'épitaphe fondatrice, désormais inlassablement répétée : « Hic requiescit Rudericus ultimus rex Gothorum. »[60] L'histoire est presque trop belle.

Il est inutile d'insister sur le rôle fondateur d'un tombeau. Mais ici... Le roi restaurateur, et fondateur de l'historiographie officielle, retrouve

---

de Saint-Sauveur d'Oviedo, le 16 novembre 812. On trouvera aussi l'analyse des textes, *ibid.*, p. 25-27. Il y est dit que les Goths ont offensé Dieu par leur « arrogance excessive » et que « la gloire du royaume se perdit avec le roi Rodéric » (p. 25).]

56. Ici encore nous renvoyons à A. BARBERO et M. VIGIL, *op. cit.*, et plus particulièrement à « La historiografia de la época de Alfonso III », p. 232-278. [Voir aussi G. MARTIN, « La chute du royaume wisigothique... », p. 25-41. Les chroniques (dites) d'Alphonse III, selon la formulation de G. Martin, y bénéficient d'un nouvel éclairage et font l'objet d'hypothèses novatrices exposées dans l'importante note 58, p. 35-37, qui conclut ainsi : « Si cette construction hypothétique s'avérait exacte, il faudrait cesser de parler d'une double rédaction de la Chronique d'Alphonse III et donner droit de cité à une Chronique d'Ordoño et à une Chronique de Garsias » (p. 37).]

57. « Quia non fuit in illis pro suis delictis digna penitentia. Et quia derelinquerunt precepta Domini et sacrorum canonum instituta. Derelinquid illos Dominus ne possiderent desidereuilem terram » (cité dans A. BARBERO et M. VIGIL, *op. cit.*, p. 265, note 82).

58. *Rotense* : « Et quia derelinquerunt Dominum ne seruirent ei in justitia et ueritatem derelicti sunt a Domino ne auitarent terram desiderauilem. » (*ibid.*, p. 266, note 85).

59. *Ibid.*, notes 86 et 87.

60. Voir C. SÁNCHEZ ALBORNOZ, *La España cristiana de los siglos VIII al XI*, Madrid : Espasa-Calpe, 1980, p. 657-662.

l'autre, un vrai dernier cette fois, pourvu d'un titre écrit sur la pierre (quel meilleur témoignage ?)[61]. C'est en re-conquérant et un re-peuplant qu'il le trouve. Sur la frontière, à Viseo. Cela n'a rien d'invraisemblable, comme l'a bien montré Sánchez Albornoz[62]. Viseo était pour les Wisigoths une place importante : elle avait son évêque et on y frappait monnaie; c'était déjà une frontière et, en s'y installant, les musulmans n'en avaient pas chassé toute vie[63]. Mais Viseo figure sur la liste des villes saccagées par Alphonse Ier selon la chronique d'Alphonse III. Frontière vers le nord, elle le devient vers le sud. Oserons-nous ajouter que Viseo n'est pas très loin de Saint-Jacques, où, sans doute en 813, on avait découvert le tombeau de l'apôtre. De Saint-Jacques, la chronique d'Alphonse III ne dit mot. On sait pourtant qu'il fit agrandir la basilique élevée par Alphonse II[64]. Un saint, un roi, c'est plus qu'il n'en faut pour fonder. C'est en tout cas un exemple de restructuration, non seulement du temps, mais de l'espace, devenu, de «sauvage et dispersé», «légitime et cohérent»[65]. Ce dernier roi peut entrer en généalogie, se faire venger ou racheter par Pelayo. Il a joué son rôle de réconciliateur en désignant un ennemi commun. Il a créé la différence; mais une pièce semble encore manquer : Rodrigue reste vaguement compris dans la culpabilité de Witiza ou dans celle des derniers rois wisigoths d'Espagne. On ne va pas tarder à le faire sortir de ce dernier anonymat, à le faire transgresseur.

61. Rappelons l'anecdote contée par Gutierre DÍAZ DE GAMES dans le *Victorial*, à propos de la renommée de César et de son tombeau rapporté de Jérusalem par Virgile (*El Victorial*, Rafael BELTRÁN LLAVADOR (éd.), Salamanque : Ediciones Universidad Salamanca, 1997, p. 256). Le *Victorial* loue les Wisigoths d'avoir voulu laisser des témoignages durables de leur grandeur et de leur *fama* (p. 264). [Les textes fondateurs de l'historiographie sont en effet, comme le tombeau, à la «confluence» de divers courants idéologiques; G. MARTIN a bien montré comment la continuité gothique y est doublée d'une continuité génétique et dynastique, le roi, parfait héritier, possédant le double pouvoir temporel et spirituel comme en témoigne entre autres miracles celui de la découverte du tombeau («La chute du royaume wisigothique...», p. 39-41).]

62. Claudio SÁNCHEZ ALBORNOZ cite un cas semblable : «[...] *Oppila, un oficial godo que condujo un convoy de flechas al ejército que luchaba en Vasconia reinando Chindsvinto y al que mataron los vascones, fue llevado a enterrar por sus clientes a sus lejanos pagos de Villafranca en Córdoba*» (*Orígenes de la nación española*, Oviedo : Instituto de estudios asturianos, 1972, t. 1, p. 182). De même, le corps de Rodrigue aurait été emmené par ses fidèles pour l'enterrer le plus loin possible, à Viseo.

63. A. BARBERO et M. VIGIL, *op. cit.*, p. 218. Voir aussi Salvador de MOXÓ, *Repoblación y sociedad en la España cristiana medieval*, Madrid : Rialp, 1979, p. 27-33.

64. A. BARBERO et M. VIGIL, *op. cit.*, p. 319. À propos de l'hymne du *Beato de Liébana* dédié à Mauregato et qui montre déjà une *devoción jacobea*, voir C. SÁNCHEZ ALBORNOZ, *Orígenes...*, p. 619.

65. Nous reprenons les termes par lesquels Michel SOT désigne l'organisation du sacré dans «Organisation de l'espace et historiographie épiscopale», *in :* B. GUENÉE (dir.), *Le métier d'historien...*, p. 31-43, p. 13. On a su très tôt dans le Nord-Ouest que le roi était mort, comme en témoignent le *Cronicón iriense* et la *Crónica compostelana* où l'on peut déceler des sources plus anciennes; voir C. SÁNCHEZ ALBORNOZ, «Dónde y cuándo murió don Rodrigo...», p. 46 *sq.*

Les *Actas de translación de San Isidoro*, à la fin du XIe siècle, attribuent sa défaite à ses vices sans les préciser. Dieu l'abandonne, mais pour ensuite donner Pelayo[66]. Doubles, frères ennemis, Witiza et Rodrigo vont prendre de l'importance, le premier d'abord, puis le second. Pour le premier, il a suffi d'amplifier le schéma de Moissac. Le second, auteur d'un viol apparu pour la première fois, semble-t-il, au nord dans la *Silense*, il a fallu l'inventer, le construire avec des choses venues d'ailleurs. On y sent bien la construction plus érudite et savante que populaire, même si d'autres légendes sont venues nourrir l'invention[67].

Pourquoi, au lieu de taire ou d'escamoter, tant parler de ces crimes ? Qu'on se reporte au dire vrai, et on aura des réponses. Qu'on se reporte au fonctionnement du mécanisme victimaire, et on comprendra mieux. Mais, question plus perfide, ne veut-on pas à travers ces rois s'en prendre désormais au León si fier de son héritage ? Ce n'est plus autour de lui qu'est construit le nouvel espace du Toledano, ni celui d'Alphonse X. Rodrigue n'a pas en effet, comme Fernán González, changé de signe en passant du Tudense au Toledano. Au contraire. Si on reste encore lié aux très nobles Wisigoths, c'est par-dessus ces derniers-là, avec l'Espagne comme nation et Dieu qui veille, qui a détruit, mais a gardé la Terre d'élection et des survivants pour reconstruire. Or, s'il convient de réviser cet affrontement León-Castilla, soulignant non plus seulement des différences, mais des traits d'évolution communs[68], il convient de repenser aussi Rodrigue.

Le Toledano et Alphonse X sont des savants. Quand ils construisent l'Espagne (espace, temps et pouvoir), ils désignent mieux son identité par rapport à l'histoire universelle[69]. Mais ils restent encyclopédiques ; leur vérité est de plus en plus érudition, compilation (sans doute ordonnée) de sources. Ils créent l'Espagne avec une volonté d'hégémonie qui fait récupérer le passé lointain ou proche avec toutes ses fables. Ils construisent pour eux et pour les autres nations[70]. Le schéma toujours bon à garder comme référence n'est-il pas Israël, élu, détruit, et toujours recommencé ? Certes, le blâme des Goths est destructeur. Mais l'éloge de l'Espagne est son contraire. Dans son éternel présent, il est fondateur et d'ailleurs a changé de place dans le récit : il a quitté le prologue pour s'inscrire après

66. R. MENÉNDEZ PIDAL (éd.), *Floresta...*, t. 1, p. LIV-LV. Texte dans *Reliquias...*, p. 11.

67. On songe aux légendes évoquées par R. MENÉNDEZ PIDAL dans son introduction à la *Floresta...*, et en particulier à celles d'Hermanrix ou d'Anséis (t. 1, p. LV et p. LX-LXVI).

68. Comme le fait Julio VALDEÓN, *Aproximación histórica a Castilla y León*, Valladolid : Ámbito, 1982.

69. F. RICO, *Alfonso el Sabio...*, a bien montré la double tentation d'Alphonse X, partagé entre le particulier (la *Primera crónica génèral de España*) et le général (la *General estoria*).

70. Pour une comparaison entre le Tudense et le Toledano, se reporter à R. B. TATE, *Ensayos sobre la historiografía...*, p. 15 : « *Aquí difiere la historia del Toledano. Surge únicamente de las aspiraciones de Castilla a ser reconocida como igual en el trato internacional.* »

l'invasion. Il est devenu fonctionnel. On a perdu, on pleure une certaine Espagne dans le *duelo* (ainsi faisaient les prophètes d'Israël). Mais l'Espagne reste là, on le sent bien[71].

La *vituperatio* frappe d'abord Witiza avec toute sa topique du plus et du moins, amplifiant le crime initial autour de l'idée centrale : contagion = destruction. Contagion des péchés d'abord. Déjà dans la *Silense* et encore chez Alphonse X, on retrouve les péchés dits capitaux, indifférenciateurs par excellence. Ils découlent de la luxure, et cela ne doit pas nous étonner : Isidore de Séville l'avait déjà placée dans ses trois listes et on sait son importance au Moyen Âge. Viennent ensuite l'orgueil, la concupiscence ou la cupidité, l'envie, la paresse, la colère[72]. Cette contagion vient de l'exemple du roi qui dissimule, puis se montre et enfin ordonne d'imiter l'infamie. C'est alors la contagieuse destruction de tout l'ordre social et plus particulièrement des défenseurs (les armes) et de l'Église, sur laquelle il est beaucoup insisté. Si le schéma ordonnateur puis coordinateur de la société s'est fait, comme l'a montré Georges Duby, non seulement par la fonction et le mérite mais aussi par le sexe, comment s'étonner que le désordre essentiel passe par la luxure[73] ?

Chez le Tudense, des nouveautés : l'hérésie, les juifs (texte de persécution) et la destruction des murailles. Ainsi s'amplifie le thème de l'ouverture si important dans notre légende. Si nous prenons le point final de cette amplification, c'est-à-dire la *Primera crónica general*, nous retrouvons tout cela et surtout la destruction des ordres, tous nivelés par le bas (« *los uiles omnes del pueblo* »[74]) par la fausse paix, la paix du diable ou la guerre

71. L'étude fondamentale reste celle de José Antonio Maravall, *El concepto de España en la Edad Media*, Madrid : Instituto de estudios políticos, 1954.

72. Voir Robert Ricard, « Les péchés capitaux dans le *Libro de Buen Amor* », *in* : *Nouvelles études religieuses*, Paris : Centre de recherches hispaniques, 1973 : « [...] en fait, saint Isidore donne trois listes qui combinent dans des proportions différentes la classification de Cassien et de saint Grégoire. Une première liste comprend la gourmandise, la fornication, l'avarice, l'envie, la tristesse, la colère, la vaine gloire et l'orgueil ("novissima dux ipsa et radix harum superbia"). Une seconde liste comprend la luxure, la haine, la colère, la crainte, la tristesse, l'acédie, l'avarice et l'orgueil. La troisième enfin donne l'envie, la colère, la tristesse, l'avarice, la gourmandise, la luxure, la vaine gloire et l'orgueil » (p. 25).

73. Georges Duby, *Les trois ordres ou l'imaginaire du féodalisme*, Paris : Gallimard, 1978, p. 105 *sq*.

74. *Primera crónica general*, R. Menéndez Pidal (éd.), Madrid : Bailly-Baillière é hijos (NBAE, 5), 1906, t. 1, p. 305a. Il est intéressant de voir ici la persistance des grands problèmes que connurent les rois, et surtout les derniers rois wisigoths d'Espagne : celui de l'armée, représenté par la destruction des armes, et celui des juifs, contre lesquels furent prises des mesures de plus en plus répressives. Tout cela est bien analysé dans E. A. Thompson, *Los Godos*... On peut y voir en particulier la législation contre les juifs du XVIIe concile de Tolède (le 9-11-694). Egica disait avoir appris par des « confessiones » que les juifs d'Espagne avaient conspiré avec ceux d'autres lieux (p. 280-283). C'est là selon Thompson la dernière documentation qui nous reste. Quant à l'Église, on sait que les rois avaient essayé d'imposer leur pouvoir aux évêques. Les accusations portées contre Witiza sont peut-être un écho de cette « tyrannie ». On

injuste parce que civile, le tous contre tous. Le diable en personne a fait son apparition en deux temps, *diablo* d'abord et *Satanás* ensuite. Les crimes de Witiza restent encore confus comme le sont des péchés, mais s'ordonnent maintenant dans une montée chronologique, en plusieurs temps. N'oublions pas d'ailleurs que, depuis le Toledano, Witiza au début de son règne est présenté comme un roi clément quoique luxurieux. Nous sommes en présence d'une évolution qui va vers un paroxysme, redisant toujours la même chose, mais ponctuant les généralités de crimes précis et lourds de conséquences (meurtre du père de Pelayo, supplice du père de Rodrigue, désir d'infliger le même supplice aux fils, déposition de Sinderedo, arrivée d'Oppa). Tous les personnages sont en place pour l'avenir.

Rodrigue lui-même n'apparaît d'abord que comme un exemple de plus de la contagion. Il a des qualités, mais est semblable à l'autre[75]. Il va, comme l'autre, aveugler le père et chasser ignominieusement les fils. Si l'autre a détruit les murailles, il détruit les armes, enlevant au royaume toute sa virilité. Mais, dès la *Silense*, on ne se contente plus pour Rodrigue des péchés généraux ou de crimes précis. Il commet le viol fatal. Witiza était un tyran, Rodrigue est un transgresseur. La transgression de l'interdit, qui est cause immédiate, n'est plus présentée dans le redoublement de l'amplification, mais par son contraire : la réduction. Elle ramène le multiple à l'unique : le viol; et c'est ce transgresseur, toujours paré dans la bataille, qui aura encore droit, après une fin incertaine, à l'épitaphe de Viseo. Seul le Tudense écrit : « Hic requiescit Rodericus, rex Gothorum. »[76] *Dernier* est parti : ténacité de Léonais ou erreur de copiste ? Julián aussi a pris de l'importance, nouveau bouc émissaire et noblesse rebelle. C'est à Julián que le Toledano adresse une célèbre invective qui ira, cette fois en raison d'une mauvaise lecture, rejoindre l'épitaphe du roi[77]. Le mécanisme victimaire est bien installé. Ce *dernier* appelle un autre double : le dernier survivant que la *Silense* déjà montrait, mais en le rattachant encore à Witiza, inscrit dans le projet de Dieu[78].

---

peut aussi peut-être déceler dans cette crise un écho des lois terribles prises par Egica contre les esclaves fugitifs (p. 284). Quant à l'hérésie, elle a en effet souvent été évoquée, à tort semble-t-il, à propos des Wisigoths d'Espagne (p. 275). Le nivellement par le bas est probablement le reflet des lois qui de plus en plus frappaient tout le monde.

75. « Uir belligeret durus et ad omne negotium exercendum satis expeditus; sed uita et moribus Uitizæ non dissimilis » (*Silense*). « [...] belliger et durus et ad omne negotium expeditus, sed uita et moribus Uitizæ non dissimilis » (Tudense). « Erat autem Rodericus durus in bellis, et ad negotia expeditus, sed in moribus non dissimilis Uitizæ » (Toledano). « *Este rey Rodrigo era muy fuert omne en batallas et muy desembargado en las maneras mas de mannas semeiauase bien con Vitiza* » (*Primera crónica general*).

76. *Reliquias*..., p. 14.

77. Voir R. Menéndez Pidal (éd.), *Floresta*..., t. 1, p. LXVII.

78. « Cum tandem diuina prouidentia uicticam, gotorum regem inter christicolas quam lupum inter oues diu latere prospiciens, ne tota soboles prisco uoluptabro rursus macularetus more

Avec la *Crónica de 1344*, le *nous* change à tel point qu'il faudrait peut-être changer de perspective. Encore un *dernier pour les autres*? Inventé au Portugal et qui en revient, différent et semblable, mélange de Rasis, de Gil Pérez, et de bien d'autres légendes ? Luis Felipe Lindley Cintra et Diego Catalán, nos guides dans cette affaire, donnent bien des arguments pour un *nous* différent[79]. La *Crónica de 1344* est œuvre portugaise, écrite pour le Portugal. Mais on y voit aussi pourquoi le Portugal put accepter, en la modifiant, la perspective plus large de l'historiographie alphonsine[80] et comment l'histoire revient. Traduite, réduite ou amplifiée, elle repasse aussitôt en Espagne et c'est aussi par ses traces espagnoles que le Rasis traduit en portugais est connu. Ne changeons pas de *nous*, mais restons attentifs aux différences, sachant bien que Rodrigue, une fois de plus, vient d'ailleurs. Quand la *Refundición* de Tolède et la *Crónica sarracina* le racontent et le font bien mourir, elles le récupèrent comme *le nôtre* : un roi qui ayant enfin accompli la pénitence est sauvé, sauvant ainsi l'Espagne. Mais n'est-ce pas aussi parce que ce Rodrigue hypertrophié vient d'ailleurs que Pérez de Guzmán s'est tellement fâché ? Il n'a plus son double habituel ; il vient après Acosta[81]. Transgresseur, il l'est plus que jamais, mais autrement. Les transgressions deviennent aventures réservées. À la fois bon et mauvais, Rodrigue reste grand. Il est raconté et se raconte lui-même. Il est temps de voir de plus près ses crimes et son châtiment[82].

---

temporum Noe ut diluvium terram paucis christianorum reseruatis barbaras gentes Hispaniam ocupare permissit», *Historia silense*, Juste PÉREZ DE URBEL, O. S. B., et Atilano GONZÁLEZ PUIG-ZORRILLA (éd.), Madrid : CSIC (Escuela de estudios medievales, Textos 30), 1959, p. 118.

79. Luis Felipe LINDLEY CINTRA, Introduction à la *Crónica geral de Espanha de 1344*, Lisbonne : Academia portuguesa da história, 1951.

80. Voir en particulier l'introduction à la *Crónica de 1344*, éd. cit., p. 44-45.

81. Dans le manuscrit de Copenhague, œuvre composite du XVIIe siècle, attribuée par D. Catalán à Gabriel Rodríguez de Escabias (*Crónica del Moro Rasis*, éd. cit., Introduction, p. XIX-XXV), on retrouve Witiza mauvais et la double destruction des armes. Entre les deux est le bon Acosta (*ibid.*, p. 344-347).

82. [La perception et l'évaluation de la faute sont bien entendu différentes selon les sources, musulmanes ou chrétiennes. Par ailleurs il existe une certaine imprécision, pour ne pas dire une confusion, entre les transgressions par rapport aux normes juridiques, héritières de la tradition germanique et wisigothique, et par rapport aux normes religieuses, c'est-à-dire canoniques. Tout cela rend difficile et complexe l'identification du délit, du crime ou du péché du roi, une faute en tout cas capable d'entraîner la destruction de toute une communauté. Il est évident qu'il ne s'agit pas seulement des possibles variantes d'une intrigue narrative, mais de délits ou de péchés différents selon chaque source ou groupe de sources avec les inévitables contaminations entre les différents états de légendes. On trouvera une bonne analyse de ces problèmes, des fondements juridiques des délits (viol, stupre), de l'introduction de circonstances aggravantes, etc. dans l'étude de C. MONTERO GARRIDO citée à plusieurs reprises et sur ce point particulièrement éclairante, *La historia...*, p. 188-192.]

La mimésis fatale et l'anathème

L'histoire de Rodrigue est celle du désir, de la tentation. Rodrigue y cède et devient tentateur lui-même, jusqu'à finir dévoré par la bête qui incarne la tentation : le serpent. Son histoire, telle qu'elle nous est racontée, développe de plus en plus le même thème, et lorsque Pedro de Corral la raconte à son tour en forme de roman, il faut bien lui reconnaître une profonde cohérence. Il développe d'abord le sens déjà donné, reste fidèle au signe dans le récit de ce qui suit la défaite et, pour la pénitence et la mort, ne fait que l'inverser. C'est cette violence du désir mimétique qui donne à Rodrigue un comportement aberrant[83] mais qui reste cohérent dans l'invention : histoire de violeur violé, de tentateur devenu serpent, de voyeur enfermé dans la nuit de la tombe. Le mangeur de fruits défendus, le voyeur de jeux interdits est à son tour mangé dans un jeu atroce. Le déchiffreur d'énigmes déchiffre la dernière.

Rodrigue n'existe que par mimésis. Il veut être roi, puis Hercule ; il veut posséder la Cava[84], c'est-à-dire être celui qui la possède (le père ou l'époux) ; il veut être lui-même dans la *Crónica de 1344* en se disant, en se commentant, et même, dans la *Crónica sarracina*, en se faisant écrire ; il veut être un héros avec son biographe, il devient acteur-lecteur : ce voyeur souvent solitaire a besoin de se donner à voir, surtout à lui-même. Après la défaite, il se contemple et se commente longuement dans une autre tentative d'imitation : il veut être le vengeur = sauveur en se jetant dans une mort suicidaire et être un exemple pour l'avenir. Après sa rencontre avec l'ermite et sa conversion, renonce-t-il à s'identifier aux autres ? Si la mimésis est maintenant salvatrice, elle est toujours mimésis. Rodrigue s'abandonne à une autre loi, prend d'autres modèles, renonce apparemment à sa première identité pour en retrouver une autre, plus vraie et plus profonde. Il pourrait presque, comme Amadís, changer de nom. Mais il met dans la négation de ce qu'il fut la même force d'identification à autre chose, dans son humble soumission, un nouvel orgueil. Il dit son nom aux ermites, le cache à l'abbé pour le révéler enfin au *mayoral*. Rodrigue veut maintenant être l'ermite dont il prend la place et les vêtements ; il sait résister à la tentation diabolique de devenir encore vainqueur, époux de la Cava, père de roi. Pour être enfin purgé, il veut devenir serpent. Il est vrai qu'autour de lui on ne cesse de le tenter : en lui offrant la tutelle, en lui vantant la maison défendue, les mérites de la Cava. Puis vient la bonne tentation de

83. Nous reprenons l'expression de Mircea ELIADE, *La nostalgie des origines*, Paris : Gallimard, 1969, p. 301-302.

84. Nous lui donnons ce nom par commodité, car c'est après tout sous ce nom qu'elle est restée.

la pédagogie, le chemin montré vers le salut, la longue pénitence exigée par Dieu et acceptée.

Rodrigue est d'abord un voyeur ; il veut voir le secret de Tolède et il le voit vraiment. Solitaire sur son mirador, il voit la Cava. Quand le signe change, importante reste encore la vue : après avoir longtemps regardé le champ de bataille et s'être regardé lui-même, Rodrigue, converti par l'ermite, se voit vraiment et ce nouveau regard pourrait être compris comme une volontaire cécité. Dans la longue et ténébreuse quête de la pénitence, le regard est devenu bénéfique. Rodrigue voit maintenant les marques qui montrent le chemin vers le salut : le nuage à suivre, la règle de l'ermite, sous la pierre le serpent qu'il doit voir et choisir et voir aussi grandir ; il voit les figures diaboliques et sait leur résister. La nuit du tombeau, dernier remède contre la vue maléfique – dernière cécité –, ne l'empêche pas de se voir en quelque sorte dévoré lentement puisque nous l'entendons dire son supplice. Quand Rodrigue est mangé, éclate le son des cloches : seule façon de dire la différence ou la dernière et glorieuse vision.

Le voyeur était violeur[85]. Son premier viol, nous l'avons dit, était celui du serment. La destruction des armes, véritable viol de l'Espagne, avait été attribuée par Alphonse X à Witiza, mais Rodrigue n'avait rien fait pour y remédier. Ce sont des Wisigoths « *uiles, flacos e cobardes* » que rencontraient les musulmans[86]. Pas de destruction des armes dans la *Crónica de 1344* et beaucoup de vaillance dans la *Crónica sarracina*. Si la première dit simplement que Rodrigue au début sut rétablir la paix, la seconde en fait presque un nouvel Arthur ou un nouveau Lisuarte. Sa cour est celle d'un roi de chevalerie : lieu d'ordre vers où convergent les prouesses des armes et l'amour. C'est là en effet que la duchesse de Loreyna trouve la justice et un chevalier à aimer. Mais on sait bien que la cour royale des romans de chevalerie, source d'ordre, est souvent menacée par le désordre : un désordre qui peut venir du dehors mais aussi du centre même de cette cour, c'est-à-dire du roi[87]. Car le roi a parfois lui aussi un comportement aberrant. De juste, il devient injuste, menace de destruction pour la chevalerie en qui peut-être veut se voir la noblesse. Que l'on songe à Lisuarte et à Amadís. Sur cette cour, sur ce schéma, Pedro de Corral a bâti la sienne et n'a pas eu de mal à y intégrer les transgressions de Rodrigue.

85. À propos du voyeurisme tel qu'il est déguisé dans le mythe d'Œdipe, voir Georges MARTIN, « Continuité des Sphinx. Étude sur *Continuidad de los Parques* de J. Cortazar », *Imprévue. Études sociocritiques*, 1-2, 1978, p. 35 63. À propos du *mauvais œil* R. GIRARD écrit : « Si le mauvais œil a quelque chose de privilégié, dans toute l'accusation mythique, c'est parce que la puissance conflictuelle du mimétisme, en dernière analyse, est en jeu, et cette puissance, qui pour s'exercer exige le regard, est tout entière projetée sur la victime émissaire » (*Des choses*..., p. 126-127).

86. *Primera crónica general*, éd. cit., p. 309.

87. Comme l'a montré Erich KÖHLER, *L'aventure chevaleresque*, Paris : Gallimard. 1974. Voir aussi Juan Manuel CACHO BLECUA, *Amadís : heroismo mítico-cortesano*, Madrid : CUPSA, 1979.

La destruction des armes sur le conseil de Julián apparaît après le viol de la Cava. Mais l'idée est déjà présente sous diverses formes. Elle devient oisiveté, paresse dangereuse de la sieste – heure redoutable –, tristesse d'une cour qui devrait être source de joie, tristesse de la Cava, désespoir suicidaire du roi. La grande destruction reste bien sûr celle de la clé qui fermait le détroit en même temps qu'elle l'ouvrait[88]. Cette clé placée par Hercule fondateur pour ouvrir l'espace et le protéger est désormais aux mains de Julián. Plus de merveilleuse *imagen* aux bornes de l'Espagne, rassurante par son inamovible grandeur. En violant la fille ou la femme de Julián, Rodrigue substitue à la statue tutélaire un traître destructeur. Rodrigue, désespéré, a encore la tentation de la mort par les armes. Converti, il abandonne tout. C'est le choix, cette fois bon, d'un autre ordre, d'un autre état, le plus contraire possible au premier : le dénuement total, la totale soumission à une autre règle et à une autre volonté.

On pourrait voir dans le viol de la maison et celui de la Cava deux désirs différents : la connaissance et le sexe. Mais ces deux désirs bien souvent n'en font qu'un dans le mythe ; ils sont intimement liés dans la Bible. S'ils sont représentés par deux péchés capitaux, l'orgueil et la luxure, ils se retrouvent de nouveau réunis dans la cupidité = concupiscence. Sont-ils les deux têtes du serpent ? Ce n'est pas impossible. On nous avait montré Rodrigue violant d'abord la jeune fille, puis la maison et la jeune fille (ou la femme), mais d'abord la maison. Ce premier viol était donc cause profonde et le second peut-être simple instrument par lequel se réalisait la prophétie. À partir de la *Crónica de 1344*, le récit change, dans son ordre et dans son contenu. La maison fait l'objet de longues descriptions. Le viol de la Cava devient un petit roman. Mais, surtout, les viols sont entrelacés. La *Crónica de 1344* sait, par un ingénieux entrelacement, dire la folle passion du roi. Il entend d'abord parler de la maison et se propose d'y entrer. Puis, ayant vu la Cava, il oublie tout et la viole. Ce n'est qu'après qu'il vient violer la maison.

Dans la *Crónica sarracina*, l'ordre semble retrouvé : maison d'abord, la Cava ensuite. Mais la Cava était déjà à la cour, à la demande du roi, et étonnait tout le monde par sa beauté et ses vertus. Quand Rodrigue a franchi le pas décisif en ouvrant la maison d'Hercule, le diable sait qu'il peut le tenter, et c'est le second viol. Si l'entrelacement est moins marqué, il dit mieux peut-être le lien qui unit les deux transgressions.

88. Hercule est souvent évoqué dans la *Crónica del Moro Rasis* à propos de nombreuses villes et de *señales*. Mais on n'y trouve pas la statue dont la *Primera crónica general* a gardé un souvenir si précis : « [...] *una imagen de cobre bien fecha que cataua contra oriente et tenie en la mano diestra una grand llaue en semeiante cuemo que querie abrir puerta, e la mano siniestra tenie alçada e tenduda contra orient e auie escripto en la palma : estos son los moiones de Hercules* » (éd. cit., p. 8). D. CATALÁN et M. S. de ANDRÉS ont montré l'origine orientale de cette image dans l'Introduction à la *Crónica del Moro Rasis*, éd. cit., p. LXXIX, note 16.

Hercule ouvrit et ferma l'espace. En détruisant Gerión, il arracha l'Espagne au chaos. Il bâtit, fit des murailles, fonda des villes, plaça ses marques et laissa l'héritage à Espàn[89]. Mais cet Hercule fort était aussi celui qui savait l'avenir, déchiffrait les énigmes – le futur enchanteur. Ses *maravillas* fondaient l'espace et aussi le temps[90]. C'est lui qui a fait la merveilleuse maison de Tolède, fondatrice s'il en fut, centre du monde pour les Wisigoths d'Espagne. La maison interdite qui jusqu'ici ne faisait que révéler son secret devient, par le luxe de la description, *imago mundi*[91] : voici le cercle et le carré, les quatre côtés de couleurs complémentaires, si riches de symboles qu'on ne sait trop que penser (blanc, noir, vert et rouge dans la *Crónica de 1344*, et dans la *Crónica sarracina*[92]). Avant d'essayer de les interpréter, regardons encore la maison. Elle n'a qu'un pilier de la hauteur d'un homme, mais son parcours se complique, devient rituel d'initiation : une petite porte, un coffret merveilleux, une dernière serrure, cette fois *de aljófar*. Le roi, qui a fait ouvrir les autres, brise de ses propres mains celle-ci. L'*imago mundi* de Tolède est bien la scène originaire qu'il est interdit de voir : féminine par la lisse rondeur du marbre, sa petite ouverture, son coffret précieux fermé par une perle ; masculine par le carré, le pilier. Et quand Rodrigue, ayant brisé le dernier verrou, déploie (et non plus voit seulement) la toile blanche sur laquelle viennent s'inscrire les étranges figures (encore masculines et féminines d'ailleurs), comment ne pas songer aux taches d'un viol sur un drap ? Ces taches peuvent être fondatrices, mais aussi la souillure de la destruction. On sent bien qu'ici la virginité est nécessaire et que la fille de Julián doit être, comme elle l'est en effet, préférée à sa mère[93]. En vérité, il s'agit toujours d'une *femme de Julián*. Des doubles encore ? Fille ou femme ? Peu importe peut-être, mais à condition de ne pas voir dans le viol de la comtesse un simple adultère puisque nous

89. R. B. TATE a étudié l'importance et l'évolution de ce mythe fondateur dans « Mitología en la historiografía española », *in : Ensayos sobre la historiografía...*, p. 13-32. Selon Tate, ce fut le Toledano qui voulut pour l'Espagne une mythologie noble et qui créa Hispano. Comme le font remarquer D. Catalán et M. S. de Andrés (*Crónica del Moro Rasis*, éd. cit., p. LXXVI, note 10), Ispano était présent chez Rasis, connu du Toledano.

90. La *Crónica del Moro Rasis* a gardé le souvenir des *Libros de las Andanzas* qu'Hercule aurait laissés à Séville. Ces *Libros de las Andanzas* peuvent être assimilés aux *Libros de las adeuinancas* dont le souvenir est resté dans la *Crónica de 1344* (éd. cit., p. 74). La *Crónica del Moro Rasis* dit d'ailleurs que « *Seuilla* [...] *quiere dezir tanto como adeuina* » (éd. cit., p. 95).

91. On peut consulter à ce sujet M. ELIADE, *op. cit.*

92. Le texte de la *Crónica de 1344* donné par R. Menéndez Pidal dit que les quatre couleurs étaient blanc, noir, vert et « *tan clara como si fuese un fino cristal* » (*Floresta...*, p. 34). Il s'agit là du manuscrit U ; le manuscrit M, quant à lui, indique bien les mêmes couleurs que la *Sarracina* et ajoute comme elle que le palais est plus clair que le cristal (*Crónica de 1344*, éd. cit., p. 104).

93. Pour la légende de Rodrigue et de la comtesse, voir R. MENÉNDEZ PIDAL (éd.), *Floresta...*, t. 1, p. LVII-LXVI.

nous sommes trouvés aux portes du parricide et de l'inceste[94]. N'oublions pas que Julián a la clé. Et n'oublions pas non plus comment il faut voir l'Espagne, telle qu'elle est venue s'ordonner dans l'espace sacré de Tolède – œuvre d'Hercule –, mais telle aussi qu'Alphonse X nous a appris à l'approcher : Épouse de Cantique, chantée dans la sensuelle incantation des litanies, riche et belle, féconde et précieuse, douce et forte, toute parée des richesse d'une mère et de la lumineuse beauté d'une vierge. La mère et la fille sont la femme, ici violée.

Quant aux couleurs qui entourent cette scène, elles sont sans doute les couleurs primordiales de la Vie et de la Mort, du Jour et de la Nuit, de la Joie et du Deuil. Elles sont les points cardinaux, les vertus cardinales. Mais l'essentiel reste leur double signe : le blanc est la contre-couleur du noir, le vert est issu du rouge et leurs signes sont ambivalents. C'est donc encore un équilibre masculin-féminin qui va être brisé. Le diable ne s'y est pas trompé, qui sait son heure venue après ce retour aux origines ou descente aux Enfers que vient d'accomplir Rodrigue. II peut lui faire voir, dans le jardin, la lisse rondeur des jambes, puis les seins de la Cava. L'atmosphère s'alourdit et le viol commis dans l'intimité de la Reine – dont la Cava est en quelque sorte devenue la fille – est perçu comme un inceste.

Il est regrettable que Pedro de Corral, au lieu de se contenter du désir primordial, de la passion brutale – le rapt et le plaisir encore des romans de chevalerie –, ait cru bon de se plier au goût du jour et de développer la querelle féministe déjà en germe dans la *Crónica de 1344*, et comme on peut la trouver dans le roman sentimental. Voici la comtesse qui se dit outragée et pousse à la vengeance, la Cava qui se défend (trop !) mais qui n'a pas crié pendant qu'on la violait ! Ce n'est plus l'Ève de la Bible ; c'est presque du Sancho Panza. Combien nous préférions aux lettres et aux soupirs le symbole de l'œuf pourri envoyé au père tel qu'il apparaît au XIIe siècle dans deux versions musulmanes : l'œuf cosmogonie, symbole de fécondité et de virginité perdues et étrange relation au père[95].

La légende était longtemps restée ouverte. On nous disait, dans la *Silense* et dans la *Najerense*, que Rodrigue, trouvant la fille de Julián si belle, en avait

94. Un romance n'a pas hésité à franchir le pas : « – *"Por Dios te pido, ermitaño, / por Dios y Santa María : / hombre que forzó mujeres / si tiene el alma perdida." / – "Perdida no, el caballero, / no siendo hermana ni prima." / – "Ay de mí, triste cuitado, / que esta fue la mi desdicha ! / Que dormí con una hermana, / y tambien con una prima"* » (*Floresta…*, t. 2, p. 17-18).

95. Lorsque A. H. Krappe tente d'expliquer l'étrange fureur d'un père dont le sultan a épousé la fille, de façon tout à fait honorable semble-t-il, par une possible contamination de la légende espagnole – femme prise comme concubine – (« […] il est probable que quelque épitomateur, tâchant d'abrévier le conte, l'a mutilé en y portant les contradictions mentionnées »), il oublie l'attachement qui par-delà les conventions du mariage lie le père et la fille. Voir Alexander Haggerty KRAPPE, « Une version orientale de la légende de Rodrigue, dernier roi wisigoth », *Bulletin hispanique*, 28, 1926, p. 176-179.

fait sa concubine et non sa femme. C'était suggérer qu'elle devait l'être. Ainsi l'ont dit le Tudense, le Toledano, Alphonse X. Mais à partir du Toledano, la légende s'était encore davantage ouverte, recueillant simultanément deux versions du viol : viol de la fille ou viol de la mère. Des doubles féminins ? Dans la *Crónica de 1344* la légende se ferme et s'ordonne. Rodrigue est marié. La comtesse offensée est celle qui pousse le plus à la vengeance. Les doubles féminins ont pris chacun un rôle pour montrer, semble-t-il, que c'est toujours par la femme que vient le mal. Sans oublier comment s'ordonne chaque état de légende, ne peut-on aller au-delà ? Faut-il choisir entre la fille concubine et non épouse, fiancée mais concubine et la fille pupille du roi et de la reine ? Choisir encore entre la fille et la mère ?

Nous avons appris dans le récit de la décollation de saint Jean-Baptiste et dans l'éblouissante lecture que fait René Girard du texte de saint Marc, ce que peut la violence du désir mimétique[96]. Apparemment, nous sommes loin de notre histoire ; mais nous y retrouvons un roi possédé par le désir, et une fille et sa mère. Hérode, fasciné par la danse de Salomé, envoûté, dit simplement : « Demande-moi ce que tu voudras, je te le donnerai », et il lui fit un serment : « Tout ce que tu me demanderas je te le donnerai, fût-ce la moitié de mon royaume ! »[97] La jeune Salomé, n'ayant pas de désir, pose la question à sa mère : « Que faut-il demander ? » Faisant sien aussitôt le désir d'Hérodiade, elle se fait apporter sur un plat la tête de l'innocent emprisonné.

Rodrigue, fasciné lui aussi par le jeu de la Cava, a moins de folle grandeur. Ce qu'il offre, c'est l'éventualité de la mort de la reine (de là à la souhaiter…, comme le dit justement la Cava) et le mariage après. Voici une proposition un peu bourgeoise et méprisable. Ce n'est certes pas le don fou encore du roman arthurien. Rodrigue ne donne rien ; il ne veut que lui-même. La Cava, elle, ne pose pas de questions à ceux qui devraient l'aider. Plus tard elle révèle au père le secret. Le père veut se venger, mais restant prudent et sage, il dissimule et tient conseil. C'est la mère qui « attrape » (pour reprendre le terme de Girard) la violence du désir qui a voulu et détruit la fille. Elle le reporte sur le roi, se sent violée aussi. Mère et fille ne sont qu'une même femme, celle de Julián doublement poussé à la vengeance. Ce viol le tuait, et il meurt. Mais Rodrigue aussi s'est condamné, car il était le scandale[98].

La prophétie d'Hercule condamnait Rodrigue. Il croyait pouvoir s'y opposer mais savait que contre Dieu on ne peut rien. Or Dieu a décidé[99].

96. R. GIRARD, *Le bouc…*, p. 181-211.
97. *Ibid.*, p. 188.
98. Sur le scandale, *ibid.*, p. 190-191.
99. [« *E quierovos dezir que su costelación no podía escusar que esto no pasase así ; e ya Dios lo avía dexado en su descreción, e él por cosa que fuese no se podía arredrar que no topase en ello* », *Crónica del rey*

Mais il a décidé la destruction de l'Espagne et non la damnation du roi[100]. En vérité, il suffisait au Rodrigue maléfique, qui souillait toutes choses autour de lui – ses chevaliers mouraient, son neveu aussi, la cour allait de deuil en deuil –, de disparaître pour purger l'Espagne. Le bienfait vient de son élimination ; peut-être aussi du fait que cette élimination introduit une différence, un autre ennemi, donc la réconciliation. Cela suffirait au mythe, comme il a longtemps suffi ensuite qu'apparaisse le tombeau. La pénitence inventée autour de lui est une immense métaphore qui dit ce rôle réconciliateur et fondateur.

Si Dieu, dans sa violente pédagogie, avait fait de Rodrigue un bouc émissaire, qu'allaient devenir, ensuite, le roi et le royaume ? Pour le second, il suffisait d'organiser l'histoire. Pour le premier il a fallu inventer. Mais on a voulu montrer de façon explicite ce qui n'était jusqu'ici que suggéré : que le rétablissement de l'alliance passait aussi par la mort du roi.

La purgation et le royaume

La légende est encore une fois venue d'ailleurs, du Portugal, et elle est sans doute le produit de légendes locales, nées autour du tombeau ou de son souvenir[101] ; dans le récit qu'en fait Pedro de Corral il nous semble reconnaître au moins trois thèmes. Le premier n'est peut-être qu'une trace, mais importante : nous nous référons à ce que fut la pénitence pour les Wisigoths d'Espagne. Faire la pénitence, c'était pour le roi cesser de l'être et ne plus pouvoir le devenir (que l'on songe à Wamba). Aussi la faisait-on au moment de la mort. La pénitence imposée à ceux qui avaient commis un délit grave était soumise à des règles strictes : exclusion, décalvation, parfois mutilation, communion seulement à la fin du temps exigé, mais souvent de la vie. L'anathème condamnait celui qui violait le serment de *fidelitas* à l'excommunication et à la damnation éternelle, sans compter les confiscations et les mutilations. Mais les conciles avaient aussi prévu

---

don Rodrigo, postrimero rey de los Godos (Crónica sarracina), James Donald FOGELQUIST (éd.), 2 vol., Madrid : Clásicos Castalia (257 et 258), 2001, 1, chap. 164, p. 449.]

100. « [...] *ya era dada la sentencia contra el Rey, que en su vida fuese destruida España* [...] » (*ibid.*, p. 448).

101. L. F. Lindley Cintra croit que cette légende était déjà présente dans la version de Gil Pérez. La *Crónica de 1344* l'aurait éliminée, mais cela expliquerait sa survivance chez Fray García de Eugui vers 1390, dans la *Sarracina* et dans la *Refundición de Toledo*. Pourtant, comme le fait remarquer D. Catalán, la timide interpolation « *em huùa orta* » de Pedro de Barcelos dans le *Libro das Linhagems* en 1325 (et qui n'a, lui, rien à voir avec Gil Pérez) ne semble pas avoir de rapport avec une œuvre aussi prestigieuse que la *Crónica del Moro Rasis*. Voir D. CATALÁN et M. S. de ANDRÉS, Introduction à la *Crónica de 1344*, éd. cit., p. LXVIII, note 74. Sur les différentes traditions qui ont pu inspirer cette pénitence, voir R. MENÉNDEZ PIDAL (éd.), *Floresta...*, t. 1, p. LXXX-LXXXIX.

la réintégration. Le pardon du roi (retour à la *fidelitas*) entraînait celui des évêques. Il y avait un pardon[102].

À cela s'est ajoutée l'invention du purgatoire, que nous connaissons mieux depuis les travaux de Jacques Le Goff[103] : une nouvelle idée de la faute, une autre angoisse devant la mort, la recherche d'un lieu intermédiaire pour échapper à tout prix par la purgation à la damnation éternelle, ici-bas ou ailleurs, mais dans un lieu ; un lieu où l'on peut introduire le temps et le nombre, c'est-à-dire une fin ; un lieu qui donne à l'homme un pouvoir sur son salut et sur celui des autres avant et après la mort ; où l'on peut introduire une justice terrible souvent, mais raisonnée. Ce nouveau lieu, rassurant malgré ses supplices, a été inlassablement prêché à grand renfort d'anecdotes édifiantes, de visions effroyables mais où l'on pouvait chiffrer, compter : un « Enfer à temps », comme le dit Jacques Le Goff. On montre la voie désormais nécessaire et qui n'est plus celle de l'ancienne pénitence tarifée. La voie est maintenant contrition, confession, purgation, si possible sur terre ; on souligne le rôle déterminant des derniers instants où tout se joue ; la nécessité de rester bien encadré dans l'Église, seul guide, et de trouver la peine appropriée aux péchés. Le purgatoire est aussi une arme politique. Que de grands personnages apparaissent dans des *visions* au milieu des tourments[104] ! Le purgatoire, pleinement organisé au XIIIe siècle, vient rejoindre la littérature ascétique, le discours sur la mort [et le discours pénitentiel qui s'est développé après le IVe concile de Latran].

Rodrigue a de la chance puisqu'il a suivi, après la dernière tentation de la mort suicidaire, la bonne voie : contrition, pénitence, confession, communion, purgation. Il est vrai aussi que par la médiation d'un *mayoral* (un évêque ?) Dieu lui-même a dit le châtiment, la complète mutilation[105].

Le troisième thème que nous croyons reconnaître est celui de la rencontre du chevalier pénitent et de l'ermite, venu du roman de chevalerie. Le thème de la forêt, « anti-monde, où il convient de se plonger par périodes [...], où les forts ont chance de voir s'entrouvrir les portes du sacré et de la sagesse. Entrebâillées ici non point par un clerc. Par un ermite, c'est-à-dire un fou

102. A. BARBERO et M. VIGIL, *op. cit.*, p. 144-149.

103. Jacques LE GOFF, *La naissance du purgatoire*, Paris : Gallimard, 1981.

104. J. Le Goff cite, entre autres exemples, celui de Charlemagne dont les parties sexuelles sont dévorées par un animal (*ibid.*, p. 160).

105. Philippe ARIÈS situe aux XIVe et XVe siècles la relation définitive « entre la mort et la biographie de chaque vie particulière [...]. On croit désormais que chaque homme revoit sa vie toute entière au moment de mourir, en un seul raccourci. On croit aussi que son attitude à ce moment donnera à cette biographie son sens définitif, sa conclusion » (*Essais sur l'histoire de la mort en Occident du Moyen Âge à nos jours*, Paris : Seuil, 1975, p. 42). J. Le Goff fait remonter cette relation au XIIIe siècle (*La naissance...*, p. 390 *sq.*). Pour mieux savoir ce qu'était, avant, la pénitence canonique et tarifée, on peut consulter Cyrille VOGEL, *Les libri pænitentiales*, Turnhout : Brepols, 1978.

de Dieu, indocile, rétif aux consignes épiscopales, côtoyant l'hérésie et dénoncé par les chanoines»[106]. Rodrigue, comme ces chevaliers va «errer parmi les broussailles, d'épreuve en épreuve»[107].

Le récit des transgressions et de la défaite de Rodrigue est un tronc commun dont sont issus deux récits complémentaires qui tous deux vont finir l'histoire, et la finir bien. Il faut les lire par rapport au tronc commun qui les structure. Le premier – dans l'ordre du récit – est celui des *mocedades* de Pelayo et donc son élection comme roi; il construit ce que Rodrigue aurait dû être et n'a pas été. Le second, qui est la fin du livre, construit un autre Rodrigue en détruisant ce qu'il fut, mais toujours par rapport à cela. Les deux récits doivent se lire l'un par rapport à l'autre et tous deux par rapport au tronc commun, puisque tous deux s'appliquent à inverser Rodrigue, mais aussi à le continuer. Dans l'ordre chronologique, s'ils sont d'abord entrelacés (Pelayo est né – grâce à un refus de viol[108] –, a fait ses premières armes, a été averti par l'ermite du péché de Rodrigue et de la destruction de l'Espagne avant qu'ils ne s'accomplissent, a appris surtout qu'il est le restaurateur), la mort du roi contée à la fin est antérieure à la restauration par Pelayo. Donc, si l'on prend l'histoire de Rodrigue comme référence, celle de Pelayo y est comme enchâssée. C'est pourtant par un nouvel entrelacement que cet ordre s'inverse : Pelayo conquiert León où meurt Eleastras, le premier chroniqueur, et c'est ensuite en repeuplant Viseo sous Alphonse le Catholique (anachronisme ici nécessaire) que Carestes, le second «historien», trouve non plus seulement le tombeau, mais l'histoire secrète de la fin de Rodrigue. Si nous prenons comme référence l'histoire de Pelayo, c'est la pénitence de Rodrigue qui s'y trouve maintenant enchâssée; mais pas vraiment, car elle met le point final. Tous ces artifices de construction prétendent établir une vérité digne de foi par le mélange de l'histoire et du témoignage autorisé. Le roman de Pelayo, la pénitence de Rodrigue vont chercher leur vérité dans l'histoire vraie qui les lie, c'est-à-dire dans la formation du royaume astur-léonais. Dans la chronologie, les deux histoires ont été pendant un certain temps parallèles et se sont croisées. Rodrigue est mort alors que commence la mission de Pelayo, présenté ainsi deux fois comme son héritier[109]. Élu par Dieu, avant, et dans

106. G. DUBY, *op. cit.*, p. 369. À propos des ermites et de leur importance dans la chrétienté médiévale, voir Jean CHELINI, *Histoire religieuse de l'Occident médiéval*, 2e édition, Paris : Armand Colin (U), 1978, p. 302-303. Il y est traité du sacrement de la pénitence p. 312-313.

107. G. DUBY, *op. cit.*, p. 369.

108. [Le roi Abarca, épris de Luz, la future mère de Pelayo, n'a pas voulu la violer. Selon le plan choisi par Corral, il fallait qu'elle fût vierge pour se donner à Favila. Quant à Pelayo, roi chaste, il protégera la virginité (voir plus loin «Pelayo et la fille du marchand : réflexions sur la *Crónica sarracina*»).]

109. Il est bien sûr difficile d'évaluer et de comparer, malgré les repères donnés par l'auteur, le «temps» de Pelayo et le «temps» de la pénitence.

une alliance confirmée par le salut de Rodrigue. L'histoire de Pelayo est, comme celle de tout chevalier, celle d'une vocation (la défense du marchand attaqué), d'une convocation (la révélation par l'ermite) et d'une confirmation (l'ours et peut-être aussi le serpent). L'ours, dans lequel on reconnaît le monstre à vaincre, avait été proposé à Rodrigue qui n'avait pas pu le tuer. Pelayo le tue. C'est déjà le désigner comme le fils. Le meilleur des pères, Amadís, n'a-t-il pas lui aussi renoncé devant une aventure réservée à Esplandián ? Quant au serpent, il a sauvé Rodrigue : c'est une nouvelle confirmation et peut-être une fondation par la double fécondité d'une rentrée dans la terre et d'une montée au ciel.

Le tronc commun, nous l'avons dit, structure les deux récits. Le premier nous montre un nouvel espace sacré : les reliques, la grotte, qui remplace la maison de Tolède, l'ermite, qui remplace Hercule et sa prophétie, la société structurée face au désordre, la femme respectée, la dévotion à la Vierge, la montagne sacrée face au jardin tentateur. Quant à la pénitence, elle suit le chemin inverse des transgressions et va d'un jardin à l'autre, en passant par la montagne et le désert. Au repos de Tolède[110], lieu de paresse oisive et de péché, s'oppose le difficile itinéraire, mais les structures sont parallèles. Rodrigue se faisait roi, il se défait; il violait le temps et l'espace circulaires d'Hercule en quête du secret, dans un parcours initiatique qui le conduisait à la destruction; cette fois, il parcourt un long chemin de croix, nouvelle initiation qui le conduit à l'espace fermé de la tombe, mais sans doute dans le salut et dans le temps circulaire de l'hagiographie; il transgressait la loi, il accepte la discipline; la statue d'Hercule tenait à la main l'avertissement; maintenant, l'ermite gisant tient à la main la règle; la solitude du déchiffreur d'énigme et du voyeur devient solitude d'ermite. Dieu, qui faisait l'histoire, avait abandonné Rodrigue au diable; le diable maintenant tente Rodrigue en lui offrant de refaire l'histoire, de gagner la bataille, d'avoir un fils. Mais il faut que Rodrigue meure pour que l'héritier vienne lui aussi d'ailleurs, pour établir la différence. Et pourtant, apparemment vaincu par le monstre, Rodrigue est vainqueur. Il va chaque fois vers une pénitence plus dure. Mais, progressivement il réintègre l'Église en passant des ermites au monastère et à l'abbé, puis au *mayoral*[111]. Il redevient roi et c'est le *mayoral* confesseur qui est le médiateur; Dieu envoie la pénitence : le serpent. Un serpent qu'il doit trouver, choisir, nourrir : issu de lui-même. C'est sa propre violence qu'il pose ainsi à l'extérieur. C'est cela, son temps de purgatoire : faire grandir le serpent qui doit le dévorer,

110. La *Refundición toledana* a précisé les charmes de ce jardin fait par Rodrigue et appelé « *el corral de los pavones* » (*Floresta*..., t. 1, p. 148). Par contre dans la tradition rapportée par García de Eugui, Rodrigue devient aide-jardinier (*ibid*., p. LXXXII).

111. Dans la tradition rapportée par Fray García de Eugui, Rodrigue exige la venue de l'évêque réticent et qui envoie un vicaire (*ibid*., p. LXXXII-LXXXIII).

puis se laisser dévorer sans faiblir sous la garde de l'évêque. Ce serpent a deux têtes ; c'est déjà désigner l'ambivalence du signe. L'iconographie des XIIe et XIIIe siècles grouille de serpents dévoreurs et monstrueux, car c'est ainsi qu'était représentée et punie la luxure[112]. Mais c'est aussi en chassant le dragon qui dévore la femme adultère que l'évêque Marcel a fondé : évêque, dragon, serpent, toujours la fondation[113]. Quant aux deux têtes, elles peuvent représenter l'orgueil et la luxure, la fécondation et la destruction. Le serpent est tout cela, mais surtout un masculin-féminin circulaire, la vie par la mort. Rodrigue est châtré, dévoré, définitivement purgé. Dieu semble satisfait et le dit par le miracle des cloches, car seul le miracle pouvait s'opposer à la prophétie.

Les ermites, ces fous de Dieu, avaient donné deux fois la communion à Rodrigue : il s'était confessé, avait montré une vraie contrition et un esprit de pénitence ; il fallait l'aider. Quand le roi retrouve les structures de l'Église, il en va autrement. Il se confesse au *mayoral*, qui après trois jours de prière reçoit de Dieu la pénitence. Quand Rodrigue s'enferme dans le tombeau avec le serpent, c'est encore au troisième jour que la bête se met à le dévorer. La troisième communion passait donc par ce terrible repas où Rodrigue devait donner son propre corps en nourriture. C'était une tragique mais belle histoire. On s'est mis à en douter.

En 1390 la *Refundición toledana* de la *Crónica de 1344* se dit sceptique à propos de l'importance du viol de la Cava qui n'était, après tout, ni vouée à Dieu ni mariée[114]. Quant à Julián, il serait injuste de le rendre entièrement responsable[115]. Le coupable est Witiza : on aura reconnu une tradition mozarabe. Gutierre Díaz de Games, dans son *Victorial*, écrit vers 1431-1435 et terminé sans doute vers 1448, est toujours friand de beaux

112. On en trouve des illustrations dans Émile MÂLE, *L'art religieux du XIIe siècle en France*, 8e édition, Paris : Armand Colin, 1947. D'autres illustrations dans V.-H. DEBIDOUR, *Le bestiaire sculpté en France*, Paris : Arthaud, 1961. Une des images les plus effroyables de la punition de la luxure par le serpent a été donnée au XVe siècle par Mathis Nithardt dit Grunevald avec *Les amants trépassés*.

113. Voir l'analyse de ce récit par J. LE GOFF dans *Pour un autre Moyen Âge*, Paris : Gallimard, 1977, p. 228 *sq*. On y trouvera une longue bibliographie sur les dragons et les serpents. Apparemment la mort de Rodrigue se trouve à l'opposé de la victoire du saint sur le dragon, mais en réalité il s'agit toujours d'une victoire et d'un rite de fondation. On peut voir dans l'étude de G. MARTIN, « Continuité des Sphynx... », que le serpent est la punition du voyeur.

114. « [...] *commo quier que aquel misterio después passase por él e por las Españas todas, non es de los entendidos creer ser por el pecado que con la donzella fizo nin ser ella causa dello, ca de muy antiguo tienpo, e aun fasta oy día, ya es claro e manifiesto que los reyes quando menos fazen estas tales cosas e aún más ; pero non son destruidos ellos nin sus señorios por el semejante caso, pues David y Salamón, reyes grandes de Israel, asaz en paz governaron e murieron, teniendo cada trezientas mugeres para su deleitaçión. Pues por un rey se pagar de una tan gentil donzella non casada nin ordenada en alguna religión, alegres devieran ser toda su generaçión* » (*Floresta*..., t. 1, p. 147).

115. « *Nin al conde don Julián conprehender deve la culpa mas que oy a los Judíos la muerte de Jesu Cristo, porque lo que Dios permite ninguno puede enbargar* » (*ibid*., p. 147).

contes. Les gentils vivaient dans l'erreur, nous dit-il, et croyaient en la réincarnation. C'est pourquoi ils cachaient sous terre de grands trésors et mettaient des signes pour les reconnaître. Tel est le prétexte pour nous conter l'histoire de Rodrigue « *que fue el postrimero rey del muy noble e gran linaje de los magníficos reyes godos* »[116]. Rodrigue croyant qu'Hercule – un gentil – a caché des trésors dans la maison de Toledo en fait ouvrir les portes mais trouve d'étranges choses :

> [...] *mas dizen que falló una arca dentro, metida en lugar ascondito. E que estavan dentro en ella tres redomas, e que en la una estava una cabeça de un moro, e en la otra una culebra, e en la otra una langosta. E diz que una escritura que dezía que guardasen no se quebrasen ninguna de aquellas redomas ; si no, que la que quebrasen, de aquella natura sería estruyda toda la tierra*[117].

Après avoir bien raconté, le chroniqueur fait l'esprit fort et se met à tout discuter : l'histoire de Tolède, l'importance du viol de la Cava pour donner ensuite son opinion : le peuple entier était pécheur, mais c'est surtout Julián, le traître, que maudit ce champion de la très loyale chevalerie[118]. Le biographe grandiloquent du marquis de Cadix à la fin du siècle, en faisant son résumé de l'histoire d'Espagne, pleure le malheur de la destruction : lui aussi excuse Rodrigue et accuse Julián[119]. Il a gardé pour le roi le salut par la pénitence et la valeur exemplaire d'une bonne fin[120].

116. *El Victorial*, Rafael BELTRÁN LLAVADOR (éd.), Salamanque : Universidad de Salamanca, 1997, chap. 5, p. 259. Voir ci-après, dans « Pelayo et la fille du marchand », la note 98.

117. *Ibid.*, p. 259.

118. « *Esto creedlo vós si quisiéredes, mas yo non lo quiero créer, porque estas tales cosas no las sufre la ley, la razón no las consiente. Otrosí el pasar de la mucha gente e el destruymiento de España non lo fizo ni avino por el abrir de las puertas, mas la justicia de Dios por los pecados de los honbres* [...]. *Otrosí dizen que la tierra fue perdida por pecado que fizo el rey don Rodrigo en tomar la fija del conde Julián. No fue aqueste tan gravísimo pecado, en tomar el rey una moça de su reyno, como las gentes lo notan, nin casada, nin desposada. E aun, que podía ser que el rey no hera conjugado, ainsí que el pecado hera en mucho menor grado. E Dios non pena en particular, sino por pecado universal. Onde es de entender que los pecados que entonçes fazían las gentes, que heran aborreçibles a Dios, e tantos que él no los podía sufrir, onde ovo de hexecutar la su justiçia. Mas esta Corónica fue levantada en aquel tienpo, e* [*por*] *los que avían voluntad de salvar al conde Julián de tan grande traiçión. Como maldito sea el que bien dél dixere, bendito será quien le maldixere : ¡ maldígalo Dios, que maldito es !* » (*El Victorial*, éd. cit., p. 260-261). [Il est évident que Díaz de Games se situe ici dans une tradition biblique et chrétienne. Voir à ce sujet les importants commentaires de C. MONTERO GARRIDO, *op. cit.*, p. 192, et *supra* note 82.]

119. « *Vn rey tan grande y tan poderoso, tan riquísimo y tan esforçado, y de tan floreçido linaje, commo fue el rey don Rodrigo, el postrimero rey de los godos en Espanna, y por vn pecado tan humano, el cual non alabo, que pudiera ser sofrido y callado o resçebida tal emienda que fuera bien satisfecho en otras maneras honestas. ¡ O, muger malaventurada ! ¡ O, conde Julián ! ¡ O, entrannas tan crueles ! ¡ O, coraçones tan duros, que quesistes dar tan grand cabsa de tanto cabtiuerio, mortandad y destruyçión en todas las Espannas de tantas gentes, onbres e mugeres y criaturas christianas ! Vuestras ánimas deuen ser perdidas en los ynfiernos* » (*Historia de los hechos del marqués de Cádiz*, Juan Luis CARRIAZO RUBIO (éd.), Grenade : Universidad de Granada, 2003, chap. 2, p. 148). [On sait que la malédiction de Julián, apparue dans le Toledano, avait fini par faire partie de l'épitaphe elle-même.]

120. « *Y el rey don Rodrigo tenemos por muy çierto él fizo su penitençia con grand conosçimiento y humilldad. Por la qual, Dios vsando de su ynfinita misericordia, mylagrosamente al tienpo de su fallesçimiento se doblaron*

Ce sont là des chroniqueurs biographes. Que disent les historiens ? Ils retrouvent, avec une force nouvelle, le thème de la *sangre de los Godos*, car la monarchie castillane veut et doit légitimer sa grandeur par cette noble ancienneté. Certes, comme Martínez de Toledo dans son *Atalaya*, on retrouve plus volontiers Recarède et son règne glorieux. Mais on veut, toujours pour soi et pour les autres, pour Rome surtout, si fière de son passé, montrer deux choses : que la monarchie castillane descend des Wisigoths et que les Wisigoths furent nobles et non barbares, et plus que tous les Wisigoths d'Espagne qui durent en combattant éprouver leur valeur[121]. Telle est la doctrine d'Alonso de Cartagena qui avait entendu dire au concile de Bâle, par l'ambassadeur du roi de Danemark, de Suède et de Norvège, que la maison régnante du pays d'origine était la vraie descendante des Wisigoths[122]. Dans son *Anacephaleosis* il rapporte le viol de la Cava, parle du tombeau de Viseo, de Pelayo, successeur voulu par Dieu, si bien que Rodrigue n'est pas vraiment le dernier[123]. Rodrigo Sánchez de Arévalo, dans sa *Compendiosa historia hispánica* raconte lui aussi le viol à grand renfort de comparaisons bibliques (il avait déjà fait de Witiza l'émule de Denys de Syracuse). La colère de Julián devient terrible : « Iræ stimulis accenditur, lingua confunditur, cor palpitet, facies ignescit, exasperantur oculi [...]. »[124] Et l'auteur en vient à ce qui vraiment l'intéresse ; Rodrigue n'est pas le dernier :

> Sed iam ad Rodericum redeamus vltimus rex Gotthorum, non quod Pelagius et sequentes Reges ex Gotthorum genere non descendant, sed quia reges omnes ab Athanarico, qui primus ex Gothis (vt diximus) regnauit, vsque ad istum Rodericum, solo nomine regio Gothurum appelati sunt. Nec enim intitulati sunt Reges Hispaniæ, aut Castellæ, vel Legionis, sed reges Gotthorum simpliciter [...] Post Rodericum vero Pelagius et cæteri qui ei in principatu Hispanico successerunt, etsi ex sanguine Gotthorum (vt diximus) descenderunt, tamen non Gotthorum titulis [...][125].

---

las canpanas en la çibdad de Viseo, donde está sepultado. En que pareçe su ánima ser en aquella gloria y bienaventurança de parayso, porque ninguno no despere, mas que con grand fe y esperança, con lágrimas, contrición y arrepentimiento, satisfaziendo sus pecados, todos le serán perdonados » (*ibid.*, p. 148-149). [Pour mieux comprendre l'importance du salut du roi Rodrigue dans l'histoire du marquis de Cadix, voir plus loin, dans « Noblesse et monarchie », les pages consacrées à ce thème.]

121. Voir R. B. TATE, *Ensayos sobre la historiografía...*, p. 55-104.

122. *Ibid.*, p. 72-73.

123. « Nam licet Hispaniæ reges a rege illo descenderant, titulum tamen Gothicum dimiserunt, aliis regis titulis sunt insigniti » (*Hispaniæ illustratæ*, Francfort, 1603-1607, I, p. 268). [Le *Textus communis* édité par Y. Espinosa Fernández dit « a genere illo » au lieu de « a rege illo ». Voir Yolanda ESPINOSA FERNÁNDEZ, *La « Anacephaleosis » de Alonso de Cartagena : edición, traducción, estudio*, 3 vol., PhD thesis, Madrid : Universidad complutense, Departamento de filología clásica, 1989, p. 550. Sur la « *España gótica* » de Alonso de Cartagena, voir l'étude de L. FERNÁNDEZ GALLARDO citée dans « Pelayo et la fille du marchand », note 143.]

124. *Hispaniæ...*, p. 152.

125. *Ibid.*, p. 153.

Le diable avait tenté Rodrigue par la fausse Cava à qui l'Esprit saint aurait dit :

> [...] *por que el señorío de España no salga del poder de los godos, e aquel que lo avrá descienda de la tu simiente e generación del Rey don Rodrigo, yo quiero que tú sepas dó él es e que vayas a él, e que te ayuntes con él, e concebirás dél un fijo, e avrá nombre Felbersán, el qual será tal que porná so el su poder toda la tierra que es debaxo de los aires*[126].

Il n'y a pas eu de Felbersán, empereur wisigoth du monde, mais il y a eu Pelayo, le premier après le dernier non issu de Rodrigue mais venu du même sang. Alonso de Cartagena et Rodrigo Sánchez de Arévalo exaltent tous deux la valeur de la guerre juste, par laquelle se prouve la grandeur d'une nation. Cette bonne guerre de la Reconquête rend plus noble la couronne de Castille[127] : on y aura reconnu le tous contre un.

Le roi Rodrigue, en fait, n'était pas grand-chose. Il avait pris le pouvoir, appuyé par ses partisans. Les partisans de Witiza ayant traité avec les musulmans, Rodrigue a perdu la bataille, et il est mort. La suite est assez confuse. Mais l'occupation de l'Espagne était un fait réel et a vite pris une tournure à laquelle ne s'attendaient pas ceux qui l'avaient provoquée. Très vite, en dépit des pactes et en dépit de la succession de Witiza, l'Espagne wisigothique a été sentie comme perdue par ceux qui continuaient à y vivre. Quant à la conscience que l'on a eue de cette perte, il est difficile de la préciser : elle dépend des lieux, des partis et des couches sociales. Si elle a été sentie comme un mal et une usurpation, il a fallu chercher un coupable. Qu'il soit Witiza ou Rodrigue, c'est toujours Rodrigue qui perd la bataille et qui devient bientôt *dernier*, pour les mozarabes ennemis de Witiza et pour ceux du Nord ; car il est le dernier à avoir régné sur l'ensemble du royaume.

Quand a-t-on eu vraiment conscience d'un *avant* et d'un *après* séparés par la bataille ? et qu'entendait-on par là ? Assez vite les populations du Nord – un autre *avant* – ont rejoint l'*avant* et l'*après* des autres. Leur expansion a voulu devenir par-dessus l'occupation musulmane ce qui était *avant*. Mais toujours on retrouvait la bataille perdue par Rodrigue. Les musulmans, qui l'avaient vaincu, sont ceux qui ont dit pourquoi il avait mérité de l'être ; ils ont donné le Rodrigue transgresseur, adopté par les mozarabes qui peut-être connaissaient eux-mêmes la fille de Julián. Ces transgressions s'inscrivaient aisément dans le schéma biblique du châtiment par la destruction ; c'était déjà introduire le plan de Dieu et pouvoir espérer.

Le roi Rodrigue, le vaincu, le dernier, a été inventé. II est devenu par le fonctionnement du mécanisme victimaire un Rodrigue roi. Il réunit

126. *Crónica del rey don Rodrigo*, éd. cit., 2, p. 392.
127. Voir R. B. Tate, *Ensayos*..., p. 87.

tous les stéréotypes de la victime émissaire. Il est roi, mais « tumultuose », c'est-à-dire étranger malgré tout à une succession directe. Il apparaît dans une crise indifférenciée (sans oublier la peste qui a ravagé le royaume sous Egica). Il transgresse les interdits. Il est sacrifié au Guadalete.

Nous avons essayé de montrer comment ce roi, inventé comme roi maléfique, est devenu bénéfique peu à peu en même temps que prenaient de l'importance les récits de ses transgressions. Il est chargé des crimes décisifs parce qu'il devient de plus en plus un instrument par où passe la Providence.

Rodrigue roi avait caché le secret de sa mort « aux portes » du royaume. Il était allé mourir dans le *yermo* (ces lieux déserts souvent, mais aussi inventés par la Reconquête). C'est dans le *yermo*, qui rappelle aussi celui des Pères, qu'on l'a retrouvé et c'est encore de ce lieu situé « aux portes » que sont venues les légendes de la pénitence et de la mort. Il faudrait établir des Cartes de Rodrigue : y tracer les frontières de ce que fut à chaque grand moment de la genèse de l'imaginaire la limite par où passe le *nous* dont il a été question plus haut, et y tracer aussi l'itinéraire du roi. Ce travail sans doute utile reste à faire.

Il nous semble que le nom de Rodrigue l'a emporté sur celui de Guadalete, tandis que Covadonga – lieu sacré et encore vénéré – l'emporte sur Pelayo. Pourquoi cette victoire de Rodrigue ? À cause des romances peut-être ? En vérité il faudrait la plume magique d'un Georges Duby pour ressusciter ces journées qui défirent l'Espagne, car telles qu'elles nous sont contées, nous avons tendance, comme les plus mauvais élèves, à « sauter » la bataille. Nous la savions perdue d'avance… Mais ce n'est pas la seule raison. Rodrigue l'a emporté, non pas le roi Rodrigue – il n'était rien –, mais ce Rodrigue roi qu'on ne peut oublier.

Pelayo et la fille du marchand : réflexions sur la *Crónica sarracina**

Pelayo, né en secret de Luz et de Favila, a été confié par sa mère aux eaux du fleuve. Luz a baptisé son fils, et l'a placé sous la protection de Dieu afin qu'il vive et que, par lui, vive sa lignée. Une voix venue du ciel a dit qu'il en serait ainsi, et la petite *arca*, arche et châsse à la fois, s'éloigne, auréolée d'une merveilleuse lumière.

Telle est la *naissance* que raconte Pedro de Corral, aux chapitres 53 et 54 de la deuxième partie de la *Crónica del rey don Rodrigo*, plus connue sous le nom de *Crónica sarracina*[1]. De Pedro de Corral, on sait peu de choses : qu'il a écrit la *Crónica sarracina* et qu'il est le frère de Rodrigo de Villandrando, le célèbre routier devenu en 1431 *conde* de Ribadeo[2]. Sur la date

* Première publication : « Pelayo et la fille du marchand. Réflexions sur la *Crónica sarracina* », *Atalaya*, 4, 1993, p. 9-59.

1. La *Crónica sarracina* se compose de deux parties qui ont respectivement 262 et 256 chapitres. Le nombre et le découpage des chapitres peut légèrement varier selon les éditions, mais il s'agit, quoi qu'il en soit, d'une œuvre aux dimensions considérables. Éditée pour la première fois à Séville en 1499 et souvent rééditée au XVIe siècle, elle ne l'a plus été par la suite. L'épisode analysé dans cette étude a été édité par Ramón MENÉNDEZ PIDAL, *in : Floresta de leyendas heroicas españolas. Rodrigo, el último Godo*, Madrid : Espasa-Calpe (Clásicos castellanos), 1942, t. 1, p. 55-140, la seule édition moderne disponible au moment où ce travail a été entrepris. C'est pourquoi nous avons largement cité le texte, encore mal connu, complétant celui de la *Floresta* par des passages de l'édition de Séville de 1527. [Il existe désormais une édition récente et d'accès facile : J. D. FOGELQUIST (éd.), *Crónica del rey don Rodrigo*... (voir dans l'étude précédente la note 99). Nous citerons donc d'après cette édition, sans pour autant réduire l'importance accordée aux citations sur lesquelles le commentaire avait été construit.]

2. Pedro de Corral et Rodrigo de Villandrando sont les petits-fils de Juan García de Villandrando, *caballero de la orden de la Banda*, et les fils de Pedro García de Villandrando et d'Aldonza Díaz de Corral. Notre auteur a donc choisi le nom de sa mère. Leur oncle, Ruy García de Villandrando, fut *regidor* de Valladolid en 1399 et 1401. Sur le *linaje* de Corral (et de Tovar) on possède maintenant une bonne information grâce aux travaux d'Adeline RUCQUOI, *Valladolid en la Edad Media*, Valladolid : Publicaciones de la Junta de Castilla y León, 1987, II, en particulier p. 59-61 et 196-198, ainsi que la généalogie n° 7, p. 550. Sur Pedro de Corral, voir José Joaquín SATORRE GRAU, « Pedro de Corral y la estructura de su *Crónica del rey don Rodrigo* », *Al-Andalus*, 34, 1969, p. 159-173. Selon lui, Corral serait né « *en un período máximo comprendido entre los años de 1380 y 1390* » (p. 164). On est mieux renseigné sur la vie de Rodrigo de Villandrando grâce

de rédaction de la *Crónica sarracina* l'incertitude demeure, mais des progrès décisifs ont été faits : Derek C. Carr a montré que cette date était forcément antérieure au 15 décembre 1434, date de la mort d'Enrique de Villena, à qui l'on doit la première référence connue à cette œuvre[3]. D'après les arguments avancés par Derek C. Carr, il semble raisonnable d'imaginer, pour la rédaction, une période située autour de 1430.

C'est Pérez de Guzmán qui, voulant le condamner, a définitivement sauvé l'auteur de l'oubli. Son nom figure, en effet, dans le célèbre prologue des *Generaciones y semblanzas*[4]. La *Crónica sarracina* a eu du succès, comme l'attestent les nombreuses éditions du XVIe siècle. Mais aucune édition ne semble avoir été faite depuis [jusqu'à celle de James Donald Fogelquist[5]]. De même, la critique s'est peu intéressée à cette œuvre, peut-être victime de l'invective de Pérez de Guzmán. La *Crónica sarracina* est pourtant, pour reprendre les termes de Juan Manuel Cacho Blecua, « *uno de los intentos más singulares de toda la Edad Media española* »[6].

---

aux travaux de Jules QUICHERAT, *Rodrigue de Villandrando*, Paris : Hachette, 1879, et d'Antonio FABIÉ, *Don Rodrigo de Villandrando, conde de Ribadeo. Discurso leído en la RAH*, Madrid : M. Tello, 1882. Il faut ajouter le portrait fait par Fernando del PULGAR, *Claros varones de Castilla*, Robert Brian TATE (éd.), Oxford : Clarendon Press, 1971, p. 33-38, et la petite biographie tracée par Alfonso de PALENCIA [dans *Gesta hispaniensia ex annalibus suorum dierum collecta*, Brian TATE et Jeremy LAWRANCE (éd.), t. 1, *Libri I-V*, Madrid : Real Academia de la historia, 1998, I, 1, 3, p. 10.]

3. La critique, qui a oscillé entre 1403 (M. Menéndez Pelayo) et 1443 (P. Bohigas Balaguer et F. López Estrada), s'est une première fois fixée autour de 1430 (R. MEMÉNDEZ PIDAL (éd.), *Floresta...*, p. LXXXIX, ainsi que D. CATALÁN et M. S. de ANDRÉS (éd.), *Crónica del Moro Rasis*, p. XIII). D. C. Carr a pu montrer que la *Crónica sarracina* avait été écrite avant le 15 décembre 1434, date de la mort d'Enrique de Villena : Derek C. CARR, « La *Epístola* que enbió don Enrique de Villena a Suero de Quiñones y la fecha de la *Crónica sarracina* de Pedro del Corral », *in* : Harold Livermore (dir.), *University of Britsh Columbia Hispanic studies*, Londres : Tamesis, 1974, p. 1-18. Dans cette *Epístola*, dont on ignore la date de rédaction, Enrique de Villena fait allusion à un épisode qui se situe dans la première partie de la *Crónica sarracina*. D. C. Carr étudie également ce problème dans le prologue à son édition du *Tratado de la consolación* (Enrique de VILLENA, *Tratado de la consolación*, D. C. CARR (éd.), Madrid : Espasa-Calpe, 1976).

4. [F. PÉREZ DE GUZMÁN, *Generaciones y semblanzas*, éd. cit., p. 1. Ces accusations, non exemptes peut-être de rivalités politiques, ont été commentées plus haut dans l'étude « Le roi Rodrigue ou Rodrigue roi » (voir en particulier la note 25). On a pu voir par quelles étranges voies ce prologue a pu devenir celui de la *Crónica sarracina* dans le manuscrit X-I-12 de la bibliothèque de El Escorial.]

5. Voir les références à cette édition dans la note 99 de l'étude précédente.

6. Juan Manuel CACHO BLECUA, « Los historiadores de la *Crónica sarracina* », *in* : *Historias y ficciones. Coloquio sobre la literatura del siglo XV*, Valence : Universitat de València, Departament de filología espanyola (Oberta), 1992, p. 37-55, p. 38. M. MENÉNDEZ PELAYO a vu l'importance de la *Crónica sarracina*, dans *Orígenes de la novela*, Madrid : Bailly-Ballière (Nueva biblioteca de autores españoles, 1), 1925, p. CCCXXXI-CCCXL. R. MENÉNDEZ PIDAL lui a consacré une partie de son introduction à la *Floresta...*, p. LXXXIX-C. On doit à J. J. SATORRE GRAU, « Pedro de Corral... », une étude sur la structure de l'œuvre. La relation entre la *Crónica sarracina* et l'hagiographie, plus particulièrement la *Vida de Santo Toribio*, a été analysée par Israël BURSHATIN, « Narratives of Reconquest : Rodrigo, Pelayo, and the Saints », *in* : Jane E. CONNOLLY, Alan DEYERMOND et Brian DUTTON (dir.), *Saints and their authors. Studies in medieval Hispanic hagiography in honor of John K. Walsh*, Madison : Hispanic Seminary of medieval studies, 1990, p. 13-26. Quelques

Une étude des chapitres consacrés à la naissance et aux enfances de Pelayo permettra-elle d'éclairer le projet narratif de Pedro de Corral ?

La naissance du héros

La naissance a lieu à Tolède, où règne le roi Abarca, nom donné par Corral à Witiza. Comme dans la *Crónica de 1344*, le roi Acosta, imaginaire, lui succédera, et après seulement viendra Rodrigue. La naissance de Pelayo se situe donc avant la menace de destruction de l'Espagne ; c'est dire que la prière de Luz est prophétique et que la promesse de Dieu (« *otorgada te es la tu petición* ») assure une alliance non encore brisée.

Si le *romancier* retrouve le flou caractéristique du motif traditionnel dont il se sert ici, le *chroniqueur* respecte une donnée essentielle de la réalité historique (Tolède) et fait preuve d'un certain réalisme : avec les traditionnels messages, trois fois répétés et juste assez mystérieux, qui certifient la haute noblesse du nouveau-né, Luz a placé dans la nacelle la somme d'argent jugée nécessaire pour une période de huit ans. Est-ce là un trait propre à Pedro de Corral, c'est-à-dire un produit de ce mélange nouveau de *chronique* et de *roman* que l'on a pu considérer comme un *roman historique*[7], ou bien le signe d'une nouvelle orientation romanesque, du réalisme qui apparaît déjà à la fin du cycle d'Amadís, dans les *Sergas de Esplandián*, pour ne rien dire du grand *Tirant lo Blanch*[8] ? Faut-il y voir une volonté de montrer l'écart, et même le conflit, entre la réalité et le sens, le visible et l'invisible, la valeur marchande et la valeur symbolique[9] ? Ne serait-ce pas aussi un clin d'œil

---

travaux ont été consacrés à la *Crónica sarracina* : Gloria Álvarez Hesse, *La Crónica sarracina, estudio de los elementos novelescos y caballerescos*, Ann Arbor : UMI Dissertation Service, 1990. Le même texte a été édité à New York : Peter Lang (American university studies, Series II, Romance, languages and literature, 124), 1990. Nous citons cet ouvrage d'après cette édition. [Aurora Lauzardo Ugarte, *La Crónica sarracina de Pedro de Corral y la representación de la verdad en la Edad Media*, Ann Arbor : Dissertation abstracts international, 1990 ; Ljiljana Milojevic, *La « Crónica sarracina » como obra historiográfica*, Ann Arbor : Dissertation abstracts international, 1996 ; Sun-Me Yoon, *Edición y estudio de los manuscritos de la Crónica sarracina de Pedro de Corral*, thèse de doctorat, Madrid : Universidad complutense, 1997 (inéd.). Il faut ajouter l'Introduction de J. D. Foguelquist (éd.), *op. cit.*, p. 7-77, ainsi que l'étude de Fernando Gómez Redondo, *Historia de la prosa, III*, Madrid : Cátedra, 2002, 10. 8. 1 à 10. 8. 1. 4, p. 3342-3358.]

7. On trouvera dans l'étude de G. Álvarez Hesse, *op. cit.*, une analyse du genre dit *roman historique* (p. 27-42). La conclusion de l'auteur est que la *Crónica sarracina* ne saurait être considérée comme tel ; mais pouvait-il en être autrement ?

8. Voir à ce sujet Juan Bautista Avalle Arce, *Amadís de Gaula : el primitivo y el de Montalvo*, Mexico : Fondo de cultura económica, 1990, en particulier p. 13-17 ; et Juan Manuel Cacho Blecua, *Amadís : heroismo mítico cortesano*, Madrid : CUPSA, 1979.

9. Edwin Williamson a étudié l'importance de cette forme d'ironie dans les romans de Chrétien de Troyes et dans les fictions narratives postérieures, dans *The half-way house of fiction : « Don Quixote » and Arthurian Romance*, Oxford : Clarendon Press, 1984, et « Cervantes y Chrétien de Troyes : la destrucción creadora de la narrativa caballeresca », *in :* María Eugenia

adressé au lecteur, voire une pointe contre Amadís, que l'on avait envoyé lui aussi à l'aventure, mais bien démuni…

Car le modèle est l'*Amadís*; un *Amadís* dont on ignore ce qu'il était réellement autour de 1430, date probable de la *Crónica sarracina*, mais dont la partie initiale au moins devait être à peu près ce que nous connaissons. Déjà ancien – même si l'on ne remonte pas avec Juan Bautista Avalle Arce jusqu'au règne de Sanche IV (1284-1295) –, sans doute déjà remanié, il est lu et très probablement à la mode en Castille au moment où Corral écrit son histoire. Ainsi en témoigne le fragment dit de Rodriguez Moñino, écrit vers 1430, et ainsi en témoigne la naissance de Pelayo, réplique de celle d'Amadís[10]. La comparaison a été faite[11], mais il convient peut-être d'insister davantage sur les différences, car il se pourrait bien que Corral ait voulu faire mieux, c'est-à-dire à la fois plus vrai – n'est-il pas chroniqueur ? – et plus grand, car Pelayo sera le Sauveur. Il a surtout voulu faire plus moral, car il s'agit de la naissance du parfait chevalier chrétien, d'un futur roi. La *Crónica sarracina* serait, dans cet épisode au moins, une sorte d'*Amadís* plus crédible, mais aussi un *Amadís* moralisé et presque un *Amadís a lo divino*. Cela suppose, certes, la fascination du modèle, mais aussi une distance, peut-être une légère critique ou une pointe d'humour; en tout cas, une adaptation judicieuse. Avec habileté, et non sans malice, Corral a utilisé le modèle de la naissance d'Amadís, qui s'inscrit elle-même dans la très ancienne tradition de la naissance du héros[12], pour répondre aux incertitudes qui entourent la naissance de Pelayo. Il résout ainsi un problème de continuité narrative, mais aussi le problème capital de la filiation et de la succession[13]. Le motif folklorique, sous ses deux émergences

---

LACARRA (dir.), *Evolución narrativa e ideológica de la literatura caballeresca*, Bilbao : Universidad del País Vasco, 1991, p. 145-163.

10. J. B. AVALLE ARCE, *Amadís de Gaula…*, p. 86-89.

11. *Id.*, « El nacimiento de Amadís », *in : Essays on narrative fiction in the Iberian peninsula in honour of Frank Pierce*, Londres : The Delphin Book, 1982, p. 15-25; et *Amadís de Gaula…*, p. 129.

12. L'ouvrage fondamental reste l'étude d'Otto RANK, *Le mythe de la naissance du héros, suivi de la légende de Lohengrin*, Elliot KLEIN (éd.), Paris : Payot, 1983. On trouvera de nombreuses références bibliographiques dans J. M. CACHO BLECUA, *Amadís…*, p. 7-37.

13. Il s'agit là d'un problème grave et complexe qui concerne à la fois l'histoire et l'historiographie, c'est-à-dire la relation réelle ou imaginaire entre le dernier roi wisigoth d'Espagne et le premier roi du royaume asturien. [Ce thème a été abordé dans l'étude précédente, où l'on trouvera des références bibliographiques. On peut ajouter aux ouvrages essentiels déjà cités (A. BARBERO et M. VIGIL, *La formación del feudalismo…*, et G. MARTIN, « La chute du royaume wisigothique… ») : Claudio SÁNCHEZ ALBORNOZ, *Orígenes de la nación española. Estudios críticos sobre la historia del reino de Asturias*, Oviedo : Instituto de estudios asturianos, 1974, II : « Pelayo antes de Covadonga », p. 77-95; Yves BONNAZ, *Chroniques asturiennes (fin IXe siècle)*, Paris : Éditions du CNRS, 1987; R. B. TATE, *Ensayos sobre la historiografía…*, en particulier p. 55-104. Voir également Alain MILHOU, « De la destruction de l'Espagne à la destruction des Indes : histoire sacrée et combats idéologiques », *in : Études sur l'impact culturel du Nouveau Monde*, Paris : L'Harmattan, 1981, t. 1, p. 25-54.]

essentielles, Moïse et *Amadís*, vient au secours de l'histoire et du roman ; histoire sainte et histoire de fiction se cautionnent réciproquement pour établir ce que l'on pourrait appeler, avec Alain Boureau, un « contrat de véridiction »[14]. Mais ce problème de succession, avec ou sans solution de continuité, a-t-il, au moment où Corral écrit son histoire, l'importance qu'il a déjà eue en particulier au XIIIe siècle, qu'il n'a jamais cessé d'avoir depuis, mais qui va se trouver en quelque sorte réactivée, ou bien la *Crónica sarracina* est-elle une des premières manifestations de l'intérêt qu'on lui porte en ce début de XVe siècle ?

Déjà surgit le problème posé par Esplandián. Le fragment de 1430, évoqué plus haut, atteste l'existence du fils d'Amadís et d'Oriana. Mais sous quelle forme ? Était-il meilleur que son père ? Était-il différent ? Devait-il être la cause de sa mort ? Ce que, dans l'état actuel des textes, nous pouvons savoir de sa nouvelle chevalerie chrétienne, très différente des chevaleries *terriennes* d'Amadís, est-il le produit de la seule invention de Montalvo ? Il est d'usage de considérer cette nouvelle orientation comme une évolution tardive, contemporaine des exploits grenadins des Rois Catholiques. On y a vu aussi, il est vrai, l'utilisation du modèle fourni par les héros chrétiens de la *Gran conquista de Ultramar* ou de la *Historia de Enrique fi de Oliva*[15]. Or le Pelayo de la *Crónica sarracina* est pleinement un *caballero de Dios*. Ce nom, qui va bientôt lui être donné par un marchand, lui vient sans doute du *Caballero Cifar*, mais très probablement aussi de cette *Gran conquista de Ultramar* dont s'inspireront plus tard les *Sergas de Esplandián*[16]. Avant l'Esplandián de Montalvo en tout cas, Pelayo transforme en croisade salvatrice les chevaleries terriennes de Rodrigue et de sa cour, toutes sources de mort. Mieux encore, il est *chaste*, et la grande aventure lui est réservée. Est-il un nouveau Galaad, un nouveau Godefroi de Bouillon ou déjà Esplandián ? Ou bien Esplandián existait déjà sous la forme que nous lui connaissons,

14. Alain BOUREAU, *La papesse Jeanne*, Paris : Aubier, 1988, p. 146.

15. Un travail récent a souligné l'influence probable de la *Historia de Enrique fi de Oliva* sur les *Sergas de Esplandián* : Emilio J. SALES, « *Las Sergas de Esplandián* : ¿ Una ficción ejemplar ? », *in : Historias y ficciones...*, p. 83-92, plus particulièrement p. 85. Cette histoire, inspirée de la chanson française *Doon de la Roche* (XIIe), a été écrite au début du XIVe siècle, comme l'a montré José FRADEJAS, « Algunas notas sobre *Enrique fi de Oliva,* novela del siglo XIV », *in : Actas del I simposio de literatura española*, Salamanque : Universidad, 1981, p. 309-360. L'influence possible de cette œuvre sur les *Sergas de Esplandián* avait déjà été signalée par Juan Manuel CACHO BLECUA (éd.), MONTALVO, *Amadís de Gaula*, Madrid : Cátedra, 1988, II, p. 1177, note 83. M. MENÉNDEZ PELAYO, *Orígenes de la novela...*, p. CXXXI, trouvait cette histoire mauvaise (« *libro vulgarísimo* ») et soulignait son étrange et durable diffusion. Pascual de GAYANGOS a édité la *Historia de Enrrique fi de Oliva*, Madrid : Impr. Rivadeneyra, 1871. Sur la *Gran conquista de Ultramar*, ses liens avec l'historiographie alphonsine et son influence sur les romans de chevalerie espagnols, voir les travaux de Cristina GONZÁLEZ, en particulier *La tercera crónica de Alfonso X, la Gran conquista de Ultramar*, Londres : Tamesis, 1991.

16. Sur cette évolution voir Anthony VAN BEYSTERVELDT, *Amadís, Esplandián, Calixto, historia de un linaje adulterado*, Madrid : Porrúa, 1982, et J. B. AVALLE ARCE, *Amadís de Gaula...*

et Corral imite, ou bien Esplandián, parfait chevalier chrétien, est une entière création de Montalvo, et dans ce cas Montalvo a bien pu s'inspirer, non seulement de la *Gran conquista de Ultramar* et de la *Historia de Enrique fi de Oliva*, comme l'a sans doute fait Corral, mais aussi de Corral lui-même. La *Crónica sarracina*, considérée trop souvent comme une simple imitation, a peut-être fonctionné comme modèle, en tout cas comme relais.

Mais revenons à la scène qui a été notre point de départ ; l'*Amadís* y est fortement christianisé : à la différence d'Elisena et d'Oriane, Luz baptise. Elle prie, et Dieu parle : le nouveau-né, exposé mais choisi, est un Sauveur. On peut retrouver, dans cet épisode, l'abandon d'Amadís et de Moïse, mais aussi l'arche de Noé[17] et le baptême du Christ. En Pelayo s'incarnent toutes les grandeurs. Il ne saurait donc être question de lamentations excessives ni des incitations à l'infanticide d'une Darioleta. Tout se déroule aussi noblement que possible, et sans longueurs. Corral se permettrait-il de donner une petite leçon, non seulement de morale, mais aussi de brièveté à son prédécesseur ? Peut-être ; mais il retrouvera lui-même, plus tard, d'autres longueurs, très morales il est vrai, pour justifier la conduite de Luz, accusée par le roi, défendue par Favila mais en proie au scrupule.

Comme Jésus, donc mieux qu'Amadís, Pelayo est recherché par le roi Abarca. Ce nouvel Hérode ne va pas jusqu'à massacrer les Innocents. Mais, amoureux de Luz, repoussé, et voulant pour se venger prouver l'inconduite de la dame, il fait rechercher à Tolède et à dix lieues à la ronde tous les enfants nés depuis deux mois, et, parmi ceux-ci, les enfants sans mère. Cette enquête, qui, bien menée, eût fait la joie des historiens, donne des résultats étrangement fantaisistes dans leur précision :

> [...] *diez mil e quatrocientos e veinte e ocho criaturas dentro de la cibdad de los quales hallaron las madres, e los que fueron por la tierra enderedor hallaron que pasavan de veinte e cinco mil, e de todos hallaron por verdadera pesquisa las madres dellos, quier muertas, quier bivas*[18].

Pelayo reste introuvable. Il a été recueilli à Alcántara au cours d'une partie de chasse par le vieux chevalier Grafeses, oncle maternel de Luz. De ces enfances de Pelayo nous saurons peu de choses, Corral se conformant au schéma folklorique traditionnel. Grafeses, après bien des péripéties qui témoignent de la riche imagination de l'auteur, a appris très vite l'identité de l'enfant, mais il se tait. À l'âge de cinq ans, Pelayo est l'incarnation de

17. Il est fait allusion à Noé à la fin de la première partie au moment du *duelo* sur la perte de l'Espagne : « [...] *como en el general Diluvio escapasse Noé en el arca* [...] » (*Crónica del rey don Rodrigo*, éd. cit. – désormais *CR* –, I, chap. 260, p. 648). Noé sera encore évoqué plus loin ainsi que Lot, quand l'ermite indiquera à Pelayo sa mission : « *E guárdate que por cosa que oyas ni te venga no tornes atrás en tu carrera ; ca de la manera que Noé quedó al tiempo de las aguas del diluvio, por testigo del grand poder de Dios, assí quedarás tú en España, por que de ti vengan los que el señorío de España avrán* » (*CR*, II, chap. 103, p. 190).

18. *CR*, II, 57, p. 99.

l'amour et de la bonté et, déjà, il fait preuve d'une merveilleuse dévotion à la Vierge[19]. Lorsqu'il a sept ans et demi, Grafeses le conduit, toujours sans dévoiler son nom, chez ses parents réconciliés avec le roi et mariés, dans le grand pardon qui ennoblit la figure du roi Abarca et qui est peut-être une préfiguration du pardon final. C'est donc chez son père, en *Cantabria*[20], que Pelayo est conduit. Luz reconnaît son fils au cours d'une scène qui montre une fois de plus l'imagination de Corral, son désir de faire vrai et sa malice[21]. Et l'auteur ajoute :

> *E ora no fablaré más deste infante de las cosas que en su moçedad se fizieron, ni de su criança, ni del padre, ni de la madre, porque a la historia no pertenesce, salvo cómo le fue mostrado cómo salvó una muger donzella de tierras de Gascueña, lo qual él fizo por mandamiento de Nuestro Señor segund la razón lo demuestra*[22].

On peut en conclure que l'épisode auquel il fait référence «pertenece» *a la historia*, et ce grâce à son contenu tel que l'auteur le présente : Pelayo, accomplissant la volonté de Dieu, sauve une jeune fille. Mais que signifie «pertenecer» ou non à *la historia*?

La *historia*

Le terme *historia* semble désigner, dans la *Crónica sarracina*, à la fois le récit et le livre qui le rapporte. On sait que Corral s'est donné des sources ou plutôt des prétendues *autorités*. Sans être l'inventeur de cet artifice romanesque – on connaît la fortune de Dares et Dictis –, il est peut-être le premier à l'avoir utilisé en Espagne. Il feint donc, ou plutôt le

19. «*Así como el niño fue de cinco años que ya sabía bien fablar, Grafeses lo puso a leer, e como Dios fazía por él e lo amava era muy gracioso e de buen donaire, e bienquisto de todos grandes e pequeños que era una estraña cosa; e nunca hazía enojo a ninguno, antes a todos los niños acogía a sí e partía con ellos de lo que tenía, a qual poco a qual mucho; e era tan bien hecho e de tan buen talle, que dava muestra que Dios le havía amor. Empero con todo esto aprendía más que otro en el leer, e en todas las otras cosas que le mostrasen. E en dos años aprendió de tal guisa que sopo dezir las oras de Sancta María. E como ouo siete años dende arriba nunca erró día que non dixesiese sus horas, assí como si fuesse de hedad de quarenta años que por devoción las dixiese. E oía su misa que no quería perder ninguna, e tanto era pagado dél Grafeses que aborrecía de lo levar al padre e a la madre*» (*CR*, II, 95, p. 169-170).

20. Favila n'est pas encore duc. Il a «*su heredad buena entre sus parientes*» (*ibid.*, p. 170).

21. L'enfant porte une cape «*porque fazía frío*». Quand il l'enlève, Luz reconnaît «*la ropa de seda*». Elle s'évanouit. Favila réagit de façon un peu méprisante : «*E como él la vio así luego le dio el coraçón que se acordara de su fijo. E díxole : – Por cierto, bien son las mugeres de fieble condición que mal que ayan, quier grande quier pequeño, no lo pueden encobrir*» (p. 171). Alors que Luz semble avoir «*perdido el seso*», il garde son calme : «*E don Favila que era ombre de grand coraçón e sabía sofrir bien plazer e pesar en aquella manera que el esfuerço lo demandava, no se movió punto ni más a alegría desordenada; dixo contra Grafeses : – E ¿ cómo podedes dezir vós tal cosa como este infante es mi hijo? E ¿ qué señales me daredes vós dello? o ¿ por dó lo sabedes?*» (p. 172). Grafeses reste vingt jours «*por que el Infante tomase amorío con el padre e con la madre e se no estrañase quando Grafeses se fuese*» (p. 173). On mesure la différence avec l'*Amadís*!

22. *Loc. cit.*

narrateur omniscient feint, de travailler au vu de textes authentiques : le plus important est la chronique établie au VIIIe siècle par deux frères, Alanzuri et Eleastras. Ces deux frères rappellent sans doute Dares et Dictis ; ils permettent surtout, par ce dédoublement, de garantir la possibilité d'une information plus complète. Le soin apporté par Corral à préciser les sources feintes d'information est tel que les fondements de crédibilité inventés pour son récit constituent une des premières manifestations, sinon une des premières théories, des obligations du métier d'historien en Castille, au XVe siècle. Eleastras et Alanzuri, « *hombres honrados de gran seso* », sont chargés par Rodrigue d'écrire l'histoire de son règne, c'est-à-dire de continuer les *sumas* qui se font en Espagne[23]. Les deux « *historiadores* » – on songe à Alvar García de Santa María[24] – vont donc s'informer personnellement au mieux. Mais ces deux chroniqueurs-acteurs, à qui est confié aux moments critiques le soin du commentaire, du conseil ou de la lamentation – ils annoncent Diego Enríquez del Castillo –, disposent aussi de lettres et de témoignages, d'une véritable chancellerie imaginaire. Avec les faits, ils doivent écrire leurs causes : « *E así* [au moment de l'*alarde* de Cordoue] *se començó a fazer este libro que es memoria de los bienes e males que en vida del Rey don Rodrigo se fezieron e pasaron en qué guisa e por qué razón.* »[25] L'établissement de la vérité, proclamée à plusieurs reprises comme fondement de cette chronique royale, suppose, certes, l'information complète – et rendue vraisemblable par maints artifices de récit –, mais frôle souvent les frontières du secret, de la prophétie ou de la confession. Ainsi, après la bataille pendant laquelle Sacarus, la duchesse et tant de nobles chevaliers ont trouvé la mort, certaines *donzellas* de la duchesse, qui ont échappé au massacre, cherchent les corps. Elles trouvent Estipus, agonisant, qui a gardé le corps de son frère Agreses. Il a le temps de leur dicter, avant de mourir, un récit

23. Il est fait allusion à la coutume d'Espagne : « *E por quanto en España avía por costunbre de poner por sumas todos los hechos como pasavan, mandó que dende adelante lo escriviesen de lo poco a lo mucho por la guisa que lo viesen e se hiziese por toda España* » (*CR*, I, 25, p. 168). On trouvera une bonne analyse du « métier d'historien » dans la *Crónica sarracina* dans J. M. CACHO BLECUA, « Los historiadores... ». Certes, on peut dire avec l'auteur de cette étude que « *en sus concepciones sobre la historia, nuestro autor no es ni mucho menos un adelantado de su tiempo* » (p. 42). Il n'en reste pas moins que cette importance accordée à l'historiographie – fictive – d'un règne est assez étonnante et, tout compte fait, nouvelle, en tout cas précoce. Nous sommes sans doute vers 1430. Quoi qu'il en soit, l'essentiel est le rôle joué par les historiens qui doivent non seulement cautionner le roman, mais lui donner un sens. J. M. Cacho Blecua a bien vu en particulier l'importance de la dernière source (Carestes) pour la structure de la *Crónica sarracina* (p. 47-48).

24. Alvar García de Santa María qui a écrit l'histoire du règne de Jean II de façon certaine jusqu'à l'année 1420 est dit « *escribano de cámara del rey e su chanciller de los libros e ordenador de las sus historias* » dans un document publié par Francisco CANTERA BURGOS, *Alvar García de Santa María y su familia de conversos*, Madrid : CSIC - Instituto Arias Montano, 1952, p. 87. [Sur cette charge de chroniqueur, voir plus loin « Place et fonction du portrait du roi dans les chroniques royales », note 2.]

25. *CR*, I, 25, p. 168.

véridique de la bataille « *en manera de confesión* »[26]. Alanzuri a écrit le récit des effroyables rêves qu'a eus l'infant Sancho avant de mourir. Ils annoncent la destruction, et le roi doit les ignorer. Blessé à mort à la bataille d'Algeciras, Alanzuri confie son récit à un « *hombre de religión* », sous le sceau du secret, afin qu'il le transmette à Eleastras ; il se confesse et meurt[27]. Mais voici que Rodrigue, se sentant perdu à son tour, veut lire sa propre histoire afin de mieux prendre conscience du contraste entre sa grandeur passée et son état présent. Eleastras, qui a déjà inclus dans l'histoire le récit de son frère, feint de ne pouvoir communiquer le livre pour se donner le temps de le censurer. Mais le roi insiste ; il veut révéler à Eleastras ce qui s'est passé avec la Cava :

> *E todo esto fazía el Rey por poner en el libro quál fuera la causa verdadera porque el Conde don Julián viniera contra él, y el comienço de España ser destruida por qué vino, ca a esa sazón Eleastras ni onbre del mundo no sabía parte ni mandado quel Rey oviesse yazido con la Cava* [...][28].

Cette mise en histoire est peut-être la première pénitence et le début du rachat.

Après la défaite le roi, solitaire, s'accuse et veut se donner la mort. L'ermite qui l'en dissuade transmet ce secret à Eleastras et ce n'est que beaucoup plus tard que le livre apparaît :

> *El qual secreto en quanto él bivió fue guardado. E así mismo el libro desta historia de la guisa que oído avedes, que a grand tienpo pasado de la grand destruición e en breve tiempo de Knosotros visto, pareció en poder de un mercador*[29].

Eleastras a poursuivi son histoire jusqu'à sa mort pendant la bataille de León. En vérité, c'est Eleastras, le chroniqueur, qui, tout autant ou plus que les rois, assure la continuité entre Tolède et les Asturies. Il est remarquable qu'en la personne de ce chroniqueur inventé s'incarne en quelque sorte l'importance de l'historiographie dans l'*invention* de cette succession royale. La *translation* vers le nord concerne le chroniqueur tout autant que le roi. Elle concerne surtout le Livre, véritable relique, sacrée et fondatrice. Et c'est bien ainsi que le deuxième livre apparaît, au croisement entre la translation vers le nord et la descente restauratrice vers le sud[30]. Car un second manuscrit a été découvert à Viseo dans le tombeau de Rodrigue.

26. *CR*, I, 155, p. 436.
27. *CR*, I, 211, p. 518.
28. *CR*, I, 214, p. 528.
29. *CR*, I, 258, p. 642.
30. L'importance de la translation des reliques dans l'espace de la Reconquête a été analysée par John K. WALSH, *Relic and literature* : *St Toribius of Astorga and his Arca Santa*, Alan DEYERMOND et Billy BUSSEL THOMPSON (éd.), Saint Albans : David Hook, 1992, ainsi que par I. BURSHATIN, art. cit.

Il est relayé par Carestes, vassal d'Alphonse Ier, à qui est faussement attribuée la reconquête de cette ville :

> *Yo Carestes, vasallo del Rey don Alfonso de León, yerno del Cavallero de Dios, Rey don Pelayo, quando el dicho señor Rey don Alfonso ganó a Viseo de los moros que la tenían, fallé una sepultura en un campo en la qual estaban escriptas estas palabras, que agora oiredes en letras góticas. Esta sepultura estaba delante de una iglesia pequeña fuera de la villa de Viseo. E el título de las razones este era :* [chap. 256] *Aquí yaze el Rey don Rodrigo el postrimero Rey de los godos*[31].

Après la longue invective contre Julián, Carestes authentifie le roi et le livre :

> *E por lo que yo fallé escripto en esta sepultura só de intinción quel Rey don Rodrigo yaze allí e por la vida que él fizo segund me avedes oído en su penitencia que así mismo estava en la dicha sepultura escripto en un libro de pargamino creo sin dubda que sería verdad* [...][32].

On voit donc l'importance de l'*écrit* sur lequel se fonde une histoire qui est à la fois registre, archive, mais aussi méditation, leçon, révélation et affaire de conscience. On peut jouer sur elle le salut de son âme.

Entre ces deux histoires-livres il semble bien y avoir un bloc de récit qui ne relève ni d'Eleastras et Alanzuri, ni de Carestes. Il s'agit précisément des amours de Luz et de Favila et des *mocedades* de Pelayo. Corral, qui commence sa deuxième partie par un « *dize Eleastras* », semblable au « *dize Eleastras e Alanzuri* » de la première, écrit maintenant « *dize la historia* » ou « *el cuento divisa* ». Il s'agit donc peut-être de l'œuvre feinte d'un chroniqueur différent et antérieur, utilisée par les deux frères : une troisième voix narrative, comme le suggère Gloria Alvarez Hesse[33]. Mais il peut s'agir aussi bien d'une histoire, feinte, utilisée directement par le narrateur qui, précisément, n'identifie pas sa source mais multiplie ses interventions, aussi bien sur le contenu que sur l'ordre de son récit. À la différence de ce qui se rapporte au règne de Rodrigue – et même à sa pénitence – ou encore à Pelayo au moment du soulèvement des Asturies – et après –, Corral ne semble pas avoir eu d'autre support historique ou légendaire que le héros lui-même. L'origine de Pelayo, ses liens avec le royaume wisigoth de Tolède et les causes de sa présence dans les Asturies sont, on le sait, très mal connus. Les rares traces historiographiques que l'on possède, parfois contradictoires et toujours très succinctes, évoluent au gré des projets politiques de la monarchie astur-léonaise. Une tradition, dérivée de la *Crónica de Albelda*, avait fini par s'établir, qui faisait de lui le fils de Favila, duc de Cantabria.

31. *CR*, II, 255-256, p. 405. Le seul témoin de la mort de Rodrigue, auteur probable du manuscrit trouvé dans le tombeau, est le *mayoral*.
32. *CR*, II, 256, p. 405-406.
33. Voir G. ALVAREZ HESSE, *op. cit.*, « Las autoridades narrativas », p. 136-142.

L'état de récit le plus long, tel qu'on le trouve dans la *Primera crónica general*, raconte que Favila a été tué par Witiza, alors régent de Galice «*por ocasión de la mugier*»[34]. Il dit aussi – et voilà l'essentiel – que Pelayo a été exilé par Witiza, puis qu'il a réussi à s'enfuir en Cantabria alors que le roi voulait l'aveugler, comme il l'avait fait pour Teodefrède, fils de Receswinthe. Pelayo, persécuté mais préservé, était «*su escudero yl traye la espada*»[35]. Mais la naissance et les *mocedades* de Pelayo, telles que Corral les raconte, sont une œuvre feinte, qui s'inscrit entre les *autorités*, feintes aussi, mais autrement, qui, dans une certaine mesure, l'autorisent[36].

Tout à fait remarquable est ici le décalage entre récit et histoire. Il dépasse les effets habituels de l'analepse – une analepse qui s'étend sur 51 chapitres – de l'entrelacement et de l'«ordo artificialis» pour donner à l'œuvre une structure et un sens nouveaux ou plutôt pour les confirmer. Le cas mérite qu'on s'y arrête, car il s'agit de l'introduction, curieusement agencée, de Pelayo dans l'histoire.

34. Voici ce qu'on lit dans la *Primera crónica general* : «*Este rey Egica echara de tierra e en desterramiento al duc Ffafila, padre del inffante don Pelayo del que diremos adelante en su logar, e mandaral que morasse en aquella cibdad de Thuy : e él morando allí, firiol Vitiza por ocasión de la mugier con un palo en la cabeça, e llagol mal, assí que murió el duc daquella ferida*» (éd. cit., t. 1, chap. 546, p. 303b). Sur l'origine de cette tradition, voir les ouvrages cités *supra*, note 13. Faut-il y voir une possible source des amours contrariées de Luz et de Favila telles qu'elles apparaissent dans la *Crónica sarracina*? Luz et Favila sont peut-être aussi les doublets des parents de Rodrigue, Teodefrède et Reccilona («*duenna del linnaje de los reys*»).

35. *Ibid.*, chap. 564, p. 319a. L'exil et la fuite de Pelayo, d'origine diverse, sont des faits capitaux, dont Alan DEYERMOND a montré l'importance dans le schéma destruction/restauration tel qu'il est construit dans la *Primera crónica general* («The death and rebirth of Visigothic Spain in the *Estoria de España*», *Revista canadiense de estudios hispánicos*, 9 (3), 1985, p. 345-367). On ne saurait évoquer et encore moins préciser ici l'ensemble des chroniques dont Corral a pu avoir connaissance ou qu'il a pu utiliser. On se reportera aux indications données dans l'Introduction à la *Floresta*..., 1, p. XI-C, et à l'étude préliminaire de D. CATALÁN dans la *Crónica del Moro Rasis*, éd. cit., en particulier p. XVI. D. Catalán émet l'hypothèse selon laquelle la *Crónica del Moro Rasis* aurait été traduite du portugais au castillan à l'initiative de Corral lui-même (p. XIII). Cette traduction semble s'être interrompue au moment où commence le règne de Rodrigue, la *Crónica sarracina* s'étant substituée au texte original. [Voir *supra* dans «Le roi Rodrigue ou Rodrigue roi», note 25, les commentaires d'A. CORTIJO OCAÑA.]

36. Il faudrait reprendre l'étude de la *Crónica sarracina*, non pas à partir des condamnations de Pérez de Guzmán, ni à partir de nos catégories actuelles, inopérantes et anachroniques, mais plutôt à partir de ce que nous appellerons *l'échelle* de Montalvo, postérieure sans doute d'un demi-siècle, mais mieux adaptée dans son ensemble au texte de Corral. On sait que MONTALVO, dans son prologue, distingue trois sortes d'histoires : celles qui, comme l'*Historia troyana*, sont fondées sur «*algún cimiento de verdad*», celles qui sont «*de más convenible crédito*» (Tite-Live), et les «*historias fengidas en que se hallan las cosas admirables fuera de la orden de natura, que más por nombre de patrañas que de crónicas con mucha razón deben ser tenidas y llamadas*» (*Amadís de Gaula*, éd. cit., p. 221-223). Ces «*historias fengidas*», quoique «*de más baxa suerte*», peuvent être autorisées par leur valeur didactique. C'est à cette catégorie qu'appartient l'*Amadís* corrigé par lui. Voir à ce sujet James Donald FOGELQUIST, *El Amadís y el género de la historia fingida*, Madrid : Porrúa Turanzas, 1982. J. D. Fogelquist y donne aux histoires de la première catégorie le nom de «*historias de afición*».

L'entrée de Pelayo dans l'histoire

La première partie de la *Crónica sarracina* est consacrée au règne de Rodrigue, jusqu'à la défaite. Julianus et son frère Estilus « *hijos del duque de Cantabria* » participent à la deuxième bataille du Guadalete. Estilus meurt et a droit à un bref éloge. Avant la huitième bataille, Rodrigue fait une sorte de recensement ; Julianus est nommé, avec plus de détails cette fois, et surtout avec ses héritiers :

> *Julianus, fijo del Duque de Cantabria, cavallero muy ardid, e Chanchuxe, hermano del Duque de Vizcaya, dio la segunda (batalla) con seis mil cavalleros. E este Julianus havía un tío, hermano de su padre, buen hombre, que quedava en la tierra flaco, que havía nonbre don Favila, e delante del Rey e de quantos ende eran lo heredó del ducado, e de todo lo que avía si en esta batalla muriese. E después de la muerte de Julianus fue Duque de Cantabria don Favila. E hovo un fijo que llamaron don Pelayo que fue buen cavallero y fizo muchas buenas cosas. E después de perdida toda España fue alçado por rey este don Pelayo que fue el primero Rey que los christianos hovieron después del Rey don Rodrigo*[37].

Voici donc, dans une première prolepse, un Pelayo discret qui fait, sans grande pompe, son entrée dans l'histoire. Julianus meurt après s'être héroïquement battu[38].

La deuxième partie poursuit le récit de l'invasion, mais, au chapitre 47, Corral l'interrompt pour revenir à l'affaire du duché de Cantabria. Il renvoie son lecteur à ce qui a été dit, mais en reprenant son récit et en ajoutant des détails supplémentaires. Ce texte, à la fois habile et maladroit, est en tout cas curieux et c'est pourquoi on le citera largement :

> *En el Libro Primero de los fechos del Rey don Rodrigo fallaredes cómo Julianus, fijo de Polonius, Duque de Cantabria, la ora que el Rey don Rodrigo le mandó que oviese la segunda batalla dolorosa, porque al dicho Julianus en las primeras batallas avían muerto al Duque, su padre, e Astilus* [...] *dexó por su heredero del ducado a don Favila, su tío que auía quedado en la tierra flaco de dolencia, el qual era de edad de cinquenta años, el qual hera cavallero de grande esfuerço e muy corajoso ; e ordenó delante del Rey don Rodrigo que si tal fuesse su ventura que muriese en aquella batalla quel dicho don Favila heredase el ducado, el qual venía de los godos del linaje del buen Rey Recaredo, e a muerte dél que lo heredase su fijo mayor* [...] *por la qual razón don Favila hovo de aver el ducado en su poder e tóvolo en su vida, e fue llamado Duque, e hovo dos fijos, el uno varón e el otro donzella : e al fijo llamaron don Pelayo, e la fija doña Lucencia. Empero tanto fue el pesar que don Favila hovo del perdimiento del Rey don Rodrigo e de todos sus parientes que en las batallas murieron que su vida fue muy poca ; e tema de algunos es que su muerte non fuera tan aína, sino del grand pesar que hovo de la grand destruición. E agora non diremos más deste Duque en este lugar por quanto él non pudo fazer cosa que a la istoria pertenesca. Empero adelante diremos de don Pelayo, su fijo, cómo Dios mostró por él grandes milagros ; e fue llamado en su vida el Cavallero de Dios*

37. *CR*, I, 248, p. 606-607.
38. *CR*, I, 255, p. 623.

por las muchas batallas que vencía, e porque él fue el comienço de aver esperança en Nuestro Señor Jhesu Christo, por la qual esperança se començó a ganar la cuitada de España que estava enagenada del su señorío[39].

Pourquoi cette invention compliquée ? Sans doute pour justifier l'absence du père de Pelayo pendant la bataille ; il a été préservé, juste assez longtemps pour hériter du duché, et il est ensuite mort de douleur[40]. C'est donc une image assez ambiguë et piteuse que l'on garde de ce chevalier vieux, dolent et qui meurt dans son lit, mais duc. Peut-être, par-delà la généalogie, dont on sait l'importance, Corral veut-il aussi montrer l'œuvre de la Providence dans cet héritage indirect, encore une fois mélange d'élection et de filiation. Faut-il aller jusqu'à reconnaître un modèle neveu/oncle qui reproduirait en Cantabria une variante de ce qui se passait à Tolède ? Ces prolepses créent, en tout cas, une illusion que détruit l'arithmétique. Pelayo est, certes, le fils du duc de Cantabria, mais Favila est devenu duc très tard et Pelayo lui succède aussitôt[41]. Enfin, au chapitre 52, Corral interrompt le récit au moment où Muza arrive dans les Asturies et, pour la troisième fois, il annonce Pelayo :

E agora tornaremos a dezir del nascimiento de don Pelayo, fijo del Duque de Cantabria. E de las cosas que le acaescieron en su vida, cada cosa en el lugar que cumple. E la razón por que faremos mención dél e no de otro. Así es que según sus fechos Dios lo escojó señaladamente para su servicio, por quanto mostró por él en este mundo muchos milagros ; e pues Dios fizo por él más que por hombre del linage de los godos, e que fuese en este tiempo, bien es que las gentes lo honren e muestren la memoria de su vida ; e primeramente contaremos del su nascimiento[42].

Au chapitre 53, il introduit la grande analepse des amours de Luz et de Favila et des *mocedades* de Pelayo, c'est-à-dire, en quelque sorte, sa seconde naissance où la mère cette fois l'emporte sur le père.

Il existe donc deux fils conducteurs dans l'œuvre : le premier, chronologique, va du règne d'Abarca à celui d'Alphonse Ier, pendant lequel il situe la découverte du tombeau de Viseo. La tradition, on le sait, la situe sous le règne d'Alphonse III, c'est-à-dire un siècle plus tard. S'agit-il d'un simple désir de rapprocher cet événement des faits rapportés, de créer une illusion de vérité ? Ne serait-ce pas aussi le désir de bien finir l'histoire par

39. *CR*, II, 47, p. 82-83. On trouve ici un exemple de ces traces d'oralité qui ont été analysées par Michel GARCIA, « La voie de l'oralité dans la réception de l'écrit en Castille au XIVe siècle. Le cas des chroniques d'Ayala », *Atalaya*, 2, 1991, p. 121-134.

40. Favila n'est pas le seul à mourir de tristesse. Tel est le cas de l'infant Elier, frère de Sancho (*CR*, I, 116, p. 372).

41. Favila a vingt-deux ans lorsqu'il tombe amoureux de Luz, et cinquante au moment de la bataille du *Guadalete*. Pelayo, qui est parti en *romería* à vingt et un ans, revient treize mois plus tard en Espagne et apprend la mort de son père. Chiffres de marchand ou chiffres symboliques ? On ne fera pas à Corral l'injure de vérifier ses comptes.

42. *CR*, II, 52, p. 92.

l'*invention* de ce tombeau fondateur qui fait du roi Rodrigue un Rodrigue roi[43] ? Le second fil conducteur semble confirmer cette hypothèse. Il introduit deux décalages importants : le récit commence par le règne de Rodrigue, revient à celui d'Abarca, raconte le début de la Reconquête pour finir, dans un nouveau retour en arrière, sur la pénitence et la mort de Rodrigue et la découverte de son tombeau. Les chemins parallèles, quoique séparés, de l'ancien roi et du nouveau se rejoignent dans la voie du salut, grâce à l'œuvre de restauration de l'un, à la pénitence rédemptrice de l'autre.

Au milieu se trouve notre *historia* et Pelayo en est le centre. Le narrateur s'efforce désormais de souligner les articulations entre ce récit principal et celui qui concerne les parents :

> *E agora dexarlos hemos en su lugar, ca las cosas que de aquí adelante acaescieron a Favila e a Luz no faremos dello mención por quanto no pertenesce a la historia. E tornaremos a fablar de los hechos del Infante don Pelayo porque él es la causa destos cuentos. E diremos primeramente de cómo el padre e la madre supieron dél. E después de lo que el Infante fizo por sí haviendo a Dios Nuestro Señor en su ayuda; cada cosa en su lugar segúnd que se siguió de una en otra*[44].

La *historia* pourrait donc être celle de Pelayo ; mais, on l'a vu, tout n'y est pas digne d'être retenu. *Pertenecer a la historia* signifie sans doute correspondre aux normes selon lesquelles la narration sélectionne sa matière et ordonne le récit : c'est être important et digne d'être rapporté. Tel est le fait d'avoir sauvé la jeune fille dans l'histoire de Pelayo et, plus largement, dans le cycle Rodrigue-Pelayo, cycle fondamental dans l'histoire de l'Espagne telle que Corral est en train de la construire et de la raconter.

Mais ces formules narratives sont aussi des formules de chroniqueur ; on songe au consciencieux et bavard Alvar García de Santa María [et à son continuateur], en train de chercher lui aussi la matière de son *historia* et donnant, avec son récit, les commentaires qui le justifient ; ainsi, à propos du jugement rendu contre Ruy López Dávalos il est dit : « *Non pertenesce a la historia de facer mención de cómo procedió el pleito en demandas e respuestas, salvo solamente de la sentencia e fin que hubo, lo cual fue en esta manera.* »[45]

43. La première hypothèse est avancée par J. M. CACHO BLECUA, *Amadís...*, p. 50. Nous avons essayé, quant à nous, de montrer le rôle fondateur du tombeau de Viseo dans notre étude « Le roi Rodrigue ou Rodrigue roi », *Imprévue*, 1, 1983, p. 61-105, reprise dans le présent ouvrage.

44. *CR*, II, 94, p. 168-169. Selon l'importance des faits pour l'ensemble de l'histoire, Corral fait passer le lecteur des parents au fils ou du fils aux parents : « *E agora dexémoslos estar, e tornemos dezir del Infante Pelayo que no murió, antes lo guió Dios* » (*CR*, II, 63, p. 113). « *E agora dexémoslo criar que en buen lugar lo levó Nuestro Señor* » (*CR*, II, 64, p. 115). De même on peut lire : « *E murió el Rey, e los godos alçaron Acosta por Rey de España. E después de las bodas de Favila e de Luz no duró el Rey Abarca quatro meses. E del hecho de los reyes no curamos de lo dezir aquí porque no haze menester. E tornaremos a contar de lo que fizo Grafeses* » (*CR*, II, 95, p. 169).

45. *Crónica de D. Juan II*, Madrid : CODOIN, 99, 1891, p. 318. On pourrait multiplier les exemples. Ainsi : « *E en este año de nuestro salvador Jesucristo de mill e quatroçientos e ocho años no acaeçieron otras cosas que de contar sean e a la Historia pertenescan* » (*Crónica del rey Juan II*, Juan de

La démarche d'Alvar García de Santa María et celle de Pedro de Corral présentent bien des similitudes. Mais faut-il s'étonner si, en ces débuts du XVe siècle, les hommes de prose, les hommes d'histoire(s), faute de modèles établis, ou ne se contentant plus de ceux qui existent, cherchent souvent leur sujet et la manière de le traiter ? Les remarques qu'ils font sur leurs textes ne relèvent pas toujours de la simple topique. Elles sont parfois la justification d'un choix, la trace d'une réelle perplexité ou l'affirmation d'une conscience d'auteur. Il leur arrive aussi d'y ajouter un peu d'humour et quelque désinvolture.

En délimitant la matière de ce que nous appelons aujourd'hui son roman, Corral ne se contente pas de reproduire un modèle offert par d'autres romans ; il donne à sa narration un statut d'histoire. On sait combien la frontière était imprécise entre les deux formes de récit, les termes *crónica* et *historia* servant à désigner aussi bien les histoires véridiques que les histoires de fiction. On sait aussi combien cette confusion allait déplaire à Pérez de Guzmán qui se voulait *éclairé*. Mais on pouvait encore préférer les inventions du récit et privilégier le *sens*, autre forme après tout – et pourquoi pas plus haute – de vérité. Pour comprendre en tout cas celui de la première aventure imaginaire de Pelayo, il est nécessaire d'en établir un résumé moins succinct que celui que nous propose l'auteur.

La première aventure

Selon que l'on retient pour sujet l'ensemble de cette première aventure ou, de façon plus restreinte, l'histoire de la jeune fille sauvée, il s'agit d'un bloc de récit composé de neuf ou cinq chapitres. Au chapitre 96 Pelayo, âgé de vingt et un ans, chasse *bera del señorío de Gascueña* et rencontre six des quinze brigands gascons qui rôdent dans ces parages. Saluons au passage l'habituelle précision de Corral et retenons qu'un bandit est tué et que les cinq autres se rendent. Après avoir rejoint ses compagnons et avoir passé une nuit avec eux, Pelayo repart en chasse au chapitre 98. Il apprend par un *mozo* la mésaventure d'un marchand de Bordeaux (racontée au chapitre 97) que l'autre partie de la bande, à savoir neuf hommes conduits par leur chef Arnao Artino, a fait prisonnier ; avec le marchand se trouvent sa femme et sa fille. Pelayo vole seul à leur secours, tue les trois hommes à cheval ainsi que trois des six hommes à pied ; les autres sont faits prisonniers. Nous sommes au chapitre 99 et Pelayo réunit tout le monde

---

Mata CARRIAZO (éd.), Madrid : Publicaciones de la RAH, 1982, p. 264). La justification peut se faire plus précise lorsque le chroniqueur n'inclut qu'un résumé du sermon de l'évêque de Cuenca, « *non pertenece facer mayor relación en historia, porque no fueron ordenadas las historias para cosas especulativas* » (CODOIN, 99, p. 350). Ou lorsqu'il parle d'argent : « *Non fuera necesario de poner en la historia esta razón porque es sobre cuenta de dinero ; mas como una de las razones principales porque las historias se fazen sea por tomar de ellas algún ejemplo e doctrina, pónese aquesto* » (*ibid.*, p. 425).

dans un joyeux repas. À la fin de ce même chapitre un nouveau récit est amorcé : alors qu'il se dirige avec toute sa troupe vers le repaire de l'ours que ses hommes lui ont signalé et qu'il se propose de tuer devant le marchand, Pelayo rencontre un ermite. Il s'arrête, oublie le temps, se confesse, passe sa nuit en prières dans l'ermitage ; c'est une veillée d'armes. Après cette deuxième nuit, l'ermite demande à Pelayo de revenir le voir dans un délai de quinze jours. Pelayo promet, puis tue l'ours qui a fait grand-peur à la jeune fille, lâchement abandonnée par son marchand de père : épouvanté par la bête, il s'est enfui. Amoureuse de son sauveur et obligée de le quitter, la jeune fille offre à Pelayo son amour et un anneau. Pelayo prend l'anneau, par courtoisie, et répond de façon si ambiguë à la déclaration de la demoiselle qu'elle se croit aimée. Fidèle jusqu'à la mort, elle mourra vierge ; mieux encore : privée de l'objet de son amour, elle en fera un livre appelé *Contemplamiento de Amor*.

Le marchand poursuit donc son voyage : « *E agora dexemos al mercador ir su camino, e tornemos a dezir lo que fizo el Infante* », dit l'auteur au chapitre 101. L'histoire de la jeune fille proprement dite est terminée ; mais on peut élargir le récit qui lui est lié. Pelayo rentre chez son père et libère ses prisonniers qui, après avoir prêté serment de renoncer au brigandage, choisissent d'aller servir Rodrigue. Lui-même, au bout de quinze jours, retrouve l'ermite et apprend qu'il a été choisi pour une mission. Pour s'en rendre digne, il doit aller en secret (« *encubiertamente* »[46]) en pèlerinage à Jérusalem.

Le long discours de l'ermite, discours de révélation, est un temps fort de la *Crónica sarracina*. Souvent symbolique, il retrouve les grandes voix bibliques de toutes les prophéties. Sans obscurités excessives, il établit en termes clairs la relation entre la chute et le salut. Il s'oppose donc à la prophétie de la maison violée de Tolède et marque une étape importante, pour ne pas dire décisive, dans l'histoire et l'évolution du schéma de la destruction et de la restauration de l'Espagne. Certes, il n'est pas le premier à montrer Pelayo héritier de Rodrigue ; déjà les règnes du *dernier* et du *premier* roi ont été conçus comme un diptyque dont les deux volets montrent le plan de Dieu[47]. Mais ici encore Corral renforce le lien fondateur et le rend plus explicite. Sans aller jusqu'au concept peut-être anachronique de Reconquête, on peut dire qu'un discours de restauration est en place, parfois comme voilé et posé en termes de rachat et de salut, mais où il est aussi question de *ganar*[48].

46. Ce mot renvoie au thème de l'« *encubierto* ». Sur ce thème, voir Alain MILHOU, « La chauve-souris, le nouveau David et le roi caché (trois images de l'empereur des derniers temps dans le monde ibérique : XIIIe-XVIIe siècle) », *Mélanges de la Casa de Velázquez*, 18 (1), 1982, p. 61-78.

47. Le terme diptyque est emprunté à A. DEYERMOND, « The death and rebirth... », p. 350.

48. Ce terme apparaît en réalité au début de la 2e partie dans la prolepse qui annonce la mort de Favila et la mission de Pelayo (voir *supra*, note 44). Le discours de l'ermite est plus symbolique : « *E así nuevamente vos serán dadas a ti e a los tuyos foces y guadañas con que seguedes e*

En grand secret, mais non sans s'être muni de l'argent nécessaire (« *e tomó tanto tesoro quanto entendió que para un honbre avía asaz* »[49]), Pelayo entreprend donc le voyage pénitentiel et sacramentel qui, par Marseille, Rhodes et Chypre, le conduit à Jérusalem. C'est là, au centre de la chrétienté, c'est-à-dire du monde, qu'il est armé chevalier comme l'ermite l'avait annoncé, mais avec une discrétion telle que l'on pourrait à bon droit parler d'escamotage. Mais le lieu rend l'investiture sacrée ; elle n'a donc pas besoin d'autre commentaire : « *E allí se armó cavallero, e visitó todos los lugares de Nuestro Señor e de Nuestra Señora su madre, por siempre loada Santa María.* »[50] Ainsi apparaît dans la *Crónica sarracina* le thème du voyage en Orient. Il existait déjà, brillamment illustré par la *Gran conquista de Ultramar*, et l'on sait à quel brillant avenir il est promis. Il garde ici toute sa valeur de pèlerinage aux sources mêmes du sacré, et fonde une royauté instrument de croisade. Au bout d'un an, Pelayo prend le chemin du retour par Constantinople et Rome, où il apprend, treize mois après son départ, la « *gran perdición* ». Il rentre en Espagne, où va commencer sa mission. Nous sommes au chapitre 104 et Corral conclut :

> *Dicho vos avemos toda la manera del Infante don Pelayo, Cavallero de Dios, como fue nascido e criado e la vida que fizo fasta que España se perdió. E agora dexaremos de fablar dél fasta los lugares que conviene*[51].

Le récit le plus long commence avec la naissance du héros et s'achève à la mort du père, car Favila est mort quand Pelayo rentre en Espagne, lieu de départ et de retour de cet itinéraire sacré[52] ; si toutes les grandeurs s'incarnent en Pelayo, en lui aussi sont réunis tous les lieux. À l'intérieur de ce récit se trouve le noyau constitué par l'imbrication de trois aventures qui, en réalité, n'en font qu'une : la chasse, le combat contre les brigands et la rencontre de la jeune fille. Ce noyau, chronologiquement le plus court (deux jours à peine), est celui qui donne lieu à la plus grande élaboration romanesque. Corral, qui exécutera en une ligne l'adoubement de Pelayo, s'attarde à conter l'amour frustré de la fille d'un marchand. Il est vrai que l'affaire est importante, comme on peut le voir au début du chapitre 96 :

> *El Infante don Pelayo havía veinte e un años. E él aún no sabía qué era muger por aquella manera que amor lo demandava, ca de otra guisa todo se le entendía. E la razón porque él lo fazía ansí era tan solamente por amor de Nuestro Señor*[53].

---

cortedes las espinas e cardos que en lo alto e en lo baxo serán nascidas e querrán dar spuma de sí » (*CR*, II, 103, p. 190). La comparaison avec Israël sera faite plus tard (*CR*, II, 199, p. 345).

49. *CR*, II, 104, p. 190.

50. *Ibid.*, p. 191.

51. *Loc. cit.*

52. *CR*, II, 47, p. 82. Rappelons que l'*Arca Santa* de Santo Toribio est ramenée par le saint de Jérusalem en Espagne (voir J. K. WALSH, *op. cit.*).

53. *CR*, II, 96, p. 173.

Voici donc la rencontre, non pas de l'amour, mais de la femme amoureuse. C'est le temps fort de l'initiation, le début de la vie adulte ou publique. Pelayo détruit les brigands, sauve le marchand et sa fille, qu'il protège aussi contre elle-même, bien malgré elle, tue l'ours, assure la sécurité des chemins. Il délivre, nourrit, soigne, purifie, donne et prie ; il assure son propre passage et celui des autres. Il est digne d'être *roi*, car en lui s'unissent les trois forces essentielles : il incarne et fait respecter le droit, il possède la force et il est source de vraie richesse (il protège et assure même celle du marchand). De surcroît cette perfection a été voulue par Dieu pour sa propre gloire et pour le salut de l'Espagne.

Ce schéma nous semble aujourd'hui familier, pour ne pas dire commun. Mais nous sommes ici, ne l'oublions pas, aux alentours de 1430. Il se pourrait bien que ce discours soit moins banal qu'il n'y paraît, et que Corral mérite autre chose que les foudres de Pérez de Guzmán[54]. Certes, la fiction est souveraine. Mais Corral ne saurait respecter une histoire presque inexistante, qui n'était même pas relayée par une légende. Ce vide était-il senti comme tel ? Fallait-il le combler ? Et pour quoi faire ?

Les grands cycles que pouvait connaître Pedro de Corral, en dehors de la Bible, étaient organisés en fonction d'un *sens* : ainsi le cycle troyen, ou le cycle arthurien ou la *Gran conquista de Ultramar*. À la faute succédait le rachat, sur la destruction d'un monde s'élevait le héros sauveur et fondateur, ou du moins l'espoir du retour du héros disparu[55] ; ou bien encore la chevalerie devenait plus parfaite, moins liée aux choses de ce monde. Qu'en était-il de l'*Amadís* ? Il est certain que Montalvo, avec *Esplandián*, a retrouvé le cycle et son sens, mais il est difficile de savoir si cette évolution existait déjà. Pour Corral, en tout cas, le cycle existe. C'est ainsi que la *Crónica sarracina* a contribué à mettre en place, en tout cas à diffuser et même à vulgariser un schéma appelé à faire fortune. Véritable

54. Même si elle a pu paraître excessive, cette condamnation a longtemps fait autorité et le « *destemplado juicio* » de Pérez de Guzmán a peut-être été longtemps, selon D. CATALÁN, responsable de l'absence d'une édition moderne de la *Crónica sarracina* (*Crónica del Moro Rasis*, éd. cit., p. XXVI). Pérez de Guzmán avait mis de son côté tous les esprits sérieux. Il a fallu attendre des travaux récents pour qu'apparaisse la polémique qui opposa, au XVe siècle, au moins deux conceptions de l'historiographie ; à ce sujet voir D. C. CARR, « Pérez de Guzmán and Villena. A polemic on historiographie », *in* : John S. MILETICH (dir.), *Hispanic studies in honour of Alain Deyermond. A North Americain tribut*, Madison : Hispanic Seminary of medieval studies, 1986, p. 57-70 ; et Pedro M. CÁTEDRA, *La historiografía en verso en la época de los Reyes Católicos. Juan Barba y su Consolatoria de Castilla*, Salamanque : Universidad de Salamanca, 1989. [Voir également Juan Carlos CONDE LÓPEZ, « La historiografía en verso : precisiones sobre las características de un (sub)género literario », *in* : Juan Paredes (dir.), *Medioevo y literatura. Actas del V congreso de la Asociación hispánica de literatura medieval (Granada, 27 septiembre-1 octubre 1993)*, Grenade : Universidad, 1995, t. 2, p. 47-59.]

55. Pour une comparaison entre la destruction de l'Espagne et la fin du monde arthurien, voir A. DEYERMOND, « The death and rebirth... », p. 355-356.

clé de voûte de l'historiographie, il va aider à penser l'histoire et – pourquoi pas ? – à la faire.

Les emprunts sont multiples : tous contribuent à faire de ce moment de l'histoire de l'Espagne l'équivalent des histoires les plus prestigieuses, et de l'Espagne elle-même un haut lieu de la chrétienté par où passe le salut. Le modèle essentiel reste pourtant la Bible ; car c'est bien une histoire sainte de l'Espagne, c'est-à-dire l'histoire d'une alliance que Corral est en train d'écrire. La première partie de la *Crónica sarracina* est l'Ancien Testament, et la seconde le Nouveau qui vient à la fois inverser et accomplir l'Ancien. Quant à Pelayo, il est la figure christique. On voit combien l'union de Luz et de Favila et la naissance du fils sont loin d'être une digression[56], puisqu'il s'agit exactement de la pièce maîtresse de l'histoire chrétienne : l'Incarnation.

Corral voulait, on l'a vu, raconter « *cada cosa en el lugar que cumple* ». Telle est pourtant sa savante construction, celle que l'on peut distinguer sous la prolifération des aventures qu'on lui a parfois reprochée. Deux simples remarques la montreront : l'ermite, qui convoque Pelayo *avant* le combat contre l'ours et la déclaration de la jeune fille, ne fait sa révélation qu'*après*, quand celui qui a été choisi, ayant tué la Bête et refusé la Belle, a montré qu'il était digne de l'être. Nous sommes dans le plus traditionnel des modèles héroïques. Mais, au moment où ces choses se passent, l'Espagne n'est pas encore détruite ; autrement dit, elle n'est pas encore perdue que déjà elle est sauvée. L'aventure de Pelayo se situe *avant* la chute de Rodrigue de même que le Nouveau Testament est déjà dans l'Ancien et le Fils depuis toujours inscrit dans le Plan du Père. Nous sommes cette fois en plein schéma biblique fondé sur la prophétie. En ce monde aussi s'établit entre Rodrigue et Pelayo une relation Père/Fils, car les mérites du second contribueront sans doute, avec la pénitence, à assurer le rachat du premier, c'est-à-dire à le sortir de l'enfer. Pelayo se trouve peut-être encore une fois sur le chemin d'Esplandián, sauvant Lisuarte.

Or voici qu'apparaissent, pour introduire la grande aventure, des hobereaux gascons et la fille d'un marchand de Bordeaux. Serait-ce cette fois le monde des romans ? Pas tout à fait, car les détrousseurs et les demoiselles qui les traversent sont désignés de façon moins précise. Serait-ce un *effet de réel* ? Une caution de vérité ? Peut-être, mais alors Corral, accusé d'avoir violé les prétendues normes de l'histoire, pourrait être accusé tout aussi bien d'avoir enfreint celles du roman, car enfin le lecteur, engagé dans un

56. J. J. SATORRE GRAU, « Pedro de Corral... », a vu l'importance de l'épisode sans en dégager tout le sens. Quant à G. ÁLVAREZ HESSE, *op. cit.*, si elle évoque le Christ à propos de Pelayo (p. 91), elle n'en qualifie pas moins cette histoire de *digresión intercalada* (p. 141). [On retrouve l'importance de cette construction dans l'Introduction de J. D. FOGELQUIST à sa récente édition (*op. cit.*, p. 18-32).]

récit aux horizons plus ou moins connus ou attendus, est surpris par sa fausse mais évidente précision. Corral serait-il coupable d'une double transgression ? En réalité, il manipule et dose plusieurs modèles. Une savante imbrication de divers *temps*, une non moins habile combinaison de motifs, jointes à une impeccable technique d'inversion, vont signifier, en même temps que la différence, la continuité dans le renouveau.

Tout commence par une rencontre. Lieu commun du roman de chevalerie, la rencontre est ici habilement réglée. Elle permet de rassembler personnages, péripéties et motifs en un lieu et en un temps à la fois réels, imaginaires et symboliques.

Le lieu

Pelayo, qui vit en Cantabria chez son père, est donc en train de chasser « *bera del señorío de Gascueña* ». Où sommes-nous ? Cette géographie est à la fois précise et confuse, et les autres lieux cités n'apporteront pas une grande lumière. Des *Gascones* vont entrer dans le « *señorío de España* » et un marchand de *Burdeos* va traverser cette région pour aller en *Vizcaya*. À première vue tout semble clair. Mais une première incertitude vient de la confusion des temps, donc des espaces. S'agit-il d'une géographie de chroniques – probable mais incertaine source de Corral – ou d'espaces réels du XVe siècle ? Les lieux cités sont imprécis : comment définir la *Cantabria* ? Quelle est la relation entre *Cantabria* et *Asturias* où bientôt va se réfugier Pelayo à son retour de Jérusalem ? Le « *señorío de Gascueña* » est-il la *Basconia* dite aussi *Gascuña*, c'est-à-dire tout le territoire occupé par les *Bascones* tel qu'il apparaît dans la *Primera crónica general* à l'occasion du soulèvement de Paulo ou de cette partie de l'Aquitaine que, depuis le Xe siècle environ, on a coutume d'appeler *Gascuña* et qui, au XVe siècle en tout cas, se situe bien de l'autre côté des Pyrénées ? Corral lui-même ne nous aide guère, car, plus loin, dans l'éloge des Goths que Muça prononce devant Miramolín, ce peuple est loué entre autres choses pour avoir soumis les *Gascones*[57]. Mais on sait qu'il s'agit d'un lieu commun de ce type d'éloge et que les *Vascones* (ou *Gascones*) prétendument soumis ne l'étaient en réalité jamais. C'est contre les *Vascones* que Rodrigue était occupé à guerroyer au moment de l'invasion. Pelayo aussi, mais autrement.

Burdeos, d'où vient le marchand, peut rassurer par sa précision. Mais s'agit-il de la ville que nous connaissons – et Corral aussi, bien entendu – ou bien existe-t-il quelque rapport confus avec la ville qui, dans la

57. « [...] *los godos sojuzgaron con el su grand poder la generación de los gascones que son gentes de sierra e hombres de grandes afanes* » (*CR*, II, 50, p. 86). Les « *condes de Gascueña* » participent au tournoi de la première partie (*CR*, I, 55, p. 260).

Crónica de Rasis, liée semble-t-il à la *Crónica sarracina*, est citée à propos de la description d'un *angle* de l'Espagne dans un passage où précisément il est aussi question de l'*entrée* dans le pays[58] ? Peut-on raisonnablement attribuer à Corral une aussi savante et désinvolte utilisation de sources par ailleurs mal connues ? Quel que soit le rôle éventuellement joué par une géographie de chroniques dans l'imaginaire de Corral, pour son lecteur, en tout cas, la Gascogne était au-delà des Pyrénées et Bordeaux était son grand port.

Mais ce sont là peut-être de vaines considérations, aucune précision géographique n'étant ni demandée ni voulue. Les lieux sont là pour ce qu'ils représentent dans l'espace de la narration. L'essentiel, semble-t-il, est qu'il s'agit du Nord, de montagnes et de vallées, et d'une *frontière*. C'est un lieu sauvage, habité par un ours redoutable ; lieu de quête et d'aventure, obstacle et passage à la fois, il est lieu idéal d'initiation. Ambivalent, il peut devenir aussi le cadre amène d'un joyeux repas, au cours duquel Pelayo fait preuve d'une courtoisie raffinée[59]. Dans une certaine mesure, il garde cette frontière, franchie traîtreusement par les brigands gascons et de façon plus pacifique par le marchand de Bordeaux. Les premiers bénéficiaires de sa justice et de sa charité sont des étrangers qui viennent, chacun à sa manière, s'enrichir en Espagne. Et cette Espagne, qui va bientôt désastreusement s'ouvrir au sud – et l'on sait la valeur de ce qui est fermé –, devient difficile à violer au nord. Certes, il ne s'agit pas ici des Asturies, mais quand-même de ce Nord régénérateur d'où viendra le salut.

En ce lieu donc, que l'on peut interpréter selon les quatre sens de l'Écriture, se croisent trois errances, ou plutôt trois effets d'errance : l'errance sportive, ludique de Pelayo et de sa troupe de chasseurs, l'errance malfaisante des *fidalgos pobres* et le voyage professionnel du marchand. Comme dans bien des légendes, le gibier fait le lien. Les trois errances se croisent autour de deux points fixes, de deux solitaires : l'ermite et l'ours. De signe opposé, mais tous deux fondateurs, ils sacralisent cet espace.

58. D. Catalán, récusant l'interprétation de Lévy-Provençal, identifie le *Bardilia* de *Rasis* comme Bordeaux, qui se substituerait ainsi à l'Aquitaine de la *Pseudo Isidoriana*. Cette géographie compliquée et, il faut bien le dire, parfois incertaine, est rendue plus difficile encore par la confusion des textes. Voir à ce sujet D. CATALÁN (éd.), *Crónica del Moro*..., plus particulièrement p. XL-XLIII et p. 13-14.

59. « *E el Infante mandó poner unos manteles blancos que havían traído con la vianda, e tendiéronlos debaxo de una enzina por que les non diese el sol. E rogó al mercador, e a su muger, e a su hija que se asentasen.* [...] *E el Infante asentóse con ellos. E fueron allí bien servidos de todo lo que menester ovieron, e no como monteros, mas como ombres de corte que estoviesen en grand cibdad do fallasen las cosas que menester oviesen* » (*CR*, II, 99, p. 181-182). Le repas du soir près de l'ermitage a lieu aussi dans un cadre très agréable : « *E como fue hora de cenar debaxo de un roble que estava al pie de una fuente tendieron sus manteles e comieron allí commo mejor lo podieron aver. E así folgaron toda esa noche con gran plazer* » (*CR*, II, 100, p. 184).

Pelayo et sa troupe de chasseurs

Pelayo chasse – alors qu'on tournoie à Tolède –, mais il est armé, car il sait la région infestée de brigands. Il chasse et combat seul, mais rejoint sa joyeuse troupe. Et cette troupe, d'aspect sauvage, qui dévore un repas presque cru, fait peur au marchand[60]. Elle signifie sans doute la bonne barbarie, les forces vives du renouveau, un véritable rajeunissement du monde, car Tolède – nouvelle Prostituée ? – va bientôt périr de ses fastes et de ses plaisirs idolâtres. [Elle voit le déclin et la chute du pouvoir goth, ainsi que la destruction de la chevalerie.] Vue par le marchand, cette troupe semble venir d'un autre monde : ce groupe viril vit dans la fraternité et la joie, ce *plazer* plusieurs fois évoqué, que le marchand sera incapable de partager ; il vit aussi dans la liberté, retrouvant peut-être la vigueur ancienne du peuple goth[61]. Tous sont infiniment respectueux envers leur jeune chef et c'est ainsi que Pelayo, fils du duc Favila et de Luz, descendant du *linaje de los Godos*, s'enrichit de forces primitives et fondatrices : il est le chef d'une bande de chasseurs, de ces chasseurs nourrisseurs qui, ici, face au marchand, dédoublent en quelque sorte la troisième fonction du schéma bien connu. Ce groupe viril et fraternel échappera au péril de la femme comme il échappe, sous la conduite de son chef, à la tentation du profit. Pelayo, en effet, refuse de prendre et de partager les armes et les chevaux des brigands tués ; comme il s'agit sans doute de biens volés, il faut les vendre et faire dire des messes pour l'âme de leur légitime propriétaire. Cette décision est acceptée par tous, mais on imagine la stupeur du marchand[62] ! Tout aussi stupéfait aurait peut-être été un chevalier d'un autre âge, car les règles simples de la prise et du don sont ici remplacées

60. « *E el mercador que vio venir más de quarenta ombres, todos vestidos de ábito de monte, e cada uno su sabueso por la traílla e algunos dellos alanos e lebreles, fue muy espantado qué era aquello, ca a él le paresçia cosa del otro mundo la vista destas gentes. E el Infante fizo ir por viandas que las traxiesen allí* [...]. *E como todos havían sabor de comer, con el grand afán que havían sufrido del correr del monte tomaron el puerco que havían muerto, e cada uno cortó del lugar que más se atalantava e asáronlo a la lunbre. E aún no era bien asado quando lo cortavan e comían con el pan. E el mercador e su muger e su fija mirávanlos, e estavan muy espantados de lo que les veían hazer* » (*CR*, II, 99, p. 181).

61. N'oublions pas que dans une certaine tradition la force et la puissance des Goths, leur *virtus*, venaient précisément de leur *barbarie* et de la vigueur donnée par l'exil. Voir Suzanne TEILLET, *Des Goths à la nation gothique*, Paris : Les Belles Lettres, 1984, plus particulièrement p. 478 et p. 635-636. Pelayo est appelé *el montesino* dans la *Crónica de 1344*, éd. cit., p. 200. Dans l'Espagne wisigothique les barbares sont soit les *Vascones*, soit les *Francos*. Mais les mauvais barbares seront surtout les envahisseurs musulmans. Voir Federico Mario BELTRÁN TORREIRA, « El concepto de barbarie en la Hispania visigoda », *in : Los Visigodos. Historia y civilización, Antigüedad y cristianismo, III : Historia y civilización. Actas de la semana internacional de estudios visigóticos (Madrid-Toledo-Alcalá de Henares, 21-25 octubre de 1985)*, Murcie : Universidad de Murcia, 1986, p. 53-60.

62. « *E el mercador que esto oyó tóvolo a grand maravilla porque ombre de tan poca edad como el Infante era aver tan poca cobdicia, e membrarse como aquel despojo non devía de dar sino por obras de Dios. E dixo contra su muger : — Por cierto este infante no es deste mundo, ca sus fechos celestiales son* » (*CR*, II, 99, p. 183).

par une casuistique de clerc. Mais la *Crónica sarracina* est coutumière de ces développements moralisateurs, et Montalvo n'est pas le premier à avoir introduit des remarques de *letrado* dans des chevaleries.

À cette troupe nourrie de la fécondité du mythe et peut-être aussi de la *sauvagerie* que l'on prêtait aux peuples du Nord, s'oppose la bande des détrousseurs gascons.

Les Gascons

Ces pillards existent bel et bien. Tout le monde le sait, et Corral mieux que personne, lui qui a pour frère le célèbre Rodrigue de Villandrando[63]. Certes, la différence est grande entre l'illustre capitaine de routiers, devenu en 1431 *conde* de Ribadeo et le modeste Arnao Artinus. Si l'on en croit Garibay, l'extrême mobilité du premier était devenue légendaire dans la « *nación vascongada* » où l'on disait : « *Rodrigo de Villandran / Egun eten eta vian an* »[64], c'est-à-dire ce que Corral dit de l'autre : « *E oras los hallaríades aquí un día, e en la noche a tres leguas, e otro día a más de ocho leguas.* »[65] Mais ce sont là sans doute de simples lieux communs des récits de brigands, eux-mêmes chose commune dans la vie et dans les histoires. Faut-il leur accorder ici plus d'importance, et tomber dans le piège de rapprochements inutiles ou forcés ? On peut prendre ce risque ; cela permet après tout d'essayer de comprendre comment s'est constitué, de façon plus ou moins diffuse, le monde imaginaire de la *Crónica sarracina*.

Ils existent donc, ces Gascons nobles et appauvris, tombés dans la rapine. Pauvreté et pillage caractérisent la Gascogne du début du XVe siècle, où le conflit franco-anglais s'ajoute aux guerres endémiques. Partout règnent l'insécurité et la peur ; les bandes de routiers sévissent : contre André de Ribes, qui agit pour le roi d'Angleterre, Charles VII lance Rodrigue de Villandrando. C'est en 1438, c'est-à-dire un an à peine avant son retour en Espagne, que ce dernier fait, avec ses bandes d'écorcheurs, des incursions

63. Voir *supra* note 2.

64. Il faut, comme nous l'indique aimablement Jean Haritschelhar, corriger ainsi : « *Egun hemen eta viar an.* » Garibay, qui donne la traduction : « *Quiere decir Rodrigo de Villandrando, oy aquí y mañana allí* », cite cette extrême mobilité sur le mode élogieux : « *Los quales (merecimientos) fueron tan estimados donde quiera que él andubo, que en la nación vascongada, no sin misterio dijeron en su loor un dicho notable que después se conbirtió en ella en modo de provervio vulgar, y se conserva hasta hoy día entre sus gentes, diciendo en metro de la misma lengua* [...] » (cité par A. FABIÉ, *Don Rodrigo*..., p. 191).

65. « *E como todavía los gascones usaron de se aprovechar así de lo ageno como de lo suyo, quier tomado de gracia, o por fuerça si el poderío han, ca son gentes muy pobres e fijos dalgo* [...]. *E acaesció ansí que en aquella comarca andaua un cavallero pobre con quinze compañeros, que por enemistad se havía echado a los montes. E él e otros quatro andauan a cavallo muy bien armados, e los otros diez andavan a pie. E oras lo hallaríades aquí un día, e en la noche a tres leguas, e otro día a más de ocho leguas ; e desta guisa transpasauan tierra, e hazían mucho daño. E a las vegadas dentro en el señorío de España entravan y no podían haverlos para castigar* » (*CR*, II, 96, p. 173-174).

en Aquitaine ; l'une d'elles les mènera jusqu'à Bayonne. La Gascogne était probablement connue comme terre de violence et de troubles. Savait-on déjà que la pauvreté des petits nobles y avait fait la fortune des marchands, en tout cas des bourgeois[66] ? Les Basques aussi étaient connus, et depuis longtemps, pour une *sauvagerie* qu'ils partageaient avec les Navarrais et les Biscaïens. Dans la deuxième moitié du XVe siècle Alfonso de Palencia consacre tout un chapitre de ses Décades à la férocité de ces peuples : selon lui, ils sont tous voleurs et toujours divisés par de perpétuelles querelles ; ils dissimulent ces défauts en revendiquant une très ancienne noblesse et en montrant un courage à toute épreuve[67]. Mais, au-delà de ces zones particulièrement troublées, les nobles, d'une façon générale, ne font-ils pas souvent régner un climat de violence contraire à la paix, si nécessaire au marchand ?

Que représentent Arnao et ses hommes ? Il ne semble pas raisonnable d'évoquer à propos de ce piètre bandit de grand chemin, qui voudrait tant violer la jeune fille, mais qui ne peut pas, et qui à la fin est tué, l'ombre du terrible mais grand Rodrigue, craint, mais sollicité, honoré, et qui s'apprête à jouer – plus tard, il est vrai – à la cour de Jean II et dans le parti d'Álvaro de Luna un rôle important.

Il serait tout aussi déraisonnable de n'y point songer du tout. Les *fidalgos* survivants choisissent, on l'a vu, d'aller servir le roi Rodrigue. Le retour du capitaine en Castille n'aura lieu qu'en 1439, mais, depuis longtemps, on négociait. Or Corral ne semble pas être resté étranger aux activités de son frère puisque en 1431 on le trouve impliqué avec lui dans les négociations entreprises par le roi d'Aragon, désireux de gagner à sa cause

66. Voir *Histoire de la Gascogne des origines à nos jours*, Roanne : Horvath (L'Hexagone), 1977, p. 110. On sait que les aventuriers de Gascogne ont été appelés brigands du nom de la cotte de mailles ou brigandine qu'ils revêtaient.

67. Après avoir comparé les Basques aux différents peuples du Nord (de Navarre, de Biscaye et de Guipuzcoa), et avoir montré ce qui les différencie de ceux d'Aquitaine, Alfonso de Palencia écrit : [« Factiones cruente simultatesque perpetuo implacabiles pariter Cantabros, Vasceosque atque Vascones exagitant, opesque maritima nauigatione quesitas hoc in discrimine Vascei ac Guipuscani consumunt, ut Cantabri atque Vascones ubertatem. Latrocinia his omnibus communia, et ad exaugendas factionum uires commessationes sodalitatesque inter beniuolos exercentur, tempus quidem teritur in his maxime ; neque legibus parent, neque discipline alicuius capaces redduntur. Ydioma ut mores nulli gentium conforme. Auaritia uerum tamen quibus libet auarissimis uel pares uel superiores noscuntur ; fœnora etiam filii a parentibus ac parentes a filiis exigunt. Peregrinos etsi nonnunquam amice hospitentur, semper tamen eorum pecunias sitiunt hauriuntque, quippe per saltus intercipiunt plerumque proficiscentes peregre [...] » (*GH*, I, 4, 9 ; TL, 1, p. 154-155, § 4). Pour ce qui concerne les citations du texte de Palencia, voir plus loin « Place et fonction du portrait du roi dans les chroniques royales », note 67.] On rappellera simplement pour mémoire la très mauvaise réputation des péagers qui se trouvent à la porte de l'Espagne selon le *Guide du pèlerin de Saint-Jacques-de-Compostelle*, Jeanne VIELLIARD (éd. et trad.), 5e édition, Mâcon, Vrin, 1978, p. 22-23. Les Gascons, quoique dits de mœurs grossières, y sont mieux traités (p. 20-21).

Villandrando et ses hommes[68]. Cette actualité s'est peut-être plus ou moins confusément mêlée à des souvenirs plus anciens et, déjà, familiaux. Si l'on en croit la généalogie proposée par Josef Pellizer – et reprise par Jules Quicherat –, Pedro de Corral et Rodrigo de Villandrando sont les petits-fils de Thérèse de Villaines, sœur de Pierre le Bègue de Villaines. Ce dernier, après avoir combattu pour le compte d'Henri de Trastamare, reçut une part des «*mercedes*» du nouveau roi et devint comte de Ribadeo. Il maria sa sœur Thérèse – toujours selon Pellizer – à Ruy Garcia de Villandrando[69]. Pierre de Villaines est l'un des noms les plus célèbres parmi ceux des mercenaires et des capitaines des fameuses compagnies qui, dans la deuxième moitié du XIVe siècle, étaient venues guerroyer en Espagne. Les Gascons y étaient nombreux. On connaît le non moins célèbre Arnaud du Soulier (Arnao Solier) qui devint seigneur de Villalpando et Mosen Arnao de España qui s'établit à Valladolid[70].

Les Gascons sont ici des brigands. Ce que l'on peut dire, c'est que pour Corral et pour une partie de ses lecteurs ces brigands étaient autre chose qu'un simple lieu commun de roman. Surgis à la croisée de plusieurs motifs traditionnels, ils sont réactivés par des rumeurs et peut-être par des incidents réels, présents dans les esprits ou dans les mémoires[71], plus

68. A. FABIÉ, *Don Rodrigo*..., p. 59.

69. «*Don Ruy Garcia, i su hermano don Pedro de Villandrando* [respectivement oncle et père de l'auteur] *fueron hijos de don Garcia Gutierrez de Villandrando* [...] *i de su muger dona Teresa de Vilanes, Hermana de Mossen Pere de Vilanes, Conde de Ribadeo al año de 1366*» (Josef PELLIZER DE OSSAU I TOVAR, *Informe del origen, antigüedad, calidad y succesión de la excelentissima casa de Sarmiento de Villamayor*, Madrid, 1663, fol. 94v°). Cela est repris par J. QUICHERAT, *Rodrigue*..., p. 4-5, qui apporte une information nouvelle : à la mort de leur père, Pedro de Corral et son frère Rodrigo seraient restés sous la tutelle de leur oncle Ruy Garcia et de leur grand-mère Teresa (p. 6). Dans la généalogie proposée par A. RUCQUOI, *Valladolid*..., II, n° 7, p. 550, l'épouse de Juan Garcia de Villandrando est Catalina Rodriguez, dont le nom est le seul cité dans le testament du grand-père de Corral. On peut donc songer à un mariage antérieur. Mais, alors qu'il était fréquent de faire figurer dans le testament le nom d'une épouse disparue, le nom de Thérèse de Villaines ne figure pas dans celui de Ruy Garcia de Villandrando (renseignements aimablement fournis par A. Rucquoi). La question reste ouverte. Qu'il fût ou non le petit-fils de Thérèse de Villaines, Corral devait avoir côtoyé des Français. Il reste étonnant – sans qu'il existe, semble-t-il, un lien direct entre les deux faits – que Pierre de Villaines et Rodrigo de Villandrando aient été tous deux *condes* de Ribadeo.

70. Sur les «compagnies», voir Kenneth FOWLER, «L'emploi des mercenaires par les pouvoirs ibériques et l'intervention militaire anglaise en Espagne (vers 1361 - vers 1379)», *in :* A. RUCQUOI (dir.), *Realidad e imágenes del poder : España a fines de la Edad Media*, Valladolid : Ámbito, 1988, p. 23-55; et *id.*, «The wages of war : the mercenaries of the great compagnies», *in : Viajeros, peregrinos, mercaderes en el Occidente medieval, XVIII semana de estudios medievales, Estella, 22 a 26 de Julio de 1991*, Pampelune : Gobierno de Navarra, Departamento de educación y cultura, 1992, p. 217-241. Sur Mosén Arnao de España, voir A. RUCQUOI, *Valladolid*..., II, p. 109, et généalogie n° 5 (famille des Bernal).

71. C'est sans doute en 1438, au cours de sa descente vers Bayonne, que Rodrigo de Villandrando s'empara d'un baron allemand (*El señor de Hanesberque*), qui, allant en pèlerinage à Saint-Jacques, avait déjà été fait prisonnier en Espagne et avait fait l'objet d'un échange avec des marchands de Burgos, eux-mêmes prisonniers en Allemagne. Villandrando ne le relâcha, lui,

présents encore dans l'esprit de l'auteur qui, tout compte fait, et sans écarter la possibilité d'une évocation quelque peu malicieuse, s'est assez bien servi de la *réalité* pour sa véridique histoire.

Le marchand et sa famille

On a coutume de dire que dans les romans de chevalerie il n'y a que des chevaliers. Tel est bien le cas dans la *Crónica sarracina*, et pourtant, voici un marchand, sorti, comme les *fidalgos*, de la *réalité*. À la différence de ceux qui se battent à cheval, bons ou mauvais, Pelayo ou Arnao, le marchand n'a pas de nom. Mais sa présentation est jolie :

> *Dize la historia que avía un ombre en Burdeo que era rico, et bivía por oficio de mercador, e como usava de mercadoría tenía fustas suyas en tierra de Vizcaya que andavan sobre mar; e como esto era a la entrada del verano, e por que mejor recabdo oviese su fazienda, partió de Burdeo él e otros dos, e levava consigo su muger e una fija donzella que tenía. E la razón porque levaba consiguo a su muger e a su fija fue porque todo el verano se entendía estar en Vizcaya*[72].

Au bout de cette chaîne de causalité – Corral en est parfois maniaque –, saluons la venue de cet aïeul des hommes d'affaires plus ou moins *touriste*, qui vient avec sa famille *veranear* sur les côtes de *Vizcaya*[73]. Il aura même droit, sous la forme d'une chasse à l'ours, à son spectacle plein de sauvage émotion.

S'il n'a pas de nom, le marchand a une famille. Face aux mondes masculins des chasseurs et des brigands, le monde du marchand, où l'élément féminin l'emporte, se trouve comme dévirilisé. L'homme de Bordeaux ne fait que transiter, emmenant avec lui son bien le plus précieux, sa famille, valeur essentielle de son monde de marchand. Il emporte aussi «*cierta moneda*» et semble avoir commis l'imprudence de voyager avec une très petite escorte[74].

---

que contre une rançon payée en florins. Voir J. QUICHERAT, *Rodrigue...*, p. 157, et A. FABIÉ, *Don Rodrigo...*, p. 94-95. Mais il dut lui-même payer une rançon pour son neveu Fernán Sánchez de Tovar. Le roi Jean II l'avait envoyé auprès de lui pour le convaincre de rentrer en Castille, et, sur le chemin du retour, il fut fait prisonnier par les Anglais. En compensation, Jean II accordera à Rodrigo de Villandrando l'autorisation de faire du commerce avec l'Angleterre (quatre voyages de la «*nao de Santiago*»). Tout cela est en principe postérieur à la date proposée pour la *Crónica sarracina*. Mais d'autres incidents de ce genre, même moins liés à la famille de Corral, s'étaient peut-être produits dans un monde aventureux où l'on bougeait beaucoup.

72. *CR*, II, 97, p. 177.

73. On sait que la navigation reprenait après l'hiver. Toutefois, c'était dès l'automne, avant l'hiver, que les Bordelais avaient l'autorisation d'exporter leur déjà célèbre vin de Bordeaux. Voir Jean FAVIER, *De l'or et des épices. Naissance de l'homme d'affaires au Moyen Âge*, Paris : Fayard, 1987, p. 118; et Jacques BERNARD, *Navires et gens de mer à Bordeaux (vers 1400, vers 1550)*, Paris : SEVPEN, 1968.

74. Il est difficile d'interpréter le «*partió de Burdeos él e otros dos*». S'agit-il d'autres marchands? Le texte ne fait état que d'un «*mozo*», d'un «*sobrino*», de la femme et de la fille.

Il est inutile d'insister sur l'importance des marchands, tant en Aquitaine qu'en Castille, au XVe siècle. Ils sont nombreux à aller et venir. On sait que le commerce des vins – qui n'était pas, il s'en faut, la seule denrée commercialisée – fit faire à certains marchands de Bordeaux de grosses fortunes. Or ce commerce se faisait aussi sur des bateaux d'autres ports océaniques, parmi lesquels figuraient des navires basques et cantabres[75].

De ce marchand bordelais, on ne sait pas grand-chose ; quoique *réel*, il semble malgré tout sortir d'un conte. Il est riche sans doute, puisqu'il est *marchand* et *étranger*, mais il est bien seul, sans défense dans un monde périlleux et hostile, dépourvu des solidarités qui font la force des *hidalgos*, bons ou mauvais.

Au XVe siècle, le bel écran des chevaleries ne peut longtemps cacher le commerce. Si l'on en croit Alfonso de Palencia, Rodrigue de Villandrando lui-même aurait commencé sa carrière sur un navire, au service d'un marchand. Il abandonna ensuite la course pour les armes, mais en 1439, *conde* de Ribadeo, de retour en Castille, il obtint, on l'a vu, l'autorisation d'employer un navire à faire du commerce avec l'Angleterre[76]. Pedro de Corral, s'il résidait à Valladolid, ville pourtant moins commerçante que Burgos, était bien placé pour voir comment les riches marchands s'intégraient à l'oligarchie citadine, entraient dans les *linajes* (et dans sa propre famille)[77].

On sait que les marchands aimaient les livres et que parfois même ils en faisaient. Était-ce le cas de notre Bordelais ? Quoi qu'il en soit, une chose est de se délecter en lisant des chevaleries et une autre de les vivre, même en spectateur[78]. Le lien entre le livre et le marchand apparaît deux fois dans la *Crónica sarracina* : la première est très importante puisqu'il s'agit de l'histoire même du roi Rodrigue apparue « *en poder de un mercader* » (comme apparaîtront plus tard les *Sergas de Esplandián*). Le second livre sera fait précisément par la fille de notre marchand.

Dans cet épisode on va protéger, nourrir, soigner, loger le marchand ; mais on va aussi sourire ou franchement se moquer ; tout est ici organisé pour souligner la différence et pour montrer l'impossible intégration, c'est-à-dire pour exclure. Et pourtant, sauvé, témoin presque malgré lui, indigne peut-être mais premier témoin, il est sans doute nécessaire au monde que construit Corral : voici, avec les chevaliers, l'ermite et le marchand les trois ordres rétablis et l'ordre social confirmé. C'est un marchand qui va proclamer Pelayo et c'est la fille du marchand qui va être la première disciple, la première adoratrice du roi sauveur.

75. J. BERNARD, *op. cit.*
76. Voir *supra* notes 2 et 71.
77. A. RUCQUOI, *Valladolid*…, II, p. 397-398.
78. Voir à ce propos J. FAVIER, *op. cit.*, p. 433-443.

L'ermite

La valeur d'un ermite se mesure à son ancienneté. Depuis toujours, la grande vieillesse est la marque du parfait anachorète, la preuve de son infatigable ascèse, et surtout la garantie de sa communication avec le divin et le sacré. Le « fou de Dieu » incarne à la fois le secret et la longue durée, nécessaire au témoignage et à la prophétie. Car, si le marchand possède le livre qui raconte l'histoire, c'est une relation plus profonde que ce solitaire entretient avec elle.

L'ermite est sur le chemin de Pelayo et sur celui de l'ours. La durée, comme toujours, est indiquée :

> *E yendo así su vía, fallaron en aquella montaña una hermita, en la qual estava un hermitaño que morava en ella más avía de veinte años e fazía su vida en servicio de Dios*[79].

C'est peu ; mais on se souvient que Pelayo a vingt et un ans ; autrement dit, l'ermite l'attendait. Pendant toute une nuit il le confesse et le conseille, car Pelayo se sent coupable d'avoir tué les brigands. Ce passage, « discours de vertus »[80], montre le souci scrupuleux d'une perfection exemplaire, mais aussi l'importance prise par le sacrement de pénitence dans la vie et dans les textes. On songe, bien sûr, à la confession d'Amadís et à celle d'Oriane ; on songe surtout au rôle fondamental de la démarche pénitentielle dans le cycle de Rodrigue. Mais la terrible pénitence du roi, rendue célèbre précisément par la *Crónica sarracina*, n'est que l'épisode le plus spectaculaire d'une démarche constante qui, dans cette deuxième partie du récit, entraîne les personnages vers l'examen de conscience et la justification[81]. Le cas le plus révélateur, qui montre le passage de la simple justification judiciaire à la casuistique pénitentielle, est ce que l'on peut appeler *l'affaire Luz*. L'abandon de Pelayo y perd en grandeur mythique, mais les parents d'*Amadís* y reçoivent une leçon. Ne retenons ici, pour l'instant, que cette confession de Pelayo, qui semble ne recevoir pour pénitence qu'une

79. *CR*, II, 100, p. 183.

80. Nous reprenons ici les termes utilisés par Michel de CERTEAU à propos de l'hagiographie dans l'article « Hagiographie », *in : Encyclopædia universalis*, 1984, Corpus 9, p. 68-73, p. 71.

81. La pénitence de Rodrigue, telle qu'elle apparaît dans la deuxième partie, peut faire oublier la première confession du roi, à l'aube de la huitième bataille. Or Rodrigue était, semble-t-il, et avec lui tous les nobles, allé se battre réconcilié avec Dieu : « [...] *e el Rey fizo venir a don Liberio, Arçobispo de Toledo, e confesóse a él de todos sus pecados con gran omildat, e llorando de sus ojos muy amargosamente, e como ovo confesado sus culpas, las que se le membraron, tomó el cuerpo de Nuestro Señor con gran devoción así como fiel christiano deve fazer, e desque esto ovo fecho oyó su misa muy devoto* [...] *e por todo el su real fezieron de la guisa quél fizo* » (*CR*, I, 253, p. 618-619). Mais le gigantesque combat judiciaire du Guadalete avait montré le courroux divin, et Rodrigue s'est cru condamné devant une impossible pénitence. C'est la confession de Pelayo qui ouvre le cycle pénitentiel, cette fois agréable à Dieu, de cette deuxième partie.

convocation. En parfait état de grâce, le lendemain matin, il entend la messe avant d'aller tuer l'ours. Corral récupère des motifs traditionnels et là pourrait s'arrêter son travail. Mais il est un habile constructeur de parallélismes et d'inversions. Face à la confession et à la pénitence de Rodrigue, si longues, si angoissantes, ou plutôt *avant* elles dans le temps de l'histoire et du salut, il a posé la confession de Pelayo. Quinze jours après, Pelayo se confessera encore et recevra, avec la révélation, l'ordre d'aller à Jérusalem. Il entrera donc, et avec lui toute l'Espagne présente et future, dans l'état pénitent par excellence. La pénitence de Rodrigue clôt l'Ancien Testament, celle de Pelayo ouvre le Nouveau. Avant le serpent qui dévore, l'ours est tué. Les deux démarches vont vers la rédemption. La démarche rédemptrice de Pelayo contribue sans doute à *ouvrir* le tombeau de Rodrigue après ce qui devient en quelque sorte la *passio* du dernier roi.

Corral n'oublie pas de bien ordonner son monde. Dans l'ermitage, Pelayo et l'ermite veillent; dans l'ermitage aussi dort la famille du marchand, pour y être en sécurité (« *e desta guisa fue el mercador seguro* »). Tout autour sont les joyeux chasseurs[82]. Tout le monde, *dehors* et *dedans*, peut dormir en paix : Pelayo veille, à mi-chemin entre la terre et le ciel.

Amadís, s'il ne se confesse pas et ne passe pas la nuit en prières, entend lui aussi la messe avant d'aller combattre l'*Endriago*. Juan B. Avalle Arce a vu dans cet épisode un tournant décisif. Selon lui, c'est ici que le roman prend le chemin de la lutte contre le mal : le mal n'est plus simplement incarné par un *Arcalaus*, héritier des Merlin et des Morgan, et la lutte n'est plus menée au nom d'Oriane mais au nom de Dieu. Les prières qui précèdent, l'importance accordée à l'autel et aux reliques – où l'on retrouve peut-être l'importance de l'hagiographie – christianisent cette aventure qui signifie, sinon le passage de l'amour humain à l'amour divin, du moins une hésitation entre les deux. Est-ce une nouvelle orientation religieuse donnée par un *refundidor* inconnu ou déjà Montalvo[83] ? On peut simplement remarquer que dans la *Crónica sarracina* il y a prière, confession et longue veillée avant la mise à mort d'un ours qui, certes, incarne le mal, mais qui n'est pas un monstre. Il n'est pas impossible que cet épisode soit une version *vraisemblable* et, pourquoi pas ? quelque peu amusée de la grande aventure d'Amadís, comme elle mise *en escritura*.

82. « *E en toda la noche no fizo el hermitaño otra cosa sino consejar al Infante, cómo guardase de errar a Nuestro Señor. E que si esto fiziese que Dios le ayudaría en todas las cosas que començase e le libraría de los peligros del mundo. E como fue ora de dormir, echáronse por el campo, por do más talante les dava, e reposaron desta guisa* » (*CR*, II, 100, p. 184). Il semble bien que le *confesar* que l'on trouve dans cette phrase dans le texte de la *Floresta* soit une erreur et qu'il faille lire en effet *consejar*.

83. Comme le veut J. B. Avalle Arce, *Amadís*..., p. 289-295. Menéndez Pelayo voyait un lien entre l'*Endriago* et la *sierpe* tuée par Baudoin, frère de Godefroi de Bouillon, dans la *Gran conquista de Ultramar*. À ce sujet et sur le motif du monstre tué, voir également J. B. Avalle Arce, *ibid.*, p. 290.

L'ours

Tout comme l'ermite, l'ours attendait Pelayo puisque le roi Rodrigue, cette fois *avant*, n'avait pas pu le tuer[84]. Il s'agit donc d'une aventure réservée. Corral se montre mesuré dans un merveilleux qui l'est à peine, et il n'oublie pas le sourire. Une chasse à l'ours, à vrai dire, n'a rien d'étrange dans ces contrées, même si elle est toujours périlleuse et même si on se souvient que le fils de Pelayo, Favila, aurait été, dit-on, tué par un ours. Cet ours d'ailleurs, quoique fort grand, n'a rien de monstrueux ou d'hybride ; ce n'est pas l'*Endriago*. Ce n'est pas non plus l'affreux *vestiglo* sous l'apparence duquel le diable se montre à l'infant Sancho. Corral, qui peut se montrer d'une étonnante précision, le décrit à peine[85].

Ce qui va se passer pendant cette chasse à l'ours reste ambigu ; si on y retrouve des motifs ou des mythes facilement repérables (la belle et la bête, le héros purificateur) ou plus diffus (la transgression d'un tabou), l'ensemble laisse une curieuse impression. Le lecteur retient surtout la fuite honteuse du marchand sans prendre au sérieux le danger couru par sa fille, car ce danger, au fond, a été provoqué par Pelayo. S'agirait-il de la mise en scène d'un vague rite d'exposition, un dernier *tribut* en somme ? Aucun *burladero* n'y sépare le public des acteurs du combat ; bien au contraire, le jeu semble consister à exposer aussi le public. L'aïeul de nos touristes aurait pu payer très cher le spectacle pour lequel Pelayo lui avait pourtant donné la meilleure place : « [...] *e pusieron al mercador e a su compaña en lugar que pudiesen bien mirar quando el oso saliese.* »[86] Chasse à l'ours ou jeux d'ours ? On ne sait pas très bien si la mise en scène du danger mime le sacrifice du marchand et de sa fille ou leur salut, ce qui, au fond, est la même chose. Corral semble avoir mélangé les mythes, les traditions folkloriques[87] et le

84. « *Señor, un oso vos tenemos concertado muy grande, e dexámoslo en la cama. E agora ha tres años quel Rey don Rodrigo pasó por aquí, e gelo concertaron. E tan sola mente estuvo por lo matar por estos montes, él e toda su corte diez días. E por quanto él fizo nunca poder ovo de lo matar ; e yo me creo que agora no escapará* » (*CR*, II, 99, p. 182).

85. « *Estrañamente es grande e de tal fechura qual yo nunca otro tal vi ; ca no sé cosa que lo ose esperar* » (*loc. cit.*). « [...] *e fueron dos monteros a lo sacar de la cama. E quando salió, era una animalia tan grande que no es cosa al mundo que miedo dél non oviese* » (*CR*, II, 101, p. 185).

86. *Loc. cit.*

87. On peut voir à ce propos Michel PRANEUF, *L'ours et les hommes dans les traditions européennes*, Paris : Imago, 1980, ainsi que Jacques BERLIOZ, « La procréation par l'ours », *Razo*, 9, 1989, p. 18-19. Certaines remarques d'Emmanuel LE ROY LADURIE incitent toutefois à la prudence dans la généralisation et surtout l'extension *régressive* de certains thèmes mythiques : « Dans un ordre d'idées analogue, je note l'absence quasi totale du thème mythique de l'ours, en Sabarthès, et dans toute l'aire d'investigation de nos inquisiteurs, vers 1320. Or, ce sympathique animal deviendra au contraire l'un des personnages centraux de la dramaturgie paysanne, au long des Pyrénées à partir du XVIIIe siècle » (*Montaillou*, Paris : Gallimard, 1982, p. 567). Notre chasse à l'ours est peut-être un indice qu'il n'a pas fallu attendre qu'une « littérature bleue » vienne bouleverser le « paysage folklorique » dans le nord de l'Espagne.

conte à rire ; il a en tout cas rejeté le marchand dans l'univers féminin du *mirar* et dans le monde comique de la couardise et de la peur.

Chacun sait que la sortie de l'ours marque la fin de l'hiver ; ici l'hiver est terminé puisque nous sommes « *a la entrada del verano* ». L'ours que Pelayo va tuer dans ce *spectaculaire* rite de passage garde sa force de régénération. Mais celui qui fut le roi des animaux reste un symbole de barbarie, de paresse et de luxure. Son comportement sexuel se rapprochant de celui des hommes, il incarne traditionnellement la violence sexuelle : c'est pourquoi, chez de nombreux peuples, la femme est soumise à des interdits rigoureux en ce qui concerne la chasse à l'ours. Il est difficile de dire si des restes de tabou existent dans notre texte, même de façon souterraine. Un lien n'est pas établi de façon explicite entre l'ours et la *donzella* ; on sait simplement qu'elle a très peur quand la bête, au sortir de sa tanière se dirige, on s'en serait douté ! vers la famille du marchand.

C'est, semble-t-il, non parce qu'elles sont réellement en danger mais parce qu'elles ont très peur que Pelayo se porte au secours des deux femmes abandonnées par le marchand, qui a pris la fuite[88] ; le jeu a assez duré. Pelayo combat seul. Après un combat relativement court (une quinzaine de lignes), ce qui est malgré tout un exploit est accompli : « *E desta guisa mató el Infante por sí solo el oso que fue una cosa estraña.* »[89] La *donzella* est de plus en plus éprise de son héros : elle se rappellera toujours « *cómo él la librara de muerte dos vezes : la una de los gascones, e la otra del oso* »[90]. Mais tout est truqué dans cette histoire ; Corral n'a exposé le marchand que pour en rire, et la jeune fille pour la sauver. Pourtant, en tuant cet ours, il est devenu à la fois l'anti-Rodrigue et le successeur de Rodrigue, et cela devant le marchand, qui va d'ailleurs s'en aller comme il était venu. Il a rencontré en chemin un monde qui l'a plongé dans l'épouvante et l'émerveillement, un monde qu'il s'empresse de fuir.

L'exclusion du marchand

Le statut et le rôle du marchand de Bordeaux sont ambigus. À ce spectateur passif et parfois ridicule, à ce couard méfiant et à peine poli est pourtant confiée la mission de reconnaître en Pelayo – dont l'identité ne lui est pas explicitement révélée – un être d'un *autre monde*. Dès la rencontre avec le valet

88. « *E sin dubda quando el mercador e su compaña lo vieron que iva contra ellos, el miedo que ovieron no fue poco, e non lo pudo sofrir el mercador e fue fuyendo, e desanparó a su muger e a su fija. Y ellas quando esto vieron con el gran miedo que ovieron como nunca otro oso avían visto, dieron muy grandes gritos cuidando que eran muertas* » (*CR*, II, 101, p. 185).

89. *Loc. cit.*

90. *Ibid.*, p. 187.

surgit la différence entre le monde des chevaliers et celui des marchands, plein de peurs, de larmes et aussi de chiffres. Pour dire cette différence, Corral utilise le motif de la *méprise*[91]. Il s'amuse, et Pelayo se fâche[92]. Le maître a tout aussi peur que le valet; il obéit à la courtoise invitation de Pelayo, mais par crainte : «*E como ellos tenían grand miedo no se rogavan nin hazían otra cosa sino lo quel Infante don Pelayo les mandava.*»[93]

Le marchand *regarde*. Quand Pelayo l'invite à voir la chasse à l'ours, commence un savoureux dialogue où l'on retrouve, aménagé, un vieux procédé comique : la nécessité de forcer *les vilains*[94]. Car le marchand marchande et il faut un peu le bousculer :

> *E el Infante ovo grand plazer con estas nuevas, et dixo contra el mercador : – Vós avedes plazer de ver la manera de nuestra caça de monte. E el mercador le dixo : – Señor, en vuestro poder estó de lo que a vos plazerá; a mí no puede venir sino bien. E el Infante le dixo : – Comoquiera que vós estedes en este lugar, en vuestro poder sodes de vos ir o estar quando quisierdes; e si aquí vos he detenido no fue ál sino por que viésedes la costumbre de nuestro monte, vós e vuestra compaña. E si en esto tomades plazer decildo*[95].

Le marchand, qui est un peu l'ancêtre de Sancho Panza, va consulter sa femme et sa fille : «*E el mercador se omilló mucho e díxo que abría consejo con su muger e con su fija. E ellas le dixieron que ál non fiziese sino lo que el Infante toviese por bien.*»[96] La conclusion est admirable : «*E desta guisa el mercador se le omilló mucho e se atrevió a ver la caça del monte del Infante don Pelayo.*»[97]

On sait comme les choses vont tourner. C'est pourtant le valet qui, le premier, *proclame* Pelayo («[...] *dezía que éste no era sino cavallero de Dios que tales cosas fiziera*»). Le maître prend le relais un peu plus loin («*Por cierto este infante no es deste mundo, ca sus fechos celestiales son*»). Mais après la chasse à l'ours et la grande peur, les marchands se félicitent d'avoir une vie paisible. La voix moqueuse de Corral accompagne (ou précède?) celle de Gutierre Díaz de Games :

91. Voir ce que dit à ce propos Philippe MÉNARD, *Le rire et le sourire dans le roman courtois en France au Moyen Âge (1150-1250)*, Paris : Droz, 1969, plus particulièrement p. 318-334; une liste de méprises est proposée p. 336.

92. «*E el Infante le demandó : – ¿ A dó son? E el moço le dixo : – Señor, ¿ para qué? E el Infante le respondió : – Para ir allá. E el moço le dixo : – ¿ Tenedes más gentes desta que vayan con vos? que ellos más son de diez. E por el amor de Dios no vós pongades en peligro de muerte. E el infante le dixo : – Déxate tú de palabras, e anda allá, e muéstramelos dó son. E el moço, tanta era la sonbra que tenía en el cuerpo, que no quería ir allá. E el Infante le dixo que si no fuese con él que lo mataría si no gelos mostrava. E el moço, con el miedo que ovo, díxole que iría*» (*CR*, II, 98, p. 178-179).

93. *CR*, II, 99, p. 182.

94. Voir P. MÉNARD, *op. cit.*, p. 168.

95. *CR*, II, 99, p. 182.

96. *Ibid.*, p. 183

97. *Loc. cit.*

> *E el mercador e su muger e su fija quando esto vieron dezíanse unos a otros que tal vida en el mundo no avía como la suya que ellos fazían ; ca era sin trabaio e sin peligro, e grand abondamiento de algos que en ál no tenían el coraçón sino en sus riquezas. Empero la donzella* [...][98].

La jeune fille en effet va essayer de franchir le pas, mais elle aussi, à sa façon, est exclue.

Après que Pelayo a nourri le marchand pour la troisième fois, il lui demande s'il désire poursuivre son chemin ; à quoi notre homme se hâte de répondre que oui : « [...] *el mercador le dixo que si él por bien lo oviese que sí, que ya tiempo era.* »[99] Le marchand a *perdu* un *temps* précieux, mais il veut surtout fuir. Il n'a rien *donné* à personne. Il est resté enfermé dans un égoïsme méfiant et n'a *participé* que contraint et forcé ou parce qu'il croyait l'être. Il n'a pas fait l'aumône à l'ermite ; on ne nous dit pas s'il a prié ou assisté à la messe du matin. Il a parlé bas, en secret, presque en cachette avec sa femme et sa fille. Il semble n'avoir ni religion ni conscience. Il n'a éprouvé aucun plaisir. C'est un homme pressé, avare de tout. Seule la fille du marchand va donner son cœur et même sa vie ; après ce passage, elle va se *consacrer* à Pelayo, lui-même consacré.

Cette consécration de Pelayo avait peut-être besoin des yeux et de la parole du marchand, car lui seul pouvait le dire, non seulement parfait, mais pleinement *autre*. Pour lui, les aventures de ce passage vont faire figure de *voyage dans l'autre monde*. Tout y est : le lieu infernal et le diable (les Gascons et les chasseurs), la Bête, et aussi un paradis dont il ne sait trop que penser, dont il veut bien louer le Seigneur mais qu'il est bien aise de quitter au plus tôt pour revenir sur terre. Pauvre marchand... Son initiation est manquée. Paralysé de peur, il a *vu* mais n'a *cru* qu'à moitié. Et de là vient le rire. De cette aventure, Pelayo sort *roi* ; les Gascons sont ou morts ou en voie de rachat. Le marchand reste marchand. Cependant, nécessaire dans le monde réel, il l'est aussi dans celui du livre. Ce nouveau riche est le nouveau pauvre de l'univers chevaleresque de la *Sarracina*, et sur lui s'étend la protection due aux femmes et aux « inermes ». On le sauve, on lui fait fête, on va même le mettre à cheval, car il venait, semble-t-il, à pied[100]. Mais ce protégé, fêté et promu, se maintient lui-même à l'écart.

98. CR, II, 101, p. 186. G. Díaz de GAMES, au chapitre 8 du *Victorial*, fait l'éloge de la chevalerie et critique les bourgeois : « [...] *ca de los ofiçios comunes comen el pan folgado*[*s*], *visten ropas delicadas, manjares bien adobados, camas blandas, safumadas. Héchanse seguros, levántanse sin miedo, fuelgan en buenas posadas con sus mugeres e sus fijos, e servidos a su voluntad, engordan grandes çerviçes, fazen grandes barrigas. Quiérense bien por fazerse bien e tener*[*se*] *viçiosos. ¿ Qué galardón o qué honra meresçen ? No ninguna* » (éd. cit., p. 279). [Rappelons que *El Victorial* a sans doute été écrit entre 1431 et 1435. Les événements qui se situent à une date plus tardive sont très probablement une addition postérieure.]

99. *CR*, II, 101, p. 186.

100. « *E fizo tomar los cavallos de Arnao et de sus compañeros, e mandó al mercador e a su muger e a su fija que cavalgasen e que se fuesen con él ; e fue fecho luego así* » (*CR*, II, 99, p. 180).

Et pourtant... Si, en dépit de l'humour – qui, après tout, est de bonne guerre –, la *Crónica sarracina* avec son merveilleux, mais aussi ses chiffres, un peu embourgeoisée à l'intérieur de sa structure prophétique et de son projet ambitieux, était précisément une histoire pour marchands ? C'est bien là, sans doute, un de ces livres qu'ils aimaient[101].

On sait que la promotion du marchand se faisait souvent par sa fille. La *donzella* voudrait bien, mais il lui faudra se contenter de transcender le *mirar* et le *ver* de tout cet épisode en un définitif *contemplamiento*.

Une dernière tentation, que seuls les jeux de construction de Corral pourraient justifier, serait de voir dans cette famille bordelaise un avatar de la tradition du *Julián Mercader* de Ben al-Kutiya. La femme et la fille du marchand face aux femmes de *Julián* ? L'histoire serait trop belle. Et pourtant... On peut et on doit peut-être établir une relation entre les deux familles, mais autrement. Si l'on admet une construction de type biblique, c'est-à-dire typologique, il devient tout à fait possible que le marchand, sa femme et sa fille soient les antitypes de Julián, de la comtesse et de la Cava.

La fille du marchand

Tuer la Bête était-ce déjà refuser la Belle ? Triompher du monde et de soi ? La femme n'est pas ici la Dame sur qui le chevalier projette son obsession. Elle est, fort honnêtement, il est vrai, la tentation de l'amour humain. Sera-t-elle plus femme parce qu'elle est fille de marchand ? Il est certain que cette condition un peu particulière permet quelques audaces et quelques libertés : Pelayo n'aurait peut-être pas pu, avec une noble dame, se permettre une ambiguïté telle qu'elle pourrait jeter une ombre sur sa parole. Aurait-il pris l'anneau ?

La femme n'est ici ni dame, ni demoiselle, ni bergère ni créature d'un autre monde. Elle est de passage, mais non vraiment errante, encadrée par ses parents, bourgeoise. Elle n'a rien d'une *Briolanja*. Décidément, les grandes épreuves de l'*Amadís* (ou de la *Gran crónica de Ultramar*) prennent une autre tournure. L'*Endriago* devient un ours, et l'héritière d'un royaume la fille d'un marchand de Bordeaux. Serions-nous sur le chemin de la chronique ? Ou de *Tirant* ? Ou – on ose à peine le dire – du *Don Quichotte* ?

Ainsi donc apparaît la *donzella*, elle aussi sans nom : il suffit qu'elle soit *donzella*. Sauvée ou trompée ? Deux fois elle a échappé au viol : la première, grâce à la cotte d'Arnao, ce qui fait sourire[102], la seconde grâce à Pelayo

101. J. FAVIER écrit, il est vrai : « Le seul que la littérature chère au marchand ne fait jamais ridicule, c'est le bourgeois » (*op. cit.*, p. 435). Mais cette règle doit souffrir quelques exceptions.

102. « *E sino porque estava armado él quisiera allí luego conplir su voluntad con la donzella* » (*CR*, II, 97, p. 178). On se souvient qu'Amadís – mais dans quel état de texte ? – se défait de ses armes dans la scène célèbre : « *Oriana se acostó en el manto de la donzella, en tanto que Amadís se desarmava;*

qui, après l'avoir exposée, tue l'ours. Mais quand elle veut se donner, on la refuse. À la différence de son père, elle resterait volontiers auprès de son sauveur, car elle aime et elle croit, mais celui-ci n'est pas tenté[103]. Au moment du départ, la force de l'amour et la tristesse la poussent à faire une déclaration[104] qui inverse les rôles et à donner un anneau, pièce maîtresse du rituel courtois et romanesque. Elle a donc rompu le silence que l'on veut imposer aux femmes et sa parole, rachetée par sa naïveté même et par une sorte de dévotion, fait irruption dans cette assemblée d'hommes. A-t-elle enfreint les règles qui régissent le comportement de son sexe et le code de courtoisie ? En vérité, sa démarche la situe aussi loin des dames impitoyables que des séductrices qui attendent les chevaliers dans les forêts et les châteaux. Son amour est une conversion, et sa déclaration, une profession de foi. Quant à l'anneau, il la voue à Pelayo.

Mais si Pelayo est libre de ce que Georges Duby appelle « l'intoxication courtoise », il lui faut malgré tout respecter certaines règles et il lui est difficile d'éviter les pièges du langage. Comment Corral va-t-il se tirer de cette situation embarrassante ? Non sans peine, semble-t-il :

> *E el Infante, en que la vio toda turbada, e que aquello que le avía dicho que fuerça de amor gelo fazía fazer, aunque él de aquella razón non se curava, por non le fazer que se encendiese más en su amor, tomó el anillo que la donzella le dava, et díxole : — Amiga, todas las cosas que en plazer vos vernán que pérdida a vos no venga, ni a mí desonra, que yo por vos pueda, faré yo de buen grado por que vuestra honra fuese guardada*[105].

Un clerc n'y trouverait rien à redire, et une demoiselle plus avisée ou moins éprise n'aurait pas retenu le premier mot, mais le dernier. Il y avait

---

que bien menester lo avía ; y como desarmado fue, la donzella se entró a dormir en unas matas espessas y Amadís tornó a su señora » (*Amadís de Gaula*, éd. cit., I, p. 574).

103. « *E sin duda si el infante requeriera a la donzella hija del mercador de amores no le dixiera de "no", mas a él nunca le vino a la voluntad tan solamente para lo pensar, maguera que era ella una de las fermosas donzellas que él avía visto ; e si ella lo podiera fazer bien lo requiriera a él* » (*CR*, II, 99, p. 180). Plus loin on trouve : « *Empero la donzella nunca quitava los ojos del Infante, e bien le pluguiera de andar toda su vida en su compañía tan solamente por ver la gran bondat que en él avía* » (CR, II, 101, p. 186).

104. « *E quando la donzella se ovo de ir, los ojos se le rasaron de agua, porque así se partía de la su vista ; e porque lo no podía sofrir esforçóse quanto pudo, e díxole : – Señor, comoquiera que yo non meresco que vós me dedes lugar en que vos yo pueda servir o fazer plazer, por mi coraçón vos amar más que a otra cosa vos pido por merced que vós traigades este anillo en vuestro dedo de la vuestra mano derecha con que tanto bien avedes fecho* » (*loc. cit.*). Sur les pucelles et les requêtes d'amour, voir les travaux d'orientations différentes, mais très complémentaires, de P. MÉNARD, *op. cit.*, p. 201 et 281, et de E. RUIZ DOMENECH, *La mujer que mira. Crónicas de la cultura cortés*, Barcelone : Quaderns Crema, 1986. À notre connaissance, les filles de marchands ne sont pas si nombreuses dans la tradition romanesque du Moyen Âge. On songe, bien entendu, à une histoire du *Décameron* : la fille d'un riche marchand de Palerme se meurt d'amour pour le roi Pierre d'Aragon depuis qu'elle l'a vu combattre, et elle fait chanter son amour devant lui. Le roi se déclare son chevalier pour toujours… et la marie. On aura reconnu Carmosine.

105. *CR*, II, 101, p. 186.

quand même matière à malentendu, car enfin, Pelayo a pris l'anneau ; Corral le justifie :

> *E la donzella iva muy alegre, cuidando que al Infante le avía algún amor encendido ; mas por cierto non era ansí, ca más tomó él el anillo por que las gentes no lo toviesen a mal e a villanía en lo no tomar, que no por amor que él le oviese ; empero todavía lo guardó bien*[106].

Les romans de chevalerie, l'*Amadís* en particulier, abondent en cas difficiles, destinés à éprouver la fidélité du héros, à flatter la curiosité du lecteur, à montrer l'habileté de l'auteur, et destinés surtout à développer toute une casuistique de l'amour. Au terme de cette folle surenchère apparaîtra auprès d'Esplandián l'étrange figure de Carmela. Ce n'est pas à une dame que Pelayo reste fidèle, mais à Dieu et à la Vierge, et surtout à son destin exceptionnel qui fait de lui une sorte de roi chaste, de roi prêtre. Tel il restera, jusqu'à la fin de la *Crónica sarracina*[107]. Ce destin a pu être frôlé par les honnêtes avances de la jeune fille, bien différentes des diaboliques tentations qui attendent Rodrigue dans son désert. Le refus de Pelayo n'a rien d'une ascèse, car il ignore la tentation. C'est par charitable courtoisie qu'il protège la *donzella* contre elle-même. Sa chasteté naturelle, souriante et courtoise, quoique un peu embarrassée, fait régner sur ce monde neuf la chasteté absolue, la virginité. L'amour et la femme, pièces maîtresses des romans de chevalerie, sont remis à leur place. Les temps ne sont plus où les nobles chevaliers, vaincus par Sacarus, gardien du château d'Algriete, devenaient prisonniers de la belle duchesse ! Le modèle existait déjà : c'était Galaad, ou encore Godefroi de Bouillon, qui mourait vierge. Dans la première partie de la *Crónica sarracina* Corral loue déjà la chasteté de l'infant Sancho. Esplandián, du moins dans sa jeunesse, est – ou sera – chaste aussi[108]. Et il y avait aussi les saints et les saintes qui, parfois, les accompagnaient.

La jeune fille s'en va donc. Va-t-elle simplement rejoindre la longue liste des *délaissées* ? Ou celle des *vierges et martyres* ? Il semble bien que tout

106. *Ibid.*, p. 186-187.

107. Il faut y voir sans doute une projection de la figure d'Alphonse le Chaste, dont on sait l'importance dans l'apparition du nouvel espace sacré du royaume astur-léonais. L'importance de la chasteté d'Alphonse – et de Toribio – a été montrée par J. K. WALSH, *op. cit.*, p. 16. I. BURSHATIN, art. cit., p. 24, ajoute celle de Pelayo.

108. Dans l'éloge funèbre de Godefroi de Bouillon on peut lire ceci : « *E sobre todas las otras virtudes, era casto de su cuerpo, que non tovo jamás que hacer con muger* » ; *Gran conquista de Ultramar*, Pascual de GAYANGOS (éd.), Madrid : Ribadeneyra, 1858 ; rééd. Madrid : Atlas (BAE, 44), 1950, chap. 92, p. 365. Dans celui de l'*infante Sancho* : « *Y nunca vos pudieron entender que vuestro cuerpo llegasse a muger* » (*CR*, I, 212, p. 519). Esplandián se situe dans la même lignée, comme on peut en juger par ce passage du prologue du livre IV d'*Amadís* qui annonce les *Sergas* : « [...] *según en ellas paresçe en tanto que la tierna edad sostuvo siempre temió a Dios perseuerando en toda virginidad, en vida santa, en acreçentar la su santa fe* » (*Amadís de Gaula*, éd. cit., I, p. 1303).

le monde l'oublie. Pourtant, sa vocation provoquée va devenir sacrifice volontaire, consécration :

> *E por razón deste anillo que el Infante tomó desta donzella jamás nunca ella quiso casar, ni nunca amó a ombre del mundo sino al Infante don Pelayo, e por ocasión destos amores murió ella virgen*[109].

L'intégrité du corps permet l'élévation de l'esprit. Dans la réclusion amoureuse où elle s'enferme, la *donzella* peut avoir accès à la méditation et à la vie contemplative ; ce n'est pas un hasard si alors apparaît le livre :

> *E fizo un libro el qual trata de amores, e de armas, e de las tenptaciones de la vida deste mundo, e una parte de las cosas celestiales, el qual llaman Contemplamiento de amor, porque a la sazón que ella se recordava del Infante don Pelayo. E de cómo resceviera su joya, e la llamara amiga, e él fuera aquel en quien ella pusiera su amor, e nunca en otro ombre del mundo, e cómo él la librara de muerte dos vezes : la una de los gascones, e la otra del oso. E membrándose como después nunca lo avía visto, tomava aquel libro que ella avía fecho e leía por él. E con grand dolor que havía, contemplava en aquellas palabras de aquella manera, como si delante de sí toviera al Infante*[110].

Texte important que celui-ci : parce qu'il s'agit du livre et parce que ce livre est fait, lu, *consommé* par une femme. Il est, n'en doutons pas, le fruit de sa virginité. Lors de sa rencontre avec Pelayo, la parole de la *donzella* avait audacieusement rompu le silence ; devenue écriture, elle garantit le silence recueilli qui nourrit et apaise à la fois le bouleversement du cœur et des sens. Elle devient *cure de parole*[111].

Il semble bien qu'elle ait *fait* ce livre et non qu'elle l'ait simplement fait faire. Attribuer à une femme cette réaction reste sans doute une chose curieuse, mais n'a rien de tout à fait exceptionnel ou étrange. C'est en tout cas une preuve importante, car les preuves sont rares, qu'en cette fin de Moyen Âge, en Espagne, des femmes écrivaient. La *donzella* est-elle

109. *CR*, II, 101, p. 187. Dans les *Sergas de Esplandián* apparaît la figure étrange et ambiguë de Carmela. Fille d'un ermite, elle tombe amoureuse du chevalier qu'elle voit chez son père. Lorsqu'elle apprend qu'il s'agit d'Esplandián, elle renonce à devenir son égale et se consacre à lui. Elle ne le quittera plus et partagera toute sa vie : « *La historia os quiere contar por qué razón desta doncella Carmela, pobre, sin mucha parte de gran linaje, tanta mención se ha hecho* [...]. *Llegó a tanto su hecho por sus buenas maneras y servicios que hizo, que a tiempo fue que tuvo tanta honra y tanto estado, que muchos príncipes y señores de grandes tierras la quisieran de muy buena gana por mujer, mas ella jamás no se quiso casar, ni trocar el amor primero por otro alguno ; antes siempre estuvo en aquel mesmo propósito, sirviendo y aguardando a aquel que más que a sí mesma amaba, y durmiendo en su cama, sirviéndole a su mesa, nunca de su presencia se partiendo* » (*Las Sergas de Esplandián. Libros de caballerías*, Madrid : BAE, 40, 1925, chap. 16, p. 426a). Sur l'importance de la virginité, voir Jacques DALARUN, « Marie toujours plus vierge », *in :* Georges DUBY et Michèle PERROT (dir.), *Histoire des femmes en Occident*, Paris : Plon, 1990, *II : Le Moyen Âge*, Christiane KLAPISCH ZULER (dir.), p. 40 *sq.*

110. *CR*, II, 101, p. 187. Voir Paulette L'HERMITE LECLERC, « Les femmes et l'amour de Dieu », *in : Histoire des femmes*..., p. 251 *sq.* ; et Danielle REGNIER-BOHLER, « Voix littéraires, voix mystiques », *ibid.*, p. 443 *sq.*

111. Nous reprenons les termes employés par D. REGNIER-BOHLER (*ibid.*, p. 461).

enfermée dans une sorte de «*triste deleytación*» – *a lo divino* – qui serait déjà une *ficción sentimental?* A-t-elle écrit parce qu'elle est fille de marchand, c'est-à-dire venue d'un monde où l'on garde des écritures, où l'on sait le prix de l'échange, où l'on ne laisse rien perdre ? Quoi qu'il en soit, on n'a pas suffisamment prêté attention à son livre. Elle en est à la fois l'auteur et la lectrice, et sa lecture est sans doute silencieuse, semblable à ce «*bisbiseo interior, para adentro*» évoqué par Francisco López Estrada[112]. La lecture est prière.

Ce livre, à mi-chemin entre le livre d'heures et le roman de chevalerie, est à peine dégagé de la littérature de dévotion. D'usage strictement personnel, il est à la fois consolation, mépris du monde, commémoration, mémoire et nourriture d'amour. On aurait aimé en savoir plus sur le contenu d'un livre attribué par un homme à une femme, et surtout on aurait aimé avoir le livre ou son résumé *en direct.* Mais c'est Corral qui résume, indiquant, semble-t-il, les trois degrés d'un véritable itinéraire spirituel : «*E fizo un libro el qual trata de amores, e de armas e de las tenptaciones de la vida deste mundo, e una parte de las cosas çelestiales.*»[113] L'épisode de la rencontre est ainsi résumé et transformé en livre, en livre dans le livre.

La jeune fille est donc entrée en religion d'amour ; le recueillement favorise en elle l'exercice des trois puissances de l'âme, tout comme l'amour nourrit les trois vertus théologales. Le livre, qui est à la fois expression et support de la *memoria*, montre bien l'accès au plus haut degré de l'amour. La méditation s'élève aux choses du ciel et, après la souffrance (*con grand dolor que avía*), la *vision* intense de Pelayo vient réaliser ce qui ressemble fort à des noces mystiques. De son amour, la jeune fille a fait un livre. Plus

112. Francisco LÓPEZ ESTRADA, «Las mujeres escritoras en la Edad Media castellana», *in : La condición de la mujer en la Edad Media. Actas del coloquio celebrado en la Casa de Velázquez, del 5 al 7 de noviembre de 1984*, Madrid : Casa de Velázquez - Universidad complutense, 1986, p. 9-38, p. 27. F. López Estrada cite un passage de Teresa de CARTAGENA : «*Maravíllanse las gentes de lo que en el Tractado escreuí e yo me maravillo de lo que en la verdad callé* [...]. *Pues la yspirençia me faze çierta e Dios de la verdad sabe que yo no oue otro Maestro ni me consejé con otro algund letrado, ni lo trasladé de libros como algunas personas con maliçiosa admiraçión suelen dezir. Mas sola ésta es la verdad : que Dios de las çiençias, Señor de las virtudes, Padre de las misericordias, Dyos de toda consolaçión, el que nos consuela en toda tribulaçión nuestra, El sólo me consoló, et El sólo me enseñó e El sólo me leyó*» (*Arboleda de los enfermos. Admiración Operum Dey*, Lewis Joseph HUTTON (éd.), Madrid : Anejo 16 del Boletín de la RAH, 1967, p. 131). Il précise le sens de «*leer*» dans ce passage : «*Leer tiene aquí el sentido activo de lección que se recibe en el alma de una manera directa : se trata, pues, de una enseñanza peculiar que no se aprende ni en los libros ni en las universidades que los leen a los estudiantes*» (p. 27). Sans aller jusque-là, on peut considérer que le *leer* de la *Crónica sarracina* a également un sens actif. Les femmes lisaient, en effet. On sait que la Vierge, représentant l'Église et son enseignement, apparaît de plus en plus un livre à la main. La lecture de livres de piété est une manifestation du renouveau spirituel de la *devotio moderna* et peut-être le livre de la *donzella* en est-il, à sa façon, un exemple précoce. Grâce aux travaux d'A. RUCQUOI on sait que, en 1467 (c'est-à-dire plus tard, il est vrai), la veuve Catalina Vásques de Villandrando possédait trois livres : un «libro de rresar», «un libro que se llama especulum anime» et un «tratado de la muerte» (*Valladolid*..., II, p. 387).

113. *CR*, II, 101, p. 187.

qu'un substitut, il est moyen d'accès à l'Aimé, l'*Image* de Pelayo, sa présence vivante, incarnée. Le voilà saint et la voilà sanctifiée. Vierge consacrée, souffrante et glorieuse – martyre ? –, la *donzella* s'est élevée grâce à son sauveur. Le livre de la fille du marchand vient s'inscrire dans la tradition de ces *paroles de femmes* (à peine suggérées ici, par un homme), qui expriment une expérience intime. Mais il est écrit pour la gloire de Pelayo qui devient ainsi objet d'adoration et de culte. Ce livre est aussi témoignage de disciple : aucun *manuscrit* ne viendra authentifier cette partie de l'histoire.

Trois histoires d'amour

Trois histoires d'amour marquent, dans la *Crónica sarracina*, les temps forts de l'histoire d'Espagne : Rodrigue et la Cava provoquent la destruction, Luz et Favila permettent la venue du Sauveur, Pelayo et la *donzella* sont déjà le salut. On pourrait tout de suite objecter que l'épisode vraiment opposé à la destruction est le double rapt de Lucencia, sœur de Pelayo, enlevée par Munuza et reprise par son frère. Ce rapt déclenche en effet le soulèvement des Asturies[114]. Il existe sans aucun doute une trilogie *La Cava-Luz-Lucencia*. Et pourtant l'humble *donzella* a une place importante dans cette « histoire sponsale » du salut, une histoire qui, on l'a vu, ne correspond pas tout à fait à l'ordre du récit puisque si la chronologie offre *Luz / Favila – Rodrigue / La Cava – Pelayo / donzella*, le récit s'ordonne autrement : *Rodrigue / La Cava – Luz / Favila – Pelayo / donzella*. Pour mieux mesurer l'importance des deux combinaisons, il faut revenir aux trois histoires ; le viol de Rodrigue est connu, et l'on vient de voir son contraire ; le cas de Luz, moins connu et plus délicat, mérite qu'on s'y arrête.

Luz, dame de la reine, « *de gran linaje* », a d'abord été préservée puisque le roi Abarca, épris d'elle, n'a rien voulu par la force[115]. Dieu veillait, sans doute, afin de protéger de la souillure irréparable la future mère de Pelayo : car Pelayo est né du refus de viol du roi Abarca et du libre don de Luz, vierge, à Favila qui l'aime et qu'elle aime. Corral fait de son mieux pour ennoblir

114. « *E como halló a su hermana muger de Mimaça pesóle mucho. E a Nuestro Señor le plazía que el su santo servicio oviesse comienço* [...] » (*CR*, II, 184, p. 323). L'importance du rapt de Lucencia a été soulignée par Georges TYRAS, *La perte de l'Espagne : de l'idéologie à la narration*, thèse de troisième cycle, Université de Grenoble, 1983. On pourrait également objecter que notre lecture laisse à l'écart la figure de la duchesse de Lorena, héroïne du combat judiciaire et du pas d'arme de la première partie. La duchesse et Sacarus sont, dans l'ordre du récit, les figures annonciatrices de Luz et de Favila. Mais la *donzella* s'oppose aussi à la duchesse dans la mesure où son histoire montre la disparition de la dame ou du moins lui donne une autre place dans les nouvelles chevaleries.

115. « [...] *aunquel Rey era muy bravo, e tal que por cumplir su entención non curava del temor de Dios nin del dezir de las gentes. E contra esta donzella él fue mesurado, ca por fuerça non quiso della ninguna cosa* » (*CR*, II, 53, p. 92).

la figure du père : on sait, par la première partie, qu'il héritera du duché de Cantabria qui vient «*de los godos del linaje del buen rey Recaredo*»[116].

Contrairement aux deux autres, cette histoire centrale est celle d'un amour partagé. C'est Luz qui prend l'initiative du don, non point par désir mais par prudence, et pour rassurer Favila. Le voyant désespéré par les avances du roi dont elle craint la violence, elle se donne pour plus de sécurité :

> *E díxole : – Amigo don Favila, vós non tomedes enojo ninguno por lo que dicho vos he, que yo vos prometo que antes resciba la muerte quel Rey faga cosa de que vós non seades pagado ; e por que lo creades que yo lo terné así como vos digo desposémosnos delante desta imagen de Santa María. E ella mostró en un libro de oras que tenía en la mano : – E después que fuéremos desposados en vos está de hazer de mí vuestra guisa, e por esta vía seredes más seguro de mí*[117].

À côté du motif familier du don, et du mariage secret, il faut surtout retenir l'importance de la Vierge, qui deviendra l'objet de la dévotion de Pelayo. Car si Luz est prudente, elle ne se trouve pas moins inscrite dans le modèle marial. Le *hazer de mí vuestra guisa* rejoint le *fiat* qui a changé le monde, et le très chaste Pelayo, qui fera régner la virginité, est bien le héros né d'une vierge ; mieux encore, d'une vierge mère, car Luz, bien au-dessus d'Elisena et d'Oriane, est le reflet de la lumière unique de Marie. Favila, en tout cas, se hâte d'accepter l'offre :

> *E Favila, que otra cosa él no deseava desposóse luego allí con ella. Así como fueron desposados, él cunplió su voluntad allí con ella en aquella ora e ella quedó preñada de don Pelayo*[118].

On éloigne au plus tôt un père devenu gênant après avoir été l'instrument nécessaire de la procréation ; il part rassuré :

> [...] *e ovo de partir de Toledo do esto acesció, e fuese por mandado del Rey a tierra de Cantabria de que a él pesó muy mucho ; empero su coraçón iva seguro que cierto era que Luz no tornaría de otra voluntad que él la dexaba, por quanto ya no era donzella* [...][119].

Comme on peut le voir, sa confiance en Luz était quand même limitée !

Les choses auraient pu – et peut-être dû – en rester là. Mais, poussé par on ne sait quelle frénésie inventive, ou par le désir peut-être de *doubler* le duel judiciaire de la première partie, ou encore par l'ambition de donner

116. Les *Godos* sont le *linaje* dont Pelayo est issu et dont Corral raconte l'histoire. Eleastras refuse parfois de rapporter les noms ou les faits de ceux qui n'en font pas partie (*CR*, I, 55, p. 261). Mais il n'omet pas de préciser que les traîtres Julián et Oppas appartiennent au *linaje de los Césares* (*CR*, I, 244, p. 600).

117. *CR*, II, 53, p. 93. Dans la première partie la duchesse avait déjà fait don de sa personne à Sacarus : «*E si por ventura conmigo no quisiéredes casar, yo todavía vos daré a mí e a todo lo mío a vuestro plazer*» (*CR*, I, 61, p. 276).

118. *CR*, II, 53, p. 93.

119. *Loc. cit.*

à cette naissance un traitement et une solution irréprochables du point de vue juridique, moral et religieux – bonne leçon pour l'*Amadís* dont on fait peut-être ici le procès –, Corral développe une *affaire Luz* qui dépasse le simple épisode romanesque pour devenir un *cas* longuement exposé. [Il est évident que cette affaire Luz rejoint, quoique de façon plus complexe, les cas des reines faussement accusées[120].] Il est d'ailleurs difficile de savoir ce qui est important dans la longue argumentation proposée par Favila. Est-ce ce qui est dit dans le texte – les idées, le discours théorique – ou le texte lui-même, c'est-à-dire la façon dont ces idées sont utilisées, exposées et peut-être même manipulées ? Le chroniqueur-romancier devient clerc, et l'on songe une fois de plus à Alvar García de Santa María [ou au *Relator*] qui, lui, refuse de l'être[121]. Corral est-il sérieux ? Pas toujours, semble-t-il. On va en tout cas raisonner sur un thème traditionnel qui se situe précisément au-delà de toute raison, et on va moraliser un motif qui n'a rien à voir avec la morale. Dans une sorte de pari difficile, Corral entremêle les amours et la naissance secrètes, le désir du roi et l'accusation vengeresse, le combat judiciaire et le cas de conscience. Luz, à la différence d'Elisena et d'Oriane, est vraiment accusée, et en danger de mort. Le secret est nécessaire, mais elle dit tout à Favila. Alors que Perión et Amadís se contentent du rôle de père inconnu et miraculeusement retrouvé, plus conforme au mythe, Favila, époux et père secret, certes, est aussi le champion de Luz (on songe au fils défendant sa mère dans la *Gran crónica de Ultramar*) et son directeur de conscience. L'ombre du péché royal, possible et à éviter, donne à la conduite des époux secrets une justification morale de tout premier plan et transforme cette affaire en une préfiguration (à la fois par ressemblance et par opposition) de l'histoire de Rodrigue. Dans la première partie, devant Rodrigue arbitre, Sacarus défend la duchesse ; ici le roi Abarca accuse, et Favila doit défendre Luz contre ses champions. Mais Rodrigue sera coupable et l'Espagne tout entière sera le théâtre d'un gigantesque combat que perdra Rodrigue, mais que gagnera Pelayo.

Corral réussit cependant à faire marier Luz et Favila par le roi, sur proposition des parents de la dame, quelque peu inquiets après le scandale, et non sans que l'on ait demandé leur avis aux intéressés. Le jeu a été compliqué à plaisir pour en résoudre les difficultés. Abarca accuse donc Luz d'avoir perdu sa virginité ; dès que l'enfant sera né, elle sera châtiée. Mais

120. Voir à ce propos l'étude de César DOMÍNGUEZ, « "De aquel pecado que le acusaban a falsedat". Reinas injustamente acusadas en los libros de caballerías (Ysonberta, Florençia, la santa Emperatris y Sevilla) », *in :* Rafael BELTRÁN (dir.), *Literatura de caballerías y orígenes de la novela*, Valence : Universitat de València, 1998, p. 159-180.

121. Par exemple quand il refuse de développer davantage l'argumentation du *Licenciado* qui est chargé de la défense de l'infant Don Enrique : « *Lo cual es asaz para los leedores de la historia. E el más alargar sería para ante jueces* » (*Crónica de Juan II*, éd. cit., p. 350).

la naissance a déjà eu lieu et Luz peut « mentir » à son aise en jouant sur les mots : « [...] *ca yo sé bien que non só preñada e que no puedo parir.* »[122] Le roi fait mettre des gardes devant sa porte et elle les provoque presque :

> *E en este punto desnudó toda la ropa que tenía sino un pellote de escarlata apretado al cuerpo que le estava muy bien* [...]. *E en esto Luz començó de se pasear por delante dellos unas tres bueltas por que la pudiesen bien mirar* [...][123].

Le roi fait alors sa *pesquisa* et elle envoie un message à Favila, qui vient la rejoindre, apprenant ainsi la naissance de Pelayo et son abandon. Il prévoit la bataille judiciaire, mais il est sûr de son bon droit et le couple passe une agréable nuit :

> [...] *e vos delibraré dello por batalla del mi cuerpo al suyo, e buena razón avré yo para ello, ca yo só vuestro marido e vós mi muger; e desta guisa en caso que vós paristes no hezistes maldad. E ambos se acogeron a esta razón, e holgaron toda esa noche con grand plazer* [...][124].

Abarca ayant fait accuser Luz par Melias (« *Luz, yo vos digo que vós avedes hecho maldad en casa del Rey de vuestro cuerpo* [...] »[125]) et aucun parent ne se présentant pour la défendre, elle demande un délai d'un mois et la réunion des *cortes*. Favila, appelé à ces *cortes*, voit Luz une deuxième fois :

> *E hablando en estas cosas e en otras que cumplían para salvación del su fecho echáronse en su cama, e dormieron e holgaron mucho a su voluntad fasta que fue la ora que Favila se fue*[126].

Corral interrompt ce récit pour raconter la découverte de Pelayo : elle est bien la preuve que Dieu a jugé. Favila tue Melias, mais Brites, cousin de Melias, ayant repris l'accusation, il doit se battre encore. Devant témoins il demande à Luz la *salva*. Mais il revient le soir en secret et la trouve désespérée : même si elle songe davantage à l'issue du combat qu'au salut de son âme, elle s'interroge sur sa totale innocence et s'accuse d'avoir exposé son fils à la mort. Les deux époux peuvent se parler librement : c'est, après un examen de conscience, une véritable confession. Favila, champion public et époux secret, devient avocat et confesseur. Ce discours est apparemment très sérieux sans que l'on puisse pourtant affirmer qu'il soit toujours dépourvu d'humour ; en même temps qu'il met la naissance de Pelayo

122. *CR*, II, 55, p. 96.
123. *Ibid.*, p. 97.
124. *CR*, II, 56, p. 98-99. Voici le début de la rencontre secrète des époux : « [...] *e fuése derechamente a la cámara de Luz que estava atendiendo, que ya el Rey no tenía guardas sobre ella, e así como entró en la cámara e se vieron uno a otro abraçáronse con gran alegría, y estuviéronse así abraçados boca con boca espacio de media hora; e como vieron que hazían mal recabdo cerraron su puerta de la cámara e asentáronse ante la cama, e allí hablaron de todo lo que havían de hazer. E Favila como sopo de la manera como el hijo havían echado por el río no le pesava por otra cosa sino cuidando que lo avían tomado aý cerca de Toledo en algund lugar, e que desta guisa lo avría de saber el Rey.* »
125. *CR*, II, 57, p. 100.
126. *CR*, II, 60, p. 106.

au-dessus de toute critique – mais celle de Jésus n'avait-elle pas aussi éveillé des soupçons ? –, il s'oppose à l'inconsciente insouciance de héros plus célèbres mais non exempts de faute, pour ne pas dire de péché. Il se propose de faire autorité.

Il est bon, dit Favila, d'avoir conscience du péché ; mais douter de la miséricorde de Dieu serait pécher par désespoir[127]. D'ailleurs, Luz s'accuse à tort : non seulement ils étaient mariés – cela ne semble plus suffire par ces temps de morale de l'intention –, mais leur union n'était due à aucune forme de concupiscence. Ce fut, en somme, une promesse réciproque de chasteté pour le service de Dieu. L'argumentation de Favila est une belle récupération chrétienne du mariage :

> *E quiérovos dezir que vós bien fazedes en vos sentir por pecadora a Dios ; mas tanta carga como avedes dicho no tenedes, ni Dios vos lo demandará. Ca la hora que vós e yo nos desposamos, e estos desposorios no fueron fechos con mala intención ni pasando contra el mandamiento de Dios, ca no se fizieron por cobdicia de algo que el uno alcançase con el otro, nin se fizieron porque el uno pensasse ser más onrado en este mundo porque por esta razón viniese cobdicia, ni se fizieron con amor encendido por tan solamente complir nuestros deleites ; antes nuestros desposorios fueron por aquella manera que primeramente Dios Padre ordenó que fueron : prometimiento de castidad que vos fezistes a mí e yo a vos, e orden que tomamos por que mejor pudiésemos cumplir el servicio de Dios*[128].

Mieux encore : ils ont ainsi empêché le roi de commettre un très grand péché tandis que Luz évitait de corrompre sa virginité[129]. Les intentions et les résultats étant bons, la conclusion est claire : « *E así digo que non fue maldad la que fezimos, ni tenemos culpa al Rey, ni con derecho no vos puede acusar* [...]. »

Reste l'abandon de Pelayo. Luz a raison de se repentir : « [...] *en vos sentir culpada del fijo que así avedes puesto en aventura gran bien fazedes. Enpero* [...]. » Ici Favila, habile casuiste, va proposer une argumentation un peu équivoque dans sa subtilité. En premier lieu, le péché caché est moins lourd que le péché public (« *mejor es pagar el pecado encubierto quel público* »). Par ailleurs, l'intention de Luz n'était pas mauvaise puisqu'elle voulait le bien de tous,

127. Luz a des doutes et des scrupules : « [...] *ca veo dos juizios muy grandes de que me temo. El uno que yo só más culpada muger de mal merescer que nunca otra nasció* [à cause de l'abandon de Pelayo]. [...] *E el otro es que estó en gran dubda esto que me acusan si es verdad o no ; ca en quanto atañe en yo ser en la casa del Rey e desposarme sin su licencia e complir el matrimonio, piénsome que en caso que aunque la culpa no sea grande que alguna es* » (*CR*, II, 70, p. 123-124). Favila répond : « *E ¿ cómo, señora, avedes tal pensamiento, que es manera de desesperación ? E ¿ no sabedes vós que nos dixo Nuestro Señor Dios que no quería él al pecador sino el conoscimiento e el arrepentimiento de los malos fechos ?* » (*ibid.*, p. 124). Sur ce sujet voir H. THIEULIN PARDO, *op. cit.* On trouvera des informations sur l'attitude de certaines femmes de la noblesse devant le mariage dans Isabel BECEIRO et R. CÓRDOBA DE LA LLAVE, *Parentesco, poder y mentalidad. La nobleza castellana. Siglos XII-XV*, Madrid : CSIC, 1990.

128. *CR*, II, 70, p. 125.

129. « *E otrosí no tan solamente ovimos merced por complir el mandamiento de Nuestro Señor, mas por estorvar el grand pecado e maldad, que si esto no fiziéramos podiera venir como fuera si el Rey cumpliera su entención convusco como él quería* [...] » (*loc. cit.*).

y compris celui du roi ; enfin, elle n'avait pas d'autre solution : mieux valait donc exposer celui qui était sans péché, car les pleurs de l'innocent, qui ne s'en remet pas à la justice mais à la grâce de Dieu, ont sans doute obtenu cette bénédiction (Luz ne semble pas avoir fait part à Favila du « miracle ») et la bénédiction s'étendra sur les parents. La conclusion est encore le bon droit pour le combat :

> *E parad ojo que la acusación que vos fazen no es otra cosa sino que fezistes maldad, en lo qual no dizen verdad ; ca si vos acusasen que avíades parido e sobre tal razón respondiese negándolo en aquella hora me despojaría de todo el derecho que yo he, e esto sería tentar a Dios*[130].

On voit comment Favila réconforte Luz et se convainc lui-même ; on voit aussi comment deux systèmes interfèrent, le droit et la morale, le procès public et la confession, le combat judiciaire et le discours pénitentiel. Il faut faire triompher le bon droit, mais en restant prudent, quitte à jouer un peu sur la vérité, car elles ne sont pas toutes bonnes à dire et l'omission est parfois un devoir ; mieux vaut se taire et s'en remettre au jugement de Dieu plutôt qu'à celui des hommes :

> *E por esto, señora, vós no vos devedes poner en juizio de corte, ca en la confessión de vuestros fechos eran sentencia de muerte, a mí para el cuerpo, e al Rey para el alma ; e pues que tantos males en ello se siguen, mi acuerdo es que yo no escuse la batalla, e que la devo fazer* [...][131].

Comment, après tout cela, retrouver les plaisirs – toujours suspects en bonne doctrine chrétienne – des nuits qui ont précédé ? Ou avions-nous mal lu ? La proclamation de la chasteté et le sérieux de cette confession obligent Corral à faire une mise au point. Mais cette vertueuse retenue, assortie d'un certain embarras, fait sourire :

> *E Favila la conortó quanto pudo. E como ya era grande hora de la noche passada echáronsse en su cama. Empero no entendades que avían plazer de la compañía de en uno por los deleites carnales, ni que por esto Favila venía a dormir con ella, mas creed que tan solamente lo fazían por se conortar uno a otro ; ca en sus fechos la ordenación de la Sancta Iglesia guardavan, e todo esto por no pasar el mandamiento de Dios. E cómo fue acerca el alva Favila se fue a su posada, e Luz quedó en su cama*[132].

Favila sera vainqueur, et Luz, à la différence d'Oriane, ne se confessera pas. Il y aura un mariage public avec la bénédiction et le pardon du roi,

130. *Ibid.*, p. 126.
131. *Loc. cit.*
132. *Loc. cit.* Sur le *deleite* et l'amour, voir le livre de Pedro M. CÁTEDRA, *Amor y pedagogía en la Edad Media*, Salamanque : Universidad de Salamanca, Secretariado de publicaciones, 1989. Luz et Favila ont sans doute respecté, mais jusqu'où ? les formes et l'esprit de continence imposés par l'Église, même entre époux. Il ne semble pas que l'on puisse évoquer ici le respect de l'interdit sexuel après un accouchement. La persécution du roi commence un mois après la naissance de Pelayo. Le temps a passé.

converti après avoir entendu la révélation d'un ermite[133]. Tout le monde vit alors sous le signe du pardon : la naissance de Pelayo, la crise qui a suivi, les tourments de Luz, la victoire de Favila, la prophétie de l'ermite, tout converge vers une grande réconciliation autour d'un roi transformé :

> *E todo el mundo se maravillava de cómo el Rey era tornado atal ; e no solía aver tal condición, la qual fallaredes que fue de muchas bravezas si por su historia leer quisierdes ; ca señaladamente ovo en él bravura de matar muchos grandes señores en España, e forçar muchas dueñas e donzellas e siempre lo usó fasta en este punto*[134].

Luz avait eu raison : le péché royal a été évité. On peut, chronologiquement, distinguer trois histoires : la tentation évitée, le péché commis, le triomphe sur la tentation. En vérité, la disposition du récit invite à une lecture différente, à la fois plus contrastée, plus progressive et plus symbolique. Au couple initial (la chute) s'oppose le couple final. Au centre se trouve l'histoire vraiment centrale qui permet le rachat et peut-être aussi la rédemption de Rodrigue. On obtient une progression : luxure, chasteté, virginité, même si l'on considère que Luz, vierge mère, est unique. Que représente donc la *donzella* ? Après la Cava = Ève et Luz = Marie, il semble qu'il n'y ait plus place pour une autre figure féminine.

Ce serait oublier la triade sacrée et l'importance de Marie Madeleine. Comme l'écrit Odon de Cluny : « La malédiction d'Ève nous exclut du paradis, Marie toujours vierge nous ouvre la porte, Madeleine débarrasse le sexe féminin de son opprobre. »[135] Aussi la tentation est-elle forte de retrouver dans nos trois femmes cette triade. Mais est-il pertinent d'assimiler la figure de la pécheresse repentie à celle d'une *donzella* qui précisément reste vierge, et malgré elle ? Peut-on à bon droit évoquer Marie Madeleine à propos de la fille anonyme du marchand de Bordeaux ?

Marie Madeleine, figure composée à partir des trois femmes des Évangiles, est à la fois celle dont le Christ chasse les démons, la sœur de Marthe, celle qui a choisi la meilleure part, et celle qui, à Béthanie, verse sur la tête du Christ un parfum précieux. Elle est devenue la figure emblématique de la virginité perdue et retrouvée, celle qui suit le Christ, assiste à sa mort et

133. Cet ermite, qui vient des *Montañas de Mérida* et qui, comme Nasciano, sort d'une retraite de quarante ans, joue en réalité un double rôle. Il explique au roi Abarca que ses champions ont perdu la bataille parce qu'elle était entreprise par vengeance et non par justice, et il annonce l'avenir sans toutefois le dévoiler de façon précise : « [...] *si tú supieses los bienes que deste cavallero Fauila e desta muger son salidos de que Dios se entiende de servir quando el tiempo fuere llegado ; mas tú no alcanzarás aquel tienpo, por ende te cumple saberlo* » (*CR*, II, 83, p. 155).

134. *CR*, II, 92, p. 163.

135. Cité par J. DALARUN, « Marie... », p. 47. Sur Marie Madeleine, l'ouvrage essentiel reste l'étude de Victor SAXER, « Le culte de Marie Madeleine en Occident des origines à la fin du Moyen Âge », *Cahiers d'archéologie et d'histoire*, 3, 1959. Voir aussi J. DALARUN, « Ève, Marie ou Madeleine ? La dignité du corps féminin dans l'hagiographie médiévale », *Médiévales*, numéro spécial, 1985, p. 18-32.

devient le premier témoin de la Résurrection, la première propagatrice de la bonne nouvelle. Le Christ lui est apparu en premier mais lui a dit : «Ne me touche pas» (Jean, XX, 17). Marie Madeleine est la pénitente à qui la grâce de Dieu a permis l'accès miraculeux au cœur céleste des vierges[136]. Elle peut proclamer la virginité, et la *donzella*, humble adoratrice elle aussi, et témoin, tentée et offrante, puis recueillie dans une espérance souffrante et salvatrice, peut incarner cette troisième figure féminine. Elle est à Pelayo ce que Marie Madeleine est au Christ, et sa condition même de fille de marchand la rapproche peut-être de la femme pécheresse, sanctifiée par l'amour. Son ascèse pénitente et son véritable culte de l'image de Pelayo l'associent à la rédemption. Et n'oublions pas le témoignage du Livre. Grâce à la chronique, Rodrigue pouvait méditer sur sa propre histoire : il y faisait inscrire, pour que cela soit su, le récit de ses amours pécheresses. Dans une opposition parfaite, la *donzella* écrit dans un livre secret l'histoire de son amour et de son salut. Il reste que ces deux démarches de réflexion sur soi, ici liées au livre, sont quelque chose de nouveau[137].

Une fois de plus, le sacré est passé par une femme : l'exclue est devenue recluse. Elle disparaît du récit, mais elle est entrée dans l'histoire. Est-ce un simple hasard si l'une des deux églises, que l'archevêque de Tolède, en fuite devant les musulmans, fait édifier sur la nouvelle montagne sacrée des Asturies pour y déposer les reliques, est consacrée à Marie Madeleine ? L'autre est consacrée à saint Michel. L'Espagne, qui est toutes les femmes, à la fois violée, vierge et mère, est entrée dans une féconde purification. Certes, il faut attendre, pour déclencher le combat, le double rapt de Lucencia. Mais tout est en place.

L'histoire a commencé à Tolède d'où est partie la petite *arca*, avant même que ne soit violée la *arqueta de plata* du palais défendu. Les chemins ont ensuite divergé, mais l'espace s'est restructuré autour d'un homme. Pelayo, au seuil de sa vie adulte, apparaît en un lieu où s'harmonisent les contraires : barbarie et courtoisie, armes et prières, violence et paix, pénitence et joie, vieillesse et jeunesse, virilité retrouvée et virginité préservée. Dans ce lieu sacralisé par l'ermite prophète, par le sacrifice de l'ours et la communion du repas, par un rituel ancien et par un culte naissant, une nouvelle alliance est scellée. Pelayo, en quelque sorte *roi caché*, chevalier sans

136. Voir *id.*, «Marie...», p. 54. On peut rappeler que dans l'*Arca Santa* de Santo Toribio figurent parmi les reliques les cheveux de *la Magdalena*. Voir J. K. WALSH, *op. cit.*, p. 4. On retrouve ces cheveux parmi les reliques de l'*Arca Santa* qu'Alphonse le Chaste fait placer à Oviedo dans l'église de San Salvador, et qui aurait été apportée par Pelayo et Urbano. Voir *Primera crónica general*, éd. cit., chap. 614, p. 348.

137. G. ALVAREZ HESSE a vu la nouveauté de certains passages où apparaît ce qu'elle appelle «*el pensamiento interior*» (*op. cit.*, p. 148-152).

autre dame que la Vierge, révélé par la prophétie et par ses mérites, commence sa vie publique à la croisée du réel et de l'imaginaire, de ce monde et de l'autre, à la croisée de plusieurs temps : le temps de l'ermite et celui du marchand, le temps mythique de l'ours, celui de l'aventure et du merveilleux, mais aussi le temps de l'histoire, celui des hobereaux gascons et des marchands de Bordeaux.

Pelayo, dans les chroniques et dans l'imaginaire, était en quête d'identité ; Corral lui en a donné une. Tout compte fait, et n'en déplaise à Pérez de Guzmán, il ne s'en est pas si mal sorti. Tout, ou presque, était à inventer ; le recours aux motifs des naissances héroïques et surtout bibliques a permis cette synthèse de filiation et d'élection, cette continuité d'un *linaje* qui est à la fois généalogie, sang et peuple, ainsi que la rupture nécessaire du renouveau. Pelayo s'inscrit dans la double légitimité des hommes et de Dieu ; il est à la fois héritier et sauveur, il est le Fils. La tentation majeure de Rodrigue pénitent sera précisément celle de la descendance directe, du fils né de sa chair. L'étrange *annonciation* qui lui est rapportée par une fausse Cava est la version diabolique de la naissance de Pelayo[138]. Il est certain que le mythe est venu au secours de l'histoire. Il est vrai aussi que l'histoire venait aisément à la rencontre du mythe et que la « vérité historique » d'un Pelayo ainsi conçu et construit dépassait la fiction. Au risque de frôler parfois la parodie du mythe.

Le passage que nous nous sommes efforcée de commenter constitue selon nous, si l'on excepte la naissance proprement dite, le noyau principal des enfances de Pelayo. Curieusement, on peut le tenir pour une digression et même pour une sorte de divertissement. Entre ses deux livres d'histoire Corral semble s'offrir un espace de liberté, dans lequel le récit édifiant d'une vie exemplaire apporte un élément *festif* et remplit une fonction de *vacance*[139]. C'est ici qu'apparaît, sous des dehors sérieux, un certain sourire. Qu'un même épisode puisse jouer à la fois le rôle d'intermède plaisant et d'« antitype » n'est pas une des moindres étrangetés de la *Crónica sarracina*, facile à lire, semble-t-il, de son temps – d'où son succès –, si difficile à définir depuis. Elle semble avoir souffert de la double condamnation d'une certaine histoire et de certains romans.

Corral ne s'inscrit ni dans l'histoire telle que la veut Pérez de Guzmán, ni dans l'histoire héroïque et poétique de Villena. Il fait autre chose. Dire qu'il s'agit d'un roman historique revient à proposer une impossible et

138. « *E como yo estava en mi contenplaçión destas cosas que vos he dicho este sancto ombre se me mostró en aquella forma que vos he devisado, e díxome* [...] *por que el señorío de España non salga del poder de los godos, e aquel que lo avrá descienda de la tu simiente e generación del Rey don Rodrigo yo quiero que tú sepas dó él es e que vayas a él, e que te ayuntes con él, e conçebirás dél un fijo, e avrá nombre Felbersán, el qual será tal que porná so el su poder toda la tierra que es debaxo de los aires* » (*CR*, II, 251, p. 392).

139. Nous reprenons encore des termes utilisés par M. de CERTEAU, art. cit., p. 69-70.

anachronique définition. À partir de l'histoire il invente une belle histoire où se croisent chroniques, romans et vies de saints. Tous les lecteurs y trouveront leur compte. Au moyen de péripéties apparemment touffues mais en vérité bien structurées, elle moralise non seulement l'histoire mais aussi le roman. Car ce qui est une sorte d'histoire sainte de l'Espagne est peut-être aussi la première critique des romans de chevalerie.

Pedro de Corral : un précurseur ?

Fabriquée à partir de plusieurs traditions et de plusieurs modèles, la *Crónica sarracina* est une véritable somme. On y trouve une surprenante concentration de motifs, pleinement utilisés ou suggérés : ainsi la chasse crée-t-elle un effet d'errance, le Nord un effet d'exil, tandis que le pèlerinage à Jérusalem prend un air de quête. Corral qui, dans une certaine mesure met en roman la *Primera crónica general*, déjà bien *romancée*, accumule aussi ce que l'on pourrait appeler des *motifs wisigothiques* : la barbarie des Gascons, la sainteté d'Ildephonse, la beauté de Téodefrède, la chasteté d'Alphonse II, l'ours de Favila et la puissance conquérante d'Alphonse III. Mais tout autant qu'une somme, la *Crónica sarracina* est un cycle : c'est à la fin d'un cycle qu'apparaît Pelayo, ce qui donne à l'ensemble de l'histoire son unité, sa cohérence et son sens. Face à une tradition confuse et imparfaite, Corral a tellement inventé que l'on peut oublier son effort de mise en ordre. Pourtant n'a-t-il pas eu déjà une démarche comparable à celle qu'aura plus tard Montalvo, c'est-à-dire remanier, ordonner, restructurer, continuer et moraliser : en un mot, *corriger*[140] ? Imiter l'*Amadís* ne suffisait pas ; Corral a voulu faire mieux. Il ne s'agit pas seulement de surenchère, mais d'une autre orientation. Dans les deux parties de la *Crónica sarracina* se trouve condensée (en 518 chapitres, il est vrai, et dans une opposition plus absolue) l'évolution Amadís-Esplandián, telle du moins qu'elle apparaîtra avec Montalvo. Une certaine chevalerie meurt. Condamnée ? et par qui ? Ici par Dieu, qui manifeste son courroux, mais en vérité par l'Église qui depuis longtemps mais sans succès interdit joutes et tournois[141].

140. Rappelons un passage du célèbre prologue : « [...] *corrigiendo estos tres libros de Amadís, que por falta de los malos escriptores o componedores muy corruptos y viciosos se leían, y trasladando y enmendando el libro cuarto con las Sergas de Esplandián su hijo, que hasta aquí no es en memoria de ninguno ser visto que por gran dicha paresció en una tumba de piedra, que debaxo de la tierra en una hermita, cerca de Constantinopla fue hallado, y traído por un úngaro mercadero a estas partes de España* [...] » (*Amadís de Gaula*, éd. cit., p. 224).

141. Condamnation et exaltation sont allées de pair. En 1316 le pape Jean XXII avait supprimé les interdictions ecclésiastiques concernant les tournois. Mais l'Église leur restait hostile. En Castille, Alonso de Cartagena dans son *Doctrinal de caballeros* codifie certes les règles, mais non sans condamner l'exercice d'une chevalerie vaine, voire dangereuse lorsqu'il ne s'agit pas de lutter contre un ennemi extérieur. Voir Rosana de ANDRÉS DÍAZ, « Las fiestas de caballeria en la Castilla de los Trastámara », *in : En la España médiéval. Estudios en memoria del profesor don*

Comme dans la *Gran crónica de Ultramar* la chevalerie devient croisade ; le destin individuel du héros devient destin collectif ; quant à la femme, elle occupe une autre place. Mais il y a plus : à Corral revient le mérite d'avoir pleinement saisi l'histoire du dernier et du premier roi sur un modèle de destruction/restauration qui passe par cette *Incarnation* de Pelayo. Comme l'histoire sainte, la *Crónica sarracina* est à la fois prise dans le temps et hors du temps[142]. Par-delà ses multiples développements et même par-delà ses savantes constructions, elle est structurée par l'accomplissement de la prophétie. C'est cette réalisation même qui fonde son système de vérité. Les deux pôles étant vrais, toute invention qui montre le lien entre les deux devient non seulement légitime, mais louable.

Corral rendrait-il ainsi un éminent service à ce qu'il est convenu d'appeler l'idéologie *gothique* ? La thèse qui la fonde, brillamment illustrée au XIIIe siècle était, non pas vraiment oubliée, car il existe des témoignages de sa présence, mais très assourdie. Or l'éloge des Goths et l'exaltation d'une filiation ininterrompue semblent connaître un regain de faveur en ce début de XVe siècle et, plus précisément, aux alentours de 1430-1434. C'est en 1434 qu'Alonso de Cartagena, au concile de Bâle, utilise, entre autres arguments, celui de la filiation gothique pour prouver la prééminence du royaume de Castille sur le royaume d'Angleterre. C'est en 1435-1436 qu'il fonde sur l'héritage gothique les droits castillans sur les Canaries. Ce n'est qu'un peu plus tard pourtant, dans l'*Anacephaleosis* du même Alonso de Cartagena et dans la *Compendiosa historia hispánica* de Rodrigue Sánchez de Arévalo, que cette thèse trouve sa pleine expression[143]. La *Crónica sarracina* serait donc un témoignage plutôt précoce de l'exaltation du *linaje de los Godos* au XVe siècle et montrerait, en tout cas, que vers 1430-1434 ces idées-là étaient dans l'air[144]. Comme y étaient d'ailleurs des vents de

---

Claudio Sánchez Albornoz, Madrid : Universidad complutense, 1986, V, p. 81-107. [D'une façon plus générale, il est nécessaire de rappeler que la *Crónica sarracina* était d'une grande actualité. Les lecteurs pouvaient aisément y retrouver les troubles du règne de Jean II, la crise traversée par la monarchie et le problème crucial de la trahison. L'œuvre était également une véritable compilation de motifs chevaleresques : fêtes, défis, tournois, guerres s'y succédaient. Tout cela a contribué, bien sûr, à assurer son succès. Sur cette relation entre le passé de l'histoire racontée et le présent vécu par Corral, voir F. GÓMEZ REDONDO, *Historia de la prosa...*, III, 10. 8. 1. 3, p. 3348.]

142. Sur l'histoire sainte et le temps, voir Northrop FRYE, *Le grand code : la Bible et la littérature*, Paris : Seuil, 1984, et plus particulièrement les chapitres 2 et 7.

143. Ces remarques sont faites à partir de l'ouvrage fondamental de Robert B. TATE, *Ensayos sobre la historiografía peninsular del siglo XV*, Madrid : Gredos, 1970, plus particulièrement p. 55-104. [Pour ce qui concerne le conflit luso-castillan à propos des Canaries, voir Luis FERNÁNDEZ GALLARDO, *Alonso de Cartagena. Una biografía política en la Castilla del siglo XV*, Valladolid : Junta de Castilla y León, 2002, chap. 7, p. 185-208. Voir aussi chap. 10, « Del uso de la historia o la invención de la Castilla gótica : la *Anacephaleosis* », p. 277-309.]

144. Adeline RUCQUOI précise que le nouvel essor du « visigothisme » au XVe siècle apparaît « plus précisément à partir du second quart du siècle », et que la *Crónica sarracina* « en constitue

reconquête et de croisade. Car, s'il y a eu beaucoup de chevaleries « terriennes » à Valladolid en 1428[145], au *Paso honroso* en 1434 et à Ségovie en 1435, d'autres chevaleries, héritières de celles d'Antequera, ont eu lieu à la Higueruela en 1431. Álvaro de Luna avait su, pour fortifier son pouvoir et son prestige (et ceux du roi, sans doute), lancer contre Grenade une noblesse ambitieuse et turbulente. On sait que les Castillans ne surent pas – mais le voulaient-ils vraiment ? – profiter de leur victoire. Il reste que la *reconquête*, même sous forme de propagande politique, était dans l'air. Il existe peut-être un lien, qu'il est difficile de préciser davantage, entre la campagne de 1431 et la *Crónica sarracina*. Son apologie du *linaje de los Godos*, qui exalte en Pelayo un modèle de roi conquérant, invite à poursuivre l'œuvre entreprise à Covadonga[146]. L'autorité royale en sort renforcée et la nation Espagne grandie.

La chevalerie, ou plutôt la guerre, prendra vraiment des airs de croisade à la fin du XVe siècle, après 1482. Un des héros de cette guerre devient aussi le héros d'une biographie anonyme, la *Historia de los hechos del marqués de Cádiz*[147]. Or cette biographie présente quelques traits spécifiques qui pourraient dériver d'une lecture de la *Crónica sarracina* : tout d'abord, l'exaltation de la succession des rois wisigoths, et la lamentation sur le malheur d'un roi si puissant, si noble (tel que Corral le montre), qui certes a péché, mais que l'on trouve peut-être trop sévèrement puni. La *Crónica sarracina* semble être en effet un des premiers exemples d'une certaine réhabilitation de Rodrigue, non seulement par la pénitence (qui était déjà dans la *Crónica de 1344*), mais par une noblesse qui, en dépit de la tragédie ou à cause d'elle, donne au roi de la grandeur. Voulant renforcer le contraste entre la splendeur et la chute, Corral a fait de ce dernier roi un roi puissant quoique maudit – et à la fin sauvé. De plus, en ces temps qui voient monter à la fois la misogynie et la puissance de la monarchie, le péché de Rodrigue semble plus excusable, et sa gravité n'est plus évaluée selon les mêmes critères. Gutierre Díaz de Games, que cette affaire semble mettre

---

l'un des premiers fleurons » (« Les Wisigoths, fondement de la "nation-Espagne" », *in : L'Europe héritière de l'Espagne wisigothique*, Madrid : Casa de Velázquez, 1992, p. 341-352, p. 350).

145. Sur l'importance politique de ces fêtes, voir Teófilo F. RUIZ, « Fiestas, torneos y símbolos de realeza en la Castilla del siglo XV. Las fiestas de Valladolid de 1428 », *in : Realidad e imágenes del poder...*, p. 249-265 [ainsi que José Manuel NIETO SORIA, *Ceremonias de la realeza. Propaganda y legitimación en la Castilla Tratámara*, Madrid : Nerea, 1993].

146. Si les deux *caballeros* que nous avons évoqués au cours de cette étude ont été faits comtes en 1431, l'année de la Higueruela, cela n'eut rien à voir, semble-t-il, avec la Reconquête, même si Pero Niño fut fait *conde* de Buelna devant Grenade la veille de la bataille (qui eut lieu le 1er juillet 1431). Le comté de Ribadeo fut donné à Rodrigo de Villandrando le 22 décembre 1431.

147. Martín Fernández NAVARRETE (*et al.*), *Historia de los hechos del marqués de Cádiz*, Madrid : CODOIN, 106, 1842-1883, p. 145-317. Voir plus loin, dans « Noblesse et monarchie », l'étude consacrée à cette œuvre.

de méchante humeur, accepte d'assez mauvais gré la volonté de Dieu[148]. Il en est de même pour le biographe du marquis de Cadix[149]. En revanche, on reprend avec vigueur l'anathème déjà porté contre Julián par le Toledano : car la trahison est devenue autrement grave qu'un caprice royal.

Est-ce un hasard si, aussitôt après le récit de la destruction de l'Espagne, Gutierre Díaz de Games, dans le *Victorial*, fait un rapide résumé de l'histoire sainte depuis le péché d'Adam jusqu'à l'Incarnation et exalte la virginité de Marie ? Ici encore, une force interne semble pousser l'une contre l'autre ces deux histoires. Dans celle du marquis de Cadix, après le bref rappel de la pénitence de Rodrigue – absente du *Victorial* –, apparaît un long discours qui exalte la Vierge et la virginité. Après quoi vient Pelayo[150].

Le marquis de Cadix, né – selon son biographe – « *en día muy sennalado y bienaventurado, y de grand gozo y alegría, que fue día de la Conçepçión de nuestra Sennora la Virgen María* », est, comme Pelayo, un grand dévot de la Vierge, qui lui apparaît à l'âge de dix-huit ans pour lui promettre la victoire dans tous ses combats contre les Maures[151]. Ainsi intervient, chose rare dans l'historiographie castillane du XVe siècle, un merveilleux chrétien qui va être renforcé dans la suite du récit, et qui rapproche davantage cette *Historia* de la *Crónica sarracina*, où ce merveilleux chrétien joue un rôle important, que des autres chroniques, générales ou biographiques. Mieux encore : le marquis de Cadix a, lui aussi, des *mocedades* qui l'apparentent plus à Pelayo qu'aux héros des autres biographies[152]. Enfin, en 1486, une grande

148. On trouvera le texte et les commentaires qui l'accompagnent dans l'étude qui précède, note 116.

149. *Ibid.*, note 117.

150. Nous citons ici la suite du texte dont le début se trouve à la note 120 de l'étude précédente : « *¡ O, virtud infinita de tan grand merescimiento ! ¡ O, lynpieza tan excelente, por la cual la Santísima Trinidad determinó en su diuina sabiduría enbiar su preçioso fijo Iesu Christo, nuestro Redentor, a encarnar en nuestra Sennora la Virgen María. Y por meresçimiento de su grande humildad fue alunbrada y preseruada por la gracia del Spíritu Santo. La qual conçibió y parió el Verbo diuinal, estando virgen, antes del parto y en el parto y después del parto. Sant Bernaldo dize en vn libro que se llama Vergel de Consolaçión, que la grand castidad hermana es de la virginidad, y cosa de grand marauilla, y es espejo de santidad y fermosura del alma, y es claridad e apostura del cuerpo ; es honrra y lynpieza de Iesu Christo y de nuestra Sennora la Virgen María. Sant Agostyn dize que la castidad es ymagen de Dios. ¡ O, bien aventurados los que tanto pudieron acabar con su voluntad, que en el deseo y en la obra sean linpios y fuertes, batallando con aquel maluado enemigo que sienpre procura, por quantas maneras y engannos puede, traernos a perdiçión ! Y tornando a nuestro propósito, ¿ quáles fueron los más prinçipales reyes y caualleros de gloriosas memorias que más favoreçieron la Santa Fe Católica, destruyendo los moros ynfieles después de la destruyçión de Espanna, que fue en el anno de sieteçientos e veynte annos ? El primero, el byen aventurado rey don Pelayo, que fue el primero rey cristiano que ovo en Espanna después desta destruyçión, e fue fijo del duque don Fauila de Cantabria* » (*Historia*…, chap. 2, p. 149).

151. Pour ce qui concerne la dévotion du marquis de Cadix à la Vierge, voir « Noblesse et monarchie », note 171.

152. « […] *desde su ninnez y juuentud, sienpre se leuantó cortés, muy graçioso y de gentil criança, y muy humilde al mandamiento del conde su padre. Tanto, que jamás alçase los ojos nin respondiese palabra en que el conde, su padre, enojo dél resçibiese por cosa que le dixese o mandase, mas con aquella cara de alegría y mucha*

prophétie est remise au marquis : le roi Ferdinand y apparaît comme l'empereur des derniers temps, qui doit conquérir Jérusalem[153]. Ce très long texte, qui appelle entre autres choses à la pénitence, retrouve, en les compliquant et en les obscurcissant, les prophéties qui révélaient à Pelayo sa mission[154].

L'éloge des Wisigoths[155], la grandeur et la chute de Rodrigue, l'exaltation de la Vierge et de la chasteté, les enfances, le merveilleux, le ton apologétique, la prophétie et le messianisme, tout cela rapproche sans doute les deux textes. Seules les chevaleries « terriennes » ont complètement disparu ; tel est le choix volontaire fait par le biographe anonyme[156]. La *Crónica* de Corral doit-elle déjà à la Higueruela ce que l'histoire du marquis de Cadix doit à Grenade ? Après tout, il se passait peut-être à Valladolid – toutes proportions gardées – quelque chose de semblable à ce qui se passera un demi-siècle plus tard (vers 1485) à Séville. Une ferveur chevaleresque, sur fond de prophétie, incitait peut-être à oublier les querelles et le « monde » pour mener à bien une certaine mission ; ce qui revenait à interpréter l'histoire, faite ou à faire[157].

Mais n'ayons garde d'oublier le marchand, cet étrange premier témoin. Il peut, grâce à Pelayo, vaquer à ses affaires, mais il s'empresse de quitter un monde périlleux. Corral y a pourtant ramené l'aventure et le mythe à des proportions si raisonnables que l'on pourrait être tenté d'y voir une leçon de vraisemblance donnée à l'*Amadís*. Avec le marchand, est arrivé

---

vergüença, sienpre le acataua y le obedesçía; commo sea cosa muy agradable antel acatamiento de Nuestro Sennor la humildad, porque los obedientes al padre e a la madre sienpre fueron y serán honrrados » (*Historia*..., chap. 1, p. 145). On voit la différence avec les enfances de Pero Niño, d'Álvaro de Luna ou d'Alfonso de Monrroy. Miguel Lucas de Iranzo n'a pas – et pour cause – d'enfances dans la biographie qui lui est consacrée.

153. Rappelons que Muza dans l'éloge des Goths qu'il fait devant Miramolín dit « *los godos fueron aquellos que conquistaron la casa sancta de Jerusalen* » (*CR*, II, 50, p. 86).

154. *Historia*..., chap. 31, p. 244-247. Voir à ce sujet A. MILHOU, « La chauve-souris, le nouveau David et le roi caché... », p. 61-78.

155. L'héritage wisigothique, après avoir été le fondement de prétentions impériales ou de royauté universelle, perdra de son importance vers la fin du XVe siècle lorsqu'il cessera d'être nécessaire aux projets politiques et aux entreprises de conquête. À côté des *Godos* apparaîtront les *prisci hispanis*.

156. *Historia*..., chap. 2, p. 158-159. Voir plus loin, dans « Noblesse et monarchie », l'étude consacrée à cette œuvre.

157. L'hiatus providentiel du modèle Rodrigo/Pelayo et sa réduction ont sans doute servi à légitimer les premiers Trastamare. Ils nous semblent avoir été utilisés aussi, de façon plus ou moins explicite, dans l'historiographie des Rois Catholiques. C'est sur ce modèle qu'Alfonso de Palencia a *inventé* l'opposition Henri IV / Alphonse (plutôt qu'Henri IV / Isabelle, nous semble-t-il), avec, bien entendu, des variantes que nous n'avons pas le loisir d'analyser ici, mais dont la plus importante est d'avoir rabaissé Henri IV – l'impuissant – au rang de quelque monstrueux Néron. Même si dans la *Crónica sarracina* l'explication sexuelle de la perte de l'Espagne semble avoir été dépassée par le premier sacrilège de Tolède (mais il s'agit au fond de la même chose), il est intéressant de la voir réapparaître avec son cortège de contaminations destructrices au moment où il faut que l'Espagne *se perde* afin qu'elle puisse *être sauvée*.

un certain humour qui brise le sérieux dans cet épisode pourtant capital, un humour qui n'a rien à voir avec le rire que pourrait provoquer quelque « vilain ». Tout se passe comme si l'univers de la fiction – et pourquoi pas déjà celui du livre ? – venait se heurter à la réalité. De ce choc, semble naître une étincelle de ce qui, plus tard, fera un chef-d'œuvre. Car enfin, que penser de ce Gascon qui voudrait bien violer la jeune fille mais qui ne peut pas, parce que ses armes l'en empêchent ? Et de ce marchand que l'on introduit dans un monde héroïque mais qui s'en va demander conseil à sa femme ? On joue avec lui, mais il n'en est pas moins le premier bénéficiaire de toute cette histoire. Et que penser de sa fille, qui s'offre en vain et qui, sanctifiée sans doute, n'en est pas moins prise au piège de ses illusions ? Elle a peut-être lu trop de livres, et doit s'enfermer dans le sien.

Tel est bien le plus grand paradoxe de la *Crónica sarracina* : être à la fois un des premiers exemples de ce que seront les romans de chevalerie au moment de leur plus grande vogue, mais aussi une mise à distance, une des premières manifestations des critiques, amusées ou sérieuses, que ces romans pourront susciter.

Biographie et élaboration romanesque : un épisode du *Victorial**

«Pero Niño trató de amores con ella, e óuola e fuyó por este fecho fasta en Bayona.»
(*Crónica de don Álvaro de Luna*, chap. 3)

Nous nous proposons, dans ces quelques pages, d'analyser un épisode du *Victorial*[1] : il s'agit des amours de don Pero Niño, *conde* de Buelna, et de doña Beatriz de Portugal, telles qu'elles nous sont rapportées par le biographe du héros, Gutierre Díaz de Games, témoin [de nombreuses aventures du chevalier dont il fut, à certains moments de sa vie,] le fidèle serviteur. Cet épisode nous situe sur cette frontière imprécise où la réalité est la digne rivale du roman. Le déroulement de ces amours évoque à chaque instant le roman de chevalerie; mieux encore : nous y trouvons tous les éléments qui constitueront cinquante ans plus tard la trame romanesque – et non sentimentale – de la *Cárcel de amor* : ambassades, entrevues, interventions de graves ecclésiastiques, manèges des envieux, accusations, défi, exil de l'amant, emprisonnement de la dame, rien n'y manque. Mais nous sommes en présence d'un genre différent du roman : la biographie. En analysant le récit sobre du chroniqueur, nous essayerons d'étudier les réactions d'un *amant* et d'une *dame*, héros réels d'une aventure vécue et pourtant romanesque, qui se situe en 1409. Peut-être cette analyse pourra-t-elle contribuer à l'étude des conventions amoureuses à la fin du Moyen Âge.

* Première publication : «Un épisode du *Victorial :* biographie et élaboration romanesque», *Romania*, 85, 1964, p. 270-292.

1. Le texte de *El Victorial* a longtemps été connu grâce à l'édition de Juan de Mata CARRIAZO, *El Victorial. Crónica de don Pero Niño, conde de Buelna, por su Alférez Gutierre Díaz de Games*, t. 1, Madrid : Espasa-Calpe (Crónicas españolas), 1940. [Rafael BELTRÁN LLAVADOR en a fait plus récemment une édition, *El Victorial*, Madrid : Taurus, 1994. Il en a fait également une édition critique, *El Victorial. Estudio, edición crítica, anotación y glosario*, à laquelle il a été fait référence plus haut; voir «Le roi Rodrigue ou Rodrigue roi», note 61. Les citations seront faites à partir de cette édition critique avec indication du chapitre et de la page.]

On nous objectera sans doute que la biographie n'a pas une authenticité suffisante pour être l'image exacte de la réalité et que nous retombons dans le domaine de l'élaboration littéraire ou de l'imaginaire. Soit. Il n'en reste pas moins vrai que nous sommes malgré tout plus près de la réalité et que le problème de l'élaboration littéraire, de la déformation romanesque dans la biographie, mérite une étude. La personnalité du chroniqueur et la beauté de son récit mériteraient à elles seules qu'on s'y arrête. Quoi qu'il en soit, ces pages du *Victorial* constituent un document intéressant, peut-être parce qu'elles se situent sur cette frontière qui a été évoquée plus haut. Elles nous aideront à connaître la réalité, à mieux comprendre le chemin parcouru par le roman, en tout cas à mieux connaître le *Victorial*. Tel est, somme toute, le véritable objet de cette brève étude : analyser un épisode de la *Crónica de don Pero Niño, conde de Buelna.*

Le chroniqueur présente tout d'abord les deux héros ; doña Beatriz est inconnue du lecteur : sa présentation sera donc plus longue, mais nous ne connaîtrons que la généalogie et la situation sociale de la jeune fille. Fille de l'infant don Juan de Portugal, elle est élevée dans la maison de l'infant Ferdinand, régent de Castille, qui la fiance à son propre fils don Enrique :

> [...] *seyendo ella de onze años, e aún él non avía tres años cunplidos ; porque ella hera el mayor casamiento que avía en Castilla, e aun en Portugal, e porque le pertenesçía aver herençias en amos los reynos, de amas las partes* (91, 671).

Citons maintenant le passage dans lequel est exposée la situation de Beatriz :

> *En este tienpo el rey don Martín de Aragón, o sabía o non sabía cómo doña Beatriz fuese desposada con el ynfante don Enrique, enbióla demandar al ynfante don Fernando, para casar con ella. El ynfante hera muy amado del rey don Martín, e esperava que le fiziese heredero del reyno de Aragón. El ynfante otorgógelo. E durante los tratos del casamiento, casó el rey con una donzella de su casa que llamavan doña Margarida de Pr*[a]*d*[e]*s. E vinieron nuevas cómo hera ya casado el rey, de lo qual doña Beatriz fue muy alegre, por quanto le hera ya fablado casamiento con vn cavallero con el qual la señora se tenía por contenta, segund que adelante paresçerá por la ystoria del libro. E de allí adelante, puso ella voluntad non casar sinon con quien ella quisiese, pues le andavan remudando tanto casamientos* (91, 671-672).

Retenons la décision prise par Beatriz, sans y voir toutefois une affirmation excessive de l'indépendance de la jeune fille ; cette décision n'exclut pas, nous le verrons plus tard, les conseils de ses parents et de ses proches. Cette attitude est-elle exceptionnelle ? Nous sommes accoutumés à l'audace, plus ou moins vertueuse, de nombreuses héroïnes de romans de chevalerie, à l'altière fierté de la *dame sans merci*, à la passivité dont font preuve à l'occasion de leur mariage les dames et les princesses dont nous parlent les chroniques. Comment faut-il juger la décision de Beatriz, que le chroniqueur semble trouver fort louable ? Est-ce une preuve de la puissance et de la valeur souveraine de l'amour vertueux ? Déjà à propos du mariage de Pero Niño avec doña Constanza de Guevara l'auteur écrivait :

> [...] *e otrosí, cómo cada una señora desea e espera aver para sí el más gentil e mejor esposo e marido, o amador ; que si a ellos dexasen e fuese en su poder, algunas déllas escogerían otros más a su voluntad, más gentiles e de mejores condiçiones que no son aquellos que les dan ; porque el amor non busca grand riqueza ni estado, mas honbre esforçado e ardid, leal e verdadero* (34, 362).

Il y a ici une sorte de revendication, et la décision de Beatriz serait donc pleinement conforme aux idées de l'auteur. Mais cela ne suffit peut-être pas à expliquer la nouveauté de l'attitude de la jeune fille. Faut-il y voir une des preuves de l'affirmation des aspirations « individualistes » dont le XVe siècle offre tant d'exemples ? En vérité, devant des textes comme celui-ci, nous nous rendons compte que nous sommes assez mal renseignés sur l'attitude des jeunes filles dans la vie réelle[2].

Il ne sera peut-être pas inutile de citer ici un passage du *Memorial de diversas hazañas* de Diego de Valera[3], où nous verrons aussi les réactions d'une jeune infante devant le mariage proposé par son père. Nous ne prétendons pas voir dans le passage du *Memorial* une réplique de l'attitude de Beatriz, mais le texte est révélateur. Le roi Jean II d'Aragon se voit demander la main de sa fille Jeanne pour le roi Ferdinand de Naples ou pour le fils cadet de celui-ci, don Fadrique. Le roi hésite entre les deux partis et décide de consulter la jeune fille :

> *E como al rey paresçiese esto se deviese consultar con la hija, porque grandes ynconvenientes se siguian de los casamientos que se hazen sin consentimiento de las mugeres, el rey mandó llamar a la ynfanta su hija, e dixole todo lo que en este caso avía pasado e visto con el príncipe su hermano, e las causas que le movían a este casamiento ; porque el rey ninguna cosa desto quería concluyr sin voluntad e consentimiento suyo e así le mandava que claramente le dixese su determinada voluntad. Lo qual oydo por la ynfanta, resçibió vergüença en este caso aver*

2. [Nous disposons aujourd'hui de plus d'informations grâce en particulier aux travaux d'I. BECEIRO et R. CÓRDOBA DE LA LLAVE, *Parentesco, poder y mentalidad*... On trouvera dans cette étude à la fois des informations qui éclairent notre texte et le récit véridique de certaines affaires qui n'ont rien à envier à des situations romanesques.]

3. Diego de VALERA, *Memorial de diversas hazañas*, J. de M. CARRIAZO (éd.), Madrid : Espasa-Calpe (Crónicas españolas, 10), 1941. Ce passage, qui figure aussi dans la *Crónica castellana*, a sans doute été emprunté à Alfonso de Palencia. [On le trouve en effet dans la deuxième Décade. Palencia, misogyne comme on le sait, fait ici un de ses rares éloges d'une « clarissima virgo », et s'étend davantage sur la nécessité de consulter les femmes avant le mariage : « Quas ob res uidetur tum parenti tum etiam filio querenda esse sententia virginis. qui senior primo persuaderet alterum duorum connubiorum necessario acceptandum optionem tamen ipsi remissam. quoniam preferenda nosceretur ad faustum fœlixque coniugium alterutrius partis consensus precipue femineus quoniam animus muliebris si initio mœstitia grauetur et preter mentem simulet acceptare connubium perpetuo perculsus est dedignatione illa. et inde infelices efficiantur nuptie geminenturque dolores etiam infames » (*GH*, II, 19, 10 ; ms. *P*, fol. 190v° ; PyM II, 133b). Les références au texte d'Alfonso de Palencia sont faites d'après les critères qui sont exposés plus loin : « Place et fonction du portrait du roi dans les chroniques royales », note 67.]

de hablar ; pero como fuese toda de mucha virtud e discreçión respondió que como ella fuese nasçida para casar, e la razón esto demandase e la bienaventurança suya fuese en el casamiento, esto era de remitir a nuestro señor, en cuya beninidad esperaua querría mirar con ojos de misericordia los grandes trabaxos del rey su señor e su padre, en los quales algún remedio se daría si ella bienaventuradamente casase, e ya ella fuese en hedad conveniente demandada por aquellos príncipes al rey muy parientes e caros. E pues a su paresçer el rey esto dexaua, teniéndoxelo en merced e besando las manos por ello respondía paresçerle ser más conviniente el casamiento del rey don Fernando su primo ; a lo qual dió muchas y evidentes razones, las quales el rey aprouó y el principe loó mucho el yngenio y virtud de su muy amada hermana[4].

C'est avec une évidente complaisance que Diego de Valera rapporte cette scène qui montre à la fois la sagesse du père et la sagesse de la fille, l'attitude raisonnable du roi et la marge de liberté et de choix laissée à l'infante[5].

Cet exemple aide à comprendre que la décision de Beatriz est provoquée par l'attitude critiquable de l'infant. Elle est légitime et louable parce que dictée par le souci de l'honneur. Nous nous trouvons donc en présence d'un conflit entre la raison et l'honneur d'une part, le devoir de soumission et d'obéissance d'autre part. En effet, la jeune fille, sans doute conseillée par son frère – que nous connaîtrons plus tard –, n'est pas satisfaite de la politique matrimoniale de l'infant à son égard. Pour comprendre le vrai sens de sa décision, il convient d'évoquer la défense qu'elle présentera devant don Fernando :

E ella puso e dio por sí muchas razones por qué lo fiziera. La una dellas, dixo que bien sabía que quando él non tenía la governança de Castilla, seyendo bivo su hermano el rey, que la desposara con su fijo ; e que agora, después que él fuera regidor del reyno que le tratara otros casamientos fuera del reyno, algunos a su honra e dellos no tanto. Por lo qual ella pusiera en su volontad de alli adelante de non casar sino con quien ella quisiese (93, 685).

Les romans de chevalerie, les chroniques et les biographies sont remplis de conflits de cet ordre entre les conventions morales et une morale plus haute, héroïque. Chevaliers et héroïnes transgressent les règles de la morale commune pour servir un idéal réservé aux êtres d'exception. Il en est ainsi pour Elisena et Oriane dans l'*Amadís*. Souvent les chroniqueurs et les biographes du XVe siècle insistent sur le fait que tel ou tel chevalier a participé à une bataille malgré la défense du père ou du frère aîné. C'est un lieu commun qui sert à souligner la vocation héroïque[6]. Beatriz fait-elle partie de ces êtres d'exception ? Peut-être, mais cette fois par sa sagesse et sa fermeté et par le souci qu'elle a de son honneur. Ce sont là, il faut le

4. *Memorial...*, p. 274-275. [Mais on ne nous dit rien des « *muchas y evidentes razones* » évoquées par la jeune fille et qui auraient eu pour nous le plus grand intérêt.]

5. On peut rappeler que Diego de VALERA a écrit un *Tratado en defensa de virtuosas mujeres*, édité par Mario PENNA, *Prosistas castellanos del siglo XV*, Madrid : Atlas (BAE, 116), 1959, p. 55-76.

6. Voir par exemple *Chronica do condestabre de Portugal dom Nuno Alvarez Pereira*, Joaquim MENDES DOS REMEDIOS (éd.), Coimbra : França Amado, 1911, chap. 13, p. 34.

reconnaître, des qualités viriles comme on se plaît à en trouver chez les femmes en cette fin de Moyen Âge. La *clara mujer* n'est plus tout à fait la *dama,* de même que le *claro varón* n'est plus le parfait chevalier. Álvaro de Luna dans son *Libro de las virtuosas e claras mujeres* loue plus que toute autre vertu, chez ses héroïnes, la *grandeza de corazón*[7]. La décision de Beatriz, prise au terme d'un conflit entre deux devoirs, justifiée par la raison et dictée par l'honneur, garde en apparence l'allure d'un vœu chevaleresque, mais témoigne d'un nouvel idéal féminin fait de sagesse et de raison, de fermeté et de courage, qui préfère à la *dama* la *clara mujer.*

Cette décision est en tout cas du plus haut intérêt romanesque. Elle permet à Beatriz de se détacher avec plus de force, de devenir la seule héroïne d'une aventure qui aura à la fois une grande simplicité et une grande intensité dramatique. Tandis qu'Oriane est quelque peu effacée par le monde qui l'entoure, Beatriz, comme plus tard les héroïnes des romans de Diego de San Pedro, se détache avec une personnalité et une vigueur toutes nouvelles.

Le lecteur connaît déjà Pero Niño. Le chroniqueur a tracé son portrait physique et moral et a rapporté une grande partie de sa vie et de ses aventures. Cependant, avec un sûr instinct dramatique, avec un sens aigu de la composition, il trace ici un nouveau portrait de son héros, ce qui est peu conforme aux conventions de la biographie médiévale, genre dans lequel le portrait du chevalier est tracé une fois pour toutes, le biographe se contentant de souligner tel ou tel trait lorsque les circonstances de son récit l'exigent. Mais ici Gutierre Díaz de Games a voulu mettre face à face le héros et l'héroïne et détacher ainsi les deux personnages du drame :

> *E Pero Niño en aquel tienpo hera famoso cavallero, ansí en armas como en juegos de armas. Franco e ardid, e muy arr[e]ado, palançiano e muy cortés, tal que se façía amar a las gentes. Todos fablavan bien dél, en todas las partes donde él hera conosçido. Nunca se puede fallar de este cavallero que a culpa suya se rebolviesen palabras nin ruydos en los palaçios e casas donde él anduviese, mas tanto cargava a los otros la buena fama de los sus fechos, que los traya a querer rebolver con él. Mas él fue sienpre tan guardado e tan cortés en sus palabras, guardando quién heran las personas que con él las querían aver, diziendo que dexasen las palabras, que son viçio e uso de mugeres, e que viniesen a las manos, que es la virtud e obra de honbres. A lo qual nunca ninguno con él quiso venir* (91, 672).

Deux choses retiennent ici notre attention ; tout d'abord, les qualités qui font de Pero Niño un chevalier parfait et qui non seulement le rendront digne d'être choisi par Beatriz, mais – chose plus nouvelle et plus intéressante – lui donneront le droit de prétendre à sa main. Ensuite, l'habileté extrême du chroniqueur qui, loin de faire un portrait stéréotypé, sait

7. *Libro de las virtuosas e claras mujeres el qual fizo e compuso el condestable don Álvaro de Luna, maestre de la orden de Santiago*, Madrid : Sociedad de bibliófilos españoles, 1891. Voir par exemple p. 47, 118 et 125.

détacher à la fois ce qui explique le futur déroulement de l'intrigue et ce qui justifiera son héros. Si nous relisons à la fin du récit les présentations de Pero Niño et de Beatriz, nous constatons que tout était savamment préparé, que rien n'était inutile. Nous savons à quel point le roman de chevalerie aimait les deux ressources contradictoires du mystère et de la prophétie : on tenait le lecteur en haleine, mais on lui annonçait aussi ce qui allait se passer. Dans le même esprit, mais avec un instinct très sûr, avec beaucoup plus de finesse, sans jamais oublier ses responsabilités de biographe, c'est dans le portrait même de ses héros que le chroniqueur place tous les éléments qui peuvent laisser prévoir le dénouement.

Mais venons-en, avec lui, au déroulement de l'intrigue : « *Cómo e sobre qué razón fue el comienço donde Pero Niño fue henamorado de la señora doña Beatriz* » (92, 674). Tout commence au cours d'une joute, à Valladolid. Nous sommes dans un monde réel : Pero Niño joute dans « *una calle que llaman la Cascagera* ». Devant le palais où vit doña Beatriz, il terrasse un chevalier de la maison de l'infant Ferdinand. La dame est à sa fenêtre en compagnie de sa cousine, doña Margarida ; un court et charmant dialogue s'engage alors :

> *Et dixo doña Margarida :*
> *– Caer el cavallero non es maravilla, pues el cavallo cae ; por* [*lo*] *que la culpa non es del cavallero, mas del cavallo.*
> *E dixo doña Beatriz :*
> *– Prima, non juzgades bien, ni* [*e*]*n aquello que tenedes en vuestro coraçón bien soys entendida : ca el cavallero caydo él se acostó tanto con el peso de las armas, e tiró las riendas del cavallo tanto, a que el cavallo e el cavallero ovieron de caer* (92, 675).

Saluons au passage cette jolie scène si vivante et si fraîche dont les chroniques nous offrent peu d'exemples. Un jeune page de Pero Niño entend ces paroles innocentes et les rapporte à son maître. Avec lui intervient tout ce monde de messagers, d'ambassadeurs et d'intermédiaires que la poésie et le roman nous ont rendu familier. Les paroles rapportées par le page ont un effet inattendu et immédiat sur le chevalier. Philosophe, l'auteur intervient : « *E dize aquí el avtor que las cosas que an de ser conviene que sean, e an de aver comienço* » (92, 676). [On peut malgré tout se demander si tout n'était pas déjà calculé et si ce « hasard » ne faisait pas partie de la stratégie de Pero Niño.]

L'auteur sait, quand il le veut, s'attarder à commenter les manifestations de l'amour. Il l'a fait à propos du premier mariage de Pero Niño avec doña Constanza de Guevara (34, 361-363). Pourquoi ne le fait-il pas ici alors que tout l'y invite ? Veut-il mieux marquer la fatalité de cet amour ? Plusieurs fois au cours de son récit, il invoquera ou fera invoquer par ses héros la volonté de Dieu. Plus que d'une conception chrétienne de l'amour, nous croyons qu'il s'agit ici d'un besoin de justification ; à l'infant, opposé à leur mariage, les deux rebelles opposeront la volonté divine. N'oublions pas d'autre part que notre chroniqueur a le sens de l'ordre et de la composition ainsi que de la valeur exemplaire de son œuvre. Les trois parties du *Victorial* correspondent aux trois âges de la vie du héros ; à chacun de ces âges correspond un épisode amoureux. L'auteur entend en profiter pour en faire trois exemples différents qui lui permettront d'exposer trois situations courtoises, et de faire, la vie de son héros l'y aidant, une sorte de « *doctrinal de caballeros enamorados* ». Doña Costanza de Guevara, la première femme du tout jeune Pero Niño, a droit aux considérations sur les bienfaits de l'amour. Jeannette de Bellangues, la reine de Sérifontaine, est la *dame* d'un chevalier au faîte de sa gloire (78, 548). L'amour se confond avec le paradis de Sérifontaine, s'épanouit sans qu'il soit besoin d'en parler au son de ces lais et virelais dont le chroniqueur se souvient avec ravissement et dont la douce musique tient lieu de considérations sentimentales. Cette fois, Pero Niño a atteint l'âge mûr. Il a vingt-neuf ans, il est un homme « *sesudo* » et « *prudente* ». Les temps ont changé. En pleine intrigue romanesque, le ton de la biographie se fait plus sobre, car dans ces pages tout veut être viril.

Il est impossible de trouver dans ce chevalier accompli et expérimenté les mêmes réactions que chez un jouvencel. Dans certaines biographies, par exemple dans celle du maréchal de Boucicaut[8] ou dans celle d'Álvaro de Luna[9], il n'est question d'amour qu'au moment des premières armes du chevalier. La définition même de l'amour courtois semble impliquer une certaine jeunesse de la part de l'amant. Le *Victorial* sacrifie à cette même coutume en plaçant la digression sur l'amour au début de l'œuvre, à propos du premier mariage du héros. Mais alors que le biographe du maréchal de Boucicaut, par exemple, ne nous dit plus rien de la vie sentimentale du chevalier, en particulier de ses amours pourtant romanesques aussi avec Antoinette de Turenne, Gutierre Díaz de Games n'oublie rien des aventures amoureuses et de la vie familiale de son maître. Mais nous comprenons que Pero Niño, sûr de lui et de sa valeur, ayant déjà fait ses preuves, ne va pas aborder cet épisode de sa vie comme un jeune chevalier nouvellement amoureux. On a souvent dit que, dans la biographie du XVe siècle, les héros étaient figés dans une attitude définitive sans que l'on sente autrement que par la chronologie le poids du temps. Voici qui

8. *Le Livre des faicts du bon messire Jean le Maingre, dit Boucicaut, mareschal de France et gouverneur de Gennes*, Paris : Collection complète des Mémoires relatifs à l'histoire de France, 6 et 7, 1819 (voir t. 6, p. 392). [Il existe une édition plus récente : *Le livre des fais du bon messire Jehan le Maingre, dit Bouciquaut, mareschal de France et gouverneur de Jennes*, Denis LALANDE (éd.), Genève : Droz (Textes littéraires français), 1985.]

9. *Crónica de don Álvaro de Luna*, J. de M. CARRIAZO (éd.), Madrid : Espasa-Calpe (Crónicas españolas), 1940, t. 2, p. 24.

tendrait à nous prouver qu'une aventure d'un chevalier de vingt-neuf ans n'est pas la même que celle d'un chevalier de dix-huit ans. L'attitude de Pero Niño, sa sagesse, son souci de l'efficacité et de la réussite, sa fermeté auraient été incompréhensibles, impossibles, quelques années plus tôt.

Mais que ressent l'amant ? « *En aquella hora fue firmado en su corazón de amar aquella donzella a fin de su honra* » (92, 676). C'est tout ; les deux mots importants sont « *firmado* » et « *honra* ». Nous oublions ce qui serait l'essentiel d'un roman, l'amour, pour ne retenir que la décision inébranlable de conquérir la dame. Le chroniqueur ne voit pas dans cet épisode matière à développement courtois, mais une manifestation de l'audace de son maître : « *E como Pero Niño se atrevía a otros grandes fechos, atrevióse a éste* » (*loc. cit.*). *Atreverse* n'a ici aucun sens amoureux. *Amar*, c'est rechercher le mariage. Dans une certaine mesure toutefois, nous restons dans les formes courtoises. En choisissant une dame noble, haut placée, digne d'être aimée, Pero Niño évite le « fol amour », cherche par l'amour à accroître son honneur. Aimer une dame de haute condition est une preuve de grandeur d'âme et le biographe a déjà dit à l'occasion du premier mariage du chevalier :

> [...] *ansí como fue valiente e esmerado en armas e cavallería entre los otros cavalleros de su tienpo, otrosí fue esmerado en amar en altos lugares ; e bien ansí como sienpre dio buen fin a todos los fechos que él en armas començó, e nunca fue vençido, ansí en los lugares donde él amó fue amado e nunca reprechado* [...] (34, 361)[10].

Cependant, nous sommes accoutumés à voir dans l'ambition du chevalier un effet de l'amour, et dans l'amour une source de prouesse destinée à rendre l'amant digne d'être aimé. Ici, c'est l'ambition elle-même qui devient une prouesse. Les formes courtoises servent l'art de parvenir. On peut évoquer le célèbre prologue qui précède les *Chroniques* de Froissart et dans lequel le chroniqueur donne sa définition de la prouesse nécessaire à « *tout jone gentil homme, qui se voellent avancier* »[11]. De même que le mariage royal du Jouvencel, « *jeune gentilhomme noble de couraige lequel, par succession de temps, vint à grant honneur et seigneurie par sa vaillance* »[12]. Le Jouvencel épouse en effet la fille du roi d'Amidoine, royaume imaginaire dont il devient le régent[13].

L'esprit est le même. Nous saisissons ici sur le vif un exemple de cette transformation, ou plutôt de cette décadence de l'idéal chevaleresque et

10. Dans la *Crónica de don Álvaro de Luna*, le biographe dit aussi que don Álvaro « *desde niño puso su corazón en altos lugares* » (éd. cit., p. 25), raison pour laquelle il refuse les avances de doña Inés de Torres.

11. Jean FROISSART, *Chroniques*, publiées pour la Société de l'histoire de France par Siméon Luce, Paris, 1869, t. 1 (2e partie), p. 2.

12. Jean de BUEIL, *Le Jouvencel*, publié pour la Société de l'histoire de France par C. Favre et L. Lecestre, Paris, 1887, p. 21.

13. *Ibid.*, p. 177.

courtois. Ce qui se passe pour les armes se passe aussi en amour ; un bon mariage est une prouesse. L'honneur réside dans la richesse autant que dans la vertu. À ce sujet, on peut évoquer un passage de la *Cárcel de amor* où Leriano, pour défendre les femmes contre Tifeo, cite l'argument suivant :

> *La onzena es porque nos hazen honrrados ; con ellas se alcançan grandes cassamientos con muchas haziendas y rentas. Y porque algunos podrian responderme que la onrra está en la virtud y no en la riqueza, digo que tan bien causan lo uno como lo otro*[14].

Donc, la conquête de la dame va devenir une vraie conquête, une vraie prouesse ; elle va ressembler étrangement à un fait d'armes. Les qualités soulignées chez Pero Niño ne seront pas les qualités traditionnelles du parfait amant, mais celles d'un capitaine : la sagesse, la prudence, le courage, la fermeté, la constance. La conquête amoureuse devient une tactique, une stratégie. Les procédés du prétendant peuvent parfois sembler grossiers, mais tout est subordonné ici à l'efficacité, à la réussite. Nous allons retrouver les mêmes épisodes que dans le roman de chevalerie ou dans le roman sentimental, mais dans un esprit totalement différent ; le pragmatisme prend le pas sur les sentiments et la courtoisie.

Pero Niño se renseigne, et apprend la décision de Beatriz, qui rend son entreprise à la fois possible et difficile. Il lui envoie tout d'abord « *una embajada* », mais aucune précision n'est donnée sur le messager. Le chroniqueur dit simplement : « *ovo con quien le envió a dezir* ». Les termes du message sont révélateurs :

> […] *que supiese que ella hera la señora del mundo que él más amava serbir, a fin de su honra. E se entendía disponer en ella fasta la muerte, porque ella hera tan generosa como ninguna de las reynas de toda España, e donzella mejor enfamada, e de tan alto linaje ; que le pluguiese que él se llamase su cavallero e fuese suyo en los lugares donde cunpliese* (92, 677).

Où sont les supplications, les protestations d'indignité du parfait amant courtois ? Si Pero Niño n'était pas aussi vertueux, il pourrait bien être l'un de ces « lobeurs » si vivement critiqués par l'auteur du *Livre des faits du maréchal de Boucicaut*, « qui sans déserte vont baudement aux dames requérir qu'ils soyent aymez »[15]. On peut se demander si Beatriz avait quelque raison d'apprécier une déclaration qui lui parlait surtout de sa position sociale. Un mot pourtant devait lui plaire : la *honra*.

L'amant, ou plutôt le prétendant, nullement *martyr*, sans trouble aucun, entreprend fermement la lutte. La dame sera-t-elle *sans merci* ?

> *E quando ella oyó esta enbaxada, fue muy maravillada, e toda demudada en su voluntad e color, e non respondió cosa ninguna en aquella ora al mensajero* (*loc. cit.*).

14. Diego de SAN PEDRO, *Cárcel de amor*, dans *Obras*, Gili GAYA (éd.), Madrid : Clásicos castellanos, 133, 1958, p. 198.
15. *Livre des faicts…*, p. 397.

Le trouble de la dame qui reçoit le message – et plus tard la lettre – est un lieu commun de la littérature courtoise et sentimentale du Moyen Âge. Remarquons, toutefois, que Beatriz n'est pas courroucée. Le courroux, semble-t-il, doit répondre à l'audace lorsque cette audace est celle de l'amant *indigne*, c'est-à-dire lorsque le mot *atrevimiento* prend un sens différent. Mais laissons un instant les sentiments de Beatriz pour voir de quelle façon l'auteur les dépeint. Il sait jouer du silence, un silence qui, nous le verrons, deviendra bientôt de la coquetterie. Discrète, évoquant des sentiments qui ne sont pas exprimés, toute en touches délicates, la peinture des réactions de la dame est, tout au long de ces pages, un chef-d'œuvre de finesse.

Pero Niño persévère, il séduit (« *gana las voluntades* ») tous ceux qui entourent Beatriz. Cela nous vaut un bien joli passage qu'il nous faut citer en entier pour mieux comprendre l'humour et l'art du chroniqueur :

> *E tanto fablauan dél ya en toda su casa, a que doña Beatriz fue muy maravillada. E un día, sobre esta razón llamó a dos donzellas de su casa, de quien ella mucho fiava, e díxoles :*
> *– Dezidme, amigas : quién metió en esta casa a Pero Niño, un honbre con quien nunca fablé, ni concosçí, sino por oydas ? Veo que en esta casa todos fablades dél, e loades sus fechos e su gentileza más que de ninguno otro cavallero de Castilla.*
> *E respondió la una dellas, e dixo :*
> *– Si él tal no fuese, non le loaríamos tanto, ça sin dubda él es oy flor de todos los cavalleros, en gentileza e caballería, e de todas buenas virtudes, quantas en el mejor cavallero del mundo podría aver.*
> *E dixo la otra :*
> *– Señora, esto es grand verdad, e aun en él ay más de bien quanto los honbres non podrían dél dezir. E bien aventurada será la muger que tal marido e señor á de aver como éste, porque toda su vida será alegre e bivirá en plazer.*
> *E las donzellas tenían ya buena manera de fablar, por quanto ya por parte de Pero Niño les hera fablado, por aquel donzel que fablava con ellas cada día. E dixo doña Beatriz :*
> *– ¡ Ay, amigas ! ¡ Cómo soys engañadas ! Bien sé yo que él es oy uno de los más famosos cavalleros del mundo, mas dízenme que por él son ynfamadas grandes señoras. E non querría yo ser déstas, nin ninguna dellas, que bien sabedes que ésta es la cosa de que sienpre yo más me guardé. E yo vos mando que en esta razón nunca más me fabledes* (92, 677-678).

Il ne s'agit pas d'un véritable dialogue, mais d'interventions indépendantes reliées artificiellement. La scène est charmante. Mais que penser de la ruse de Pero Niño ? Cette intrigue semblerait bien grossière à un amant parfait. On n'essaie d'ailleurs pas d'éveiller l'amour chez la dame, mais de l'intéresser, de la convaincre. La raison et la sagesse remplacent le sentiment, et l'insistance sur la perfection du chevalier est moins destinée à le faire aimer qu'à montrer qu'il est digne de l'être et qu'il est un bon parti. Est-ce l'un des multiples aspects de l'association *amor-virtud*, qui par un étrange renversement des valeurs va devenir dans le roman de la fin du xve siècle une source de conflits tragiques ? Ici tout est équilibré et raisonnable. Remarquons aussi la petite phrase « *toda su bida sera alegre e bibirá en plazer* ». Elle résume le bonheur par le *plaisir* évoqué, non sans un soupir d'envie peut-être, par la *donzella.*

La réplique de Beatriz exprime les réactions traditionnelles de la dame : souci de sa réputation et interdiction de lui parler du chevalier. Cette attitude est à la fois une convention et l'un des principaux ressorts de l'intrigue du roman médiéval. L'amant devra s'ingénier à passer outre, et l'auteur inventera donc de nombreux artifices. Mais alors qu'ici cette interdiction ne sert qu'à faire avancer l'intrigue, cinquante ans plus tard, dans la *Cárcel de amor*, Diego de San Pedro en fera une de ses principales ressources pour approfondir son analyse sentimentale. Pour que le roman subsiste, pour que l'intrigue avance malgré les interdictions répétées, l'amant devra, non seulement comme ici faire intervenir de nouvelles armes, mais nuancer ses sentiments.

Pour Pero Niño, en tout cas, le rôle des intermédiaires se révèle insuffisant ; [à cette véritable campagne de séduction et de « mise en condition »] succède alors une nouvelle étape, l'entrevue. Le prétendant fait preuve de ténacité et de constance ; son honneur, plus que son cœur, est en jeu : « *Mas él, que se nunca olvidava aquello que en su corazón hera propuesto, travajó mucho por lo dezir de sí a ella* » (92, 678). La fortune lui est propice et nous vaut un autre joli tableau :

> *E tovo manera cómo, un día que ella ovo de cavalgar fuera de su posada, que él llegase ay. E los que ende heran le rogaron que tomase a ella por la rienda. E él lo fizo* [...]. *E yendo ansí, ovo lugar de le dezir toda su yntençión, remenbrándole cómo ge lo avía enbiado dezir, e que çierta fuese que su deseo hera de la amar derecha e lealmente, a la honra de amos a dos. Ella respondió e dixo que en las palabras de los honbres avía grandes dubdas, mas que ella avría su consejo con algunas personas que la devían consejar lealmente, e que respondería* (*loc. cit.*).

Tout est placé sous le signe de la loyauté et de l'honneur. La dame est légèrement coquette et réservée, mais le chroniqueur laisse deviner ses sentiments. Un élément ramène cependant à la réalité : le *consejo*. Quels que soient leurs sentiments, les deux héros font avant tout preuve de mesure, de prudence et de sagesse ; disons que c'est sur ce point que l'auteur veut insister. Est-ce sa conception personnelle de l'amant parfait et de la dame parfaite ? Ne faut-il pas plutôt y voir le désir de bien montrer que, dans toute cette aventure, tout fut loyal, sage et honorable ? N'oublions pas, en effet, que les deux héros auront par la suite à justifier leur attitude. L'intervention des conseillers, invoquée plus tard par Beatriz, est donc primordiale. Le biographe, en tout cas, est maître de son œuvre, conscient de son rôle et de ses responsabilités. Il ne cherche pas à forcer les sentiments de la jeune fille. Car l'amour, encore une fois, n'est que sous-entendu ; parfaitement discipliné, il cède la place à la raison et à la sagesse. El « *seso* » est ici une source d'équilibre, de la même manière que son absence deviendra, dans les romans de la fin du siècle, une source de tragédie. La plus virile énergie est accompagnée de mesure dans les sentiments.

Et voici qu'intervient un nouveau personnage : le frère de Beatriz. Dès lors, nous nous retrouvons en apparence en plein *roman*, et nous songeons au rôle que jouent dans les amours d'Arnalte et Lucenda, ou dans la *Cárcel de amor*, le frère ou la sœur du héros[16]. Bien vite, cependant, une distinction s'impose ; le frère de Beatriz ne joue pas ici un simple rôle d'intermédiaire : il est en quelque sorte le responsable de l'honneur de la jeune fille, bien que fils naturel du père de Beatriz. [Autrement dit, plus que dans le monde de la fiction, ce frère nous introduit dans le monde réel. L'aventure de Pero Niño et de Beatriz, quoique audacieuse, respecte les règles du code social et familial[17].]

> [...] *prometió su ayuda a Pero Niño, entendiendo que hera* [*a*] *la honra de su hermana, segund los casamientos que a él heran movidos e los tratos en la casa del señor ynfante* (92, 679).

Une nuance nouvelle va désormais intervenir dans le récit : Beatriz va apparaître comme une *victime*, et Pero Niño va devenir son *sauveur*. Par ce biais, l'auteur nous ramène dans une atmosphère plus chevaleresque et le mot « *empresa* » fait son apparition : « *E que non avía en el reyno otro cavallero a quien esta enpresa perteneçiese tomar si non a él* » (*loc. cit.*). Toutes proportions gardées, nous retrouvons ici Amadís sauvant Oriane, ou Leriano arrachant Laureola à la prison. C'est la première fois que l'auteur emploie le terme *empresa*. Il avait jusqu'à présent employé *fecho*, ou *negoçio*. Le terme *empresa* intervient donc au moment où Pero Niño apparaît dans un rôle plus traditionnel, le même rôle qui transformera Leriano en chevalier, ou plutôt rappellera au lecteur qu'il est un chevalier et non pas seulement un martyr d'amour[18]. À partir de ce moment, tout devient plus simple, parce que plus conforme à des traditions chevaleresques. (On retrouve d'ailleurs cette même détente dans la *Cárcel de amor*.) L'attitude de Pero Niño, qui nous gênait un peu pendant la première partie de cette aventure, la conquête, devient ici plus claire. Néanmoins, nous le verrons, de nombreuses nuances nous

16. « *Mas como los guerreros desseos hazen el coraçon enduresςido y industrioso, pensé que si vn paje mío en su casa conuersación touiese, que de aquél por vna carta mía podría de mí certificarse. Y como vn hermano de Lucenda con él grand amistad touiese, que todos sus pasatiempos fuessen con él, le mandé, porque más el amistad se estrechasse y porque más confiança dél se fiziese* [*que mucho con él se con-formase*] » (D. de SAN PEDRO, *Tractado de amores de Arnalte y Lucenda*, dans *Obras*, ouvr. cité, p. 20). Ici, la « tactique » se limite à chercher des occasions favorables pour pouvoir communiquer les sentiments à la dame. Dans le *Victorial*, elle a un but tout différent.

17. Voir I. BECEIRO et R. CÓRDOBA, *Parentesco...*, en particulier « Los desposorios », p. 197.

18. *Cárcel...*, p. 176.

ramèneront encore à la réalité, du moins à un monde différent du monde courtois. Si cette deuxième partie du récit semble plus conventionnelle, il n'en reste pas moins vrai que l'auteur lui accorde sa préférence. Il s'y sent incontestablement plus à son aise, pouvant y montrer à son gré, et à leur juste place, les qualités de courage et de sagesse de celui qui plus que jamais devient son héros.

Au point culminant de l'intrigue, au moment où Pero Niño va atteindre son but, apparaissent en effet les *trabajos y afanes*. Et à ce moment décisif, le biographe intervient – il le fait aux moments importants de l'intrigue – pour dire que le chevalier est prêt à tout affronter : « [...] *con grand sabiduría se mirara en el espejo de la prudençia, en el qual se vio ser obligado a todas estas cosas, e muchas más que benirle podrían* » (*loc. cit.*). Il convient pourtant de revenir à la réalité et de bien voir tout ce qui sépare l'attitude d'un Amadís ou d'un Leriano de celle de Pero Niño. Ce qui semble une prouesse plus authentique est, en vérité, une habile stratégie.

Les épousailles sont célébrées, secrètement. Mais *ce secret* reste de la prudence. Il n'est pas destiné à élever les deux héros au-dessus des conventions sociales, à montrer la perfection de l'amour, ou les exigences de l'honneur féminin. Il faut tout simplement pouvoir mettre l'infant devant un fait accompli. Ce même mélange de conventions courtoises et de pragmatisme apparaît dans la façon dont le biographe décrit la satisfaction de Pero Niño :

> *E de allí adelante Pero Niño fue mucho más alegre que de ante hera, e se tuvo* [*por*] *más aparejado e en mayor manera, como aquel que pensaba acabar aquel fecho. E de alli adelante nunca mucho curó de se encobrir en ello, e a unos lo dezía, e a otros no lo encubría, que ge lo preguntavan* [...] (92, 680).

Quand nous croyons trouver les effets de l'amour courtois, tels que l'auteur les a décrits lui-même au début de son œuvre[19], nous retrouvons en réalité la satisfaction, l'orgueil d'avoir *réussi*. Un parfait amant courtois ne devrait pas ainsi révéler ses amours. La perfection de l'amour, l'honneur de la dame exigent le secret. Mais l'honneur de Beatriz, c'est un bon mariage, et d'ailleurs, le moment est venu de tout révéler, car l'infant a eu vent de l'affaire. Pero Niño va le trouver, fait valoir ses mérites et ses services et lui dit : « [...] *yo avría a voluntad de casar en vuestra casa* » (92, 681).

Le confesseur de Pero Niño s'en va donc révéler à l'infant le nom de la dame, non sans crainte, car, comme le dit le chroniqueur avec malice, « *le paresçió algund poco escuro* ». L'infant s'oppose au mariage. Pero Niño tient bon. Le confesseur repart, porteur d'un nouveau message tandis que le chevalier prend garde à lui : « [...] *e guardóse de allí adelante más que fasta allí*

19. « *Por su amor son ellos mejores, e se traen más guarnidos* [...] » (34, 361).

non se avía guardado» (92, 682). Encore une jolie page où nous voyons ce confesseur quelque peu embarrassé évoluer entre l'infant et le chevalier tout aussi fermes et entêtés l'un que l'autre. De nouveau, l'auteur intervient pour commenter les qualités de son héros :

> *Aquí dize el avtor e trata de la Fortaleza e Costançia : de cómo este cavallero ya començava la batalla con muy grand esfuerço e seso, non reçelando los golpes presentes e avenideros, mas posponiendo todo el temor, a fin de alcançar el triunfo e la honra deste tan grand fecho* [...] (*loc. cit.*).

Ici, chaque mot a son importance, car dans cette phrase se trouve résumée toute la leçon de cette aventure.

L'Envie et les envieux – en l'occurrence don Sancho de Rojas et don Alfonso Enriquez – entrent alors en scène. Une nuit, le drame éclate, et Pero Niño comparait devant l'infant. Il semble bien que, malgré les efforts de l'auteur pour nous prouver le contraire, son attitude ne soit pas tout à fait loyale dans toute cette affaire. Dans la *Crónica del Halconero*, Pedro Carrillo de Huete rapporte un *fait divers* dans lequel des épousailles secrètes sont une cause de drame, et jugées sévèrement ; Gonçalo de Açitores blesse mortellement un certain Diego de Ávila :

> *E la raçón porque el dicho Gonçalo ovo de matar a Diego de Ávila es esta : él era hermano de la primera muger que ovo Diego de Ávila, e estando en su casa, estaba ende una donçella fija de Juan de la Torre de Talabera. E desposóse con ella ante testigos, e desque lo supo Diego de Ávila, ovo grande enojo dello, por ser fecho sin su liçençia* [...][20].

Le conflit qui oppose Pero Niño à l'infant est grave sans doute, mais un fait doit retenir notre attention : l'infant n'est pas le véritable suzerain du chevalier. Ce sera pour ce dernier l'argument décisif, dont il ne fera état d'ailleurs que lorsqu'il lui faudra entrer en rébellion ouverte, lancer un défi. Ce conflit n'a donc pas la même intensité dramatique que celui qui oppose, dans la *Cárcel de amor*, Leriano au roi, père de Laureola et son suzerain. Comment Pero Niño va-t-il se justifier ? Ses arguments seront précieux pour nous :

> [...] *yo entendía que tenía derecho, e que a vuestra merced debía plazer dello por muchas razones. La primera, porque si hordenado hera de Dios, e las nuestras voluntades ygualadas, que hera caso que non debía ninguno estorbar en ello. E la razón hera queyo entendia que hera tal cavallero que yo la meresçería, faziéndovos muchos señalados serviçios por mi persona, para lo qual yo soy tan aparejado en este día como cavallero que en el mundo sea* (93, 684).

La littérature de cette fin de Moyen Âge offre peu de textes aussi nets, aussi concis, aussi fermes. Cependant, ne disons pas trop vite qu'il faut y voir la toute-puissance des droits de l'amour. Le mot important n'est pas

20. *Crónica del Halconero*, J. de M. CARRIAZO (éd.), Madrid : Espasa-Calpe (Crónicas españolas, 8), 1946, p. 230.

voluntad, mais *ygualada* [et, n'oublions pas, *serviçios.*] Nous ne sommes pas dans une atmosphère courtoise, mais bien dans le domaine de la *raison,* du *droit,* et de la *justice.*

Beatriz comparaît bientôt à son tour ; l'accusation est grave, « *que ella avia fecho cosa fea* » (93, 685), et son argumentation va faire écho à celle de Pero Niño : elle rappelle sa volonté de se marier à son gré, le souci qu'ont eu de son honneur les parents et les amis qui lui ont conseillé de choisir ce chevalier « *con quien ella hera desposada, e muy contenta* ». Ici encore le mot *contenta* n'a pas le sens que nous pourrions lui attribuer de prime abord. Il exprime une satisfaction plus profonde, celle de la « *honra* ». Et Beatriz termine ainsi : « *E que ella avia fecho lo que devía fazer, e que ella hera çierta que él hera tal cavallero, e tan bueno, del qual sería bien servido.* » Le *mérite* devient un argument, une justification. [C'est à la relation fondamentale *servicio-merced* qu'en appellent les deux héros.] Mais le *servicio* prend un sens bien matériel. Car sous des formes courtoises, c'est un véritable marché que Pero Niño propose à l'infant. Les deux héros oublient l'aspect moral de l'affaire – leur désobéissance – pour faire ressortir ce que nous appellerons le « côté pratique ». Avec habileté – et sans doute avec conviction – ils veulent prouver à l'infant qu'il a fait une bonne affaire en s'attachant ce chevalier.

Mais il ne l'entend pas ainsi, et – autre épisode romanesque – Pero Niño doit avoir recours au défi, un défi dont les conditions sont minutieusement rapportées[21]. Nous n'en citerons qu'une partie :

> *E que él los mataría, o los lanzaría del canpo o los faría confesar que él non avía fecho yerro ninguno en se desposar con su esposa doña Beatriz, nin que ella avía herrado tanpoco* (93, 686).

L'infant refuse le défi, Pero Niño doit s'exiler à Bayonne et Beatriz est enfermée dans le château d'Urueña. Les dernières considérations de l'auteur sont encore pour exalter la « *honra* » :

> *En año e medio que ella allí estuvo, la vino a ver Pero Niño, e la pudiera Ilevar en tres o quatro vezes que allí vino, si él quisiera, mas él nunca la quiso levar, ni aver, sino a fin de su honra, como después la ovo* (94, 689).

Mais, nous l'avons dit, nous sommes dans la vie réelle. L'infant, qui a grand besoin de ses chevaliers, pardonne, rappelle l'exilé, et doña Beatriz

21. [Le défi, comme l'ensemble des rites chevaleresques, a fait l'objet de nombreuses études durant ces dernières années, mais, à notre connaissance, n'a pas encore bénéficié d'une étude d'ensemble. Il nous invite en tout cas à évoquer l'épisode important de la *Crónica sarracina* de Pedro de Corral, dans lequel Favila, époux secret de Luz, défend l'honneur de la mère de Pelayo. On retrouve dans cet épisode un mariage secret, un défi ainsi qu'un mélange assez surprenant de motifs héroïques et chevaleresques et de longues considérations juridiques. Ce n'est d'ailleurs pas le seul point commun entre les deux textes. Tout cela a été analysé plus haut dans l'étude intitulée « Pelayo et la fille du marchand. Réflexions sur la *Crónica sarracina* ». Voir en particulier la note 120.]

devient l'épouse de Pero Niño. Jamais d'ailleurs le chroniqueur ne noircit l'infant, à propos duquel il nous dit, en plein drame, qu'il était « *acogido a razón* » (93, 685). Le dénouement heureux le prouve.

Nous avons essayé de détacher au fur et à mesure les principales articulations de ce récit, mais il ne sera pas inutile de les ordonner pour mieux en voir la composition :

1. Présentation des héros
2. Joute. Intervention du page et décision de Pero Niño
3. Conquête de la dame
   – Premier message. Séduction des gens de la maison de Beatriz
   – Première entrevue
   – Médiation du frère
4. Épousailles secrètes
5. « *Trabajos y afanes* »
   – Entrevue avec l'infant
   – Médiation du confesseur
   – Défense présentée par Pero Niño et Beatriz
   – Défi. Persécution, exil
6. Dénouement heureux

Si nous présentons sous cette forme la succession des événements, c'est que nous tenons à mettre en valeur l'art avec lequel le chroniqueur a su tirer parti des faits réels. Il n'y a pas à proprement parler élaboration romanesque ou plutôt déformation. Il n'en reste pas moins vrai que l'auteur a su traiter cette aventure en une succession de tableaux dont chacun forme un épisode, une scène, et qui, parfaitement enchaînés, s'intègrent dans un ensemble d'une grande unité. Avec un sens dramatique très sûr, Gutierre Díaz de Games sait piquer notre curiosité, la tenir constamment en éveil, annoncer les mésaventures qui surviendront, détacher tout ce qui est important. Rien n'est inutile dans le récit, tout fait avancer l'action. Avec fermeté et concision, le chroniqueur nous conduit vers le dénouement heureux. Trois personnages principaux se détachent, avec une égale force : Pero Niño, Beatriz et l'infant. Autour d'eux vont et viennent les pages, les demoiselles, le confesseur. Autour de Ferdinand, nous voyons les conseillers, les envieux. Plus loin encore, la reine régente Catherine qui protège Pero Niño et, figure lointaine, deux fois évoquée, mais d'une importance capitale, le tout jeune roi (le véritable suzerain). Les héros se détachent avec une vie surprenante sur le monde réel qui les entoure, les aide ou les poursuit, un monde complexe où les nécessités politiques influent sur l'action romanesque. Si la reine protège Pero Niño et essaie d'empêcher que l'infant aille en personne le faire prisonnier, c'est parce qu'elle a peur d'être « *desapoderada del rey su fijo* » (93, 687). Ce trait, habilement souligné par le chroniqueur, nous plonge brusquement en pleine réalité historique. L'auteur sait aussi intégrer cet épisode à l'ensemble du *Victorial*. Il ne s'agit pas ici de ce « *claroscuro* » évoqué par Carriazo[22] et formé par le mélange de la biographie et de récits légendaires. Il s'agit d'un art de la composition beaucoup plus profond. Tout en restant fidèle aux idées qu'il a émises dans la première partie de son livre, le chroniqueur sait les nuancer, leur donner une nouvelle signification.

Ce récit, si bien composé, est loin d'être uniforme; l'auteur utilise la simple narration, le discours indirect, le discours direct, le dialogue, la réflexion morale. Mais il ne le fait pas au hasard : le dialogue est réservé aux scènes les plus complexes, les plus délicates; deux fois sur trois, il est réservé aux dames. Le discours indirect est utilisé pour l'ambassade, l'entrevue entre Pero Niño et Beatriz. Mais c'est au discours direct que l'auteur a recours lorsque Pero Niño doit se justifier devant l'infant. Quant aux réflexions du biographe, elles ne sont pas non plus disposées au hasard, mais soulignent les moments décisifs de l'action. Les phrases soigneusement construites contrastent avec des phrases plus simples, plus naturelles, qui rendent le récit plus vivant telles que : « *Con quien ella era desposada, e muy contenta.* »

Le ton, lui aussi, change. Nous avons remarqué au passage la dignité des déclarations de Pero Niño, la coquetterie et les silences de Beatriz, le soupir d'envie de la demoiselle, l'humour avec lequel on nous montre toute une maison occupée à louer un chevalier, la malicieuse allusion à l'embarras du confesseur. Tout l'art de Díaz de Games est là : ordre, variété, souplesse, finesse et sobriété. Il y a dans ces pages une sorte de synthèse de l'art du *Victorial*, une synthèse aussi de ses deux principales composantes : biographie et récit romanesque; ici s'équilibrent parfaitement la réalité et la fiction, la chronique et le roman. Carriazo déplore que le ton du *Victorial* perde de son éclat dans cette dernière partie[23]. Mais si ces pages ne sont pas des plus brillantes, elles sont peut-être des plus parfaites, des mieux élaborées.

Elles sont aussi – et ce fut le départ de cette étude – un document intéressant. L'élaboration romanesque reste assez mesurée pour que la réalité garde sa force et sa complexité. Et cette élaboration est révélatrice dans la mesure où elle reflète et engage un idéal. C'est là, à vrai dire, l'intérêt de toutes ces biographies du XVe siècle. Trois leçons se dégagent de cet épisode selon que nous considérons les faits réels, le conflit lui-même ou les réactions du biographe.

22. *El Victorial*, éd. cit., « Estudio preliminar », p. XXX.
23. *Ibid.*, p. LXXIV.

En ce qui concerne les faits, nous avons constaté qu'ils se différencient quelque peu de ceux que la littérature poétique ou romanesque nous présente. Nous voyons le triomphe de la raison, de la sagesse et de la prudence ; des sentiments disciplinés, commandés par des exigences plus fortes : l'intérêt ou l'honneur ; un prétendant audacieux et avisé, sans trouble aucun ; une dame sans courroux, énergique et avisée elle aussi. Des ambassades, une entrevue, qui ont une signification différente et dans lesquelles nous entendons un langage plus vrai, plus authentique, plus rude aussi ; nous voyons la parfaite courtoisie vaincue par le souci de l'efficacité ; les exigences raisonnables, sans excès aucun, de l'honneur d'une dame. Un amant et une dame qui ne sont des « héros » que parce que l'infant s'oppose à leur mariage ou parce que leur biographe veut les dépeindre ainsi, opposant un « héroïsme » fait de fermeté, d'audace, de constance, de raison et de droit, à l'héroïsme idéal des romans de chevalerie, et donnant, malgré tout, à cette aventure, le nom de prouesse.

Le conflit oppose les droits accordés par la vertu, le mérite et le consentement mutuel à l'obéissance due à l'infant. Quant au biographe, il utilise, pour rapporter, pour juger tout cela, le vocabulaire courtois. Il faut, nous l'avons dit, distinguer deux « moments » dans cette aventure. La deuxième partie, celle de la persécution, semble justifier ce cadre chevaleresque. Mais dans la première partie, à notre avis plus révélatrice, c'est bien l'art de parvenir qui est exprimé par les formes courtoises. Il y a, entre la réalité et les termes employés, un décalage, qui se nuance au long de ces pages, mais qui est réel et dépasse le simple besoin de justification. Sans doute, il ne s'agit pas uniquement de moyens d'expression ou d'idéal plaqué sur une réalité. Gutierre Díaz de Games et ses héros sentaient les choses ainsi. On peut adresser au biographe castillan le reproche que l'on a fait à Froissart ; mais peut-être s'agissait-il d'une attitude, d'un état d'esprit partagé par toute cette société. Pero Niño était peut-être convaincu qu'il faisait une « prouesse ». Huizinga, écrit, dans *Le déclin du Moyen Âge* :

> L'idéal de l'amour, la belle fiction de fidélité et de sacrifice ne tenait aucune place dans les considérations très matérielles qui présidaient au mariage, spécialement au mariage entre gens de noblesse[24].

Dans une certaine mesure, l'épisode du *Victorial* en est une preuve, mais il montre aussi qu'il n'est pas si facile d'établir une distinction et que l'on pouvait retrouver – sans doute en toute bonne foi – une autre fiction, ou plutôt un autre idéal, dans l'appréciation de ces conditions matérielles. Il eût été facile à notre chroniqueur de « faire un roman ». Dans la mesure où, précisément, il ne l'a pas fait, où il ne nous a pas caché sous une

24. Johan HUIZINGA, *Le déclin du Moyen Âge*, Paris : Payot, 1948, p. 153. On sait que le titre des éditions plus récentes est *L'automne du Moyen Âge*.

fiction amoureuse le vrai sens de cette aventure – malgré lui peut-être –, nous croyons trouver dans son récit une valeur d'authenticité, et dans les contradictions de ces pages, le reflet d'un état d'esprit réel et partagé.

Pero Niño et Beatriz sont dignes d'entrer dans la galerie des amants et des dames du XVe siècle. Le récit de leurs amours, avec toutes les nuances qu'il faut donner à ce terme, peut intéresser l'historien et le critique littéraire. Il aide à mieux comprendre la fiction littéraire, et, dans la mesure où il prétend, ne l'oublions pas, avoir une valeur exemplaire, à comprendre le chemin parcouru par d'autres œuvres, exemplaires aussi. Nous songeons ici à la *Cárcel de amor.* Au nom de l'honneur, Beatriz, héroïne réelle et donnée en exemple, accepte Pero Niño. Au nom de l'honneur, Laureola, héroïne créée et peut-être donnée en exemple, repoussera Leriano. Un cadre chevaleresque et courtois donne aux amours de Pero Niño une grandeur qui ne sort pourtant jamais des limites humaines et raisonnables. Mais ce cadre chevaleresque – même s'il est réellement senti et vécu comme tel – n'en reste pas moins décadent et fragile. S'il disparaît, dans sa relative simplicité, nous ne serons pas loin du déséquilibre et de la tragédie, qui apparaîtront dans les romans de la fin du siècle, et qui seront peut-être un aboutissement de ces contradictions ou une réaction contre des formes de pensée et un idéal auxquels on a cessé de croire.

2. L'HISTORIEN, LE ROI ET LES NOBLES DANS L'HISTORIOGRAPHIE CASTILLANE DU XVe SIÈCLE

Place et fonction du portrait du roi dans les chroniques royales*

Sous l'apparente crise de l'autorité royale qui marque le XVe siècle en Castille, se mettent en réalité en place les mécanismes de ce qu'il est convenu d'appeler l'État moderne. À la tête de cet État, investi d'une autorité nouvelle, qui a pu à certains moments sembler plus faible, mais qui sort affermie des cahots de l'histoire, est le roi[1].

Les rois se succèdent, non sans heurts. Une première crise a placé sur le trône la dynastie Trastamare. La seconde a opposé à Henri IV son frère Alphonse et, après la mort prématurée de celui-ci, a donné la succession à Isabelle. Contre la volonté de son frère, Isabelle a épousé Ferdinand d'Aragon. À la tête du nouvel État, ou plutôt des deux royaumes qui gardent leurs particularités, mais qui aux yeux du monde n'ont plus qu'une même voix, voici un couple royal, c'est-à-dire, pleinement, un roi et une reine.

Dans ces crises et dans cette genèse, l'historiographie joue son rôle ; métier de roi et métier d'historien prennent une même importance, toujours croissante. Pas de vrai roi sans son histoire ; et il faut aussi à l'historien un roi, même si la relation est ici plus complexe. L'historien – le chroniqueur plutôt – travaille au service du roi, mais peut aussi travailler contre lui. La chronique *véritable*, *authentique*, *approuvée* – ou non –, qui doit être à la fois *archive*, *exemple*, *témoignage*, *tribunal*, est surtout une arme puissante. De surcroît, il lui faut *bien dire*.

Faire le portrait du roi devient, semble-t-il, une de ses fonctions et peut-être sa fonction première. Par portrait du roi nous entendons ici ce *morceau*

* Première publication : « Place et fonction du portrait du roi dans les chroniques royales castillanes du XVe siècle », *Razo*, 10, 1990, p. 71-96.

1. [Les fondements du pouvoir royal, les marques et les emblèmes de son « empire » et de son exercice ont été analysés au cours de ces dernières années dans une abondante bibliographie, qu'il s'agisse de la relation entre monarchie et noblesse, du développement des grands corps de l'État, ou de représentation et de propagande. On trouvera plus loin l'essentiel de cette bibliographie dans « Noblesse et monarchie dans les chroniques biographiques ».]

qui, dans un plan plus rapproché, décrit la personne royale, son apparence physique, ses qualités ou ses défauts, et ses mœurs.

Le portrait du roi

Lieu de rencontre de deux métiers

La production historiographique du XVe siècle, en Castille, est riche et variée. On ne retiendra ici, pour cette étude, que les chroniques dites *royales* dont Michel Garcia a donné une bonne définition[2] ; on se permettra de l'élargir quelque peu, car la respecter de façon trop stricte reviendrait à éliminer une œuvre aussi importante que les *Memorias* d'Andrés Bernáldez. Pourtant nous la faisons globalement nôtre pour écarter les histoires plus *universelles* ou *générales* ou, au contraire, les chroniques dites *particulières* ainsi que les galeries de portraits et de biographies. [Mais si les chroniques particulières dont le portrait du roi est absent, à l'exception de *La historia de los hechos de don Rodrigo Ponce de León*[3], se laissent facilement écarter, il n'en est pas de même pour les galeries de portraits et de biographies auxquelles] les nécessités de cette étude obligeront à faire référence en raison des liens qui se nouent entre les deux genres, soit que le chroniqueur *royal* emprunte son portrait, soit que le biographe, devenu chroniqueur royal, y renvoie le lecteur.

[Choisir la *crónica real* revient aussi à écarter les *sumas* de plus en plus importantes dans la littérature chronistique et dont une étude récente a montré la richesse et la diversité. Il se trouve pourtant que ces *sumas* ne sont pas indifférentes, loin de là, au portrait, et que l'on aura l'occasion

2. « *Relato cronológico, con indicación de fechas, de los acontecimientos ocurridos a lo largo de un reinado, y cuyo hilo es proporcionado por la actuación del propio rey. Y añadiría : tratado desde la perspectiva del poder* » (Michel GARCIA, « La crónica castellana en el siglo XV », *in : Actas del II congreso internacional de la Asociación hispánica de literatura medieval (Segovia, del 5 al 9 de octubre de 1987)*, Alcalá de Henares : Universidad, Servicio de publicaciones, 1991, p. 53-70, p. 53). Dans l'état actuel des connaissances, le premier à être désigné comme *cronista* serait Juan de Mena selon un document de 1450. Voir à ce sujet José Luis BERMEJO CABRERO, « Orígenes del oficio de cronista real », *Hispania*, 145, 1980, p. 395-409, et Robert B. TATE, « El cronista real castellano durante el siglo quince », *in : Homenaje a Pedro Sáinz Rodríguez*, Madrid : Fundación universitaria española, 1986, t. 3, p. 659-668. [La *crónica real* semble bien s'être développée avec l'historiographie trastamare ; le chroniqueur y exerce, comme le dit F. Gómez Redondo, sa « *libertad de autoría* » : « *Son, sobre todo, estas crónicas reales imágenes (fidedignas y manipuladas, a la vez) del personaje del que cuentan los "fechos"; tanto es así que este modelo genérico puede acabar convertido (si de hecho no lo es ya en conjunto) en biografía real* [...] *esta libertad de autoría que adquiere el cronista desde la Gran Crónica de Alfonso XI es responsable de la autonomía de existencia con que se configura el protagonista de la crónica a lo largo del siglo XV* » (Fernando GÓMEZ REDONDO, « Historiografía medieval : constantes evolutivas de un género », *Anuario de estudios medievales*, 19, 1989, p. 3-15, p. 13).]

3. *Historia de los hechos del marqués de Cádiz*, éd. cit. On y trouve un portrait de Ferdinand et d'Isabelle, p. 156-157.

d'y faire aussi référence[4]. Les notices consacrées aux *temps présents* amplifient en effet le récit des derniers règnes et peuvent accueillir le portrait du roi.] Parmi les chroniques royales, il faut encore faire un choix qui s'efforce de n'être pas trop arbitraire. Le règne d'Henri III sera notre point de départ et celui des Rois Catholiques notre point d'arrivée. Mais pour celui-ci, nous nous limiterons aux chroniques de Fernando del Pulgar, d'Alfonso de Palencia (tous deux chroniqueurs officiels), de Diego de Valera, d'Andrés Bernáldez (un «*espontáneo*») et à la *Crónica incompleta*, anonyme, mais aujourd'hui attribuée à Juan de Flores[5].

Par ailleurs, chaque portrait mériterait une étude particulière qui analyserait les ramifications, adaptations ou modifications d'un texte. Nous ne saurions donner ici les résultats très provisoires de cette enquête. [Il faut en retenir pourtant que le portrait du roi, loin d'être un temps mort, figé dans sa rhétorique et coupé du temps du récit, constitue au contraire une sorte de zone sensible dont les variations peuvent être des révélateurs importants. Devenu une sorte de bien commun, le portrait du roi, pris et repris, peut être remanié ou adapté de façon significative.]

Comme l'a également souligné Michel Garcia, lorsque la chronique est vraiment *crónica real*, elle est quasi anonyme; il faut attendre Pedro López de Ayala pour que l'auteur soit connu[6]. Pourtant, à de rares exceptions près (Enríquez del Castillo), l'anonymat subsistera tout au long du XVe siècle, même si le chroniqueur prend de plus en plus en charge son récit en tant qu'auteur. Henri III est le dernier roi pour lequel on ne possède qu'un texte, mais ce n'est pas dans ce texte [tel que nous le connaissons aujourd'hui] que se trouve son portrait[7]. Après Henri III apparaissent

4. [Jean-Pierre JARDIN, *La littérature chronistique en Castille aux XIVe et XVe siècles*, thèse dactylographiée soutenue en 1995 à l'université de Paris 3. *Id.*, «El modelo alfonsí ante la revolución trastamara. Los sumarios de crónicas generales del siglo XV», *in :* Georges MARTIN (dir.), *La historia alfonsí : el modelo y sus destinos (siglos XIII-XV)*, Madrid : Casa de Velázquez (Bibliothèque de la Casa de Velázquez, 68), 2000, p. 141-153.]

5. [Pour cette attribution, voir Carmen PARRILLA, «Un cronista olvidado : Juan de Flores autor de la *Crónica incompleta de los Reyes Católicos*», *in :* Alan DEYERMOND et Ian MACPHERSON (dir.), *The age of the catholic monarchs, 1474-1516. Literary studies in memory of Keith Whinnom*, Liverpool : University Press (*BHS*, Special issue), 1989, p. 123-133; ainsi que Joseph J. GWARA, «The identity of Juan de Flores : the evidence of the *Crónica incompleta de los Reyes Católicos*», *Journal of Hispanic philology*, 11 (2), 1987, p. 103-130, et 11 (3), 1987, p. 203-222.]

6. Nous ne saurions entrer ici dans les problèmes particulièrement complexes que soulèvent l'attribution, la filiation et l'établissement des textes. Les chroniques castillanes du XVe siècle et les chroniques royales en particulier n'ont pas encore fait l'objet d'une véritable étude d'ensemble. [Tel est le cas, en particulier, pour les règnes d'Henri III et de Jean II. Cependant, des progrès considérables ont été faits dans la connaissance de l'historiographie du règne d'Henri IV grâce à l'édition des chroniques les plus importantes de ce règne, auxquelles il sera fait référence dans les pages qui suivent.]

7. [Il est significatif que le portrait d'Henri III tracé par Pérez de Guzmán dans les *Generaciones* figure à la fin de plusieurs manuscrits de la chronique du roi. Voir F. GÓMEZ REDONDO, *Historia de la prosa*..., III, 10. 3. 5. 2, p. 2441, note 363.]

deux phénomènes de grande conséquence : les chroniques d'un même roi se multiplient, d'abord successivement, puis simultanément, et les rois eux-mêmes cessent d'être *un*[8], soit que l'on oppose au roi légitime un autre *roi*, soit que les rois soient très légitimement deux. Ainsi aurons-nous plusieurs rédactions de la chronique de Jean II, une historiographie de partis sous le règne d'Henri IV et, pour le règne des Rois Catholiques, une complexité tout aussi grande : chacun montrera à sa façon le *passage* et, une fois proclamés la souveraineté et le partage officiel du pouvoir, sera plus ou moins partisan de l'un ou de l'autre des époux royaux[9]. Il est vrai que pendant ce dernier règne, la multiplication devient surenchère ; mais, dans le concert de louanges, une voix discordante au moins se fait entendre.

On sent combien le portrait du roi peut varier et servir. Jamais on n'aura tant parlé de vérité, car chacun a la sienne : chaque chroniqueur a sa chronique et son roi. Dans le «*pleito sucesorio*» la chronique royale devient partisane, polémique. Plus encore : le chroniqueur n'est pas un simple instrument de propagande. Il fait et défait les rois, les rois présents et leur prédécesseur. La succession étant devenue une gigantesque *causa*, les chroniqueurs retrouvent les grandes armes de la rhétorique, jamais oubliées mais réactivées par des modes nouvelles et une meilleure connaissance de l'historiographie classique. Que la rhétorique soit plus ecclésiastique ou plus humaniste, elle vient au secours des rois ou se déchaîne contre eux. Elle peut aussi les glorifier. La guerre des chroniques peut accompagner celle des rois et devenir guerre des portraits[10]. Le portrait du roi, alors, non seulement se fait plus long, mais change de place et de

8. [Le problème s'était posé de façon particulièrement aiguë à Pero López de Ayala. Michel GARCIA a bien montré les solutions adoptées par le chroniqueur pour résoudre le difficile problème de la coexistence des deux rois, Pierre Ier et Henri II, et légitimer du même coup la révolution et la dynastie trastamare («El modelo alfonsí en las crónicas del Canciller Ayala», *in :* G. MARTIN (dir.), *La historia alfonsí*..., p. 125-140).]

9. Nous reprenons ici les remarques faites par M. GARCIA dans «La crónica castellana...». Nous ajoutons simplement quelques précisions complémentaires sur l'historiographie des Rois Catholiques.

10. [On ne peut manquer de citer quelques-uns des travaux de José Manuel NIETO SORIA qui a renouvelé, précisé et considérablement élargi aussi bien les définitions que le champ des représentations de la monarchie : «La ideología política bajo medieval en la historiografía española», *Hispania*, 175, 1990, p. 667-681 ; *Fundamentos ideológicos del poder real en Castilla (siglos XIII-XVI)*, Madrid : Eudema Universidad, 1988 ; *Ceremonias de la realeza*, Madrid : Nerea, 1993 ; *Iglesia y génesis del Estado moderno en Castilla (1369-1480)*, Madrid : Complutense, 1994 ; «Propaganda política y poder real en la Castilla Trastamara : una perspectiva de análisis», *Anuario de estudios medievales*, 25 (2), 1995, p. 489-515 ; et surtout, *id.* (dir.), *Orígenes de la monarquía hispánica : propaganda y legitimación (ca. 1400-1520)*, Madrid : Dykinson, 1999.] Il est évident que dans cette représentation royale le portrait, grande *découverte* du XVe siècle, va jouer son rôle. Ici encore il faut renvoyer aux commentaires et à la bibliographie proposée par J. M. Nieto Soria, ainsi qu'aux travaux de Joaquín YARZA LUACES, plus particulièrement «La imagen del rey y la imagen del noble en el siglo XV castellano», *in :* Adeline RUCQUOI (dir.), *Realidad e imágenes del poder. España a fines de la Edad Media*, Valladolid : Ámbito, 1988, p. 267-323 ; *Baja Edad Media. Los siglos del*

fonction. Certes, il *montre*, avec une précision plus ou moins grande, mais surtout il légitime ou dégrade. Expression du pouvoir royal, regard sur la personne royale, il se fait aussi commentaire, explication, bilan. Investi d'un pouvoir qui sans doute lui vient du roi, le chroniqueur se sait responsable, au nom de principes qui parfois dépassent le roi, même si le roi devrait les incarner.

Le portrait du roi est un temps plus ou moins fort, un *morceau* plus ou moins long, d'un récit. Il est l'œuvre d'un chroniqueur, mais celui-ci peut l'emprunter à un autre. Pour qui est-il composé ? En principe pour le lecteur, mais s'agit-il du lecteur contemporain – lecteur/acteur plus ou moins actif ou passif d'un règne – ou d'un public plus large qui s'étend à une postérité difficile à définir ? Est-il écrit pour un parti, pour le roi ou, à la limite, pour le chroniqueur lui-même ? Ce chroniqueur peut être lui aussi un chroniqueur/acteur, et parfois doublement : par la part qu'il a prise et prend aux événements du règne, et par cet acte même d'écrire l'histoire, de plus en plus ressenti non comme une simple transcription des actions des autres, mais comme une *action*, non pas une action de plus, mais supérieure.

Il arrive aussi que le chroniqueur devienne peut-être l'objet de sa propre chronique, objet plus ou moins caché, masqué ou affirmé. La biographie du roi prendra alors un air d'autobiographie du chroniqueur et c'est le portrait du chroniqueur que l'on pourra lire entre les lignes du portrait du roi[11].

Dans la chronique royale, le portrait est le lieu de rencontre – privilégié ou non – entre le roi et le chroniqueur, le chroniqueur et le roi, entre le roi et ceux sur qui il règne, entre le chroniqueur et son public. C'est aussi le lieu de rencontre entre l'ensemble du récit (d'un ou de plusieurs règnes) et ce *morceau* qui peut être plus ou moins essentiel, plus ou moins détachable et transférable. Il entretient avec la narration et ce qui la gouverne, avec la stratégie du discours, des rapports plus ou moins profonds et réglés. Le contenu de ce *morceau* a ses constantes et ses variations ; s'il est héritier de la rhétorique, il l'est aussi d'une certaine tradition nationale[12].

---

gótico. Introducción al arte español, vol. 4, Madrid : Silex, 1992 ; *Los Reyes Católicos, paisaje artístico de una monarquía*, Madrid : Nerea, 1993.

11. [Tel est le cas, nous semble-t-il, pour Alfonso de Palencia, comme nous avons essayé de le montrer dans notre étude *Alfonso de Palencia, historien*..., chap. 1 « Apologie pour l'historien ou le détournement de l'histoire », p. 18-91.] Cette présence de l'historien dans son œuvre n'est pas particulière à la Castille. Que l'on songe à Commines ou à Thomas Bazin.

12. Citons au moins les portraits qui apparaissent dans les chroniques antérieures et plus particulièrement dans celles d'Alphonse X, d'Alphonse XI et celles qui ont été écrites par Pero López de Ayala, considéré en cela comme en bien d'autres choses comme un précurseur déterminant.

Un droit et un devoir

Le roi a droit au portrait; le chroniqueur a le devoir de le faire. Ce droit, devenu habitude, est bien acquis depuis Ayala. L'éloge de l'écriture – qui nous semble banal mais qui exprime peut-être une très réelle crainte du silence – ainsi que le souci de la *fama* renforcent ce droit et ce devoir de même qu'ils vont provoquer d'une façon plus générale la multiplication des portraits dans l'historiographie[13]. Mais si le chroniqueur peut choisir tel ou tel personnage, le roi lui est imposé. Reste la manière; car si le roi semble être un *donné*, rien n'est vraiment donné. Il faut dire, créer, et cela relève de l'*inventio* et de la *dispositio*.

Responsabilité royale et responsabilité du chroniqueur se rejoignent, et c'est parfois un chroniqueur embarrassé qui doit trouver des solutions pour un roi embarrassant. Le portrait du roi dépend donc – toute considération politique ou idéologique mise à part – de la relation professionnelle et même personnelle entre le roi et celui qui le raconte et le décrit, ou le décrit en le racontant. Il y aura des portraits officiels (Pulgar), un vrai portrait *juré* mais bien discuté (Enríquez del Castillo), un portrait destructeur et pourtant œuvre d'un chroniqueur officiel qui avait ailleurs minimisé la responsabilité des *pintores* (Palencia)[14]. Lorsque l'on quitte la *crónica real*, le portrait du roi n'engage que son auteur. Mais cet auteur, qu'il ait nom Pérez de Guzmán ou Pulgar, a un tel sens de sa responsabilité que le portrait sera jugé bon et plus ou moins intégralement repris. Dans la *crónica real* elle-même il reste un espace de liberté, car tout dépend, en fait, du rôle et de l'importance que s'accorde le chroniqueur, auteur plus ou moins autorisé. Tous veulent *renseigner*, *informer*, *faire savoir* et aussi *enseigner*. Mais le portrait peut être une simple image (Jean II); le bilan établi par un fonctionnaire bien renseigné et affectueusement admiratif, soucieux avant tout de répondre aux critiques (portrait de l'infant Ferdinand, roi d'Aragon, chez Alvar García); l'affirmation mesurée et ferme de l'autorité royale (Ferdinand et Isabelle dans la chronique de Pulgar); l'écho amplifié d'une immense *vox populi* (Isabelle dans les *Memorias* de Bernáldez); le dernier devoir, le dernier acte de loyauté de celui qui a toujours refusé de trahir (le portrait d'Henri IV par Enríquez del Castillo); un tyrannicide (la destruction d'Henri IV par Palencia). On ne peut que constater et regretter l'absence de portraits

13. [Ce n'est pas, bien sûr, l'unique raison. Voir le chapitre « Portraits », dans M. M. DUBRASQUET PARDO, *Alfonso de Palencia*..., p. 367-474.]

14. [« *¿ Qué va en que el pintor menos arteficiosamente pinte las fechuras de rostro y proporçión de alguna ymagen ? ¿ Será, por ventura, el no saber peligroso al pueblo ? Pero en el acabdillar, un tantico induze muchas vezes general perdimiento* » (Alfonso de PALENCIA, *De perfectione militaris triumphi, La perfeçión del triunfo*, Javier DURÁN BARCELÓ (éd.), Salamanque : Universidad de Salamanca, 1996, p. 159).]

« en forme » des Rois Catholiques dans les *Gesta hispaniensia* d'Alfonso de Palencia. Qu'aurait écrit celui qui, dans un démasquage systématique, s'est voulu le plus habile et le plus audacieux, presque l'avocat du diable, qui s'est refusé en tout cas à se joindre au concert de louanges de ces flatteurs, de ces courtisans qu'il exècre ? L'absence de portrait a peut-être été calculée et voulue, les rapports entre Palencia et la reine n'ayant pas toujours été très harmonieux.

Lorsqu'il fait le portrait du roi, le chroniqueur garde, ou feint de garder, sa liberté de jugement. Le très officiel Pulgar lui-même sait éviter l'éloge absolu, ce qui est sans doute une habileté (ou une commande ?) de plus. La *voix* est-elle la même dans le portrait et dans le récit ? Le *yo* a-t-il changé ? A-t-il vis-à-vis de la personne royale la même distance que vis-à-vis des événements ? Cela varie selon l'engagement personnel du chroniqueur dans son œuvre, et le portrait peut être un plus grand engagement ou au contraire un désengagement du *yo*. Grand est le roi, grande est l'écriture ; celle du portrait du roi devrait l'être plus que toute autre. C'est, dira Enríquez del Castillo, « *una alta cosa* ». Qu'il feigne l'humilité devant cette grande tâche ou l'horreur d'avoir à décrire un monstre, qu'il dise son étonnement devant une personnalité si étrange, ou son pieux émerveillement devant tant de perfection, qu'il fasse preuve de mesure, de bienveillance, de respect et de loyale sérénité, le chroniqueur peut, dans le portrait du roi, être entraîné vers deux attitudes opposées : perdre, dans un exercice très officiel et très réglé, la spontanéité, la personnalité de sa *voix* propre, omettant même les critiques qu'il n'hésite pas à faire dans le reste de son œuvre, ou, au contraire, prendre plus intensément la parole.

Que le roi soit incompréhensible, indicible, dans le bien comme dans le mal[15], ou qu'il soit tout simplement le roi, il faut un guide pour l'approcher, le connaître, le comprendre [ou le juger]. Les trois visions canoniques existent ici : celle *d'en bas* – le serviteur parlant du roi –, celle *d'en haut*, lorsqu'un historien orgueilleux convoque le roi devant son tribunal, et aussi une *vision avec* lorsque chroniqueur et roi sont en sympathie ou en accord si profonds qu'ils semblent ne faire qu'un. Faut-il parler aussi d'une vision à partir du roi ou indépendante de lui ? Fruit de l'humilité ou de l'orgueil, d'un regard appliqué ou d'une véritable enquête, le portrait du roi est, dans la chronique, le roi en personne[16].

15. Faut-il dire le mal ? C'est un très vieux problème de l'historiographie. En principe, on ne doit le dire qu'au bénéfice de l'exemple. Les chroniqueurs du XVe siècle ont été conscients du problème, ont connu les traditions des moralistes et des historiens, et chacun en a usé à sa manière et selon ses besoins.

16. On ne peut ici qu'évoquer les belles analyses de Louis MARIN qui, dans un contexte idéologique différent, restent très éclairantes. Voir *Le portrait du roi*, Paris : Minuit, 1981, ainsi que *Des pouvoirs de l'image. Gloses*, Paris : Seuil, 1993.

Ces portraits des rois, les lisait-on vraiment ? S'ils étaient un morceau de plus en plus obligé, éveillaient-ils un intérêt ? Il se peut qu'ils aient dit aux lecteurs contemporains et à leurs héritiers plus de choses qu'ils ne nous disent, même s'il est illusoire d'accorder au récit des chroniques, dont on sait la difficile diffusion, des lecteurs nombreux et vraiment contemporains des faits. En tout cas, ils ont eu la vie dure, car nous vivons encore pour une large part sur leurs affirmations ; c'est à peine si l'on commence à voir ces rois avec d'autres yeux que ceux de leurs chroniqueurs. On peut d'ailleurs imaginer que plus qu'au roi – connu des lecteurs en fin de compte, car ces lecteurs faisaient partie d'une *élite* assez réduite –, on s'intéressait précisément à la façon dont le chroniqueur l'avait décrit et jugé. Mais sans aucun doute, le plus intéressé était le roi lui-même.

Avait-on plaisir au portrait, à l'écrire et à le lire ? La multiplication ou l'amplification de ces *morceaux* n'apporte pas vraiment une réponse. Il s'agit avant tout d'une des manifestations de l'importance prise par une monarchie de plus en plus désireuse d'affirmer sa suprématie et devenue courtisane et spectaculaire. À l'ostentation royale correspond l'ostentation rhétorique ; mais la surenchère, ici, n'est pas le plaisir ; c'est une flatterie ou une mode. [Pourtant le jeu peut être sérieux et avoir une réelle portée politique.]

Pour bien faire un portrait de roi, il faut avoir des vertus royales : bienveillance et justice, bonté et rigueur, humilité et autorité. Dans une relation parfaite, si le roi doit avoir le portrait qu'il mérite, le chroniqueur doit prouver qu'il méritait de faire le portrait du roi.

Un texte de plein droit

Nous avons à plusieurs reprises parlé de *morceau* ou de *pièce*. Le découpage de ce morceau est aisé puisque le chroniqueur lui-même trace les frontières et marque les articulations. Le portrait est annoncé et, même s'il faut se défier des titres – souvent ajoutés –, l'appareil titulaire que l'on peut juger authentique le désigne. Il a tendance à s'organiser en texte autonome – nous dirions aujourd'hui en chapitre –, et du même coup nous permet de dresser une sorte de lexique du portrait[17]. On peut se demander s'il fait partie du récit de l'histoire ou s'il est autre chose. On a beaucoup écrit sur la relation *description/narration*, le portrait relevant en principe de la première. On a parlé de *discours protocolaire* ou *cérémonieux*, de *stase* dans l'axe chronologique, de *morceau parasite* et *ornemental*. Nous ne saurions entrer plus avant dans l'analyse de cette « frontière du récit », dont Genette a

17. Disons rapidement que *semblanza*, *gesto*, *disposición*, *complexión*, *condición*, *proporciones*, *maneras*, *costumbres*, *fisonomía* sont les termes les plus employés. Il faudrait ajouter *señales*.

montré la fragilité, pour retenir plutôt des différences de *distance*, d'*ordre*, de *vitesse* ou de *focalisation*[18].

Le portrait du roi, en tout cas, semble être un texte de plein droit. Si l'on retient l'idée fondamentale de morceau transférable ou détachable, deux questions surgissent : le portrait du roi est-il nécessaire à la chronique de son règne ou peut-on l'en détacher sans dommage ? Peut-on l'en détacher pour qu'il ait une vie autonome ? Pour reprendre des termes chers à Palencia : quel est son rôle dans la *series rerum* ?

Inversement, on peut se demander si le portrait serait impossible ou différent sans le récit qui le précède ou le suit. Et s'il pourrait occuper une autre place que celle que l'auteur a voulu lui donner. Car voici la deuxième question : celle du *lieu* choisi. En gros, on peut distinguer deux cas : le portrait *avant* et le portrait *après*, *ouverture* ou *clôture*, entrée royale ou éloge funéraire du roi mort. Mais ne soyons pas dupes ; le portrait placé *avant* a presque toujours été fait *après*. [*Avant* et *après*, il s'agit d'un bilan atemporel. S'il est vrai que le temps ou plutôt le hors-temps du portrait n'est pas le même que le temps du récit[19], cela ne signifie pas que portrait et récit n'entretiennent pas des rapports étroits dans le temps particulier qu'est celui du texte de la chronique. Le portrait vient s'inscrire d'une façon plus générale dans le schéma de causalité qui gouverne l'ensemble de la narration ; il est devenu la pièce maîtresse des idées politiques sur lesquelles celle-ci se fonde.] Il reste que sa place est importante dans la disposition, l'argumentation, nous dirions aujourd'hui la stratégie.

[Il est vrai que le portrait du roi peut avoir tendance à devenir une sorte de synthèse ou d'abrégé de la chronique royale ; c'est le cas pour la biographie de Jean II dans les *Generaciones y semblanzas* et pour celle d'Henri IV dans les *Claros varones* ; on voit combien le glissement est facile vers le résumé de chronique : il suffit que le portrait se narrativise. Il est d'ailleurs important de préciser que, dans bien des cas, les chroniques qui *résument*, ne suppriment pas le portrait, car il fait partie de ce qu'il faut conserver : il en est ainsi pour la chronique dite *Abreviación del Halconero*. Mais le portrait du roi peut aussi apporter un complément d'information, dire ce que le récit, qui se déroule chronologiquement sur ses axes thématiques fondamentaux, politique et militaire, n'a pas ou n'a pas eu l'occasion de dire ; c'est le cas en particulier pour les activités de bâtisseur, pour la pratique

18. On aura reconnu les termes employés par Jean RASMUSSEN, *La prose narrative française du XVe siècle*, Copenhague : Munksgaard, 1958, ainsi que les travaux de Roland BARTHES, « L'ancienne rhétorique », *Communication*, 16, 1970, p. 172-243, et de Gérard GENETTE, « Frontières du récit », *Communication*, 8, 1966, p. 152-153, et *Nouveau discours du récit*, Paris : Seuil, 1983.

19. [On peut voir à ce propos les commentaires de C. MONTERO GARRIDO dans *La historia, creación literaria…*, p. 48.]

ou la protection des lettres, pour le goût de la chasse ou de la musique, ou pour des pratiques plus privées de dévotion.]

Le lieu

Une des garanties de vérité pour l'histoire, selon Pérez de Guzmán, est qu'elle ne soit pas publiée du vivant du prince sous le règne duquel elle a été écrite[20]. Cette exigence est encore plus nécessaire pour le portrait, qui ne saurait être fait qu'après la mort, condition essentielle pour qu'il soit fait sans crainte ni passion et pour qu'il soit définitif. Le roi n'échappe pas, semble-t-il, à cette règle. Mais les hasards des chronologies, les nécessités de la politique ou de la propagande, la conception nouvelle de l'historiographie vont faire qu'il y échappe malgré tout.

Si la mort, en principe, apaise les passions et permet un bilan, si elle peut donner au portrait du roi – du bon roi – l'émotion de la perte, elle peut aussi, dans le respect et le pardon qu'elle inspire, faire taire la critique. Le *portrait funéraire* dérive aisément vers l'éloge. Seuls des esprits supérieurs ou critiques, ou encore des chroniqueurs impliqués dans leur personne ou leurs choix, sont capables pour diverses raisons d'éviter ce piège. La *mort du roi*, plus ou moins *bonne*, plus ou moins complaisamment décrite (mais ceci est un autre sujet)[21], peut avoir sur le portrait des effets contradictoires ; elle peut être la grande révélatrice, moment suprême de vérité après la longue gestation du récit, ou moment de méditation qui dépasse la personne du roi. Mais elle peut aussi entraîner le recours à tous les stéréotypes. La mort du roi est un double passage : passage vers une autre vie, ou la postérité, passage vers un autre règne.

20. « *La terçera es que la estoria non sea publicada biviendo el rey o prínçipe en cuyo tienpo e señorío se hordena, por quel estoriador sea libre para escrivir la verdad sin temor* » (*Generaciones y semblanzas*, éd. cit., p. 3).

21. [Aux travaux de J. M. Nieto Soria cités plus haut (note 10), on peut ajouter ceux de José Luis MARTÍN, « El rey ha muerto. ¡ Viva el rey ! », *Hispania*, 51, 1991, p. 5-39, et d'Emilio MITRE, « La muerte del rey (1200-1348). La historiografía hispánica y la muerte entre las élites », *En la España medieval*, 11, 1988, p. 167-183. C'est Denis MENJOT qui, le premier, a souligné les différences entre les funérailles des rois castillans et celles des rois de France dans « Les funérailles des souverains castillans du bas Moyen Âge racontées par les chroniqueurs : une image de la souveraineté », *in* : *Mélanges Jean Larmat*, Nice : Les Belles Lettres, 1983, p. 195-209, et « Un chrétien qui meurt toujours. Les funérailles royales en Castille à la fin du Moyen Âge », *in :* Manuel NÚÑEZ et Ermelindo PORTELA (dir.), *La idea y el sentimiento de la muerte en la historia y en el arte de la Edad Media. Ciclo de conferencias celebrado del 1 al 5 de diciembre de 1986*, Saint-Jacques-de-Compostelle : Universidade, 1988, p. 127-138. Voir aussi Peter LINEHAN, « Frontier Kingship. Castille, 1250-1350 », *in :* A. BOUREAU et C. INGERFLOM (dir.), *La royauté sacrée dans le monde chrétien*, Paris : École des hautes études en sciences sociales, 1992 ; Teófilo RUIZ, « Une royauté sans sacre : la monarchie castillane du bas Moyen Âge », *Annales, ESC*, 3, 1984, p. 429-453 ; Adeline RUCQUOI, « De los reyes que no son taumaturgos : los fundamentos de la realeza en España », *Temas medievales*, 5, 1995, p. 163-186 ; et Ariel GUIANCE, *Los discursos sobre la muerte en la Castilla medieval (s. VII-XV)*, Valladolid : Junta de Castilla y León, 1998.]

Le roi peut aussi faire son *entrée* à un moment choisi. De plus en plus les chroniqueurs, pour présenter leurs personnages, délaissent la notice nécrologique au profit d'une présentation plus fonctionnelle. Les personnages sont jetés dans le récit et Palencia porte à son comble cette nouvelle tactique. Le grand personnage, même s'il n'est pas toujours le grand acteur, est le roi. Il est donc normal que son portrait aussi change de place. Dans la mesure où l'histoire du règne se fait parfois en dehors de lui ou malgré lui, ou au contraire, à partir de lui, il est bon de rappeler ainsi qu'il est le roi, comment il l'est et comment il est. Le portrait peut montrer ou dresser au seuil du règne la personne du roi ou l'autorité royale. Il rassemble dans l'unité de sa présentation ce qui va peu à peu s'éparpiller – ou au contraire s'ordonner –, rappelant qu'il est le roi. Le portrait est volonté d'ordre, de mise en ordre, parfois source d'ordre. Mais, rappelons-le, ce sera projeter *avant* un fait *après* ou *plus tard*. Ainsi le veulent l'argumentation, la démonstration, ou tout simplement le récit.

Rien de tel pour apprécier l'importance du *lieu* qu'un essai de transfert. Certains portraits d'ouverture seraient impossibles *après*. Par contre, certains portraits seraient non impossibles, mais incomplets *avant*. Ils recueillent dans une synthèse finale tout ce que le récit a montré, et si au début le chroniqueur en sait plus, à la fin le bon lecteur doit le rejoindre et s'associer à lui. *Avant*, le portrait du roi influence et prépare le lecteur. Il peut dégager les lignes directrices de ce qui sera le règne et le récit du règne. [Il entre donc dans le schéma de causalité dont il peut constituer une des pièces maîtresses.] *Après*, il doit sans doute tenir compte de ce qui a été dit, mais il peut aussi ajouter, nuancer, compléter, rassembler en un lieu unique tous les fils. [On voit ainsi se dessiner deux tendances : mieux s'intégrer au récit des événements ou devenir une petite histoire dans l'histoire.]

Le roi et les autres

L'homme, qui l'a toujours été, devient de plus en plus acteur de l'histoire. La multiplication des acteurs, sur lesquels parfois le récit s'arrête, est sans doute signe d'une causalité plus complexe. Mais cette complexité vient plutôt d'une prolifération – qui peut devenir enchevêtrement – des intérêts affrontés et des intrigues que de la mise au jour de causes nouvelles ou d'une approche différente de la personnalité. Seul Palencia, dans ses meilleures analyses, sera sur le point de franchir ce pas décisif. Pourtant s'il démasque avec acharnement, il ne fait pas vraiment de la « psychologie »[22]. Si les faits dépendent de relations plus complexes entre les hommes, ils

22. Voir dans M. M. DUBRASQUET PARDO, *Alfonso de Palencia...*, le chapitre « Portraits », p. 367-474.

continuent de l'emporter. Plus complexe, la chaîne historique n'est pas fondamentalement différente.

Dans cette chaîne, qu'en est-il du roi ? Est-il un simple nom autour duquel ou au nom duquel se fait l'histoire ? Un enjeu dont chacun use selon ses besoins ? Un pouvoir, une volonté qui régissent les hommes et les événements ? Le roi enfin est-il lui-même histoire, objet d'histoire ou autre chose ? Cause parmi les causes ou preuve parmi les preuves ? [L'importance prise par son portrait peut être une conséquence de l'affermissement de la monarchie, en tout cas un signe des problèmes que cela pouvait susciter.] Que l'on risque d'oublier dans le récit un roi faible, manipulé, nié, détrôné même, ou qu'au contraire on trouve partout sa volonté, le portrait, inaugural surtout, l'isole.

Mais il ne le laisse pas seul, ni dans la chronique, qui de plus en plus accueille d'autres portraits – et dans laquelle il arrive que les personnages jugent aussi le roi et se jugent entre eux –, ni dans son portrait lui-même qui se fait, étant donné qu'il s'agit du roi, par sa relation aux autres. Le roi n'a plus le monopole du portrait. Il garde pourtant, dans une très large mesure, celui du portrait physique. Car le *corps du roi* mérite une description d'ailleurs de plus en plus minutieuse[23].

Entre le portrait du roi et celui des autres la différence est moins de nature que de degré. En tout cas le roi, isolé, n'est pas seul. *Héritier*, il se situe dans un *continuum* et le passage se fait aisément de la généalogie à la galerie des rois[24]. L'héritier peut aussi devenir *fondateur* : ce fut le risque pris par les Trastamare et ce sera la chance des Rois Catholiques.

Si le portrait du roi le rapproche des autres, y compris du lecteur, il peut aussi devenir un *écran* qui l'en sépare et trace les frontières d'un nouveau *territoire*. Le chroniqueur, le lecteur, et l'ensemble de la *nation* peuvent ainsi approcher le roi dans la curiosité, l'amour, la piété, le respect ou la crainte.

Un aspect de cette relation aux autres est la *mémoire du roi*. Cette mémoire est double : d'abord celle qu'il doit garder lui-même – et il est vrai qu'il lui arrive de la perdre par faiblesse ou au nom d'intérêts personnels ou supérieurs (c'est ainsi qu'apparaît le thème de l'*ingratitude* pleurée et vitupérée par Enríquez del Castillo, justifiée par Pulgar, obsessive chez Palencia) –, et la mémoire que les autres doivent garder de lui. La mémoire du roi

23. Les portraits physiques autres que celui du roi sont extrêmement rares dans les chroniques royales. Il existe quelques exceptions : Álvaro de Luna (*Halconero* et *Refundición*), le marquis de Cadix (*Bernáldez*), la marquise de Moya (*Crónica incompleta*) et quelques remarques çà ou là. Il faudrait ajouter les très nombreux mais toujours rapides traits physiques par lesquels Palencia présente plusieurs de ses personnages.

24. On songe bien sûr à celle de l'alcazar de Ségovie. Voir plus loin « Des prologues et des rois : le "roi" Alphonse », note 41.

fait partie d'un patrimoine dynastique, mais aussi national. Par elle passe – ainsi que par l'*amour du roi* – une forme de *patriotisme*. Mais on sait bien que la mémoire se fabrique.

Montrer le roi régnant, ou ayant régné, les réalités, les mystères ou les merveilles de son règne, peut avoir un double objet et une double conséquence : limiter le hasard, la *fortuna*, par l'affirmation de la volonté royale, ou au contraire les proclamer, soit que le chroniqueur en appelle aux insondables desseins de la Providence, à la toute-puissance divine, soit que le roi incarne une *felicitas* ou, en termes plus chrétiens, la bénédiction de Dieu. La Providence passe par la personne royale, mais aussi par la communauté entière qui, au fond, a le roi qu'elle mérite : explication commode, ou seule conclusion possible de la réflexion.

Le roi peut l'emporter sur les forces qui le dépassent en les réalisant pleinement. Mais le roi, responsable ou victime, parfois même bouc émissaire, *maléfique avant* peut devenir *bénéfique après*. Nous songeons ici au vieux schéma, toujours latent et pleinement réactivé en cette fin de XVe siècle, de la *destruction* et de la *restauration* de l'Espagne, schéma très apparent dans ce nouveau Rodrigue qu'est, selon Palencia, Henri IV – sorte de dernier roi[25] – et dans ce nouveau Pelayo qu'aurait dû être Alphonse et que seront en fin de compte les rois Isabelle et Ferdinand venus du *même* mais aussi d'*ailleurs*[26]. Le roi, quel qu'il soit, en lui, par lui, ou malgré lui, représente la loyauté monarchique si nécessaire, surtout en temps de crise, et qui n'est jamais vraiment remise en question.

Le portrait du roi, conçu comme un *morceau* plus ou moins autonome, parfois avec son introduction et sa conclusion, ne saurait être entièrement détaché de l'ensemble. Sa longueur est variable, mais une longueur inhabituelle est, ou significative, ou suspecte. La personne royale, qui peut se perdre dans la chronique, peut aussi se perdre dans le portrait ou bien, au contraire, trouver dans le portrait son vrai sens. Le grand problème reste celui de la rencontre entre des archétypes plus ou moins figés et une volonté de dire ou de faire vrai (qui rejoint celle de la statuaire ou de la peinture). Si le roi peut avoir des «*flaquezas humanas de hombre*» (Enríquez del Castillo), n'oublions pas qu'il est «*puesto en el miradero de todos e representante de Dios en la tierra*» (Pulgar).

Dans son étude sur le portrait dans l'œuvre de Saint-Simon, Van der Cruysse écrit : «Le portrait est à l'histoire ce que la complexité est à la simplification. Un homme n'est jamais d'un tenant.»[27] Sans désavouer

25. Voir le texte cité dans la note précédente.

26. Ces thèses de R. Girard ont été exposées plus haut dans «Le roi Rodrigue ou Rodrigue roi».

27. Dirk VAN DER CRUYSSE, *Le portrait dans les mémoires du duc de Saint-Simon*, Paris : Nizet, 1971, p. 50.

cette affirmation, nous ne saurions entièrement la faire nôtre pour les textes qui nous occupent, en premier lieu parce que le roi n'est pas seulement un homme, mais le roi, ensuite parce que le récit, volontairement ou non, est souvent plus complexe que le portrait initial ou final. Mais il est temps de voir les textes de plus près.

Le portrait funéraire

Henri III, le portrait perdu

Dans l'étude du portrait final il faut distinguer deux cas : la fin d'un règne intégralement raconté ou la simple transition vers le règne suivant. Le portrait d'Henri III, tel qu'il nous est conservé, n'est qu'une expansion des derniers événements de son règne, de sa mort et de son testament : une étape obligée de la chronologie sans doute, mais aussi peut-être un portrait parallèle de celui de son frère Ferdinand ou un portrait qui souligne le contraste avec son fils Jean II[28]. Alvar García, chroniqueur de ce dernier,

28. [Nous abordons ici le « *nudo gordiano* » (pour reprendre l'image de J. de M. Carriazo) que représente l'historiographie du règne de Jean II. Si les travaux de J. de M. Carriazo et ceux, plus récents, de D. Catalán et C. Montero Garrido, qui les complètent, ou les révisent, ont permis de mieux appréhender la complexité des problèmes, ces derniers sont loin d'être tous éclaircis. On trouvera l'essentiel des travaux de Juan de Mata CARRIAZO dans « Notas para una edición de la *Crónica de Alvar García* », *in : Estudios dedicados a Menéndez Pidal, III*, Madrid : CSIC, 1952, p. 489-505, ainsi que dans l'importante introduction à l'édition de la *Refundición del Halconero*, Madrid : Espasa-Calpe (Crónicas españolas, 9), 1946, « Estudio preliminar », p. IX-CCIII. Diego CATALÁN a fait une importante mise au point que l'on trouvera dans *La estoria de España de Alfonso X. Creación y evolución*, Madrid : Fundación Menéndez Pidal - Universidad autónoma de Madrid (Fuentes cronísticas de la historia de España, 5), 1992, chap. 10, p. 264, note 147. Une analyse minutieuse a été élaborée par C. MONTERO GARRIDO, *La historia, creación literaria*..., chap. 3, p. 79-156. Plus récemment, les nouvelles hypothèses formulées par F. GÓMEZ REDONDO ont remis en question la composition de la famille de l'*Halconero* telle que l'avait établie J. de M. Carriazo, ainsi que les différentes étapes de l'élaboration de la *Crónica de Juan II* (*Historia de la prosa*..., 10. 2. 1 à 10. 2. 8, p. 2207-2230). Le premier chroniqueur de Jean II fut Alvar García de Santa María. Ce dernier (1370/1373 ?-1460) accompagna Ferdinand en Aragon, puis revint en Castille où il exerça ses charges auprès du roi. Selon Pérez de Guzmán, il aurait été par la suite destitué de sa charge (« *la estoria le fue tomada e pasada a otras manos* »). On peut considérer, sous toute réserve, que la chronique d'Alvar García, ou du moins celle qui lui est attribuée, se compose de deux parties. La première, qui rapporte les événements des années 1406-1419, est représentée par trois manuscrits : le manuscrit 85-5-23 de la Biblioteca colombina de Séville, le manuscrit 104 de la Bibliothèque nationale de Paris et le manuscrit 12-3-4 de la bibliothèque de la Real Academia de la historia (il s'agit d'une copie faite par Zurita à partir du manuscrit qui se trouvait alors à la chartreuse de las Cuevas de Séville). Cette première partie a été, quoique non intégralement (1406-1411), éditée par J. de M. CARRIAZO Y ARROQUIA, *Crónica de Juan II de Castilla*, Madrid : RAH, 1982. La deuxième partie (1420-1434) est représentée essentiellement par les manuscrits X-II-2 de la bibliothèque de l'Escurial et le manuscrit 1618 de la Bibliothèque nationale de Madrid (copie faite par Zurita). Cette deuxième partie a été éditée par A. PAZ Y MELIA dans CODOIN, 99, 1891, p. 79-464, et 100, 1891, p. 1-409. Selon D. Catalán et C. Montero Garrido, Alvar García serait l'auteur du récit qui se déroule jusqu'en 1420 ; ce récit aurait été par la suite complété, corrigé et peut-être continué par le *relator* Fernán Díez de Toledo, fervent

annonce après la mort d'Henri III un portrait qui n'apparaît pas dans les manuscrits conservés[29]. Il faut donc se reporter à celui [qui est inclus dans la *Refundición del Halconero* et qui n'est autre qu'une version abrégée et censurée (un emprunt ?)] du portrait tracé par Pérez de Guzmán dans les *Generaciones*, comme l'est aussi celui qui figure dans l'*Atalaya* de Martínez de Toledo[30].

adepte d'Álvaro de Luna (qu'il trahira plus tard). Alvar García, obligé d'introduire ces amendements qui donnent à l'œuvre une orientation nouvelle, aurait définitivement abandonné le récit ou aurait été destitué et remplacé en 1435. Cela expliquerait la remarque de Pérez de Guzmán qui, selon C. Montero, ne pouvait pas ignorer le nom du remplaçant, le puissant *Relator*. D. Catalán et C. Montero Garrido, qui accordent plus de crédit que Carriazo à la fameuse préface de GALÍNDEZ DE CARVAJAL (*Anales breves del reinado de los Reyes Católicos D. Fernando y doña Isabel, de gloriosa memoria, que dejó manuscritos el Dr. D. Lorenzo Galíndez Carvajal*, Apéndice 2° a la *Crónica de los muy altos e muy poderosos don Fernando e doña Isabel, in : Crónicas de los Reyes de Castilla, III* (BAE, 70, 1875-1878), Madrid : Atlas, 1953, p. 533-565), considèrent qu'il n'est pas impossible que Pérez de Guzmán, après la mort du favori, ait censuré ce qui avait été écrit sous son gouvernement, privilégiant peut-être la tradition de l'*Halconero* et de la *Refundición* ; *Refundición del Halconero* est le nom donné par J. de M. Carriazo à une chronique qu'il attribue à l'évêque Lope Barrientos, qui remanie et continue selon lui la *Crónica del Halconero* de Pero Carrillo de Huete. J. de M. CARRIAZO a édité les deux textes : *Crónica del Halconero* et *Refundición de la Crónica del Halconero*, Madrid : Crónicas españolas, 8 et 9, Espasa-Calpe, 1946. À ces deux textes édités par CARRIAZO, il faut ajouter une *Abreviación del Halconero* qu'il étudie dans son « Estudio preliminar » déjà cité, p. CLV-CCIII. Cette famille de l'*Halconero* a été profondément révisée par F. GÓMEZ REDONDO, qui propose de nouvelles hypothèses : dans le texte de l'*Halconero*, tel qu'il est édité par J. de M. Carriazo, Pero Carrillo de Huete serait l'auteur du récit jusqu'à l'année 1441 ; celui des années 1441-1450 serait l'œuvre de l'évêque Lope de Barrientos (*Historia de la prosa*..., 10. 2. 5 ; 10. 2. 6, p. 2271-2297). Quant au texte du manuscrit de l'Escurial X-II-13, édité par J. de M. Carriazo comme *Refundición del Halconero* et attribué à Lope de Barrientos, il n'aurait plus rien à voir avec cet auteur ; il s'agirait d'une œuvre différente, dans laquelle il est possible de reconnaître l'intervention et même *la autoría* de Pérez de Guzmán ; celui-ci aurait pu mener parallèlement deux entreprises historiographiques : une *Refundición* de la chronique de Jean II (ms. Escurial X-II-13) et la préparation des *Generaciones y semblanzas* (10. 2. 7. 4, p. 2318-2320). Cela expliquerait l'étrange parenté de certains textes (en particulier les prologues et les portraits). Dans l'état actuel de la recherche, il est difficile d'aller plus loin dans les tentatives de datation et d'attribution. Mais il est important d'avoir présent à l'esprit que le texte cité ici comme « *Refundición* », d'après l'édition de Carriazo et attribué à Barrientos, a peut-être une origine différente. F. Gómez Redondo redonne également toute son importance à l'*Abreviación del Halconero* éditée par James B. LARKIN, *Text and concordances of the Abreviación del Halconero* (ms. 434, bib. de Santa Cruz), Madison : HSMS, 1989. Cette transcription se trouve dans *Admyte II*. Lorenzo Galíndez de Carvajal fut chargé de revoir et d'amender les chroniques des règnes d'Henri III, Henri IV et Jean II. Sur son rôle, voir l'étude de J. de M. CARRIAZO, dans l'Introduction à la *Refundición*, éd. cit. Nous citerons la *Crónica de Juan II* (version GALÍNDEZ) d'après le texte du volume 78 de la BAE, *Crónicas de los Reyes de Castilla, II*, Madrid : Atlas, 1953.]

29. Alvar García annonce le portrait d'Henri III : « *E agora dexa la Ystoria de contar desto e contará las condiçiones e maneras deste Rey don Enrique que finó* » (*Crónica de Juan II*, éd. cit., p. 20). Comme le fait remarquer Carriazo, cette annonce figure dans les trois manuscrits (Séville, Madrid et Paris).

30. [On ignore si Alvar García a écrit un portrait d'Henri III et si, par conséquent, Pérez de Guzmán aurait pu s'en inspirer.] Pour le portrait d'Henri III par PÉREZ DE GUZMÁN, voir *Generaciones y semblanzas*, éd. cit., p. 4-8. On trouvera une analyse comparée des trois portraits (*Generaciones*, *Refundición*, *Atalaya*) dans notre étude « Remarques sur l'*Atalaya* de l'archiprêtre de Talavera », *Romania*, 88, 1976, p. 373-384. [Certaines hypothèses d'ordre chronologique for-

Soulignons l'importance accordée à la *generación* (« *de los reyes godos* »), longuement et orgueilleusement revendiquée, et la transformation en qualités royales de *défauts* peut-être naturels, mais accentués par la maladie du roi *Doliente*[31]. Sévère et grave (« *apartado* »), le roi évite la familiarité et s'affirme. S'il sait prendre conseil (« *era muy remitido a consejo* »), il sait aussi prendre ses responsabilités (« *presumía de sy que era suficiente para rregir y gobernar* »). Il est craint et respecté. Peu libéral (« *no era franco* »), il accroît le trésor royal et assure la prospérité du royaume. Il fait régner la paix sur l'ensemble de ses sujets représentés par les « *grandes* » et les « *pueblos menudos* ». Craint des uns, il est aimé des autres.

L'auteur de cette chronique, qui emprunte peut-être aux *Generaciones y semblanzas* l'essentiel de ce portrait, ne reproche pas au roi le peu d'*esfuerzo* qui semble attrister Pérez de Guzmán puisqu'il empêche ce bon roi d'être un roi parfait[32]. [Le portrait d'Henri III aurait-il été conçu pour son successeur] qui, se désintéressant des affaires du royaume, affable certes, gracieux et libéral, est devenu un jouet entre les mains d'Álvaro de Luna ? [Il ne faut pas oublier qu'Henri III est devenu une sorte de « roi de référence » ; peut-être parce que, marié à Catherine de Lancastre, il a enfin réuni toutes les légitimités ; peut-être aussi à cause de sa façon de gouverner. Il est difficile de décider s'il s'agit d'un réel exercice du pouvoir pendant le règne lui-même, ou du souvenir qu'il laisse, accentué par un contraste[33].]

mulées dans cette étude à propos des additions du manuscrit de Londres ont été judicieusement révisées par Jean-Pierre JARDIN, « Le règne de Jean II vu depuis Murcie », *Mélanges de la Casa de Velázquez*, 30 (1), 1994, p. 207-225. Mais cela ne remet pas fondamentalement en cause l'analyse comparative qui est faite des trois portraits du roi, ainsi d'ailleurs que de celui de la reine Catherine et de l'infant Ferdinand. On dispose désormais d'une édition de l'*Atalaya de las Crónicas* par James B. LARKIN, Madison : HSMS, 1983.] Si l'on suit l'hypothèse de F. GÓMEZ REDONDO, Pérez de Guzmán pourrait être l'auteur des deux portraits dont le premier serait une version plus officielle et objective, et le second, celui des *Generaciones*, une version plus libre (*Historia de la prosa*…, 10. 2. 7. 4, p. 2318-2320). Il faut préciser que le portrait d'Henri III figure également dans l'*Abreviación* (ms. 434, fol. 4r°-4v°).

31. Pérez de Guzmán écrit à propos de cette mélancolie du roi : « […] *e al juizio de muchos, si lo cabsaba la enfermedad o su natural condiçion, más declinava a liviandad que a graveza nin madureza. Pero aunque la descriçión tanta non fuese, avía algunas condiciones con que traía su fazienda bien ordenada et su reino razonablemente regido* » (*Generaciones*…, p. 5).

32. Chez Pérez de Guzmán on lit : « *Del esfuerço de este rey non se pudo saber bien la verdad porque el esfuerço no es conoçido sinon en la plática e exercicio de las armas, e él nunca ovo guerras nin batallas en que su esfuerço pudiese pareçer, o por la flaqueza que en él era tan grande, que a quien non lo vido sería grave de crer, o porque de su natural condiçión non era dispuesto a guerras nin a batallas. E yo, sometiendo mi opinión al juizio discreto de los que lo platicaron, tengo que amos estos defetos le excusaron de las guerras* » (*ibid.*, p. 6). [Comme nous l'avons indiqué dans notre étude citée plus haut, l'ordre des trois textes (*Generaciones*, *Refundición*, *Atalaya*) est différent ; dans les deux derniers, le récit des campagnes militaires précède le portrait proprement dit ; dans les *Generaciones*, le récit sert à illustrer le portrait : les priorités ont changé (p. 378-379).]

33. [Emilio MITRE FERNÁNDEZ, *Una muerte para un rey : Enrique III de Castilla*, Valladolid : Universidad de Valladolid - Ámbito, 2001. Pour se faire une idée plus complète de la fortune et des variations du portrait d'Henri III, il faudrait comparer plusieurs textes. Celui de la *Suma*

Nouvel emprunt peut-être ou nouvelle adaptation : tel est le portrait de la reine Catherine de Lancastre. Si elle a droit au portrait, dans les *Generaciones* et dans la *Refundición* – mais non chez Alvar García ni dans l'*Atalaya*, ni dans l'*Abreviación* –, ce n'est pas parce qu'elle est l'épouse d'Henri III, mais parce qu'elle est après sa mort la corégente du royaume. Le portrait, tel qu'on le retrouve dans la *Refundición*, n'est en rien complaisant, en particulier dans une présentation physique assez ingrate (« *en el talle e en el meneo del cuerpo tanto parecía ombre como mujer* »). S'il évite la remarque la plus désobligeante (« *no era bien regida en su persona* »[34]), il garde par contre l'excessive importance accordée aux favoris, thème appelé à un long avenir [et peut-être véritable cause ou véritable leçon de la rédaction du portrait].

Plaidoyer pour Ferdinand

C'est à la fois en tant que corégent de Castille et roi d'Aragon que l'infant Ferdinand devenu Ferdinand I mérite le long et minutieux portrait fait avec une dévotion scrupuleuse par Alvar García[35]. Le texte est parfaitement structuré, encadré par le récit d'une très belle mort chrétienne et la courte prière finale. Il se divise en deux grandes parties : le portrait proprement dit (physique et moral) et la réfutation des critiques qui ont été portées contre le roi. Fasciné par celui qui a été son héros dans la première partie

---

de las crónicas de Pablo de Santamaría est plus bref mais élogieux. Le texte de la *Suma de las crónicas* de Pablo de Santamaría se trouve dans *Admyte II* (*Suma de las crónicas de España*, San Lorenzo de El Escorial : Monasterio, h.II.22, *olim* ij.C.16 ; transcr. Judy Krieger) et le portrait d'Henri III figure au fol. 43v°. Pedro de Escavias ne retient que l'idée essentielle de bon gouvernement (voir Michel GARCIA (éd.), *Repertorio de príncipes y obra poética del alcaide Pedro de Escavias*, Jaén : Instituto de estudios giennenses del CSIC, 1972, p. 324). Le *bachiller* Palma fait un résumé du portrait de la *Refundición* (BACHILLER (EL) PALMA, *La Divina Retribución sobre la caída de España en tiempo del noble rey don Juan I, con introducción, notas y repertorio de nombres y lugares por José María Escudero de la Peña*, Madrid : SBE, 1879, p. 18). L. García de Salazar introduit quelques traits nouveaux, en particulier l'envoi d'ambassadeurs (Lope GARCÍA DE SALAZAR, *Las bienandanzas e Fortunas*, Ángel RODRÍGUEZ HERRERO (éd.), 4 vol., Bilbao : Excma. Diputación de Vizcaya, 1967, 3, p. 122-123). R. Sánchez de Arévalo, dans un long texte, insiste sur la dévotion du roi (Rodrigo SÁNCHEZ DE ARÉVALO, *Compendiosa historia hispánica*, *in* : A. SCHOTT (éd.), *Hispaniæ illustratæ*, Francfort, 1603-1605, I, p. 121-246, p. 221-223). Particulièrement important est le portrait qui figure dans la *Crónica de los reyes de Castilla* (manuscrit esp. 110 de la BN de Paris) ; ce texte, type du portrait-résumé de règne, reprend en grande partie celui des *Generaciones*, mais ajoute la référence au désir de connaître « *las cosas extrañas de luengas tierras* » ; on trouvera une transcription de ce manuscrit dans J.-P. JARDIN, *La littérature chronistique*..., vol. annexe, p. 37-121 (le portrait d'Henri III figure p. 97-98).]

34. *Generaciones*..., p. 9.

35. Le portrait de l'infant Ferdinand figure dans la *Refundición*, dans l'*Abreviación* (fol. 5v°-6r°), dans la *Crónica de Juan II*, version Galíndez, et dans les *Generaciones*. Nous avons préféré retenir le texte d'Alvar García tel qu'il apparaît dans les trois manuscrits de Séville, de Paris et de Madrid. Nous citons sur la base du manuscrit de Madrid (ms. 12-3-4) sans donner, pour ne pas alourdir le texte, la liste des variantes de Séville et de Paris.

de la chronique, dont il a été le familier, l'ami peut-être, le chroniqueur, très ému par sa mort, s'engage avec force. Sa voix se fait l'écho de celle du disparu, mais reste aussi la sienne. Bavard par nature, il est de surcroît porté par son sujet. Et quand il dit son souci de vérité, on le croit. Du portrait physique retenons «*los cauellos ni rubios, ni prietos, mas rubios que castaños*»[36]; des qualités morales, la chasteté, la sagesse, l'art d'écouter et de répondre en peu de mots, l'affabilité, la dévotion, une libéralité judicieuse («*franco do convenia*») et surtout un «*gran corazon*»; voici un *princeps felix* (« *bienabenturado en todas sus cosas ça Dios las fazía e las endreçaua segun él queria*»)[37]. [Ferdinand est le roi chevalier que n'a pas été son frère, un modèle de roi.]

Alvar García aime la précision et les chiffres; voici donc des précisions sur les soucis d'argent, et les dettes. Critique venue cette fois du chroniqueur? Bien vite, il transforme cette *codicia* en bonne *codicia* de l'union de l'Église. Mais on a critiqué, et le portrait devient récit («*queremos contar*»), argumentation, plaidoyer. L'origine des critiques reste vague : «*Las gentes dezian* [...], *dezian* [...], *le ponían en culpa* [...], *e otrosí le culpaban* [...].» À ce moment grave de la mort, moment de suprême vérité, de confession générale et de pardon, le chroniqueur ne saurait se taire. Ou bien a-t-il, pour oser parler, attendu le moment de la mort? Le portrait, bilan et synthèse, devient donc plaidoyer argumenté et bien ordonné. Voici les accusations : avoir utilisé à des fins personnelles les trésors du roi de Castille, avoir rompu les fiançailles de son fils Jean âgé de dix-sept ans pour pouvoir le marier à la reine de Naples (âgée de quarante ans), avoir retiré son obédience au pape pendant le schisme et revendiqué à son profit les rentes ecclésiastiques. Avocat ou porte-parole, Alvar García répond point par point.

Qui parle? À la première accusation c'est le roi qui répond («*él dezia*»); il n'a rien fait sans l'autorisation de la reine; il a tout mérité pour avoir respecté et affermi les droits de son neveu; il a mené contre les Maures une guerre victorieuse et refusé, pour le service de Dieu, des trêves et des propositions avantageuses. Le chroniqueur joint sa voix à celle de Ferdinand pour louer en lui le prince qui a su retrouver le chemin de la Reconquête et se montrer loyal jusqu'au bout. Tels sont en effet les thèmes du récit qui précède. Mais dans ce récit, Alvar García s'était vigoureusement lamenté

36. Manuscrit 12-3-4, fol. 276. [À propos de l'aspect physique de l'infant, Pérez de Guzmán dira simplement qu'il était «*muy fermoso de gesto*» (*Generaciones*..., p. 9). Mais il dira plus loin qu'il avait «*la fabla vagarosa e floxa*». Ceci figure dans la *Refundición* (éd. cit., p. 23), ainsi que dans l'*Abreviación* («*e la fabla uagarosa e flaca*», fol. 5v°). La *Crónica de Juan II*, version Galíndez, est plus précise : «*Fue este Rey don Fernando muy hermoso de gesto; fue hombre de gentil cuerpo, más grande que mediano. Tenía los ojos verdes e los cabellos de color de avellana mucho madura. Era blanco e mesuradamente colorado; tenía las piernas e pies de gentil proporción; las manos largas e delgadas : era muy gracioso; tenía la habla vagarosa*» (éd. cit., p. 371a).]

37. *Loc. cit.*

sur l'appauvrissement de la Castille au profit de l'Aragon à l'occasion de l'élection de l'infant. Ferait-il ici le point avec lui-même[38] ?

Dans la réponse à la deuxième accusation, la voix est plus brouillée[39]. La troisième justification, plus embarrassée, se perd dans le rappel des négociations de Constance et de Perpignan. La fin du plaidoyer est une justification venue du roi et du chroniqueur réunis, prise en charge par un *yo* bien affirmé et responsable, qui relaie la voix du roi comme il avait été autorisé par elle. Il ne reste plus qu'à conclure par une brève prière à Dieu et à la Vierge «*cuyo caballero era*»[40].

Un roi grand seigneur, un parfait chevalier, tel a été Ferdinand. Critiqué ? Certes. Loyal et vrai, le chroniqueur semble vouloir laver le roi de tout soupçon. S'il a été chargé de le faire, la complaisance qu'il y met lui confère le beau rôle. Ces longs commentaires s'adressent sans doute à ceux-là mêmes qui ont critiqué et critiquent, et à leurs descendants immédiats [les adversaires du parti aragonais] ; une postérité plus lointaine n'avait nul besoin de ce plaidoyer qui sent sa polémique. Ou bien Alvar García, comme Pérez de Guzmán, a-t-il craint les possibles mensonges de ceux qui l'ont remplacé dans sa charge[41] ? Il n'est pas certain que le

38. On trouvera ce que dit Alvar García du «*daño de Castilla*» dans Donatella FERRO (éd.), *Le parti inedite della Crónica de Juan II di Alvar García de Santa María*, Venise : Consiglio nazionale delle ricerche, Gruppo studi d'Ispanistica, 1972, p. 150-153. Certes, il n'accuse en rien Ferdinand, mais montre les conséquences pour la Castille de son élévation au trône d'Aragon.

39. «[…] e *por ende no le podían poner culpa segun su intención e él se sentia sin culpa porque entendia que esto era mas seruicio de Dios, solamente por traer a union la yglesia de Dios*» (ms. 12-3-4, fol. 277r°).

40. [On connaît la dévotion de Ferdinand pour la Vierge.] Voici la conclusion générale du plaidoyer : «*Por ende de los dezires que cada uno quieren dezir e poner en él culpas a quien no las ha de vencer excusandose por ende e porque supiessen la verdad los que leyessen esta historia en que yo aqui cuento su vida e sus costumbres, escriui las razones que en esta razón se podrian dezir e dirian ; e en cuanto yo pude fallar e saber deste noble rey de Aragon fallé que era muy leal cathólico*» (ms. 12-3-4, fol. 277v°). [La mort de Ferdinand et le plaidoyer viennent s'inscrire dans le dossier du parti aragonais. C'est en effet l'éloge de la loyauté de l'infant envers son neveu le roi de Castille qui grandit le personnage de Ferdinand et qui fera de lui un modèle. On trouve son éloge dans la *Refundición* (éd. cit., p. 23), dans l'*Abreviación* (fol. 5v°-6r°), dans la *Crónica de Juan II*, version Galíndez (éd. cit., p. 371a), et surtout dans une version du *Sumario del Despensero* (ms. 8463 de la BN de Madrid). Cet éloge de l'infant a été supprimé dans une autre version du *Sumario* (ms. 1518 de la BN de Madrid). On trouvera une transcription des deux «finales» dans J.-P. JARDIN, *La littérature chronistique…*, vol. annexe, p. 29-36. Comme nous l'indique aimablement J.-P. Jardin, l'éloge figure dans la version majoritaire et sans doute originale, et on constate sa suppression dans toutes les autres versions.]

41. Le portrait de Ferdinand par Pérez de Guzmán dans les *Generaciones* est à la fois semblable et différent. Pérez de Guzmán n'a pas le support du «*proceso de historia*». S'il a connu le portrait fait par Alvar García, il en a fait un usage si personnel que l'on peut parler de rédaction originale. La critique est présente, mais ramenée à une seule : «*Algunos quisieron a este infante notarle de cobdicia porque ovo para el infante su fijo el maestrazgo de Santiago e para su fijo el infante don Sancho el maestrazgo de Alcántara*» (éd. cit., p. 12). Pérez de Guzmán s'en tire par une boutade désabusée : «*Pero a estos tales está bien presta la respuesta : ca, segunt la espirençia lo ha mostrado. cada uno de los grandes que alcançan poder e privança toma para si quanto puede de dignidades, ofiçios e vasallos*» (*loc. cit.*). On sait que Pérez de Guzmán partageait les sympathies d'Alvar García pour le parti

chroniqueur ait réussi sa défense : le recours constant au souci du bien général et à la pureté de *la intención* nous semble un peu suspect et pas tout à fait convaincant.

Si ce morceau forme un tout, récit dans le récit et biographie plus que simple portrait – tout près du genre des *Generaciones y semblanzas* –, s'il peut sembler détachable en dépit des rappels qui le relient au texte qui le précède, il ne supporterait pas un transfert dans la chronique. C'est le roi d'Aragon qui meurt. Chronologiquement et stratégiquement, le portrait est à sa juste place : bilan final, il mêle portrait et commentaire, il complète et rectifie le récit principal. Le ton est grave, comme il sied au moment de la mort. Le chroniqueur, à sa façon, devient confesseur et exécuteur testamentaire. Et le roi – le père – mort devient modèle pour ses fils turbulents.

Jean II : une certaine dignité royale

Il est difficile de savoir qui a écrit le portrait de Jean II tel qu'il apparaît dans la version de la chronique de son règne qui nous est parvenue. Aucun portrait ne figure dans l'*Abreviación* après l'annonce de la mort du roi, mais il est possible que Galíndez de Carvajal n'ait fait qu'emprunter ou remanier un texte existant. Le portrait pourrait avoir été fait pour Isabelle, à qui le chroniqueur s'efforcerait de donner un père sinon modèle de rois, du moins revêtu d'une forme de dignité royale. Après le récit d'une bonne mort, voici le testament : l'essentiel est sans doute l'affirmation du désir qu'aurait eu Jean II de laisser le trône à son fils Alphonse, désir écarté afin d'éviter les troubles. Dans le portrait lui-même, assez bref, la majesté royale est à la fois rehaussée et escamotée ; rehaussée par le ton (« *este serenísimo rey* [...] *de presencia muy real* »[42]) et une cascade un peu mécanique de superlatifs (« *muy trayente, muy franco, e muy gracioso, muy devoto, muy esforzado* »[43]), dans laquelle le dernier éloge n'est guère justifié par le récit qui précède. On peut noter l'absence de l'essentiel, la justice, et de façon plus générale, de tout art de gouverner. La voix louangeuse mais neutre, distante, ne retrouve quelque accent de sincérité que pour dire le goût du roi pour la lecture des « *libros de filosofos e poetas* », son souci d'honorer

---

aragonais. La *Refundición* reprend en le condensant le portrait des *Generaciones* mais supprime toute critique (éd. cit., p. 23). La critique est également absente dans le portrait de Ferdinand tel qu'il apparaît dans la *Crónica de Juan II* (version Galíndez), qui ajoute par contre quelques détails nouveaux sur les « *costumbres* » (éd. cit., p. 371a).

42. « *Tenía los cabellos de color de avellana mucho madura, la nariz un poco alta, los ojos entre verdes y azules ; inclinaba un poco la cabeza ; tenía piernas y pies y manos muy gentiles* » (*ibid.*, p. 692b). On peut comparer ce portrait physique à celui des *Generaciones* : « *Es de saber que él fue alto de cuerpo et de fuertes mienbros, pero no de buen talle nin de grant fuerça, e de buen gesto, blanco e ruvio, los ombros altos, el rostro grande, la fabla un poco arrebatada* » (éd. cit., p. 38).

43. *Crónica de Juan II*, éd. cit., p. 690-693,

«*las personas de sciencia*» et ses «*gracias naturales*» («*era gran músico; tañía é cantaba é trovaba é danzaba muy bien*»)[44]. La description physique, dès le début, a donné cette impression de grâce («*inclinaba un poco la cabeza*») et le texte finit comme une image : «[...] *traía siempre un gran bastón en la mano, el cual le parescía muy bien.*»[45] La cour a fait son apparition, ainsi que le goût de la chasse. Le portrait est comme posé à côté de la chronique, comme le roi l'a été à côté de son règne. [Le chroniqueur a fait de son mieux en traduisant «*la alegría cortesana*» et surtout en incluant la pratique des lettres parmi les qualités royales, ce qui n'est pas sans intérêt pour un roi qui peut devenir un mécène[46].] C'est pourtant dans les *Generaciones* qu'il faut aller chercher la réflexion[47].

Henri IV : un roi embarrassant

Qu'ils racontent le règne d'Henri IV ou celui des Rois Catholiques ou les deux à la fois, les chroniqueurs – à l'exception d'Enríquez del Castillo et de façon plus complexe de Palencia – écrivent pour Isabelle et/ou Ferdinand. La charnière entre les règnes est fondamentale; ils sont étroitement imbriqués l'un dans l'autre. Si le chroniqueur veut éviter l'éloge ou le blâme absolus (mais il s'agira dans ces deux cas de portrait d'*ouverture*), le voilà embarrassé, car il faut donner à Isabelle un frère tel qu'il apparaisse comme négatif, mais sans porter excessivement

44. *Ibid.*, p. 693.
45. *Loc. cit.* [on ne saurait écarter la valeur symbolique de ce *bastón*].
46. Voir les remarques de L. FERNÁNDEZ GALLARDO, *Alonso de Cartagena...*, p. 346-347.
47. *Generaciones...*, p. 37-44. [Les portraits de Jean II sont nombreux dans les résumés de chroniques; citons celui de Pedro de Escavias dans le *Repertorio de príncipes*, élogieux mais bref (éd. cit., p. 343-344), ou au contraire le très long panégyrique de Sánchez de Arévalo dans la *Historia hispánica* (éd. cit., p. 236-237). *La Divina Retribución* donne une grande importance à l'aspect physique dans un portrait idéalisé de Jean II qui évoque les splendeurs de sa cour (éd. cit., p. 19-20). Le portrait tracé par Diego de Valera dans la *Crónica abreviada*, lui aussi très élogieux, présente beaucoup de traits communs avec celui de la version Galíndez; cette parenté pourrait laisser entendre qu'il s'agit comme en d'autres circonstances d'une intervention de Diego de Valera lui-même; il offre la particularité d'être fait au début du règne et non à la fin (Diego de VALERA, *Crónica abreviada*, *in : Memorial de diversas hazañas*, éd. cit., p. 302). C'est aussi au début du règne que l'auteur de la *Crónica de los reyes de Castilla* (ms. espagnol 110 de la BN de Paris) trace un portrait très dur, qui est un résumé de celui des *Generaciones* comme le fait remarquer J.-P. JARDIN, *La littérature chronistique...*, vol. annexe, p. 102-103. À propos du chapitre de l'*Anacephaleosis* consacré à Jean II, L. FERNÁNDEZ GALLARDO fait remarquer la ressemblance entre la structure du texte d'Alonso de Cartagena et celle des biographies de Pérez de Guzmán : «*Cabría sugerir la posibilidad de que la serie biográfica de monarcas, nobles y prelados de Fernán Pérez de Guzmán fuera un estímulo para la configuración discursiva de la genealogía de Alonso de Cartagena*» (*Alonso de Cartagena...*, p. 288-289). C'est dans *Las siete edades del mundo de Pablo de Santa María* que Jean II apparaît à sa naissance comme un roi sauveur qui libérera la Castille du danger Lancastre; voir Juan Carlos CONDE, *La creación de un discurso historiográfico en el cuatrocientos castellano : «Las siete edades del mundo de Pablo de Santa María»*, Salamanque : Universidad de Salamanca (Textos recuperados, 18), 1999, p. 338.

atteinte à la dignité de la fonction, de la dynastie et de la famille royale. Ces portraits charnières sont donc plus que jamais clôture et passage à la fois[48].

48. Nous regroupons ici quelques indications sommaires mais indispensables sur les principaux chroniqueurs des règnes d'Henri IV et des Rois Catholiques ainsi que sur les textes auxquels nous ferons référence. Diego ENRÍQUEZ DEL CASTILLO (1443-1503?), né à Ségovie, membre du conseil royal, fut à plusieurs reprises médiateur entre Henri IV et les grands, rebelles. Sa loyauté envers le roi ne semble s'être jamais démentie. Au soir de la bataille d'Olmedo (1467) il fut fait prisonnier, et sa chronique lui fut confisquée par les partisans d'Alphonse (Palencia nous dit qu'elle lui fut confiée pour examen...). Enríquez del Castillo ne dut d'avoir la vie sauve qu'à son état d'homme d'Église. Probablement en 1475 (selon Paz y Melia) il adresse à Isabelle un *Memorial* dans lequel il déclare avoir servi jusqu'au bout le roi son frère, être ensuite passé à son service et attendre depuis quatre mois sa rémunération. Le texte de sa chronique a été édité dans la BAE, vol. 70, des *Crónicas de los reyes de Castilla, III*, Madrid : Atlas, 1953. [Nous le citerons d'après l'édition plus récente d'Aureliano SÁNCHEZ MARTÍN, *Crónica de Enrique IV*, Valladolid : Universidad de Valladolid (Historia y Sociedad, 41), 1994. Selon David HOOK, il n'est pas impossible que Enríquez del Castillo soit à l'origine de deux versions de la chronique d'Henri IV («Dos crónicas del reinado de Enrique IV de Castilla y el ms. 21848 de la biblioteca de sir Thomas Philipps», *in : Studia in honorem Germán Orduña*, Alcalá de Henares : Universidad, 2001, p. 329-339).] Alfonso de PALENCIA (1424-1492) fut chroniqueur d'Henri IV et des Rois Catholiques. En 1480 la reine aurait prétendu faire «censurer» son récit. Pulgar semble l'avoir alors remplacé dans les faveurs d'Isabelle. Ses quatre Décades sont suivies de l'histoire de la guerre de Grenade. [Pour ce qui concerne la vie et l'œuvre de Palencia ainsi que l'état actuel de l'édition de son œuvre historiographique, voir plus loin la note 67. Les deux premières Décades de Palencia ont des rapports étroits avec la *Crónica castellana* et le *Memorial de diversas hazañas*. La *Crónica castellana* a été éditée par María Pilar SÁNCHEZ PARRA, *Crónica anónima de Enrique IV de Castilla 1454-1474 (Crónica castellana)*, 2 vol., Madrid : Ediciones de la Torre, 1991. Le *Memorial de diversas hazañas* de Diego de Valera a été édité par J. de M. CARRIAZO dans la Colección de crónicas castellanas (éd. cit.). Les relations entre l'œuvre de Palencia consacrée au règne d'Henri IV, la *Crónica castellana* qui en est un dérivé censuré et écrit en castillan, et le *Memorial de diversas hazañas* de Diego de Valera ont été analysées par J. de M. CARRIAZO dans son «Estudio preliminar» au *Memorial de diversas hazañas* et par M. P. SÁNCHEZ PARRA, *op. cit.*]. Lorenzo GALÍNDEZ de CARVAJAL a écrit une *Crónica de Enrique IV*, dans laquelle il utilise des matériaux empruntés pour l'essentiel à Enríquez del Castillo et à la *Crónica castellana*; voir Juan TORRES FONTES, *Estudio sobre la «Crónica de Enrique IV» del Dr. Galíndez de Carvajal*, Murcie : CSIC, 1946. Mosén Diego de VALERA (1412-1488) prit une part active aux affaires des trois règnes successifs. Peut-être a-t-il participé au remaniement de la chronique de Jean II (où ses aventures personnelles sont complaisamment rapportées). Compilateur intelligent et non dépourvu de personnalité, il écrivit la *Crónica abreviada* et le *Memorial de diversas hazañas*. Sa *Crónica de los Reyes Católicos*, qui ne semble pas avoir fait l'objet d'une commande officielle, a été éditée par J. de M. CARRIAZO, *Revista de filología española*, 8, 1928. Fernando del PULGAR (1430/1490?-1492?) fut le chroniqueur désigné par Isabelle (en 1482). Ses *Claros varones de Castilla* ont été imprimés à Tolède en 1486. Nous citerons la chronique de Pulgar d'après J. de M. CARRIAZO (éd.), *Crónica de los Reyes Católicos*, 2 vol., Madrid : Espasa-Calpe (Crónicas españolas), 1943. Andrés BERNÁLDEZ fut sans doute curé de Los Palacios de 1488 à 1513. On suppose que certains chapitres de ses *Memorias* furent rédigés deux fois entre 1503 et 1509; *Memorias del reinado de los Reyes Católicos que escribia el bachiller Andrés Bernáldez, cura de Los Palacios*, Manuel GÓMEZ MORENO et Juan de Mata CARRIAZO (éd.), Madrid : RAH-CSIC, 1962. J. Puyol a intitulé *Crónica incompleta de los Reyes Católicos* le récit contenu dans l'unique manuscrit de l'*Academia de la historia* et qu'il suppose écrit à la fin du XVe ou au début du XVIe siècle. La narration s'arrête en 1477 et est aujourd'hui attribuée à Juan de FLORES. Le texte a été édité par Julio PUYOL, *Crónica incompleta de los Reyes Católicos*, Madrid : Academia de la historia, 1934.

Au moment de conclure son résumé des événements qui ont conduit à la désignation d'Isabelle comme héritière, nécessaire prologue au règne suivant, Pulgar, en rapportant la mort du roi, déclare qu'il ne fera pas son portrait, pour deux raisons : parce qu'on le trouve *en su corónica* [il s'agit sans doute de celle d'Enríquez del Castillo] et parce que lui-même l'a déjà fait (« *largamente recontado* ») dans les *Claros varones*[49].

Faut-il le croire sur parole ? Sa pirouette en tout cas montre à quel point faire le portrait du roi mort était devenu une règle. Mais cette obligation après tout n'est pas la sienne, puisqu'il n'est pas le chroniqueur du roi Henri. D'où le renvoi, bien commode, à la *Corónica*. Il est vrai aussi que le portrait d'Henri IV dans les *Claros varones* est un modèle de prudence et de mesure. Sans nier les défauts, il les dilue dans les événements ou dans des considérations générales, si bien qu'il réussit à préserver à la fois et les droits d'Isabelle et la dignité de son prédécesseur. Il affirme en tout cas l'*impuissance*, paradoxalement fondatrice des droits d'Isabelle. À grand renfort de mesure, de hauteur et d'exemplarité, Pulgar a réussi la performance, sinon de transformer Henri IV en *claro varón*, du moins de l'inclure au début des *Claros varones*. Ce portrait était-il trop mesuré malgré tout pour la chronique ? Aurait-il été répétitif ? Le résumé du règne lui ressemble : il juge et affirme sans avilir, et la reine peut s'y reporter sans risque.

Tout aussi astucieux, Bernáldez va faire le contraire ; il emprunte le portrait des *Claros varones* pour en faire en quelque sorte l'introduction de ses mémoires. Le portrait du roi, emprunté à Pulgar, tient lieu de résumé du règne et d'ouverture du règne suivant[50].

49. « *No se pone aqui la dispusición de su persona, ni de su condiçión, porque en su Corónica* [*y ansí mismo en vn tratado que hezimos de los Claros Varones de Castilla que hubo en su tiempo*] *está largamente rrecontado* » (éd. cit., 1, p. 64). La phase entre crochets ne figure pas dans ce que Carriazo désigne par « *version inédita* » (« Estudio preliminar », p. CLIII).

50. *Memorias…*, p. 3-9. [Même si les deux grands portraits d'Henri IV, celui d'Enríquez del Castillo et celui d'Alfonso de Palencia, sont des portraits d'ouverture, il existe aussi dans ces œuvres des portraits funéraires du roi. Comme on le verra plus loin, les portraits initiaux sont complétés par une notice nécrologique. La notice nécrologique est le seul portrait que l'on trouve dans la *Crónica castellana* (éd. cit., II, p. 478) ou dans le *Memorial de diversas hazañas* (éd. cit., p. 294-295). Ces deux textes sont un résumé de celui de Palencia, mais le ton en est plus mesuré. Pedro de Escavias dans son *Repertorio de príncipes* fait un portrait très élogieux et insiste sur trois qualités du roi : la *clemencia*, la *franqueza* et la *benignidad* (éd. cit., p. 369-370). La *Crónica incompleta*, qui raconte longuement et de façon angoissante la mort du roi, ne s'étend pas sur son portrait pourtant élogieux malgré quelques réserves (éd. cit., p. 52-53). C'est sans aucune réserve que le Bachiller Palma fait, en début de règne, l'éloge du roi dans *La Divina Retribución* (éd. cit., p. 21-22). Mais le développement le plus long est le panégyrique de Sánchez de Arévalo (*op. cit.*, p. 241-242).]

La mort d'Isabelle : deuil et action de grâces

Avec Andrès Bernáldez, modeste curé de Los Palacios, témoin bien informé et émerveillé des grands faits de son temps, qui écrit pour louer Dieu et perpétuer la *fama*, pour raconter à tous ce qu'il est malaisé de savoir par les chroniques royales, difficiles d'accès, avec ce témoin bavard et savoureux apparaît la religion royale. Une grand-mère avisée (et qui représente sans doute la longue mémoire) avait encouragé sa vocation d'historien dès son jeune âge (quatorze ans). C'est du moins ce qu'il nous dit. Autant qu'on peut l'être en ce temps, Bernáldez est libre. Nulle obligation officielle ne le contraint. Il se veut *vox populi.*

S'il a emprunté le portrait d'Henri IV, la présentation des nouveaux souverains lui appartient. Elle est partagée en deux temps : au moment de ce qu'il dit être la *coronación*, il précise le *linaje* de Ferdinand d'abord, d'Isabelle ensuite. Mais plus important est ce qui précède : le «*pronóstico del reinado del rey don Fernando el Católico en Castilla*», dans lequel il nous dit avoir joint sa voix à celle des enfants qui chantaient le merveilleux mariage[51]. Ce *yo* d'enfant devenu grand, puis âgé, ne cessera d'informer le récit et plus particulièrement le portrait d'Isabelle, qui est le deuxième temps.

Bernáldez a trois héros, trois *gestes* à raconter : le duc de Cadix et la conquête de Grenade (il fera du duc, après sa mort, le plus long et le plus minutieux portrait non royal de l'historiographie castillane de cette fin du Moyen Âge, si l'on excepte peut-être le cas d'Álvaro de Luna), Christophe Colomb et le *Gran Capitán.* Au-dessus de ces héros sont le roi et la reine, la reine surtout.

À sa mort, il chante ses merveilles et son unique perfection[52]. Certes, les longues litanies un peu désordonnées, un peu trop superlatives, empreintes de rhétorique ecclésiastique, peuvent sembler lourdes. La sincérité, l'émotion, la nostalgie rachètent l'emphase. Voici, en dépit du *sobrepujamiento* ou par lui, *l'amour du roi*, presque le *culte du roi.* Bernáldez a su retrouver dans l'éloge de la reine ce qui a fait la beauté et la force de l'éloge de l'Espagne. Voici la Vierge Mère à la fois glorieuse dans son triomphe et meurtrie par les «*cuchillos de dolor*» qu'ont été la mort de ses enfants et qui ont en partie causé sa propre mort[53]. Vraie *Virgen de la Merced* (bienfaitrice, consolatrice, accueillant aussi bien les ducs et les marquis dans les fastes de sa cour que les humbles et les petits, les *probezillos*), elle étend sur tous

51. *Memorias*…, p. 20-21.

52. *Ibid.*, p. 484-490.

53. La reine est morte «*de dolencia e muerte natural, que se creyó recresçersele de los enojos e cuchillos de dolor de las muertes del príncipe don Juan e de la reina de Portugal, prinçesa de Castilla, sus fijos, que traspasaron su ánima e su coraçón*» (*ibid.*, p. 485).

son grand manteau protecteur. Mais elle est aussi *Dolorosa, Virgen de los Cuchillos*, et vit sa passion.

Dans une humble et dévotieuse pudeur, Bernáldez évoque à peine le corps de la reine : quelques mots, et non à leur place habituelle[54]. Mais décrit-on un corps presque saint ? Ce grand amateur de morts exemplaires ne décrit pas celle-là. Pudeur encore ? Manque d'information ? Ou désir d'arracher au plus vite à la terre ce corps à la fois glorieux et souffrant ? Il est vrai qu'il indique le lieu, la date, l'âge, la cause, le transfert du corps à Grenade, mais surtout, avant la mort, les signes merveilleux qui l'ont précédée et annoncée[55]. Les signes – un tremblement de terre et ses conséquences – ont commencé à se manifester en Andalousie le Vendredi saint de l'an 1504, puis ont touché la Castille et même l'Afrique[56]. Le plus grand des *trabajos*, la plus affreuse des *fortunas* allait être la mort de la reine, en novembre de la même année. Le monde est ébranlé par le déchaînement de forces cosmiques. Si le très prudent Bernáldez fait référence à la mort de Charlemagne, comment ne pas songer surtout au Christ ? La mort d'Isabelle est celle d'une co-rédemptrice crucifiée par la douleur et le don de soi.

Ainsi se déroule ou s'élève ce *planto* ou ce *magnificat*, hymne de célébration en tout cas d'une liturgie royale qui, dans la joie et la douleur mêlées, proclame – réclame ? – la sainteté. Nulle ombre ici ; tout est louange. Bernáldez a rappelé la phrase importante : « Ne laudaveris ominem in vita sua : magnificat et lauda ergo post consumacionem et periculum. Deo gratias. »[57] Tout bon lecteur, tout bon sujet de la reine, ayant vécu et lu, doit s'associer à une commune action de grâces dans laquelle le chroniqueur mène le deuil. Mais on ne saurait, sans le trahir, détacher ce long morceau de tout ce qui précède et vient y aboutir ; il perdrait son sens, son ton, et sa voix.

Les entrées royales

Est-ce une nouvelle mode, les besoins de la politique ou l'étrange personne (et personnalité) d'Henri IV qui ont projeté le portrait du roi en avant ? Au centre est l'impuissance, tue ou affirmée. D'où la nécessité nouvelle de décrire. Le portrait du roi retrouve les grandes fonctions rhétoriques :

54. « *Fue muger fermosa, de muy gentil cuerpo e gesto e composición* » (*ibid.*, p. 487).
55. Voir Ariel GUIANCE, « Las muertes de Isabel la Católica. De la crónica a la ideología de su tiempo », *in* : Julio VALDEÓN BARUQUE (dir.), *Sociedad y economía en tiempos de Isabel la Católica*, Valladolid : Ámbito - Instituto de historia Simancas, 2002, p. 347-374.
56. *Memorias...*, p. 482-484.
57. *Ibid.*, p. 490.

definitio, argumenta a persona, laus, vituperatio. [Il retrouve l'axe essentiel de la causalité.]

La guerre des portraits

Quel est de Diego Enríquez del Castillo ou d'Alfonso de Palencia celui qui a répliqué à l'autre ? Nous n'en savons rien. Mais les portraits sont faits l'un *contre* l'autre. C'est celui d'Enríquez del Castillo qui inaugure pleinement sa chronique. On en a beaucoup critiqué sinon le contenu, pour lequel on revient à des vues moins simplistes et partisanes, du moins l'emphase grandiloquente. Or, nous semble-t-il, Enríquez del Castillo sait ce qu'il fait et ne le fait pas si mal. Sachant fort bien qu'il traite un sujet embarrassant et même polémique, il conduit peu à peu son lecteur dans une impeccable – quoiqu'un peu lourde – *captatio benevolentiæ*. C'est d'abord un long prologue, que l'on a dit creux et mal adapté au récit qui va suivre. Mais, dans cette reprise emphatique des lieux communs (importance de l'écriture, responsabilité de l'historien), il faut bien lire, et parfois entre les lignes. Gardienne des hauts faits, l'écriture garde aussi le souvenir des malheurs : première dérivation vers les temps présents[58]. S'il remonte aux Goths – ce qui a été jugé presque dérisoire –, n'est-ce pas pour affirmer la *generación* d'un roi dont on est allé jusqu'à nier la légitimité ? Des Goths, il retient sans doute les exploits, mais aussi des exemples de cette clémence dont il fera une des vertus majeures de son roi : deuxième pas vers son récit[59]. Enfin, il annonce son propre projet : assurer à chacun la renommée qu'il mérite, aussi bien pour les bons que pour les méchants[60]. Tout au long de sa chronique il ne fera pas autre chose. Où se situe le roi ? Il sera surtout victime des *méchants*.

Le passage très solennel qui clôt ce prologue est une vraie *déclaration jurée*, l'affirmation d'une autorité conférée, d'un devoir à accomplir. Modeste et orgueilleux, le chroniqueur revendique son droit et son devoir. Il demande secours à Dieu ou plutôt « *a la ynfinita vondad del Soberano Redentor* », nuance qui n'est pas sans intérêt. Et s'il demande pardon pour ses imperfections, ce n'est plus un simple lieu commun : sa chronique lui a été bel et bien confisquée et il a perdu sa documentation[61]. Cette justification s'adresse surtout à ces *méchants* que sont aussi les chroniqueurs mal intentionnés ou pervers[62].

58. « [...] *gane nuestra hedad con manera estudiosa las ynsines obras, los sangrientos sudores y trabajos y fatigas de nuestros presentes* [...] » (*Crónica de Enrique IV*, éd. cit., p. 129-130).

59. « *Mas de tanta nobleza fueron acompañados y de tanta clemençia rrebestidos, que alcanzada la vitoria, con muy graçioso amor, con dulçe begnenidad, con gran piedad humana trataron sus enemigos* » (*ibid.*, p. 130).

60. « [...] *Asy de los buenos para su mayor alavança, como de los malos para sus vituperos* » (*ibid.*, p. 131).

61. Voir plus loin « Des prologues et des rois », notes 18 et 22.

62. « *Oyan por ende los presentes, atiendan los que vernán, sepan los ynorantes y noten los que leyeren que del rrey esclareçido, quarto rrey Don Enrrique de Castilla y de León, sus hechos e vida, tratando su pujança y*

«*De la fisonomía, vida y condiçiones del rrey*», tel est dans les manuscrits conservés le titre du premier chapitre. Mais ce chapitre commence encore par une sorte de deuxième prologue où, pour la première fois, un chroniqueur castillan affirme la nécessité et l'importance du portrait du roi. Il faut faire ce portrait pour qu'il «*ynprima señal y notiçia en los que su estoria leyeren*»[63]. Le portrait du roi va donner les thèmes fondamentaux du récit. Comment s'étonner de la singulière et nouvelle minutie du long portrait physique, dont on ne retiendra que «*el aspeto feroz, casi a semejanza de león*» ou encore «*donde ponía la vista mucho le duraba el mirar*»? De l'importance accordée aux vêtements, aux «mœurs», aux vertus de clémence, de libéralité, d'humilité, aux édifices construits par le roi? Sur le mode superlatif, Enríquez del Castillo transforme en vertus – royales aussi, il est vrai – tout ce que l'on a reproché au roi[64]. Mais aucun programme de gouvernement n'apparaît, peut-être volontairement écarté du portrait. Ce roi solitaire, humble, est presque transformé en roi martyr et l'apostrophe finale aux «*rreyes de la tierra*», destinée à leur donner cet exemple, veut aussi leur donner une leçon. S'adresse-t-elle aux successeurs et à leur orgueil tout neuf? [L'exemplarité, encore une fois, vient au secours des cas difficiles.]

Ce portrait, détachable, semble l'avoir été[65]. Mais on ne saurait, dans la chronique telle qu'elle est connue de nous, lui assigner une autre place.

---

grandeza, diziendo, sus ynfortunios y trabajos, rrecontando con testimonio de verdad, prosyguiendo yo el liçençiado Diego Enríquez de Castilla [*sic*], *capellán y de su Consejo, como fiel coronista suyo, protesto rrelatando es*[*crevir*] *corónica. Y, pues, que a los estoriadores señaladamenle se otorga, y a ellos solos, como juezes de la fama y pregoneros de la honrra, es dada de la gran prosperidad, rrecontar enteramente, y de las adversydades hazer larga rrelaçión, diré syn dubda ninguna, lo que vieron mis ojos propios, las cosas que subçedieron, las cabsas de do manaron, y, tanbién el fin que ovieron*» (*ibid.*, p. 132).

63. «*Y, porque, tratando de tan alto rrey, altas y grandes cosas se deven notar, primero que al proçeso de su estoria vengamos, para que todo prestemos rraz6n, y la rreprehençión de la ynorançia se escuse. Algo de su gesto y façiones, de sus condiçiones y vida converná que digamos; en tal manera que, rrelatada su figura y la horden de su bevir, ynprima señal y noticia en los que su estoria leyeren. Y, pues conbiene al coronista y es neçesario que sea zeloso de la verdad, ajeno de afición, quito de amor y enemistad, en tal manera que rreprehendiendo los culpados y alavando los buenos, escriva syn pasyón, y proçeda como juez en las cosas de la fama, y yo, desde aquí, protesto que todo lo que dixere y mi pluma rrecontare, sea para conplir con Dios en descargo de mi conciençia y del cargo que me fue dado. Y así agora, prosiguiendo con la rreverençia que devo, hablaré primero del rrey*» (*ibid.*, p. 133).

64. [Voir L. FERNÁNDEZ GALLARDO, *Alonso de Cartagena*..., «Una visión de la realeza castellana», p. 329-365. La chronique d'Enríquez del Castillo et plus particulièrement le portrait que ce chroniqueur a tracé du roi Henri IV bénéficient actuellement d'approches plus nuancées. Les idées politiques qui gouvernent la chronique ont été mises en valeur. Dans une communication présentée au cours de la *Semana Marañón 97* sur le thème *Enrique IV de Castilla y su tiempo*, J. M. Nieto Soria a montré comment Diego Enríquez del Castillo a peut-être manqué d'objectivité dans le portrait pour renforcer l'image d'un roi humble: «*dado su evidente objetivo apologético a la vez que didáctico*» (José Manuel NIETO SORIA, «La monarquía de Enrique IV: sus fundamentos ideológicos e institucionales», *in*: *Enrique IV de Castilla y su tiempo*, Valladolid: Universidad, 2000, p. 91-113, p. 98).]

65. Le manuscrit a IV 23 de la bibliothèque de l'Escurial, intitulé *Filosomía del rey don Enrique IV*, suit de très près le texte de Enríquez del Castillo.

En introduction, avant «*el proceso de su estoria*», il bénéficie encore de l'effet de grandeur de l'instance prologale. Et le lecteur, au début, peut être conditionné par ce portrait paratonnerre. Après un récit qui est celui d'une lente et sûre dégradation, où les traîtres et les insondables desseins de la Providence jouent sans doute le premier rôle, mais dans laquelle le roi n'est pas entièrement innocent et se fait durement apostropher par son chroniqueur, comment écrire ce texte? S'agissait-il d'une simple introduction aux années heureuses? Nous ne le pensons pas. [Sans doute n'est-il pas impossible que la longueur du prologue et du portrait soit destinée à pallier l'absence d'informations d'un chroniqueur qui a perdu son texte.] Mais tel qu'il est, le portrait préside l'ensemble et sollicite pour le roi clément la clémence et le respect[66].

Alfonso de Palencia[67] ouvre sa gigantesque entreprise de destruction, dans sa chronique tyrannicide, sur un soupçon fondamental : selon certaines rumeurs, Henri IV ne serait pas le fils légitime de Jean II.

66. Après le récit de la mort du roi, Enríquez del Castillo transforme son éloge funèbre en avertissement adressé aux rois de la terre (*Crónica de Enrique IV*, éd. cit., p. 399).

67. Dans l'état actuel de l'édition des *Gesta hispaniensia* et du *Bellum adversus Granatenses*, les références au texte latin d'Alfonso de Palencia ainsi qu'à la traduction sont complexes et nécessitent une exposition détaillée. Les *Gesta hispaniensia*, dites dans les notes qui suivent *GH*, se composent de quatre Décades; chacune de ces Décades est divisée en dix livres et chaque livre en dix chapitres. Le *Bellum adversus Granatenses*, dit dans les notes qui suivent *BG*, est également divisé en dix livres (le livre 10 étant réduit à quelques lignes), mais ces livres ne sont pas divisés en chapitres. Pour la numérotation des livres de la Décade I à la Décade IV, nous avons choisi la continuité d'une Décade à l'autre : D. I : 1 à 10; D. II : 11 à 20; D. III : 21 à 30; D. IV : 31 à 36 (dans l'unique manuscrit conservé la Décade IV est incomplète). Les raisons de ce choix sont exposées dans M. M. DUBRASQUET PARDO, *Alfonso de Palencia...*, p. 18-91, «Note préliminaire», p. 14-16. Le *Bellum adversus Granatenses* reste indépendant de cette numérotation. Seules la D. I et la D. IV ont fait l'objet d'une édition, accompagnée d'une traduction : pour la D. I, le texte et sa traduction sont ceux de l'édition de Robert Brian TATE et Jeremy LAWRANCE, *Gesta hispaniensia ex annalibus suorum dierum collecta*, Madrid : Real Academia de la historia, 1998, t. 1, *Libri I-V*; 1999, t. 2, *Libri VI-X*, dits dans les références TL, 1 ou TL, 2. Dans le tome 1 figure une très importante introduction sur la vie et l'œuvre d'Alfonso de Palencia. La D. IV est citée d'après l'édition de José LÓPEZ DE TORO, *Cuarta Década de Alonso de Palencia*, Madrid : Archivo documental español, Academia de la historia, 1970, t. 1, *Estudio y texto latino*; 1974, t. 2, *Traducción castellana*; cités comme LT, 1 et 2. Pour les D. II et III et pour le *BG*, nous avons opté pour les manuscrits qui nous semblaient les plus satisfaisants. Le texte latin de la D. II sera cité d'après le manuscrit de la BNP (nouvelles acquisitions latines, 2058), désigné dans les références qui suivent comme ms. *P*. Le texte latin de la D. III sera cité d'après le manuscrit *Astutellensis* (Colegio Salesiano de León, non coté) qui est de la même famille que celui de Paris et qui sera dit ici ms. *A*. Pour le *BG* nous citons d'après le manuscrit 1627 de la BNE dit ici ms. *M*. Les références à la traduction des D. II et III, ainsi que du *BG*, seront faites d'après Antonio PAZ Y MELIA : *Crónica de Enrique IV*, réimpression, Madrid : Atlas (BAE, vol. 257, 258 et 267), 1973-1974, désignés comme PyM I, PyM II, PyM III respectivement. Pour le *BG*, il existe une édition en fac-similé de la traduction de Paz y Melia : Rafael Gerardo PEINADO SANTAELLA (éd.), *Guerra de Granada*, Grenade : Archivum 66, 1998. On trouvera des fiches codicologiques complètes relatives aux différents manuscrits dans le tome 2 de l'édition de R. B. TATE et J. LAWRANCE : «Apéndice 1 : Catálogo y facsímiles de los testimonios manuscritos de *GH*», p. 509-534.

Sans prendre officiellement parti, le chroniqueur se montre complaisant. C'est donc déjà le prince héritier qu'il veut dégrader, sinon par une bâtardise attestée, au moins par un portrait tel qu'il le montrera indigne de régner, non seulement à cause des défauts traditionnels du *tyran*, mais en raison d'une sorte de monstruosité perverse dont l'*impuissance* est à la fois l'effet et la cause, cette impuissance, en fin de compte, ne pouvant être prouvée autrement que par cette *monstruosité*[68].

Peut-on vraiment parler ici de portrait ? On pourrait dire charge, caricature, invention délirante ou au contraire rare perspicacité. On a dit tout cela. Mais n'est-ce pas plutôt la pièce maîtresse d'un parfait exercice de rhéteur ? En l'absence de preuve objective de cette fameuse *impuissance*, le portrait s'efforce de la rendre, non seulement vraisemblable, mais évidente. On aura reconnu les procédés conseillés. Entièrement pris dans la dynamique d'un récit dont il ne saurait être détaché, ce portrait est aussi éloigné que possible de la *pause* ou de l'*ornement* (même de signe opposé). Terrible et minutieux, il apparaît au lieu le plus opportun pour l'accusation. Les *arguments tirés de la personne* trouvent leur plein sens dans le chapitre 2 au moment des premières noces : « Continet processum inutilis coniugii, affectus et formam Henrici, Maquedæque obsidionem. »[69]

La description physique – pièce maîtresse, on le comprend – est située non au début du portrait comme le voulaient la règle et la coutume, mais à la fin, après une vraie mise en condition du lecteur. Palencia note donc en premier lieu les étranges goûts du roi pour la solitude, les bois, les lieux sauvages, les bêtes féroces et les hommes infâmes avec qui il s'enferme à l'intérieur de hautes murailles. Vêtu de façon indigne, il n'a que mépris pour les exercices guerriers et la pompe royale. Il préfère les coutumes des Maures. À la frontière de la physiognomonie apparaît le portrait physique. Si le roi d'Enríquez del Castillo avait l'air d'un lion, le prince de Palencia ressemble à un singe (« ita ut simicus uideretur »)[70]. Étrange

68. [« Itaque implicitum habetur quam dubie de filio hoc regnicolæ senserint, et quod filius Iohannis non esset susurrauerint. Nec potuit tamen diebus patris (si pater erat) liberius uulgari sermo quam conditio liciti timoris permitebat ; sed plæraque offerebantur dubitationis argumenta, que rex Iohannes dissimulanda curauit » (*GH*, I, 1, 1 ; TL, 1, p. 3, § 1). Cette rumeur sera reprise dans la troisième Décade : « Breviter tetigi in annali ultimo Iohannis Castellæ et Legionis regis secundi qui pater habebatur Henrici quarti et Alfonsi atque Helisabeth fuit genitor » (*GH*, III, 25, 4 ; ms. *A*, fol. 78v° ; PyM II, 260b).] Cette insinuation, aussi curieuse qu'invraisemblable, est probablement un effet régressif de la *bâtardise* de Jeanne. Elle est peut-être apparue dans les passions de la guerre civile, pendant laquelle tous les arguments devaient être bons.

69. *Ibid.*, p. 5.

70. [« Quos omnes siluestris austeritatis affectus ipsa effigies Henrici significabat. Oculi ei erant truces ex ipso colore immanitatem præ se ferentes, in intuendo nunquam quieti, sed suspicionis indicia ex uolubilitate nimia uel minas inferebant. Nasus deformis admodum, latus enim erat et in medio tractu ob casum protritus ab ineunte infantia, ita ut simicus videretur. Labia subtilia nullam in ipso ore gratiam representantia genarumque latitudo hinc et inde os ipsum deformabant. Mentum prorrectum eminensque cetera liniamenta a superiore fronte

corps de roi en vérité, qui à la fin de sa vie sera encore déformé et avili par une mort abjecte[71]. Le prince refuse de donner sa main à baiser (non par humilité comme le dit Enríquez del Castillo) et montre un goût pervers pour les odeurs fétides (« corruptarum rerum fetor »). Nous sommes au bord de la métaphore, car ce prince qui se complaît dans la corruption en sera lui-même le foyer contagieux. Tout le récit du règne s'appliquera à le montrer[72].

Tel est, à l'âge de seize ans, l'étrange époux de ces non moins étranges noces avec la princesse Blanche de Navarre. Déjà, Palencia l'accuse de souhaiter que la reine cherche ailleurs un moyen d'assurer la descendance. Grande a dû être la beauté de la reine Jeanne, la seconde épouse, pour qu'elle arrache un rapide compliment au terrible misogyne[73].

Une double entrée royale : la concordia des portraits

Dans la chronique de Fernando del Pulgar, Ferdinand et Isabelle – tel est l'ordre qui reproduit l'ordre officiellement décidé – font une entrée parfaite à un moment parfaitement choisi : après la *Concordia de Segovia*, c'est-à-dire l'accord sur le partage et l'exercice du pouvoir[74]. Deux portraits de

reddebat concaua, tanquam si e media oris effigie aliquid detractum fuisset. Cæteræ partes formosi conspinciebantur uiri ; sed cesariem pulchram satis uilibus pilleis uel capuceo indignoue aliquo birreto semper tegebat. Albedinem rubicundo colori intermixtam superficies confundebat. Proceritatem corporis formosamque femorum tibiarumque et pedum compaginem (ut jam tetigi) inepta ueste ineptioribusque calciamentis deformabat » (*GH*, I, 1, 2 ; TL, 1, p. 6, § 5).]

71. [Palencia s'applique à montrer la mort abjecte du roi : « Tabuit henricus lecto humili iacens male indutus neque ut egri solent apte exutus. immo disploydem uilem ceu iuparelum tum habens et ocreolis mauritanis tectus femora. tamen exutus spiritum anxium agitabat circunuoluens iam breuia lumina sine alloquio supplicibus verbis circunstantium referende » (*GH*, II, 20, 9 ; ms. *P*, fol. 207v°-208r° ; PyM II, 154a). Le portrait *post mortem* est tout aussi terrible que le premier : « Spiritumque emisit ante crepusculum aurore diei duodecimi decembris secundo idus ejusdem mensis anni MCCCLXX quarti a natiuitate redemptoris quum male uixisset annos fere quinquaginta pessimeque regnasset annos unde uiginti menses quinque nihilo quod estimasset honorem. Sed ad obscenitatem a primis seculis in auditum pronus id omne quod libebat executus est. negleta prorsus reuerentia hominum subditorum nisi in quantum ex regio fastigio redditus percipere posset ad explendas pro libidine uoluptates. quarum participibus diffuse nimis impendebat opes in omnibus alijs tenax dum prima falsaque fœlicitatis facies perdurauit. nam post regni sui annum nonum honores magistratus amplosque redditus etiam concedebat inuitus : ut infesti proceres ab incepta rebeliones ad consensum diffuse tyrannidis reuocarentur » (*ibid.* ; ms. *P*, fol. 208r°-208v°).]

72. [Voir M. M. DUBRASQUET PARDO, *Alfonso de Palencia*..., « Le royaume infecté », p. 188-192.]

73. [« Ætate minor Iohanna sed pulcritudine maior apud matrem, ut dixi, prima in pueritia mansit exilii consors » (*GH*, I, 1, 1, 9 ; TL, 1, p. 30, § 4). Mais il est vrai que Palencia insiste surtout sur les tragiques biographies des princesses de sa famille, le luxurieux cortège des dames portugaises qui l'accompagnent, et les scandales.]

74. La *Sentencia arbitral* ou *Concordia de Segovia* (15 janvier 1475) est un accord complexe. Isabelle est déclarée seule héritière de Castille, mais Ferdinand reçoit le titre de roi. Sur tous les documents officiels figureront les noms du roi et de la reine, et celui de Ferdinand sera cité le

rois donc, qui inaugurent le récit du règne mais qui sont aussi définition de la royauté. Sont-ils parallèles, complémentaires, semblables ou différents ? Celui de Ferdinand vient en premier. Mais Isabelle, qui vient après, a la bonne place ; elle garde sur elle, en la rassemblant, la force de la présentation. C'est aussi dans le portrait de la reine, plus long, plus grave, plus commenté et narrativisé qu'apparaît l'exaltation de l'*estado real* (« *autoridad divina en las tierras* »), conclusion élargie peut-être aux deux textes, mais en tout cas conclusion explicite du second. N'oublions pas que la charte de Ségovie déclarait Isabelle *propriétaire* du royaume de Castille.

Mesure, sobriété, harmonie entre la grâce et la force sont à la fois les caractéristiques des souverains et celles de l'écriture du chroniqueur, qui ajoute cette harmonie aux autres. Ferdinand et Isabelle sont roi et reine, mais aussi un *claro varón* et une *clara mujer*. Les deux morceaux – deux chapitres – sont parfaitement détachables. S'ils ne semblent pas l'avoir été, est-ce en raison de leur mesure même ? Pulgar a évité le piège de l'hyperbole démesurée.

Le roi et la reine sont vivants. Mais si Ferdinand donne une plus grande impression de jeunesse ou même d'inaccompli, Isabelle a la pleine maturité de sa perfection. Le lieu choisi permet de les présenter ensemble ; est-ce un premier effet de la *Concordia* ? La mort – que d'ailleurs Pulgar n'a pas connue – les eût dissociés. Cette *entrée* accentue aussi le contraste avec le prédécesseur dont souvenir et portrait étaient présents dans les esprits. Un diptyque donc pour une forme de dyarchie ; sorte de sceau royal commenté, équestre pour le roi, en majesté pour la reine[75].

Le corps du roi, presque cliniquement fouillé chez Henri IV, retrouve ici la beauté parfaite, promesse de vertus. Tous deux sont gracieux (« *ojos rreyentes* » pour Ferdinand, « *mirar gracioso e honesto* [...], *la cara toda muy hermosa e alegre* » pour Isabelle). Courtois, affables, ils contrôlent leurs passions (à l'exception de l'amour !). Le roi est un parfait chevalier (enfin !) et

premier en qualité de mari. On peut voir à ce sujet la bonne synthèse de J. PÉREZ, *Isabelle et Ferdinand, Rois Catholiques d'Espagne*, Paris : Fayard, 1988, p. 97-99. [Voir également Luis SUÁREZ FERNÁNDEZ, *Isabel I reina*, Barcelone : Ariel, 2000.]

75. [C'est également ensemble, et dans le même ordre, que le biographe anonyme du marquis de Cadix a présenté les rois dans le cortège qui, au chapitre 2 des *Hechos*, résume l'histoire des rois et des chevaliers qui ont reconquis l'Espagne. Ferdinand semble avoir le plus beau rôle et se trouve même crédité de certaines vertus traditionnellement attribuées à Isabelle (éd. cit., p. 156). L'éloge d'Isabelle n'en est pas moins fervent et tous deux se trouvent réunis dans une exaltation finale : « *Esta muy serenísima reyna fue christianíssima, muy católica, piadosa, caritatiua y de grand coraçón, y fundada sobre todo lo bueno, y muy amiga de las obras de Dios y de nuestra Sennora la Virgen María, y procuradora y ensalçadora de la Corona real. Y anbos juntamente fueron enbiados por la mano de Dios para esecutar su justiçia y castigar los malos* [...]. *E todas las otras cosas que estos santísimos reyes y otros <reyes> fizieron dexamos, porque en sus corónicas reales se fallará muy complidamente* » (p. 157). On ne saurait être plus éloigné des textes de Pulgar. À propos de cette biographie, voir l'étude qui suit : « Noblesse et monarchie ».]

la reine, la parfaite gardienne de la chasteté. Elle est de surcroît *discreta*, studieuse.

Ce n'est pas par le masculin/féminin que vont passer la différence ou la complémentarité (joutes et armes mises à part, mais non totalement la guerre). Ou plutôt la complémentarité, devenue perfection, apparaît dans le portrait de la reine qui, à toutes les qualités viriles, joint celles de la femme parfaite. Le roi attire l'amour. La reine est le *princeps felix*. Tous deux incarnent la justice, la bonté, le conseil. La pratique et la défense de la religion sont le propre de la reine. C'est elle qui choisit les hommes. Tous deux se voient obligés d'adapter aux nécessités du temps la vertu de largesse et le respect de la vérité. Mais cela apparaît plus fermement dans le portrait d'Isabelle. La reine est le roi. Son portrait, plus commenté, se fait justification ou plutôt explication (affirmation même) d'un art de gouverner. Par trois fois le chroniqueur se fait l'écho des critiques (*érale ymputado*) : trop de rigueur, pas assez de libéralité, trop de pompe et de cérémonie. Il répond : « [...] *esto facía por rremediar* [...], *esto creemos que fazía porque* [...], *pero entendemos que* [...]. » Deux fois, il prend les devants : la reine ne pouvait pas toujours être fidèle à ses promesses et, si elle prenait conseil, elle faisait les choses *a su arbitrio*. Ici, nous quittons les nuances des vertus traditionnelles qui toutes viennent se rassembler, la justification par les nécessités du *temps*, ou même l'affirmation d'une conception nouvelle du pouvoir pour entrer dans un autre territoire qui frôle la raison d'État.

Même si Pulgar a fait de son mieux dans cette *concordia* des portraits (mais l'a-t-il voulu vraiment ?), Ferdinand est un peu éteint, léger, et fait presque figure de prince consort[76]. Mais sachons rendre grâce au chroniqueur de n'avoir pas, dans le portrait de la reine en particulier, abusé des superlatifs, et de n'avoir écrit qu'une fois « *non se lee* ». Le portrait d'Isabelle, récapitulatif, explicatif, bilan aussi des grandes affaires du règne [celles que Pulgar a pu connaître], est vraiment royal. Après ou avec celui de Ferdinand, il dresse au seuil de la chronique du règne l'autorité du roi. La place de Dieu et de la Providence, absents tous deux du portrait de Ferdinand, est à la fois importante et mince dans le portrait d'Isabelle. Certes, l'autorité divine est là, mais on sent surtout la présence de ceux qui, en leur personne, payant de leur personne (« *era muy trabajadora por su persona* »), ont pour mission de gouverner. Providentiels, certes, ces rois tels qu'ils sont montrés ont-ils vraiment besoin, maintenant qu'ils règnent, de la Providence ?

76. La *Concordia de Segovia* avait précisément été établie pour éviter ce statut qui semble avoir fâché Ferdinand et les Aragonais après la proclamation d'Isabelle à Ségovie. [Voir Madeleine PARDO, « L'épée de la discorde ou la proclamation d'Isabelle selon Alfonso de Palencia », *in :* Thomas GOMEZ (dir.), *Figures de femmes. Hommage à Jacqueline Ferreras*, Nanterre : CRIIA, 2003, p. 307-330.]

Et comment s'étonner si, dans la chronique, les portraits d'autres personnages sont absents ? Certes, Pacheco et Carrillo sont là, eux qui sont aussi dans les *Claros varones*[77]. Mais les autres ? Les *Claros varones* sont peut-être encore une excuse ou tout simplement la chronologie (attendre le temps de la mort). Mendoza lui-même n'aura droit qu'à quelques remarques élogieuses, mais éparpillées. Se servant des autres et les servant, les exaltant même, les rois n'en font pas moins le vide autour de leurs portraits, sinon de leurs personnes.

Pas de portrait pour Ferdinand et Isabelle

En parfait contraste avec le monde ordonné – ou en voie d'ordre – de la fresque harmonieuse de Pulgar, Palencia agresse son lecteur en le jetant dans l'univers fourmillant de ses Décades. Le meilleur des historiens de ce temps en Castille se complaît au désordre ou à la dénonciation d'un ordre apparent qui ne saurait le tromper. Il a multiplié – le mot est faible – les présentations de personnages dans un récit qui recrée un authentique univers à la limite d'un univers de roman. Plus qu'à Tite-Live et à Salluste, il fait songer à Tacite[78]. Il n'est pourtant pas un auteur à portraits et les portraits *en forme* de type traditionnel sont peu nombreux dans son œuvre. Palencia préfère le trait rapide, la voix, le regard, la démarche, les difformités de toutes sortes, les manies, et surtout les résumés impitoyables de *carrière* qui renouvellent la biographie. De même, il préfère les voix duelles brouillées ou parasitées du discours indirect à la clarté de la *oratio recta*, chère à Pulgar. En un mot, il est partout et tout passe par lui. Il voit et montre ce que les autres ne voient pas, il sait dire ou faire dire l'indicible. Jamais le récit ne s'arrête. Palencia fait apparaître ses acteurs au gré des fils des intrigues ou des ricochets du récit. Il enlève, un à un, les masques, et le dernier n'est parfois arraché que par le récit de la mort. Peu de *bons* ; beaucoup de *méchants*, en tout cas de simulateurs, et pour la première fois peut-être, des caractères qui ne sont plus une simple énumération ou addition, mais qui sont saisis dans une complexité nouvelle. Qualités et défauts relèvent encore des listes traditionnelles, mais l'assemblage est différent. Nous avons évoqué Tacite ; on pourrait songer aussi à Saint-Simon.

Très au-dessus de ses personnages est l'auteur (auteur-acteur), le seul parfait, omniscient jusqu'au moment où il se heurte au secret royal. Il juge au nom d'une vérité incarnée par sa voix. Les rois n'échappent pas au

77. Une comparaison entre les portraits de la chronique et ceux des mêmes personnages dans les *Claros varones* est intéressante. Voir à ce sujet les remarques de R. B. TATE (éd.), *Claros varones*..., p. XXXVIII-XLII. Voir également M. M. DUBRASQUET PARDO, *Alfonso de Palencia*..., p. 380-381.

78. Il n'est pas impossible que chez Bessarion, Palencia, très jeune certes, ait pu lire Tacite. Voir plus loin « Des prologues et des rois », note 13.

juge ; au-dessus des autres peut-être, ils sont encore au-dessous de lui. Si le contraste entre Henri IV et les Rois Catholiques est encore de nos jours dû en grande partie à la dégradation du premier par Palencia, paradoxalement Palencia est le seul à n'avoir pas été le louangeur des seconds[79]. Il est une voix discordante. Rappelons simplement qu'après la parfaite harmonie des noces – dans lesquelles, il est vrai, il se donne le beau rôle de marieur –, où prince et princesse forment un tout parfait, il faut attendre la guerre de Grenade pour retrouver dans le couple cette même perfection, et non sans réserves. Mais Ferdinand, guerrier, a retrouvé l'estime de son conseiller (ou qui voulut l'être) et Isabelle, malgré tout, a forcé son admiration. Dans ce long intervalle, Palencia se complaît à analyser la difficile genèse du couple royal, un couple parmi tous ces couples que ses Décades ont pour la première fois montrés et dans lesquels la femme, trop souvent selon lui, gouverne. Pas de *Concordia* pour Palencia. Il la refuse[80].

Est-ce un hasard si chez lui les entrées royales sont souvent manquées ? (Nous songeons aux deux entrées successives d'Isabelle et de Ferdinand à Séville telles qu'il les rapporte.) Si la première entrée de Ferdinand en Castille est clandestine et romanesque à souhait, donc réussie à sa façon, la seconde, après la mort d'Henri, a été volontairement retardée par Isabelle et s'avère périlleuse. Dans les deux cas Palencia est toujours là, confident, conseiller et protecteur. Il est aussi aux portes de Séville où il prodigue de judicieux mais vains conseils[81]. Il faudra donc attendre les entrées dans les villes du royaume de Grenade pour voir le triomphe des rois que Palencia se refusera toujours à considérer comme les instruments d'une simple et facile Providence[82].

Manquée est aussi l'entrée des souverains dans le récit de leur règne [malgré un prologue plein d'espoir] : ni portrait, ni louange, mais un réseau serré d'intérêts, de simulations, d'ambitions ou d'étranges complaisances. Les portraits de Ferdinand et d'Isabelle, pour Palencia, étaient en vérité infaisables.

Des princes de roman

Le corps du roi fait une apparition aussi spectaculaire qu'inattendue dans la *Crónica incompleta de los Reyes Católicos*[83]. Le chroniqueur, Juan de Flores

79. Comme le fait très justement remarquer R. B. Tate, « Las Décadas de Alfonso de Palencia, un análisis historiográfico », *in : Estudios dedicados a James Leslie Brooks*, Barcelone : Puvill Libros, 1984, p. 223-241.

80. Voir plus loin l'étude « Des prologues et des rois ».

81. Voir M. M. Dubrasquet Pardo, *Alfonso de Palencia...*, p. 75-90.

82. En particulier à l'occasion du siège de Baza (*BG*, 9 ; ms. *M*, fol. 159r°-159v° ; PyM III, p. 233-234), Palencia insiste bien sur le fait que la victoire fut l'œuvre de la libre volonté de Dieu tout-puissant plutôt que le résultat des mérites des rois.

83. Si l'auteur est l'un des rares chroniqueurs à avoir parlé des années de prospérité d'Henri IV, il n'y a pas à proprement parler de portrait de ce roi dans sa chronique.

très probablement, insiste à plusieurs reprises sur le devoir de fixer pour la postérité les actes des personnages qui mériteraient *qu'on en fasse un livre*. Pour Ferdinand et Isabelle il se met consciencieusement à l'ouvrage, mais de façon particulière et en choisissant bien son moment. Le prince et la princesse sont décrits au moment des noces, dans la grâce de leur jeune et triomphante beauté[84]. Si Pulgar, on l'a vu, présentait les souverains *avant*, il s'agissait de portraits faits *plus tard*. Ici, le portrait s'efforce de s'adapter au moment. La description physique prend toute la – longue – place. L'auteur s'explique : c'est un devoir de bien regarder (« *con ojos muy despiertos* ») les « *figuras, estaturas y miembros de los Reyes* ». Car, comme dit Aristote, « *las figuras del rostro muy verdaderas señales son de las condiciones secretas del alma* »[85]. Il a donc *regardé* pour que chacun (« *los discretos e avn los non tan sabios* ») puisse *voir* les princes et en sache ainsi davantage sans même lire plus avant (« *sin leer adelante tengan adiuinadas sus obras* »). Voilà qui détruit en partie la deuxième justification, toute rhétorique d'ailleurs : seule l'expérience pourra porter témoignage des œuvres. Les chroniqueurs ne sont-ils pas des « *evangelistas temporales* »[86] ? Il faut donc attendre, car ces œuvres pourraient être « *mayores e por ventura menores* ». La deuxième hypothèse est un jeu.

Princes gracieux, princes en fête, Ferdinand et Isabelle attirent invinciblement l'amour. Ils sont les plus beaux ; ce sont deux princes de roman, le chevalier et sa dame, un masculin-féminin semblable et différent, complémentaire, mais non plus comme chez Pulgar – où la reine était le roi – ou chez Bernáldez – où la reine était la mère du royaume. Ici, si la description physique, qui ferait honneur aux arts poétiques, semble se suffire, la beauté féminine l'emporte et ses canons sont en quelque sorte reportés sur le prince. Si dans chacun des deux portraits se dessine malgré tout une certaine singularité, la description d'Isabelle, peut-être parce qu'elle est justement le canon de cette beauté, se dilue un peu dans les généralités et les superlatifs.

L'ordre est plus ou moins le même, avec les variations imposées par le passage du masculin au féminin (ou plutôt le contraire). À la succession *ojos, cejas, nariz, boca y labios, risa, rostro, barbas y cabellos, cuello, estatura del cuerpo, piernas* correspond *ojos* (+ *pestañas* + *honestad*), *cejas, nariz, boca y labios* (+ *dientes*), *risa* (+ *mesura* + *honestad*), *rostro, cabelladura* (+ *tocados*), *garganta, manos, estatura e cuerpo*[87]. Ferdinand est *galán* (le terme est repris quatre fois).

84. Une première présentation de Ferdinand et surtout d'Isabelle avait été faite un peu plus haut (*Crónica incompleta*, éd. cit., p. 49).

85. « *Mucho es a cargo de los que escriuen mirar con ojos muy despiertos las figuras, estaturas y miembros de los reyes, mayormente quando el escreuir se adereça a tan altos Príncipes* » (*ibid.*, p. 87).

86. « *Y porque así como los euangelistas dieron fe escreuiendo de las obras diuinas así los coronistas se deuen llamar euangelistas temporales* » (*ibid.*, p. 90).

87. *Ibid.*, p. 87-89.

Il incarne la grâce courtoise (« *asi era mirado por gentil hombre como por rey* »). Isabelle est courtoise, gracieuse, honnête et chaste. Elle est reine déjà par sa beauté (« *tanto en el ayre de su pasear y beldad de su rostro era luçida, que si entre las damas del mundo se hallara, por Reyna y princesa de todas, vno que nunca la cognosçiera, le fuera besar las manos* »[88]).

Toute ombre a disparu, toute critique aussi. Les princes ainsi montrés sont promesse de joie après les *nublados tan tristes*. Le chroniqueur, dans la minutie du portrait physique – est-ce une réplique à une minutie que nous connaissons ou un simple exercice littéraire ? –, célèbre la venue d'une double beauté qui ne peut être que signe d'amour, de vertu et de grandeur[89].

[Comme l'indique son titre, cette étude se proposait de mieux voir, en rapprochant plusieurs textes, la place et la fonction du portrait du roi dans les chroniques royales castillanes du XVe siècle. Il est évident que le contenu même de ces portraits, abordé ici de façon sommaire, dans la mesure où il est lié à la fonction et à la place, devrait faire l'objet d'une autre étude, complémentaire. Le roi étant la pièce maîtresse du jeu politique, de sa réalité et de son imaginaire, le portrait du roi prend de plus en plus d'importance dans la chronique qui est consacrée à son règne. Telle peut être en effet une première constatation : celle de l'importance croissante de l'écriture, dans son sens le plus large, de la composition de la chronique à celle du portrait. Le portrait du roi dépend de plus en plus de l'écriture du chroniqueur ; celui-ci s'adapte plus ou moins à son *modèle* et le représente selon les nécessités qui gouvernent à la fois la politique royale et le récit du règne. C'est pourquoi, en dépit des stéréotypes et des manipulations que l'on peut aisément repérer, le portrait du roi reste un lieu sensible, et par conséquent un bon lieu d'observation.

88. *Ibid.*, p. 89.

89. Toute ombre a également disparu dans la *Crónica de los Reyes Católicos* de Diego de Valera (sans doute écrite entre 1482 et 1488). Le premier chapitre est consacré à la célèbre proclamation de Ségovie après la mort du roi Henri, justifiée – un peu trop peut-être – par l'auteur. Le second chapitre qui va traiter de la fameuse *Concordia* commence par un long éloge des deux conjoints réunis dans la même perfection. De ce panégyrique nous ne citerons que quelques extraits : « *¿ Quién vido fasta oy en tan grandes prínçipes tanta humanidad, tanta devoçión, tanto amor a los súbditos, tanta ynclinaçión a justicia, tanta vigilança e soliçitud en el bien común, tanto acatamiento a las cosas sagradas e a los ministros dellas ? ¿ Pues qué diremos de los bélicos autos ? ¿ Quién con mayor esfuerço los pudo enprender ni proseguir ? ¿ Quién se pudo a mayores peligros poner por acrescentamiento de la fee católica ?* [...] *Quien saberlo querrá considere e lea las cosas en estos reynos passadas, e con ánimo libre vea las presentes e podrá concoscer si digo verdad* » (éd. cit., p. 6). Après un récit rapide et idyllique de la *Concordia* apparaît le tableau qui fige les deux époux dans des rôles exemplaires à propos de la guerre de Grenade : « *Pues si nuestro magnánimo rey, con alegre cara, a todo trabajo e peligro se pone por acrescentar la fee católica. no menos la illustrisima reyna nuestra, no solamente trabajando en la governaçión de los reynos e en todo lo nescessario e conveniente a la guerra, mas con plegarias e suplicaçiones e ayunos e grandes limosnas, conque no menos guerras de creer segund su meresçimiento a los enemigos façía que el valentissimo rey con la lança en la mano* » (p. 7).

On voit se dessiner deux tendances : d'une part, accorder à chaque roi et à chaque règne une plus grande singularité, d'autre part, inclure roi (et reine) dans un *continuum* plus large. Cette deuxième démarche peut ouvrir des perspectives enrichissantes dans la mesure où elle contribue à créer et à renforcer une forme d'identité nationale. Elle peut aussi conduire aux résumés dans lesquels règne, roi et portrait du roi finissent par se confondre dans un raccourci commode, instructif sans doute, mais réducteur.

Le portrait du roi, tel qu'on le trouve dans la chronique royale, a aussi, il ne faut pas l'oublier, une valeur d'exemple et n'est pas très éloigné du *miroir des princes*. Mais il ne dérive pas toujours vers la littérature apologétique et s'efforce de représenter la personne royale.] Nous avons déjà dit que, à de rares exceptions près, le roi semble avoir le monopole du portrait physique. Il faut aussi souligner le peu d'importance accordée dans nos textes à ce qu'il est convenu d'appeler la *vie* ou les *mœurs*. La famille royale est absente. L'éducation du prince est à peine évoquée ; elle l'est par Pulgar à propos d'Henri IV, car elle permet d'expliquer sinon de justifier certains défauts. Cela nous conduit à notre deuxième sujet de réflexion : les défauts du roi, dont la seule mention a son importance. Ces défauts peuvent être dus à la personne même du roi (tel est le cas d'Henri III), mais se transformer plus ou moins en qualités royales, en une bonne façon de gouverner. Les défauts peuvent être l'excès même des qualités (excès d'humilité, excès de bienveillance ou de bonté). Tel est Henri IV selon Enríquez del Castillo. Le roi peut avoir des *flaquezas* imputables à sa nature humaine (les femmes et le jeu chez Ferdinand), mais il peut s'agir aussi de défauts inexplicables qui montrent à la fois ceux de toute une communauté ou les plans insondables de la Providence. Les défauts peuvent être tus ou masqués ou au contraire soulignés, avancés comme argumentation et comme preuve. Ils peuvent être des accusations sans fondement portées par ceux qui ne savent pas la vérité ou au contraire des défauts dont seul le chroniqueur ose parler ou que même il est le seul à voir. Un certain comportement royal considéré comme un *défaut* par rapport à une éthique ordinaire peut être justifié par les nécessités du temps. Mais il peut s'agir aussi d'une nouvelle façon d'être roi et de gouverner.

Si le XVe siècle a vu se développer un intérêt nouveau pour l'individu, comme en témoigne en particulier la vague croissante du portrait, le roi, malgré la double pesanteur de sa fonction et des traditions de l'historiographie, ne pouvait manquer de bénéficier de ces nouvelles approches. On a pu voir se diversifier aussi bien l'écriture de la chronique que la représentation de la personne royale. On a même vu apparaître sur ce sujet un début de réflexion ; si bien que, dans la diversité des textes, tout autant que par le portrait du roi lui-même, le lecteur est de plus en plus intéressé par la personnalité du chroniqueur qui le fait.

Noblesse et monarchie dans les chroniques biographiques*

En analysant les rapports entre noblesse et monarchie, Luis Suárez Fernández a mis en évidence, dans une étude fondatrice, une des clés essentielles de la vie politique en Castille au XVe siècle[1]. De très nombreux travaux sont venus par la suite compléter et nuancer cette analyse sans vraiment remettre en question ses lignes principales. Il est vrai que ces différentes approches d'une réalité complexe et difficile à cerner, en particulier pour ce qui concerne les contours un peu flous des partis nobiliaires souvent recomposés, montrent la nécessité de ne pas appliquer à la relation entre noblesse et monarchie un schéma trop réducteur ; ces deux forces en présence et souvent en conflit ont en réalité besoin l'une de l'autre. Dans leur opposition incessante et leur complémentarité, leurs intérêts convergent et elles ne cessent de croître et de se renforcer mutuellement. Les tendances absolutistes de la monarchie s'appuieront sur une aristocratie peut-être privée d'un rôle politique éminent – quoique plus important qu'on ne l'avait cru –, mais affermie dans ses positions économiques et dans la configuration de ses *linajes*. Cette aristocratie renforce son pouvoir, un pouvoir de mieux en mieux organisé et hiérarchisé à l'intérieur des cadres nobiliaires, ainsi que dans sa relation avec le pouvoir royal. Elle a donc besoin des ressources que peut réunir et redistribuer, en particulier sous forme de charges, d'offices et de rentes, un pouvoir central fort, autour duquel elle vient se regrouper et que, de plus en plus, elle vient servir. Le sens de ce service peut varier, mais « servir » reste le maître mot[2].

* Première publication : « Les rapports noblesse-monarchie dans les chroniques particulières castillanes du XVe siècle », *in : Les cultures ibériques en devenir. Essais publiés en hommage à la mémoire de Marcel Bataillon (1895-1977)*, Paris : Fondation Singer-Polignac, 1979, p. 155-170. Les idées maîtresses de cette étude ont été conservées et développées ; le texte lui-même a été profondément remanié.

1. Luis Suárez Fernández, *Nobleza y monarquía*, Valladolid, 1959. La dernière édition porte le titre suivant : *Nobleza y monarquía : entendimiento y rivalidad. El proceso de construcción de la Corona española*, Madrid : La Esfera de los libros, 2003.

2. Il s'agit sans doute de l'un des thèmes les plus fréquemment repris depuis cette analyse de L. Suárez, et qui a de surcroît bénéficié des apports de recherches similaires entreprises dans

Intimement liée au pouvoir politique, l'écriture historiographique a elle aussi fait l'objet de nouvelles approches. On dirait volontiers du XVe siècle qu'il est celui de l'historiographie ; de l'histoire, passée ou présente, on attend tout : des leçons et des exemples sans doute, mais aussi l'affirmation de principes moraux et politiques. On a surtout conscience de son pouvoir de fondation et de légitimation, de sa puissance de cohésion familiale ou nationale. Les idées surgissent de toute part ; les moyens d'expression se diversifient ; de nouveaux modèles sont apparus ou sont mieux compris ; on voit naître et se développer, magnifique, un discours sur l'histoire qui, en forme de prologue-manifeste, précède et autorise une œuvre nouvelle et audacieuse : les *Generaciones y semblanzas* de Fernán Pérez de Guzmán, c'est-à-dire une galerie de portraits en forme de courtes biographies[3].

Parmi les ramifications de cette luxuriante historiographie, la deuxième moitié du XVe siècle voit se développer en Castille, comme ailleurs, un genre que l'on peut dire nouveau dans l'historiographie castillane et que l'on a longtemps, faute de mieux, désigné comme « chroniques particulières ». Si la *crónica real* était de plus en plus devenue biographie royale, elle ouvrait aussi de plus en plus largement le récit à d'autres acteurs de l'histoire, à d'autres personnages[4]. L'événement majeur qu'a constitué le changement de dynastie et la nécessité de légitimer les Trastamare, bien servie par un chroniqueur de l'envergure de Pero López de Ayala, ont confirmé l'histoire dans son rôle fondateur et légitimant. La légitimation se fonde, certes, sur la continuation, aussi bien pour l'ordre de succession que pour le modèle d'écriture. Mais à partir du moment où la succession

---

d'autres pays occidentaux. On citera en particulier José Manuel NIETO SORIA (dir.), *Orígenes de la monarquía hispánica : propaganda y legitimación (ca. 1400-1520)*, Madrid : Dykinson, 1999. Dans ce même ouvrage collectif figure une importante étude de María Concepción QUINTANILLA RASO, « La legitimación de la nobleza en la sociedad política » (p. 65-85). Voir aussi *id.*, « La renovación nobiliaria en la Castilla bajomedieval. Entre el debate y la propuesta », *in : La nobleza peninsular en la Edad Media. VI congreso de estudios medievales*, León : Fundación Sánchez Albornoz, 1999, p. 255-293. De J. M. NIETO SORIA on peut citer, pour faire bref, trois titres : « La "Avisación de la dignidad real" (1445) en el contexto de la confrontación política de su tiempo », *in :* J. M. SOTO RÁBANOS (dir.), *Pensamiento medieval hispano. Homenaje a Horacio Santiago-Otero*, Madrid : CSIC - Junta de Castilla y León - Diputación de Zamora, 1998, p. 405-437 ; « La monarquía de Enrique IV... » ; et « La nobleza y el poderío real absoluto en la Castilla del siglo XV », *Cahiers de linguistique et de civilisation hispanique médiévales*, 25, 2002, p. 238-254. Une grande partie de ce numéro 25 est d'ailleurs consacrée aux conceptions politiques de la noblesse. On retiendra essentiellement, outre l'étude déjà citée, celle d'Isabel BECEIRO PITA, « Argumentos ideológicos de la oposición nobiliaria bajo los Trastámaras », p. 211-236.

3. F. PÉREZ DE GUZMÁN, *Generaciones y semblanzas*, éd. cit. F. GÓMEZ REDONDO s'est efforcé de situer cette œuvre dans un contexte historiographique et culturel mieux défini, en formulant de nouvelles hypothèses sur l'éventuelle participation de Pérez de Guzmán à la *Crónica de Juan II* ; il a également revu l'ordre de production aussi bien du prologue que des *Semblanzas* elles-mêmes (*Historia de la prosa...*, III, 10. 2. 7. 4, p. 2318-2320, et 10. 3. 5, p. 2424-2440).

4. Voir M. M. DUBRASQUET PARDO, *Alfonso de Palencia*... Ce sujet est abordé dans la deuxième partie, p. 370-389.

connaît une discordance, il devient nécessaire de recourir à de nouvelles configurations et même à des *mises en intrigue* pour reprendre les termes de Paul Ricœur, c'est-à-dire au *récit*[5]. Le temps chronologique, suffisant pour une succession linéaire, doit être à la fois renforcé et remplacé par un temps qui fait appel à une logique capable de montrer comment une volonté providentielle a introduit un changement dans la continuité. La dynastie Trastamare, pour légitimer son instauration, bénéficie donc des nouvelles tendances qui conduisent à un renforcement du pouvoir royal – qu'elle encourage –, de ce qu'il est convenu d'appeler la monarchie chevaleresque, et aussi des possibilités offertes par le modèle alphonsin de l'écriture de l'histoire[6] : les principes en seront maintenus et habilement utilisés par des chroniqueurs de plus en plus conscients de leur importance et de leur responsabilité, et qui manifesteront de différentes manières leur « *libertad de autoría* »[7]. Tout cela se reproduira, en se compliquant, à l'occasion de la nouvelle crise qui, à la mort d'Henri IV, donnera la succession à Isabelle.

Le rôle de la noblesse avait été important dans la mise en place de la dynastie Trastamare. Il le restera, avec les développements et les variations qu'a pu susciter l'accroissement parallèle et complémentaire du pouvoir royal et des ambitions nobiliaires. Comme les rois, les nobles veulent avoir droit à l'histoire ; il ne leur suffit pas que leurs actions et même parfois leurs portraits[8] se trouvent inscrits dans la chronique du roi. Parmi leurs privilèges et même leurs devoirs semble figurer désormais le soin d'assurer leur propre histoire et surtout celle de leur lignée, c'est-à-dire la mémoire familiale ; la tradition lignagère, de même que l'exaltation de mérites plus personnels, devient le fondement de l'ordre culturel et politique de la noblesse. Comme pour le roi, il peut s'agir de fondation, de légitimation et de récit : un récit qui devient récit de vie ; on en revient toujours au mélange de sang et de mérites.

On pourrait évoquer les multiples raisons qui ont fait du XVe siècle « l'ère du portrait » et le temps d'un individualisme de plus en plus affirmé[9]. Au

5. Paul RICŒUR, *Temps et récit*, Paris : Seuil, 1983.

6. C'est ce qu'a bien montré Michel GARCIA, « El modelo alfonsí en las crónicas del Canciller Ayala », *in* : Georges MARTIN (dir.), *La historia alfonsí : el modelo y sus destinos (siglos XIII-XV)*, Madrid : Casa de Velázquez, 2000, p. 125-140. Dans ce même ouvrage figure aussi un article de Jean-Pierre JARDIN, « El modelo alfonsí ante la revolución trastámara. Los sumarios de crónicas generales del siglo XV », p. 141-154.

7. Voir Fernando GÓMEZ REDONDO, « Historiografía medieval : constantes evolutivas de un género », *Anuario de estudios medievales*, 19, 1989, p. 3-15.

8. Voir plus haut note 4.

9. On trouvera des remarques intéressantes et une importante bibliographie dans les deux études de M. C. QUINTANILLA RASO citées plus haut : « La legitimación de la nobleza... », p. 73-74, et « La renovación nobiliaria... », p. 264-265. Voir aussi Carlos BARROS (éd.), *Historia a debate*, Saint-Jacques-de-Compostelle : Historia a debate, 1995, t. 2, *Retorno del sujeto*, ainsi

désir d'ostentation et de gloire viennent s'ajouter la revendication des mérites, sans doute lieu commun des panégyriques, mais surtout nécessité réelle dans ces nouvelles *carrières*, ainsi que la justification des titres et des biens, parfois gracieusement accordés, parfois durement gagnés ou perdus. Les héritiers, plus qu'une imprécise postérité, sont directement concernés. Si des raisons d'ordre général peuvent expliquer l'apparition et le développement de ce genre nouveau, il n'en reste pas moins vrai que chacune de ces œuvres présente des caractéristiques qui lui sont propres. Quel nom donner à ces textes, qui puisse à la fois les désigner tous et les différencier de ceux qui les entourent ? On les a longtemps dits *crónicas particulares* : tel est le terme utilisé par Juan de Mata Carriazo à qui l'on doit de mieux connaître les plus importants d'entre eux ; c'est également celui qu'a conservé Catherine Soriano qui en 1998 en a dressé la bibliographie[10] ; Fernando Gómez Redondo, qui a beaucoup affiné l'approche du discours historiographique utilise lui aussi *crónica particular*, mais il en élargit le sens afin d'y inclure non seulement des biographies mais des événements tels que le *Paso honroso* (1434) ou le *Seguro de Tordesillas* (1439)[11]. Or les textes qui nous intéressent, dans la perspective qui est ici la nôtre, et si l'on élargit quelque peu les critères, sont pour l'essentiel des biographies. Ils sont, comme on le verra plus loin, au nombre de six ; et comme il se trouve que cinq de nos six héros sont des chevaliers – le sixième étant un étrange prélat –, la tentation est grande de donner à ces œuvres le nom de « biographies chevaleresques » mis à l'honneur par le beau livre d'Élisabeth Gaucher[12]. C'est Rafael Beltrán qui, porté sans doute par le *Victorial* dont il a donné une si belle édition et auquel il a consacré de si riches études, a le plus vivement récusé l'appellation *crónicas particulares*. Il reconnaît pourtant que celle de *biografía caballeresca*, dont il souligne tous les avantages, ne manque pas non plus d'ambiguïté puisqu'elle permettrait d'intégrer une biographie romanesque comme celle qui est consacrée à Alonso Pérez de Guzmán el Bueno, et qui contrevient précisément à l'un des critères de base du genre qui nous occupe, c'est-à-dire « *la contemporaneidad de la*

---

que les travaux de J. YARZA LUACES cités dans l'étude précédente, note 10, et plus particulièrement *La nobleza ante el rey*.

10. Catherine SORIANO, « Bibliografía de las crónicas particulares castellanas del siglo XV », *Boletín bibliográfico de la Asociación hispánica de literatura medieval. Cuaderno bibliográfico*, 20 (12), 1998, p. 343-484.

11. Fernando GÓMEZ REDONDO, « La crónica particular como género literario », *in :* María Isabel TORO PASCUA (dir.), *Actas del III congreso internacional de la Asociación hispánica de literatura medieval (Salamanca, octubre de 1989)*, Salamanque : Biblioteca española del siglo XV - Departamento de literatura española e hispanoamericana, 1994, t. 1, p. 419-427 ; et *id.*, « *El Victorial* de Gutierre Díaz de Games », *in :* Georges MARTIN (dir.), *La chevalerie en Castille à la fin du Moyen Âge*, Paris : Ellipses, 2001, p. 191-210.

12. Élisabeth GAUCHER, *La biographie chevaleresque. Typologie d'un genre (XIIIe-XVe siècle)*, Paris : Honoré Champion, 1994.

escritura»[13]. Ces réflexions conduisent Rafael Beltrán à dresser une liste – que nous donnons en note ci-dessous – de ce qui constitue selon lui le type de biographie castillane du XVe siècle[14]. Ces différentes caractéristiques, exactes par ailleurs, sont difficilement applicables dans leur totalité à l'ensemble de ces biographies ; elles concernent toutes le *Victorial*, décidément unique et plus proche que les autres textes des biographies étudiées par Élisabeth Gaucher. Tout en soulignant lui aussi l'ambiguïté et la difficulté de l'emploi de l'adjectif *chevaleresque*, Jean-Pierre Jardin s'accorde également à trouver cette dénomination préférable[15]. Certes, le cadre d'une *biographie chevaleresque* est assez vaste et assez flou pour que l'on puisse y introduire des contenus très divers. Pourtant, et même si nos personnages sont chacun à sa manière des miroirs de chevalerie ou des hommes de guerre, il nous semblerait plus opportun de reprendre, à propos des textes qui leur sont consacrés, le terme de *crónica biográfica* utilisé par María Concepción Quintanilla Raso[16], étant bien entendu que cette *crónica biográfica* ne saurait désigner une *crónica real*.

Six textes, dans l'état actuel des connaissances, peuvent être ainsi désignés. Cinq d'entre eux sont consacrés à de nobles chevaliers : Pero Niño, comte de Buelna, Álvaro de Luna, connétable de Castille et maître de Saint-Jacques, Miguel Lucas de Iranzo, connétable de Castille et seigneur de Jaén, Alonso de Monrroy, clavier d'Alcántara, et Rodrigo Ponce de León, marquis duc de Cadix. Le sixième texte est consacré à Alonso Carrillo, archevêque de Tolède, dont il rapporte surtout les faits d'armes[17].

13. Voir Rafael BELTRÁN LLAVADOR, « Imágenes de servicio, cortesía y clerecía en la biografía caballeresca medieval : del mundo francés al castellano », *in* : J.-P. SÁNCHEZ (dir.), *L'univers de la chevalerie en Castille*, Paris : Éditions du temps, 2000, p. 128-143, p. 129, note 2.

14. « *La "biografía caballeresca" persigue la narración de la vida de un gran noble – condestable, conde, etc. – o capitán ; se compone a petición – en casi todos los casos – del biografiado, o de sus descendientes, ya sea en vida o a poco de su muerte ; su autor tiene que ser alguien tan cercano al biografiado como para poder no sólo consultar documentación familiar accesible, que confirme y añada datos fehacientes, sino también ofrecer testimonio personal y fidedigno de muchos de los hechos que plasma en escritura ; así relatará las acciones militares, viajes y aventuras, dentro de las etapas vitales del personaje (nacimiento, matrimonio, hijos, muerte...), con la puntualidad histórica del más fiel cronista, si bien aderezando esta narración verídica de episodios colaterales, incisos literarios – que pueden ser episodios de ficción –, glosas y reflexiones varias ; la biografía será encargada, en fin, con el declarado propósito de guardar memoria familiar, recuerdo genealógico de los hechos de armas y actos sociales del caballero, en los que siempre destacaría como elevado ejemplo de emulación, digno de memoria* » (*ibid.*, p. 129-130).

15. Voir J.-P. JARDIN, « Voix et échos du monde nobiliaire dans l'historiographie trastamare », *Cahiers de linguistique et de civilisation hispaniques médiévales*, 25, 2002, p. 196-209, et plus particulièrement p. 200-201.

16. M. C. QUINTANILLA RASO, « La legitimación de la nobleza... », p. 74.

17. Les références bibliographiques de la plupart de ces textes ont été données au cours des études précédentes, mais il ne nous semble pas inutile de les regrouper ici : *El Victorial. Crónica de don Pero Niño, conde de Buelna, por su alférez Gutierre Díez de Games*, Juan de Mata CARRIAZO (éd.), Madrid : Espasa-Calpe, 1940 ; *El Victorial*, Rafael BELTRÁN LLAVADOR (éd.), Salamanque : Ediciones Universidad de Salamanca, 1997 ; *El Victorial*, R. BELTRÁN LLAVADOR (éd.), Madrid :

Pour ce qui concerne les faits relatés, ainsi que l'écriture, ces textes se trouvent groupés dans un temps relativement court : la deuxième moitié du XVe siècle, même si l'écriture déborde sur le XVIe siècle. Ils se situent tout au long de quatre règnes, ceux d'Henri III, de Jean II, d'Henri IV et des Rois Catholiques, c'est-à-dire depuis le règne d'Henri III qui est celui de la réunion de toutes les légitimités, jusqu'au règne qui voit la branche aragonaise des Trastamare retrouver le tronc castillan. Entre ces deux règnes s'est déroulée une époque de troubles où le conflit entre politique nobiliaire et monarchique, quel qu'en soit le sens réel, peut en effet apparaître comme un élément dominant. À l'exception du *Victorial*, ces textes présentent quelques caractéristiques communes, que d'ailleurs le *Victorial* rejoint à la fin de sa narration : leur espace reste limité à celui de l'Espagne péninsulaire – y compris le royaume de Grenade et surtout la frontière – ; les motifs mythiques, légendaires ou romanesques y sont en nombre très réduit – toujours à l'exception du *Victorial*. Il n'y a pas de princesse lointaine, ni d'autre croisade que les différents états de la guerre de Grenade ; les jeux chevaleresques et les manifestations courtoises y occupent une place mesurée. Il s'agit de récits sérieux, parfois savants, que l'on dirait volontiers *réalistes*, comme on pouvait dire *réaliste* le poème du Cid.

Ces textes pourtant sont différents les uns des autres. À l'intérieur des frontières péninsulaires ils se situent dans une géographie très diverse ; l'espace surprenant et largement ouvert des aventures maritimes et amoureuses de Pero Niño se réduit, à la fin de la vie du héros et du livre, à la petite ville castillane de Cigales ; vient ensuite l'espace à la fois mouvant et fermé de la cour, ou plutôt de ce que l'on peut appeler l'itinéraire royal, suivi ou tracé par Álvaro de Luna. À cette cour succède la cour provinciale de la ville *fronteriza* de Jaén ; voici ensuite les places fortes d'Estrémadure, celles qui sont plus ou moins rattachées à l'évêché de Tolède et, enfin, les villes du royaume de Grenade assiégées et conquises par le marquis de Cadix qui les offre en quelque sorte aux rois. Les héros de ces biographies sont aussi très différents en importance à l'intérieur d'un même

---

Clásicos Taurus, 1994 ; *Crónica de don Álvaro de Luna*, J. de M. CARRIAZO (éd.), Madrid : Espasa-Calpe, 1940 ; *Hechos del condestable Miguel Lucas de Iranzo*, J. de M. CARRIAZO (éd.), Madrid : Espasa-Calpe, 1940 (nous citerons d'apès cette édition) ; *Relación de los hechos del muy magnífico e más virtuoso señor, el señor don Miguel Lucas, muy digno condestable de Castilla*, Juan CUEVAS MATA, Juan et José del ARCO MOYA (éd.), Jaén : Ayuntamiento y Universidad de Jaén, 2001 ; *Historia de los hechos de don Rodrigo Ponce de León, marqués de Cádiz (1443-1488)*, CODOIN, 106, p. 145-317 ; *Historia de los hechos del marqués de Cádiz*, Juan Luis CARRIAZO RUBIO (éd.), Grenade : Universidad de Granada, 2003 ; Alonso MALDONADO, *Hechos del maestre de Alcántara don Alonso de Monrroy*, Antonio R. RODRÍGUEZ MOÑINO (éd.), Madrid : Revista de Occidente, 1935 ; *id.*, *Vida e historias del maestre de Alcántara don Alonso de Monrroy*, Leonardo ROMERO (éd.), Tarragone : Tarraco (Arbolí), 1978 ; Pero GUILLÉN DE SEGOVIA, *Los hechos del arzobispo de Toledo don Alonso Carrillo, in : La Gaya Ciencia de P. Guillén de Segovia*, O. J. TUULIO et J. M. CASAS HOMS. (éd.), Madrid : CSIC (Clásicos hispánicos), 1962, t. 1.

ordre social ; mais tous ont en commun, chacun à sa manière, et sans être tous des *hombres nuevos*, d'avoir eu un handicap ou rencontré des obstacles pour s'élever eux-mêmes ou pour assurer leur descendance et leur lignée[18]. En grande partie et parfois pour l'essentiel, c'est-à-dire la noblesse, ils doivent au roi leur ascension sociale, leurs titres et leurs biens, que, selon leurs biographes, ils ont mérités en tant que loyaux serviteurs. La relation au roi constitue donc un des moteurs principaux de leur vie et de leur carrière, à plusieurs niveaux et dans différentes perspectives : dans l'histoire réelle du personnage, dans la construction de sa *vie* comme héros d'une biographie, c'est-à-dire une vie recomposée, et enfin dans la construction de l'œuvre qui la raconte, qu'il s'agisse de ses différentes séquences ou de la structure d'ensemble de la narration. Plus ou moins présent ou absent, distant ou rapproché, le roi – la volonté royale – est indispensable au plein développement de la vie du noble[19]. Quant à la manière dont cette relation est comprise, interprétée et présentée, elle dépend aussi de façon importante, quoique encore trop mal connue, d'un troisième élément, c'est-à-dire du chroniqueur biographe lui-même qui peut, cette fois à titre personnel, être lui aussi impliqué dans l'histoire. Tel est le cas de Gutierre Díaz de Games, auteur du *Victorial*, ou de Gonzalo Chacón, auteur très probable d'une grande partie de la *Crónica de Álvaro de Luna*. Le cas de Pero Guillén de Segovia, auteur des *Hechos* de l'archevêque de Tolède, est quelque peu différent, de même que celui de Rodrigo Maldonado dont on ignore à peu près tout. Si la biographie de Miguel Lucas de Iranzo a pu être attribuée à plusieurs personnes de son entourage, on ignore encore le nom du biographe du marquis de Cadix.

Ce rapport entre le roi et les nobles vient inlassablement tourner autour de la relation *servicio/merced*, réelle, inventée ou idéalisée. Elle nous était apparue comme essentielle dès notre première approche de ces œuvres. Des travaux récents sont venus à la fois affiner les concepts eux-mêmes et préciser l'évolution de leur mise en relation. On voit mieux, par exemple, comment cette relation a pu évoluer à partir d'un concept vassalique ou plus simplement juridique pour définir des modèles d'idéologie monarchique et nobiliaire. Sans cesser d'être présente et d'ordonner idéalement

18. « Tous ces textes ont en commun une finalité identique et pratique, légitimer le pouvoir obtenu par ces hommes qui, au départ, n'en paraissaient pas vraiment dignes [...]. Tous ces hommes, par conséquent, ont besoin d'une réécriture de l'histoire permettant de justifier leur action, d'autant plus qu'à l'exception, peut-être, de Pero Niño et du marquis de Cadix, ce sont tous des *perdants* » (J.-P. JARDIN, « Le monde nobiliaire... », p. 201). Les catégories *nobleza vieja* et *nobleza nueva*, établies par l'étude célèbre de Salvador de Moxó, ont fait elles aussi l'objet de nouvelles approches. On trouvera une analyse de cet important débat, ainsi qu'une proposition de définition « nouvelle », dans M. C. QUINTANILLA RASO, « La renovación nobiliaria... ».

19. « *Ahora el ennoblecimiento era algo continuo, bien reglado, en el que se reconocen tres elementos básicos : voluntad regia, virtud individual, y herencia* » (*ibid.*, p. 278).

toute chose, la justice, base de l'échange, a de plus en plus, à côté de la justice distributive et par-delà les règles éthiques et les codes chevaleresques, fait une large place à la grâce, retrouvant ainsi un des axes fondamentaux de l'ordre religieux. Il n'est pas toujours aisé de différencier la *gracia* de la *merced*, mais il est certain que l'une et l'autre viennent renforcer le caractère absolu du pouvoir royal, renforçant aussi par contrecoup l'importance du *servicio* ; c'est, bien entendu, du côté du *servicio* que se situent nos biographies[20]. Ainsi se sont trouvées confirmées deux convictions déjà anciennes : l'importance centrale de cette relation dans les textes qui nous occupent et par conséquent l'importance de ces textes pour une meilleure connaissance des rapports entre noblesse et monarchie au XVe siècle.

L'invention du *Victorial*

Soit parce qu'il ne sait trop comment commencer, soit parce qu'il lui faut justifier à la fois son entreprise, audacieuse et nouvelle en Espagne, de même que l'importance du personnage qu'elle se propose d'exalter – la meilleure des justifications étant bien sûr qu'il s'agit d'une figure exemplaire –, Gutierre Díaz de Games introduit le *Victorial* et Pero Niño comme l'aboutissement, la réalisation présente[21] du glorieux cortège que constitue le long *Proemio*. Celui-ci devient à sa manière une sorte d'abrégé d'histoire universelle autour du thème de la chevalerie et de la gloire. Après les quatre grands, Salomon, Alexandre, Nabuchodonosor et Jules César, voici les neuf preux de l'époque judéo-chrétienne : Josué, David, Judas Macchabée, Godefroi de Bouillon, Charles Martel, Charlemagne, Fernán González, le Cid et Ferdinand III que le texte dit « le Chaste ». Entre les deux séries, les savants méandres du récit ont résumé, de façon personnelle, l'histoire du roi Rodrigue et fait une rapide allusion aux rois de León. Autrement dit, après les héros de l'histoire universelle sont apparus ceux de l'histoire nationale puisque les trois derniers preux, différents de ceux que proposent des listes plus traditionnelles, sans que l'on puisse affirmer qu'il s'agit d'une initiative de Gutierre Díaz de Games[22], sont des héros de la lutte contre l'infidèle en Espagne. Faut-il rappeler que la présence de l'infidèle était la conséquence de la faute du roi Rodrigue ou plutôt, s'il faut

20. On citera l'étude fondamentale de Salustiano de DIOS, *Gracia, merced y patronazgo real. La Cámara de Castilla entre 1474-1530*, Madrid : Centro de estudios constitucionales (Historia de la sociedad política), 1993. Voir également L. FERNANDEZ GALLARDO, *Alonso de Cartagena...*, p. 321-417.

21. Voir Jesús D. RODRÍGUEZ VELASCO, « El libro de Díaz de Games », *in :* G. MARTIN, *La chevalerie en Castille...*, p. 211-223.

22. Voir à ce propos la mise au point de C. MONTERO GARRIDO, *La historia, creación literaria...*, « Los nueve valientes », p. 193-198.

en croire le chroniqueur, celle de la trahison de Julián[23] ? Car le coupable est moins le roi que le noble rebelle. Même si le récit du *Victorial* n'insiste pas sur le lien entre la faute et l'invasion, cette relation existe.

Après être revenu sur l'histoire des Goths et des gentils, l'auteur exalte longuement la Rédemption, œuvre de la venue du Christ, né « *de una niña escogida sin manzilla* » (chap. 5, p. 264). On ne sait s'il faut privilégier ici le fil historique, d'ailleurs bouleversé, l'histoire de la chevalerie ou une relation plus implicite entre la chute et le salut. On retrouvera tout cela dans les *Hechos del marqués de Cádiz*.

On voit comment le *Proemio*, qui ouvre les portes de l'histoire universelle, de l'histoire sainte et de l'histoire nationale, grandit, en la légitimant, l'attente du chevalier qui va être proposé comme figure exemplaire ; une dernière comparaison le place en compagnie d'Alexandre, d'Hercule et d'Attila. Voilà un cortège qui peut, non seulement ouvrir un livre, mais compenser dans la gloire de la chevalerie le déficit de grandeur de la famille des Niño. Toujours pour y remédier, Gutierre Díaz de Games, qui n'a pas oublié de se présenter au passage en s'appropriant l'invention de son personnage (chap. 8, p. 281-284), s'applique à construire pour son héros une vocation chevaleresque et des enfances héroïques dans lesquelles d'ailleurs le roi joue un rôle. C'est d'abord, pour les Niño, une origine doublement ancienne et même royale par le père fondateur, qui descendrait d'un duc de la maison d'Anjou venu en Castille, où le roi, après sa mort, aurait fait élever ses enfants, les *niños*. Cette lignée, soumise aux caprices de la Fortune, a souffert des querelles des rois. Gutierre Díaz de Games introduit ici le *Cuento de los reyes* tel qu'il l'a trouvé écrit, dit-il, par Pedro Fernández Niño, grand-père de son héros et loyal au roi Pierre. Ainsi se trouvent liées l'histoire des rois et celle de la lignée de Pero Niño ; le grand-père historien renforce ou remplace l'ancienneté de la famille, dont l'abaissement se trouve expliqué par la plus noble des vertus chevaleresques, la loyauté (chap. 17, p. 316)[24]. Les descendants des vainqueurs ne pourront qu'apprécier cette loyauté envers le roi déchu, et en particulier le roi Henri III que servira le jeune Pero Niño. On sait que ce roi comblera par son mariage avec Catherine de Lancastre le défaut de légitimité de la dynastie

23. *El Victorial*, R. BELTRÁN (éd.), Salamanque : Universidad, 1997, chap. 5, p. 261. À propos de la distance critique que prend Gutierre Díaz de Games par rapport à la légende, voir l'introduction de R. Beltrán, ainsi que, dans le présent ouvrage, « Le roi Rodrigue ou Rodrigue roi », note 118.

24. Cette vertu de loyauté, même si elle a pu être contraire aux intérêts politiques d'une famille, se trouve également louée chez l'aïeul de don Juan de Zúñiga, Íñigo Ortíz de Estúñiga, qui refusa de servir le roi Henri II : « *Aunque, andando el tienpo, hizo la paz, mas nunca tomó su acostamiento, de que fue muy loado* » (*La* « *Historia de la casa de Zúñiga* » *otrora atribuida a Mosén Diego de Valera*, Pedro M. CÁTEDRA (éd.), Salamanque : SEMYR, 2003, p. 95). P. M. Cátedra avance des arguments intéressants en faveur d'une attribution de cette œuvre à Diego Enríquez del Castillo.

Trastamare[25]. Ce sont donc un roi et un héros légitimés à des degrés divers, bien sûr, qui se trouvent liés dès le début du *Victorial*. Ils le sont d'ailleurs d'une façon curieuse, puisque la mère du héros, Ynés Lasa, a été choisie comme nourrice du roi et se trouve, par ce premier *servicio*, bien réel mais dont on pourrait aisément imaginer la signification métaphorique, à l'origine des premières *mercedes* (chap. 18, p. 319). On ne saurait oublier non plus que le *milagro de la palma* raconté au chapitre 7 comme fondateur de la gloire de la chevalerie présente la Vierge allaitant Jésus (« *dándole a mamar la leche de sus tetas* », p. 271). Ainsi se trouvent encore associées la virginité, la rédemption et la chevalerie. Et Pero Niño devient le frère de lait du futur Henri III.

La loyauté est un héritage familial. Aussi, dès l'âge de quinze ans, Pero Niño demande au roi des armes pour le servir et va bientôt avoir l'occasion de lui sauver la vie dans un incident sans doute grossi par le chroniqueur. Très tôt, il manifeste d'étonnantes capacités pour *el oficio de caballería*, mais ne cherche pas à en tirer parti par des *maneras apartadas* (chap. 29, p. 352). Lorsqu'il a vingt-cinq ans, le roi lui confie le commandement des galères qui ont pour mission de combattre les corsaires en Méditerranée, puis les Anglais, ennemis de la France alors alliée de la Castille. C'est à l'occasion de cette expédition que notre Castillan, retrouvant l'errance et les merveilleuses rencontres de l'aventure, connaît en France le paradis courtois de Sérifontaine où, entre lais et virelais, si présents à la mémoire de l'auteur, il échange des promesses de mariage avec la belle Jeannette de Bellangue, femme du vieil amiral proche de sa mort.

Dans ses exploits, Pero Niño apparaît comme le champion du roi de Castille en ces terres lointaines. Sa propre gloire, sans cesse accrue, rejaillit sur le roi qui a su faire en lui un bon choix. C'est dans les *mercedes* du roi qu'il faut chercher la « *buena riqueza* » et non dans le pillage comme le font certains mauvais capitaines (chap. 66, p. 504). Après ses prouesses contre les corsaires et les Anglais, Pero Niño rentre en Castille sur l'ordre du roi, qui le fait chevalier à Madrid et prononce ces mots que l'auteur rapporte avec complaisance : « *Pero Niño, mi voluntad es de vos poner en muy mayor estado, e de vos enbiar en una conquista que vos será honrosa e buena* » (chap. 89, p. 651). Mais le roi meurt et les espérances sont tronquées.

C'est pour se battre contre Grenade avec l'infant Ferdinand devenu tuteur que Pero Niño renonce à une mission d'ambassade en France et à Jeannette de Bellangue. Il a fait son devoir de chevalier chrétien au service de la couronne de Castille, mais cela lui coûte l'amour et peut-être la gloire. Pourtant il retrouve l'amour même si son beau mariage avec Beatriz

25. Voir le livre d'Ana ECHEVARRÍA, *Catalina de Lancaster*, Hondarribia : Nerea, 2002.

de Portugal l'oblige à affronter l'opposition de l'infant Ferdinand[26]. Sûr de son mérite, Pero Niño laisse alors entendre une voix plus personnelle : celle d'un noble chevalier qui sait le prix de son service et entend en tirer parti. Sa voix est parfaitement relayée par celle de Beatriz, tout aussi ferme et déterminée que son prétendant.

L'infant, qui a besoin de ses chevaliers, pardonne. Devenu roi d'Aragon, il reçoit Pero Niño et lui promet lui aussi des *mercedes* ; mais pour la deuxième fois la mort enlève au héros un puissant protecteur, ce qui inspire au chroniqueur de mélancoliques réflexions (chap. 94, p. 689-690, et chap. 96, p. 696). Dans cette troisième période de sa vie, Pero Niño, si l'on excepte le magnifique épisode de ses amours et de son mariage avec Beatriz, apparaît quelque peu étouffé par les événements qui se déroulent autour de lui. Il a quitté le splendide isolement et l'indépendance de l'aventure pour tomber dans les vicissitudes politiques et les *bandos* de son pays. Mais c'est encore auprès du roi qu'il trouve sa dernière charge, celle de *capitán de la guarda del rey*.

La biographie, sans doute commencée autour d'un *diario de a bordo*[27], destiné précisément à rendre compte au roi des services rendus par son capitaine des galères, enregistre jusqu'au bout les services d'un chevalier que le biographe s'efforce de montrer loyal en toute circonstance, même si cela ne coïncide pas toujours avec la réalité[28]. On sait que le roi l'a fait comte de Buelna en 1431, la veille de la bataille de La Higueruela ; cette distinction, qui constituait peut-être le point culminant et le but de la biographie, tient en réalité peu de place dans un récit qui finit dans la solitude de Cigales.

Dans les troubles du règne de Jean II on a pu voir Pero Niño intervenir pour réconcilier le roi avec le favori Álvaro de Luna. C'est à ce dernier qu'est consacrée la chronique biographique dont nous allons maintenant nous occuper ; son héros est d'une tout autre envergure politique et avec lui va pleinement apparaître, à côté du service par les armes, la notion de bon gouvernement.

Grandeurs et misères de la faveur royale

La Crónica de Álvaro de Luna *ou une vie pour une autre*

Álvaro de Luna est né en 1388 au sein d'une famille aragonaise de petite noblesse, mais qui sut se mettre au service de la monarchie et qui compta parmi ses membres des prélats de haut rang. Né bâtard, de mère d'humble

26. Voir plus haut « Biographie et élaboration romanesque : un épisode du *Victorial* ».
27. « Estudio preliminar », p. 95-106.
28. Par exemple l'épisode de Tordesillas (chap. 96, p. 699-703).

condition, mais légitimé, Álvaro de Luna, qui accompagnait en Castille son oncle Pedro de Luna nommé archevêque de Tolède, sut gagner la faveur de la reine régente Catherine et entra très jeune, en 1408, au service du roi Jean II à peine âgé de cinq ans. Il resta auprès de lui jusqu'en 1453, année où le roi le fit exécuter. Pendant plus de quarante ans, il fut, selon ses détracteurs, le véritable roi de Castille[29] ; il sut en tout cas mener un jeu d'alliances compliquées qui le maintint longtemps au pouvoir, un pouvoir que se disputaient au moins deux grandes factions, elles-mêmes divisées et sans cesse recomposées : les infants d'Aragon, fils de Fernando de Antequera devenu roi d'Aragon après avoir été régent de Castille, appuyés par une partie de la noblesse d'une part, et d'autre part, des forces nobiliaires plus ou moins regroupées autour de la volonté d'affermissement de l'autorité royale. On a dit plus haut combien il convenait de nuancer cette opposition monarchie/noblesse. Il conviendrait donc de reconsidérer aussi la question souvent posée : Álvaro de Luna fut-il vraiment un défenseur de la monarchie face à l'oligarchie ou aux oligarchies nobiliaires ? Ou bien fut-il surtout un ambitieux, avide de pouvoir personnel et de fortune[30] ? Il semble bien, comme le montrent en particulier les travaux de José Manuel Nieto Soria, qu'Álvaro de Luna ait eu une conception *regalista* de la monarchie ; c'est lui qui, au zénith de sa *privanza*, a sans doute inspiré la *Avisación* d'Olmedo en 1445, où se trouvent exposés des principes absolutistes[31]. Qu'Álvaro de Luna ait « usurpé » le pouvoir, selon ses détracteurs, ne signifie pas, bien au contraire, qu'il n'ait pas voulu le renforcer. Le vrai motif de conflit ou du moins le plus apparent était, non la définition du pouvoir lui-même, mais son exercice. Le roi et Álvaro de Luna pouvaient être considérés tous deux comme des « tyrans » : le premier, pour avoir confié le gouvernement et le bien du royaume à un seul homme, jugé de surcroît indigne de cette forme de délégation ; le second, pour avoir confisqué à son seul profit un pouvoir exorbitant, en particulier celui d'accorder des *mercedes*[32], auquel il ne pouvait légitimement prétendre et dont il dépossédait le roi. Le seul moyen de légitimer ce qui pouvait passer pour une double tyrannie était, soit de pousser à des degrés

29. Il suffit de citer les remarques amères et pourtant mesurées qui figurent dans la célèbre *semblanza* consacrée au favori par PÉREZ DE GUZMÁN dans ses *Generaciones y semblanzas* (éd. cit., p. 40).

30. Bien des idées traditionnelles sur Álvaro de Luna demandent à être révisées. I. Bodmer a montré par exemple qu'il n'avait pas été victime à la fin de sa vie de la politique aragonaise puisque le roi d'Aragon a essayé de le délivrer. Voir Isabel PASTOR BODMER, *Grandeza y tragedia de un valido. La muerte de don Álvaro de Luna*, 2 vol., Madrid : Caja de Madrid, 1992.

31. Nous renvoyons à l'étude de J. M. NIETO SORIA, « La "Avisación de la dignidad real"... ». Voir aussi *id.*, « La realeza caballeresca de mediados del siglo XV : representación literaria y formalización jurídico-política », *in :* G. MARTIN, *La chevalerie en Castille...*, p. 61-79.

32. Voir S. de DIOS, *Gracia, merced...*, p. 113-114.

extrêmes la relation *servicio/merced* en l'inscrivant dans d'autres modèles, amoureux ou religieux, qui pouvaient en inverser les signes, soit de renforcer le pouvoir du roi de manière à le placer au-dessus des règles ordinaires; solution dangereuse : si elle a pu justifier les *mercedes* et l'élévation du «*mayor señor que sin corona avía sido en su tienpo en todas las Españas*»[33], elle justifiera aussi la mort.

C'est en tout cas un spectaculaire revirement de fortune qui fit passer le *privado* du faîte du pouvoir à l'échafaud de Valladolid en 1453. Les causes de cette chute, demeurée exemplaire, seraient longues à analyser; ce qui importe ici, c'est la manière dont le biographe l'interprète; même si son récit se fait alors plus complexe pour ce qui concerne les personnages, les choses restent simples ou veulent l'être et retrouvent une «configuration» plus traditionnelle : le parfait serviteur du roi et de la nation est victime de la trahison d'un serviteur et du *desamor* du roi. Le seul modèle possible pour cette démesure qui oblige à quitter les règles du droit, de la justice et de la raison pour se perdre dans les mystères de l'amour est donc celui de la passion acceptée comme un ultime service. C'est pourquoi on retrouve aisément dans le récit des derniers moments d'Álvaro de Luna le modèle de la Passion par excellence, celle du Christ.

Il existe dans la biographie un déséquilibre évident entre une première partie qui jusqu'au chapitre 100 (de l'édition Carriazo) rapporte la vie d'Álvaro de Luna jusqu'en 1453, et une deuxième partie qui consacre ensuite vingt-huit chapitres à cette seule année 1453, c'est-à-dire à la chute et à la mort du héros, sans compter un important *epílogo*. Faut-il conclure à l'existence de deux auteurs et de deux temps d'écriture? Ou bien existe-t-il d'autres possibilités de découpage? Par ailleurs, il existe dans le récit d'étranges «blancs» ou des raccourcis qui conduisent à remettre en question la composition du manuscrit utilisé pour l'édition[34].

La chronique d'Álvaro de Luna a fait récemment l'objet de deux importantes études. Cruz Montero Garrido[35] voit dans le texte tel que nous le connaissons, c'est-à-dire tel qu'il apparaît dans l'édition de Juan de Mata Carriazo, l'assemblage plutôt maladroit d'une *crónica laudatoria* et d'une *crónica Chacón*[36], la jointure étant constituée par les événements d'Atienza. L'utilisation de la *crónica laudatoria* expliquerait, comme le souligne Cruz

33. *Crónica de don Álvaro de Luna*, éd. cit., chap. 122, p. 395. Álvaro de Luna a été et est resté l'exemple même de la *privanza*. Sur l'importance de la *privanza* dans les comportements politiques ou dans les différentes formes de compromis entre la monarchie et les nobles, des perspectives intéressantes ont été ouvertes par la récente thèse de doctorat de François FORONDA, *La* privanza *ou le régime de la faveur. Autorité monarchique et puissance aristocratique en Castille (XIIIe-XVe siècle)*, Université de Paris-Sorbonne, 2003.

34. Il s'agit du manuscrit 10141 de la BNE de Madrid.

35. C. MONTERO GARRIDO, *La historia, creación literaria...*

36. *Ibid.*, p. 94-155.

Montero, deux incohérences narratives : le lieu surprenant du portrait, qui aurait dû en principe se situer au début ou à la fin, et non au chapitre 68[37], et surtout la présence de l'épilogue; celui-ci en effet ne tient pas compte des événements de l'année 1453 ni de la mort du héros et devait donc être celui de la *crónica* utilisée[38]. Avec une minutie et une rigueur exemplaires, Cruz Montero Garrido mène une étude comparative du texte de la *Crónica de Álvaro de Luna* et des textes connus de la *Crónica de Juan II* (Alvar García, suivi et complété par le *Relator* et la version Galíndez). Cette analyse dégage ainsi ce que l'on peut appeler les sources et leur utilisation, en donnant du même coup la meilleure approche critique, à ce jour, de la *Crónica de Juan II*[39]. À cette *crónica laudatoria*, qui se déroule de façon monotone sur le schéma répétitif de l'échange *servicio/merced* et dans laquelle les personnages n'ont guère d'épaisseur, succède la *crónica Chacón* qui bouleverse les données essentielles : le temps devient un temps vécu, les personnages sont désormais complexes et tout se déroule selon un ordre de causalité qui met fin, en l'humanisant, à la succession un peu mécanique des séquences de la première partie.

Dans une récente mise au point, Fernando Gómez Redondo est revenu sur ces délicats problèmes de relation entre la deuxième partie de la

37. Il s'agit de l'année 1446 (p. 207-208 de l'édition Carriazo). Le portrait est donc élaboré après les événements d'Atienza. F. GÓMEZ REDONDO suggère que cette *semblanza* pourrait avoir été introduite en 1446 pour compléter celle qui avait été faite dans la chronique royale et aussi pour «*desmontar el retrato negativo que Fernán Pérez de Guzmán fijara ya en su posible crónica, ya en las Generaciones*» (*Historia de la prosa*..., III, 10. 5. 5. 2. 2. 5, p. 2918). Selon Béatrice LEROY, il serait en quelque sorte le point culminant de «ce long chant de gloire» («Autour d'Álvaro de Luna, une suite d'usurpations ou un exemple de chevalerie?», *in* : J.-P. SÁNCHEZ (dir.), *L'univers de la chevalerie*..., p. 104-127, p. 114). Il se trouve, ajouterons-nous, que le portrait d'Álvaro de Luna est également situé à une place inhabituelle dans les différents textes de la *Crónica de Juan II* que nous connaissons, à l'exception de la version Galíndez. Dans ce qu'il est convenu d'appeler la deuxième partie de la chronique d'Alvar García, un très long portrait lui est consacré après la bataille de La Higueruela, en 1431, et l'auteur, ici très probablement le *Relator*, justifie ce long éloge par la nécessité de répondre aux *fablas* des grands, jaloux de la faveur du connétable. Il s'agit d'une longue justification de l'ascension du favori par l'amour du roi et les mérites de ce parfait serviteur (*Crónica de Juan II de Castilla (1420-1434)*, Madrid : CODOIN, 100, 1891, p. 304). Dans la *Crónica del Halconero*, le portrait est fait après l'élection de Juan de Luna (ou de Cerezuela), demi-frère du favori, à l'archevêché de Tolède après la mort de Juan de Riazo, en 1434 : *Crónica del Halconero de Juan II, Pedro Carrillo De Huete*, Juan de Mata CARRIAZO (éd.), Madrid : Espasa-Calpe (CCE, 8), 1946, p. 176. C'est à cette même occasion que le portrait apparaît dans la *Refundición del Halconero*, à propos de laquelle F. Gómez Redondo a émis d'autres hypothèses (*Refundición de la Crónica del Halconero por el obispo don Lope Barrientos*, éd. cit., p. 166). Il en est de même pour la *Abreviación del Halconero*, éd. cit., chap. 68, fol. 4v°. La version Galíndez retrouvera un lieu plus habituel, c'est-à-dire la notice nécrologique, et un tout autre ton. Mais dans les autres cas on peut remarquer à la fois une place et une extension inhabituelles dans le but de louer et surtout de justifier. Pour plus de précisions sur les différents textes de la *Crónica de Juan II*, voir dans le présent ouvrage «Place et fonction du portrait du roi», note 28.

38. C. MONTERO GARRIDO, *La historia, creación literaria*..., p. 92 et 152.

39. *Ibid.*, p. 135-152.

Crónica de Juan II et la *Historia de Álvaro de Luna*; son analyse l'amène à formuler de nouvelles hypothèses : la deuxième partie de la *Crónica de Juan II*, dans laquelle le personnage d'Álvaro de Luna est présenté de façon très élogieuse, constituerait déjà une sorte de chronique du favori. Parallèlement aurait pu être composée une *historia* d'Álvaro de Luna (la *crónica laudatoria* évoquée par Cruz Montero Garrido). Le *Relator* Fernán Díaz de Toledo, impliqué dans la rédaction de la deuxième partie de la chronique royale, pourrait l'être aussi dans celle de la *Historia de Álvaro de Luna*. Cela expliquerait le lieu du portrait, ainsi que la présence de l'épilogue, considéré comme un retour à une grandeur qui concerne aussi de nombreuses grandes familles[40].

La deuxième étude, de Gonzalo Montiel Roig[41], tout en soulignant le déséquilibre de la narration et en s'interrogeant sur l'intervention éventuelle de deux auteurs, ne remet pas en question l'unité de l'ensemble. Dans ce grand plaidoyer qu'est la biographie, la première partie, c'est-à-dire le panégyrique du héros, constitue la base de l'argumentation, l'explication de la chute et la meilleure des réfutations des accusations portées contre lui. On ne saurait oublier que ces accusations furent portées sur ordre du roi, sous forme d'un *pregón* infamant, accusant Álvaro de Luna de crime de lèse-majesté (« *apoderado de la persona del rey* »), ce qui entraînait non seulement la mort mais la confiscation des biens, chose très grave pour les héritiers et les descendants. Comme le montre Gonzalo Montiel Roig, il est possible de relier cette biographie à Pedro de Luna, fils d'Álvaro de Luna, désireux non seulement de réhabiliter le nom et l'honneur de son père, mais de justifier sa légitime possession des biens mérités et justement accordés par le roi dans un échange exemplaire et ininterrompu de *servicios* et de *mercedes*. Par là même se trouvaient justifiés ses propres biens et ceux de ses descendants. Il convient donc d'insister sur l'importance de ce texte, sans doute utilisé et réutilisé, peut-être même réaménagé, dans la défense juridique d'Álvaro de Luna et de ses possessions au cours des multiples procès qui se tinrent jusque vers 1570, opposant essentiellement les descendants d'Álvaro de Luna à ceux de la famille Pacheco. C'est ainsi que, selon Gonzalo Montiel Roig, il faut sans doute lire le panégyrique de la première partie, véritable réécriture de la chronique royale, mais aussi la présentation des événements de l'année 1453 : la persécution dont fait l'objet Álvaro de Luna de la part des traîtres acharnés à sa perte rend nécessaire la mort, pour ne pas dire l'assassinat, du traître Pérez de

40. F. GÓMEZ REDONDO, *Historia de la prosa*..., p. 2887-2934.
41. Gonzalo MONTIEL ROIG, « Los móviles de la redacción de la *Crónica de don Álvaro de Luna* », *Revista de literatura medieval*, 1997, p. 173-195.

Vivero. Cette mort est présentée non sans quelque embarras comme un châtiment, une exécution volontairement déguisée en accident.

Gonzalo Chacón, parfait serviteur d'Álvaro de Luna et témoin de sa mort – mais non impliqué dans celle de Pérez de Vivero –, est considéré depuis les travaux de Juan de Mata Carriazo comme l'auteur de cette biographie ; on a vu que Cruz Montero Garrido ne lui attribuait que le récit des événements rapportés dans les chapitres 71 à 128 (édition Carriazo), à quoi s'ajouteraient quelques raccords permettant l'utilisation de la *crónica laudatoria*[42]. Selon Gonzalo Montiel Roig, Chacón aurait pu être sollicité par Pedro de Luna, personnage d'une grande importance dans cette dernière partie de la biographie puisque les raisons de son absence auprès de son père dans les instants décisifs de cette tragédie s'y trouvent longuement justifiées[43]. Le chroniqueur en tout cas, loin de s'oublier, accorde une grande importance à son propre personnage[44].

Álvaro de Luna représente un cas spécial et extrême puisque sa vie se trouve pratiquement confondue avec celle du roi et l'histoire du règne[45], et aussi parce que, durant ce règne, l'initiative des affaires lui revint presque constamment. Certes, tous les chroniqueurs biographes s'efforcent de faire de leurs héros autre chose que des exécutants, car la perfection requiert un juste équilibre de soumission et d'indépendance, d'obéissance et d'initiative. Mais le problème devient particulièrement aigu lorsqu'il s'agit d'un homme qui fut accusé d'avoir usurpé l'autorité royale. Toute la chronique est faite ou refaite pour répondre aux termes du *Pregón*, réfuté dans une phrase d'un humour tragique : « *Oh, Señor, qué falso pregón aquel, e tan manifiestamente falso ! Ca si él estoviera apoderado del Rey, non oviera el Rey poder de lo traer a la muerte* » (chap. 128, p. 432).

On ne saurait demander à Gonzalo Chacón de reconnaître et encore moins d'exalter en Álvaro de Luna un « homme d'État » désireux de mettre en place un projet politique, ou même de suggérer qu'il eut dans

42. C. MONTERO GARRIDO, *La historia...*, p. 152.
43. G. MONTIEL ROIG, art. cit., p. 183-185.
44. *Ibid.*, p. 192-195.
45. Dans l'épilogue, il est dit qu'Álvaro de Luna a vécu plus de quarante ans auprès de la personne du roi : « *Ya son más de quarenta años que es cerca de la persona del nuestro muy virtuoso rey* » (p. 440). Or, au chap. 119, lorsqu'il rapporte les événements de Burgos, l'auteur, probablement Chacón, disait qu'Álvaro de Luna devait bien connaître les expressions du visage du roi pour avoir été avec lui « *en muy estrecha conversación casi por espacio de quarenta años poco más o menos* » (p. 366). En analysant cette contradiction avec l'épilogue, C. MONTERO GARRIDO en vient à évoquer deux possibles computs, dont le « *cómputo de Chacón* » : « *Esto significa que el autor del epílogo computa desde una fecha anterior (1408) a la que toma Chacón como referencia (quizás 1415, que es cuando don Juan nombra a Luna su maestresala)* » (*La historia...*, p. 92). Quant à Álvaro de Luna lui-même, il a une autre façon d'exprimer les choses quand il refuse une proposition de Chacón qu'il juge déshonorante : « *Ca él avía vivido sesenta e çinco años, e los quarenta dellos el más famoso e más leal e más honrado caballero* » (chap. 122, p. 395).

ce domaine sensible une attitude personnelle ; il veut simplement montrer qu'en toutes choses Álvaro de Luna fut le parfait serviteur du roi ; mais il est vrai qu'un tel dévouement conduit à sacraliser le roi. Tout cela trouve son aboutissement dans l'acceptation d'une mort transformée en martyre puisque cette preuve suprême d'obéissance au roi va de pair avec l'obéissance à Dieu :

Fagan Dios e el Rey mi señor de mí lo que les pluguiere ; ca yo por çierto non faré otra cosa si non ponerme en sus manos. El Rey mi señor me fizo, él me puede desfazer, si quisiere (chap. 122, p. 395).

Dans une longue vie rapportée comme un sacrifice constant, Álvaro de Luna recherche sans cesse le bien du roi et du royaume avec une parfaite loyauté qui attire *el amor* du roi[46]. Le couple *lealtad-amor*, accompagné de *servicio-merced*, régit donc toute la narration. Et c'est encore la loyauté qui, devenue excessive, démesurée, a causé la tragédie finale : « *Buena es la lealtad e buena es la virtud en sus debidos términos, la qual consiste en el medio e lo más ya es extremo* » (chap. 117, p. 364). À cette vertu s'opposent, dans cette explication simplifiée, la déloyauté de ceux qui ne veulent pas servir le roi, ou les véritables trahisons, la plus terrible étant celle d'Alonso Pérez de Vivero, comparé à Judas[47].

Le *servicio*, manifestation de la loyauté, est ici assuré par l'exercice des armes, mais aussi par « *la buena administración et sano consejo* » (chap. 14, p. 53). Le tableau présenté est parfois idyllique :

46. Ainsi s'expliquent les grandes faveurs royales comme la concession du *maestrazgo de Santiago* (p. 179). Cet amour du roi sert aussi de justification dans le passage de la chronique d'Alvar García auquel il a été fait référence plus haut. L'auteur (sans soute le *Relator*) a su trouver des formules saisissantes qui assimilent l'amour du roi à l'amour de Dieu : « *El amor que el Rey había a este su Condestable hobo comienzo seyendo el Rey niño e el Condestable mozo e en esto non hay otra más principal razón, salvo gracia de Dios e buena ventura del Condestable, que el Rey pusiese los ojos en él, e le amase* » (*Crónica de Juan II de Castilla (1420-1434)*, CODOIN, 100, p. 304). Le chroniqueur avait pris soin de préciser que cet amour a précédé les services, et par la suite n'a fait que croître avec eux : « *El condestable don Álvaro de Luna fue tan afortunado e de tan buena dicha que de pequeña edad, antes que fuese para facer servicios señalados, le amó mucho el Rey, ca después que fue para facer los servicios, e los fizo, non sin razón crecía el amor mucho más* » (*Crónica de Juan II*, CODOIN, 99, p. 325). Cet amour du roi, qui semble inspiré par Dieu et pour le bien de tous, devient la clé de voûte d'un ordre moral et politique. Le *desamor* du roi entraînera non seulement la mort d'Álvaro de Luna, mais un danger pour l'ordre général. Le roi lui-même en mourra. Sur l'amour notion politique, voir l'étude fondamentale de Georges MARTIN, « Amour (une notion politique) », *Histoires de l'Espagne médiévale. Historiographie, gestes, romancero, Annexes des Cahiers de linguistique hispanique médiévale*, 11, 1997, p. 169-206.

47. Ce qui permet au chroniqueur, quelque peu embarrassé, d'expliquer ou de justifier l'assassinat du traître. La trahison est la cause de tout : « *¡ Oh trayzión ! ¡ Oh trayçion ! ¡ Oh trayçion ! Maldito sea el ser tuyo, maldito sea el poder tuyo, et maldito el tu obrar* » (chap. 120, p. 372).

En esta guisa andaba el Rey por sus reynos por aquellos días adereşçándolos e regiéndolos en justicia, e el Condestable don Álvaro de Luna aconsejándole en las cosas que avía de fazer, muy sabiamente[48].

Ainsi apparaît un autre thème constant dans l'œuvre ; celui des *trabajos e afanes*, dont on peut voir un résumé dans ce passage : « *Quien lo viera ciertamente dixera que tenía su vida no solamente ofresçida mas sacrificada* » (chap. 99, p. 294)[49]. En vérité, le service du roi retrouve ici les exigences du service d'amour ou du service de Dieu. Voulant toujours se dépasser, le serviteur en quête de perfection va, tel un héros de roman de chevalerie, d'épreuve en épreuve ; ainsi se déroulent, dans leurs séquences successives, les divers événements de la chronique comme autant d'aventures dont Álvaro de Luna, chevalier parfait, est le héros. La passion qu'il va souffrir à la fin de sa vie va même lui permettre de suivre le chemin qui conduit des chevaleries *terriennes* aux chevaleries divines, c'est-à-dire vers une forme de sainteté.

La progression de la montée au pouvoir se traduit par l'intensification du thème du *servicio*. Quand le chroniqueur dit que le roi laisse au connétable le soin de régler une affaire (« *lo puso luego en la voluntad y querer del Condestable* », chap. 46, p. 150), c'est pour grandir la figure de ce dernier mais surtout pour le justifier. Un tel serviteur ne permet-il pas au roi de se décharger des soucis du gouvernement[50] ? Il prend des initiatives de plus en plus grandes, traduites par le *tovo manera* du chroniqueur[51]. Des images plus ou moins heureuses essaient de rendre compte de ce *servicio* infini jusqu'à celle de la *candela* qui fait passer une nouvelle fois du dévouement au sacrifice : « *alumbrando a otros se quema a si mesma* » (chap. 85, p. 252)[52].

Álvaro de Luna est donc le chevalier conseiller, le champion du roi, celui qui le décharge des *trabajos*, la sentinelle qui veille sur le royaume. Le biographe n'a voulu voir en lui qu'une incarnation exceptionnelle d'un

48. Le service du roi semble être le seul souci de ce parfait serviteur, comme on le voit très clairement dans le passage consacré aux *ordenanças de Guadalajara* (chap. 45, p. 148).

49. Significatif est aussi le passage suivant : « *Un trabajo que nuevamente delante se le ofresçía, le era descanso del otro más çercano passado, e otro de otro ; e assí de grado en grado, sucesivamente, fasta en fin de sus días* » (chap. 79, p. 229).

50. « *Como aquel de quien cargaban todos los mayores e más principales negocios que en Castilla eran e ocurrían : e solo en el qual esso mesmo se descargaba e se descuydaba de todos ellos el Rey* » (chap. 83, p. 246).

51. Ce « *tovo manera* » est commenté par le chroniqueur lorsqu'il s'agit du fait le plus embarrassant, c'est-à-dire de la soumission du roi à Álvaro de Luna dans son intimité conjugale : « *Pero antes que los puertos pasasen, conosçiendo el buen Maestre el grand amor que el Rey su señor tenía con la Reyna su muger, tovo manera como por algunos días se viniesse a deportar e aver alguna recreaçión con ella. No te maravilles tu que lees porque la Historia diga e haya dicho en muchos logares, que el Maestre tovo manera con el Rey, etc, ça esto pone la historia por tales palabras por quanto el Rey avía dado de sí tanta parte al Maestre, e tanta e tan entera confiança tenía de él, a que paresçía que en todos los fechos no tenía otro querer, nin otro non querer, salbo aquel que al mesmo Maestre paresçía, e le desçía ser fazedero* » (chap. 96, p. 287).

52. [Nous voici donc à l'opposé des conseils donnés par Ibn al-Muqaffa. Voir plus haut « L'itinéraire spirituel de Berzebuey ».]

idéal connu[53]. On peut toutefois être frappé par la répétition insistante des mêmes thèmes. Plus qu'un panégyrique, il faut y voir une justification qui tire ses arguments de ce qui devait être la propagande de légitimation du pouvoir dans le parti du connétable. Celle-ci conduit paradoxalement au renforcement et à la possible *usurpation* de l'autorité royale. Le bien du royaume est totalement identifié à la personne du roi ; en se consacrant tout entier à son service, le parfait serviteur écarte donc les autres forces qui pourraient contrebalancer le pouvoir comme le souhaitaient en effet les partisans d'une monarchie plus nobiliaire. Pourtant le roi a presque disparu, même si son nom est constamment prononcé et s'il est la référence obligée, le but et la source de tout, car il devient à la limite une simple projection de l'idéal incarné par le héros. Il ne semble exister que pour permettre aux qualités d'un serviteur exceptionnel de se manifester pleinement. Comme Álvaro de Luna d'ailleurs, le roi commence à exister au moment où se dégrade et se détraque le schéma mécanique d'une relation parfaite. Le roi, influencé par un traître, devenu cupide, injuste et capable de manquer à sa parole, devient non seulement l'ennemi d'Álvaro de Luna, mais un obstacle au bien du royaume. La loyauté du parfait serviteur devra alors se manifester malgré le roi, c'est-à-dire que se trouvent dissociés le service du roi et celui du royaume, le dernier service ne pouvant être que le martyre. Quant à l'amour d'Álvaro de Luna pour le roi, il reste intact, comme l'indique cette phrase saisissante : « *Mandólo matar su muy amado e muy obedescido señor el Rey* » (chap. 128, p. 434).

L'explication de la tragédie finale est aussi simple que celle de l'ascension vers la gloire. Elle est due, on l'a vu, à la trahison[54], et le revirement royal est semblable à celui que l'on peut trouver dans certains romans de chevalerie. Álvaro de Luna sait « *que el Rey su señor no solamente le quería mal, mas que aquel mal era de muerte* » (chap. 103, p. 308). Il reste cependant, par loyauté, et pour ne pas être accusé de lâcheté, mais le chroniqueur se permet alors les premières critiques contre un roi qu'il n'a pas encore accusé jusqu'ici[55] : un peu plus loin Gonzalo Chacón, envoyé en ambassade auprès du roi pour l'entretenir d'un problème qui concerne la forteresse de Burgos, rapporte dans une scène émouvante de vérité le trouble du souverain[56]. Lorsque son maître est fait prisonnier, l'indignation du

53. Ce côté exceptionnel, mais non différent, apparaît clairement dans l'épilogue.

54. « *En efecto, tales maneras sopo tener el peruerso honbre, e por tal vía sotilizó su dañado intento e motivo, e supo minar el coraçón del Rey, e lo indignó de poco en poco contra el Maestre, a que ya de día en día, de grado en grado non solamente desplaçían mas enojaban al Rey los fechos del su leal Maestre* » (chap. 128, p. 434).

55. « [...] *esforçándose en la bondad e humanidad del Rey su señor, aunque por çierto la humanidad ni la clemençia no eran mucho domésticas nin familiares suyas* » (chap. 108, p. 326).

56. « *E después, fablándole con no asentado asiento de su fablar, començó a dezir, con no acordadas palabras : "Chacón, para mientes, dí al Maestre, dí al Maestre..." E dende estouo algún tanto intervalo de*

chroniqueur éclate et il menace le roi de la colère divine ; plus loin il l'accuse de *codicia*. Quand la sentence de mort est prononcée, le chroniqueur donne libre cours à toutes les ressources de la rhétorique pour imaginer le débat qui selon lui dut se livrer dans le cœur du roi entre deux *bandos* : *la voluntad* et *la codicia* d'une part, *la conciencia* et *la razón* de l'autre (chap. 127, p. 427)[57]. La plus violente critique apparaît après l'exécution, et la mort du roi (si proche de celle d'Álvaro de Luna) est présentée comme un effet du remords (chap. 128, p. 434). Jean II, devenu cupide et cruel, est enfin comparé à Néron (p. 435). Le biographe possède en tout cas un sûr instinct dramatique puisque le lecteur, qui connaît l'issue du drame, ne peut s'empêcher d'en suivre avec intérêt les péripéties.

Selon Cruz Montero Garrido, l'époque la plus vraisemblable pour la composition de la chronique de Chacón se situerait entre 1462, lorsque celui-ci cesse d'avoir la garde de l'infant Alphonse, et 1465, date à laquelle le prince Alphonse est proclamé roi par une partie de la noblesse. Cette rédaction retrouve ainsi l'époque du transfert des restes d'Álvaro de Luna à la chapelle de la cathédrale de Tolède[58]. C'est à partir de 1468 que Gonzalo Chacón devient un « homme de la princesse », et c'est à partir de cette date qu'il reçoit les charges les plus importantes[59]. Même s'il a composé sa chronique dans la période suggérée par Cruz Montero Garrido, l'interprétation qui y est donnée de la figure d'Álvaro de Luna, parfait serviteur du roi même quand le roi, pour des raisons obscures, manque à ses devoirs et devient un tyran, peut déjà avoir une valeur exemplaire qui ne se limite pas à l'illustration des revers de la Fortune. On peut y trouver des rapports plus complexes avec l'actualité, en particulier l'esquisse de principes politiques qui ne cesseront de s'affirmer avec les princes, puis les rois[60]. Álvaro de Luna constitue un modèle qui peut s'accorder aux nouvelles mentalités, non seulement un modèle de chevalier mais de

---

tienpo e tornóle a dezir : "Oyeslo? Dí al Maestre. Verás, dí al Maestre que me paresçe, que me paresçe" » (chap. 119, p. 368).

57. Plus émouvante est l'apostrophe : « *¡ Oh alto Rey de Castilla! ¿ Qué fazes?* » (p. 426).

58. C. MONTERO GARRIDO, *La historia...*, p. 128. Jean-Pierre JARDIN, dans « Le règne de Jean II vu depuis Murcie », *Mélanges de la Casa de Velázquez*, 30 (1), 1994, p. 207-225, avait suggéré, pour le transfert des restes d'Álvaro de Luna, une date se situant « du vivant d'Henri IV et probablement avant les années 1464-1468 » (p. 218). [D'après le ms. BNM 10448, étudié par J.-P. Jardin, il s'agirait, du Carême 1459 (fol. 277r°, transcrit p. 225).]

59. G. MONTIEL ROIG, art. cit., p. 190-195. La présence et le rôle de Gonzalo Chacón auprès des jeunes infants Alphonse et Isabelle à Arévalo après la mort de Jean II est remise en question par Nicasio SALVADOR MIGUEL. Ce dernier pense en effet que cette relation est postérieure à leur venue à la cour et que, dans les derniers paragraphes de la *Crónica de don Álvaro de Luna*, « *se pretende dignificar y engrandecer la figura de Chacón buscándole una conexión con Isabel más temprana de la que realmente tuvo* » (« La instrucción infantil de Isabel, infanta de Castilla (1451-1461) », *in* : Julio VALDEÓN BARUQUE (dir.), *Arte y cultura en la época de Isabel la Católica*, Valladolid : Ámbito - Instituto de historia simancas, 2003, p. 155-177, p. 170).

60. G. MONTIEL ROIG, art. cit., p. 190.

prince. Gonzalo Chacón, dont la prospérité a été assurée par Isabelle, est lui-même un modèle de parfait serviteur ; il a tenu dans la passion d'Álvaro de Luna son rôle de disciple et il témoigne par l'écriture[61]. Il existe donc dans l'œuvre une conjonction d'intérêts personnels (de Gonzalo Chacón, de Pedro de Luna et de ses descendants), conjonction cimentée et dépassée par l'intérêt plus général du service de la couronne qui rend, tout compte fait, bonne à penser et à dire la tragique destinée du favori de Jean II, pour les valeurs politiques qu'il incarne ou qu'on lui prête. La biographie, à la fois monument à la gloire du héros martyr et pièce juridique, présente un Álvaro de Luna conforme aux exigences de la monarchie et aux revendications de la famille.

Álvaro de Luna a été accusé d'être « *apoderado de la persona del rey* ». S'il a, selon ses ennemis, usurpé le pouvoir du roi, il pourrait tout aussi bien être accusé d'avoir usurpé la chronique royale. Mais la réciproque est tout aussi vraie, car Álvaro de Luna ne vit que par et pour le roi ; selon ses ennemis, il est le roi. C'est à peine s'il a une vie propre et il n'existe que par sa mort. Il est d'ailleurs le seul héros des chroniques biographiques castillanes que l'on voit mourir ; or c'est par la création du récit de la chute et de la mort, qui anime enfin un vrai personnage, que Gonzalo Chacón a ressuscité une figure éclairée par le brillant de la vie courtisane et magnifiée par la gloire de la chevalerie, héroïque et glorifiée sans doute mais au fond vidée de tout contenu personnel. La relation *servicio/merced* ne fonctionne plus selon des normes claires ; elle s'exaspère, devient obsédante et, à la fin, mortelle. La *Crónica de Álvaro de Luna* est plus qu'une histoire exemplaire ou un chef-d'œuvre de création littéraire ; c'est une magnifique histoire d'amour et de mort qui mérite de figurer parmi les plus belles du XVe siècle.

Le seigneur de Jaén

Miguel Lucas de Iranzo reste sans doute moins connu que la chronique qui lui a été consacrée[62]. Cette biographie incomplète, qui s'ouvre sur le jour où le roi Henri IV élève son favori au rang de baron, comte et connétable, c'est-à-dire le 25 mars 1458, s'interrompt lorsque décline la puissance du héros et ne rapporte pas sa mort violente le 22 mars 1473[63]. Mais, pendant les années où Miguel Lucas fut le glorieux, quoique discuté, seigneur

61. Voir, dans « Place et fonction du portrait du roi », le texte cité à la note 86. Chacón est un bon exemple de « *evangelista temporal* ».

62. *Hechos del condestable Miguel Lucas de Iranzo*, éd. cit. Voir également l'édition citée plus haut en note 17, et Catherine SORIANO, *Los* Hechos del condestable don Miguel Lucas de Iranzo *; estudio y edición*, 2 vol., Madrid : Universidad complutense (Tesis doctorales, 114/93), 1993.

63. La chronique relate les années 1458-1471. Selon Franco MEREGALI, *Cronisti e viaggiatori castigliani del quattrocento*, Milan-Varèse : Cisalpino, 1957, p. 99-106, si elle est incomplète,

de Jaén, le chroniqueur le suit pas à pas, ébloui par son faste, tenant bien à jour son compte rendu plus ou moins officiel. C'est là une biographie d'un genre un peu particulier, pour un personnage qui ne l'est pas moins et que des travaux récents ont appris à mieux connaître[64].

Le « héros » des *Hechos del condestable Miguel Lucas de Iranzo*, d'humble origine, fut l'un des nombreux favoris d'Henri IV et dut à la faveur royale une élévation sociale spectaculaire ; il s'agit donc d'un cas extrême d'*hombre nuevo*. Mais Miguel Lucas était lucide : il voyait la montée de nouveaux favoris dont Francisco de Valdés, l'opposition dirigée par Juan Pacheco, marquis de Villena, et son frère Pedro Girón, maître de Calatrava, les rivalités causées par la faveur dont jouissait Beltrán de la Cueva ; il voyait surtout la versatilité du roi qui, tout en lui donnant des marques d'affection, le gardait prisonnier. À cette faveur suspecte, il préféra un exil volontaire et alla s'installer à Jaén, que le roi lui avait donné ; dans cette importante place *fronteriza*, où il jouissait d'un statut de vice-roi, il mena une vie de grand seigneur que les *Hechos* décrivent avec complaisance. Après de longues années de pouvoir dans cette ville, Miguel Lucas fut assassiné le 22 mars 1473 alors qu'il s'apprêtait à entendre la messe. Il fut sans doute victime d'une conspiration complexe où se mêlaient les intérêts des grands seigneurs laïques et ecclésiastiques (et plus particulièrement ceux de l'ordre de Calatrava), les revendications d'une oligarchie urbaine qui commençait à trouver tyrannique l'autorité du connétable, et les passions populaires habilement excitées par les émeutes contre les *conversos*, dont les ravages s'étendaient après les graves événements du 16 mars 1473 à Cordoue[65].

Miguel Lucas, *hombre nuevo*, fit de son mieux pour adopter le mode de vie d'une noblesse à laquelle il se trouvait intégré par la faveur royale. Il s'efforça aussi, semble-t-il, d'en adopter le code moral et chevaleresque et devint en particulier l'incarnation de la loyauté. Ce parvenu a donc joué à la perfection son rôle de seigneur de Jaén et sa biographie, qui joue elle aussi le rôle d'une perpétuelle légitimation, suit le rythme de la vie du seigneur et de sa ville ; elle constitue ainsi une sorte de livre de protocole, un répertoire de fêtes et de manifestations diverses ; mais son luxe descriptif et sa surabondance de louanges ne masquent pas totalement l'absence de grandeur chevaleresque ou de souffle héroïque, ou encore de toute saveur romanesque. À cette parade permanente, tous les sens sont conviés.

---

ce serait tout simplement parce qu'elle se trouvait en cours de rédaction au moment de l'assassinat de Miguel Lucas.

64. Voir Pedro PORRAS ARBOLEDAS, « La ciudad de Jaén (1246-1525). Avatares políticos e institucionales de una ciudad fronteriza », *En la España medieval*, 20, 1997, p. 195-218, et en particulier la partie « El virreinato del condestable Miguel Lucas (1460-1473) », p. 208-210.

65. Nous reprenons ici l'essentiel de l'analyse de C.-V. AUBRUN, « La chronique de Miguel Lucas de Iranzo », *Bulletin hispanique*, 44 (1234), p. 87. On sait combien la propagande politique, surtout depuis le règne de Jean II, pouvait manipuler l'accusation de *tiranía*.

Processions et cortèges se succèdent. Ce ne sont que riches étoffes, beaux costumes chaque jour différents, danses bien réglées, bruyantes musiques, repas somptueux. La fête, qui joue ici pleinement son rôle de confirmation de l'appartenance à l'ordre nobiliaire, tient une place de choix, car protocole et rituel sont des garanties de grandeur. De plus en plus en effet la noblesse a compris la nécessité de *montrer* son pouvoir en s'entourant de tout un cérémonial[66] ; Miguel Lucas, homme nouveau et qui tient à Jaén un pari difficile, a besoin plus que tout autre de cette symbolique et de ce plébiscite permanent, de cette « louange qualifiante » dont la chronique est la plus éloquente manifestation.

Il semble pourtant que ce soit la manifestation d'une réelle volonté d'ordre et de qualités de gouvernement dont les effets peuvent s'avérer plus surprenants ; le brillant seigneur de Jaén, qui a su s'entourer d'une véritable cour, va aussi faire preuve d'éminentes qualités d'administrateur et entreprendre de judicieuses et efficaces réformes urbaines. Il fait du travail sérieux : il restaure les murailles, les rues, réforme les boucheries et les abattoirs ; il s'occupe du problème de l'eau, distribue les offices municipaux et fixe les modalités de leur roulement ; il tranche de délicats problèmes de bornage ; et surtout, il assure le parfait fonctionnement de la milice municipale dont le rôle est essentiel dans cette ville *fronteriza*. Il est vrai que si la noblesse avait pris conscience du pouvoir du cérémonial, elle accordait aussi de plus en plus d'importance à l'administration de ses domaines. Miguel Lucas en réalité porte à l'extrême ces deux tendances de la mentalité nobiliaire ; la nouveauté est sans doute l'importance qui est ici accordée à la ville elle-même : dans cette communauté urbaine, le seigneur doit, comme le roi dans son royaume, assurer la paix et le *bien commun*. Sa magnificence doit lui faire entreprendre, pour le bien de tous, des œuvres « d'utilité publique ». Pour Miguel Lucas de Iranzo, en effet, la ville tient lieu de patrimoine et de lignée : il recherche pour elle des titres de noblesse que sa relation privilégiée avec le roi, dont il est le plus loyal soutien, lui permet d'obtenir. Il est difficile de savoir la signification exacte que pouvait avoir pour le chroniqueur biographe la politique urbaine de son héros : hésitant, semble-t-il, entre un modèle de parfait chevalier et celui de parfait consul, il fait de la « République » de Jaén une nouvelle petite Rome et dresse à Miguel Lucas la statue que, selon lui, il mérite[67].

66. On peut se reporter aux travaux de María Concepción QUINTANILLA RASO, et en particulier à « Historiografía de una élite de poder : la nobleza castellana bajomedieval », *Hispania*, 50/2 (175), 1990, p. 719-736. Ou encore « El orden señorial y su representación simbólica : ritualidad y ceremonia en Castilla a fines de la Edad Media », *Anuario de estudios medievales*, 29, 1999, p. 843-872.

67. « *¡ O gente romana ! Si quando tú prosperauas el tienpo de aqueste señor alcançáras, ¡ qué tenplo, qué estatua, qué estoria le mandaras facer, e con quánta solepnidad e reuerençia le mandaras onrrar !* » (chap. 11, p. 122).

Miguel Lucas de Iranzo, on l'a vu, doit tout au roi Henri IV. La chronique ne dit rien de son humble origine et le présente avant la grandiose cérémonie qui va le combler d'honneurs comme un homme déjà important (chap. 1, p. 4)[68]. Son élévation est due à l'amour que lui porte le roi et à ses mérites[69]. Par trois fois elle est justifiée par Alonso de Velasco qui parle au nom du souverain. Pour le titre de baron, il fait état des vertus royales de *liberalidad* et de *franqueza*. On retrouve ici la relation *servicio/merced*, qui sert à l'évidence à inclure dans un cadre connu la promotion d'une nouvelle noblesse[70]. Le titre de comte est justifié par deux arguments : qui n'élève pas abaisse, et qui donne une haute charge oblige à mieux servir[71]. Enfin, le titre de connétable est justifié par le fait que les rois, à l'image de Dieu, doivent rechercher la perfection dans leurs œuvres[72].

Après l'installation à Jaén, la biographie suit minutieusement le détail et l'ordre des cérémonies, des fêtes, des combats, des réformes urbaines et militaires entreprises par le connétable[73] ; on peut y trouver en particulier une intéressante description de la *caballería de cuantía*[74]. Les affaires générales du royaume n'intéressent le chroniqueur que dans la mesure où elles ont un rapport avec la vie du seigneur de Jaén. Des formules bien significatives viennent inclure dans des sortes de « trous » de la vie du connétable des événements de toute première importance comme la bataille d'Olmedo, la reddition de Tolède, la mort du prince Alphonse, le pacte des Toros de Guisando, à propos duquel seul le serment de fidélité au roi est retenu (chap. 38, p. 387), le mariage de Ferdinand et Isabelle, les fiançailles du duc de Guyenne et de doña Juana. Le contraste est grand entre la minutie

68. Miguel Lucas, qui avait déjà reçu de nombreuses *mercedes*, avait été fait *caballero de espuelas doradas* et avait été anobli pendant la campagne de Grenade le 12 juin 1455. On trouvera le texte de la *cédula real* dans les *Memorias de don Enrique IV de Castilla, II : Colección diplomática del mismo rey compuesta y ordenada por la RAH*, Madrid : Real Academia de la Historia, 1835-1913, XLIX, p. 141-143.

69. « *Por causa quel dicho señor rey lo amaua y quería muy entrañablemente, y era él tal que lo mereşçía* » (chap. 1, p. 5). Miguel Lucas de Iranzo a été choisi comme exemple d'ascension d'un *hombre nuevo* par M. C. QUINTANILLA RASO, « La renovación nobiliaria... », p. 266-268.

70. « *Considerando cómo a los reyes y principes perteneşçe no solamente remunerar los seruicios que les son fechos mas aun facer dignos aceptos de si aquellos que con verdadero amor y lealtad hanles seido y con propósito y voluntad de los facer, avnque tantos ayan fecho, pues que en tal caso non çesa la obra por falta de deseo, mas por no se ofreçer oportunidad o tiempo* » (chap. 1, p. 5-6).

71. « *Por vos dar mayor cargo e obligaçión para le seruir* » (p. 8).

72. « *El fin e perfeçión de la obra muestra la exçelencia e grandeza de su facedor, sin el qual no puede rescebir el que así algo face perfecto loor, ni reçibe acabadamente su dignidad la tal obra. E si esto más prinçipalmente que de otro alguno se puede decir de aquella soberana ynfalible causa que es Dios, quánto los reyes e prínçipes fieles e católicos cristianos, que por él reynan e de su mano e no de otro alguno han el poder, se deuen esforçar e disponer a facer muy perfectas e acabadas sus obras* » (p. 9).

73. On trouvera un intéressant tableau de la vie à Jaén dans les études de Lucien CLARE réunies dans *Frontières andalouses*, Paris : Université de Paris-Sorbonne (Ibérica), 1996.

74. Une longue description des *alardes* organisés par le connétable occupe le chapitre 11 (p. 113-117).

de la relation des moindres faits de Miguel Lucas et la brièveté de ces passages[75]. Un événement pourtant attire davantage l'attention de l'auteur et un jugement sévère : il s'agit, il est vrai, du « *destronamiento de Ávila* » (chap. 25, p. 266-267).

Dans un règne aussi troublé, la relation entre Miguel Lucas et Henri IV est toujours présentée de façon très simple et très claire sous le signe de la *lealtad* qui reste le plus beau fleuron de ce long panégyrique. Elle est chantée dans des *coplas* et des *cantares* et surtout dans la célèbre *Canción del condestable*[76]. Miguel Lucas devient le défenseur du roi, d'un roi presque indifférent. Les plus hautes faveurs ayant été accordées au début de la chronique, l'échange *servicio-merced* semble interrompu. Il subsiste pourtant, mais sous une forme nouvelle : par les privilèges que le roi, à la demande de Miguel Lucas, accorde aux villes de Jaén et Andújar (chap. 29, p. 308-312). Le point culminant de la chronique est peut-être constitué par la visite du roi à Jaén, visite que le chroniqueur raconte avec délectation comme le triple triomphe du roi, de Miguel Lucas et de la ville entière (chap. 39, p. 396-398). La loyauté du connétable, qui semble avoir été réelle et qui est même reconnue par le terrible Alfonso de Palencia[77], sert donc ici essentiellement à glorifier le personnage. Tous ses efforts pour s'assimiler à la noblesse (costumes, fêtes, cérémonies de prestige) sont couronnés, légitimés par cette vertu noble par excellence, qui lui permet aussi d'assurer l'honneur de la ville dont il est le seigneur. Il y a dans la chronique une sorte de renversement des rôles : au début, dans la cour royale, Miguel Lucas est honoré. À la fin, le roi errant et persécuté est honoré dans la cour de Jaén.

On ignore le nom de l'auteur de cette biographie, mais il s'agit à l'évidence d'un familier de Miguel Lucas, témoin visuel de la plupart des faits rapportés. On a proposé les noms de Pedro de Escavias, *alcaide* d'Andújar et auteur du *Repertorio de príncipes*. On a également proposé les noms de Gonzalo Mexía, camérier et *alguazil mayor*, et de Luis del Castillo.

75. L'objet de la biographie étant la vie de Miguel Lucas, il arrive à l'auteur d'écrire : « *En este año* [1466] *no ocurrieron otras cosas que de escreuir fuesen tocantes al señor Condestable; saluo que a suplicaçión suya el rey nuestro señor fiço franca a la çibdad de Andujar de pedido y moneda, para siempre jamás* » (chap. 21, p. 328). Ou encore « *E así pasó lo que fincó deste año* [1467] *que no nasçió cosa tocante al señor Condestable que de escreuir fuese. Saluo que después quel rey don Enrrique nuestro señor peleó cerca de Olmedo con el príncipe don Alonso su hermano, que se llamaua rey de Castilla* [...] *e vençió la batalla* » (chap. 35, p. 362).

76. « *Y como en muchas coplas y cantares que a la sazón se ficieron, por muchos se dixo que por este señor reynaua en Castilla* » (chap. 26, p. 282). On trouvera le texte de la *canción* chap. 31, p. 328-329. Sur cette vertu de loyauté, voir Lucien CLARE et Michel GARCIA, « La guerre entre factions ou clientèles dans la *Crónica de Miguel Lucas de Iranzo* », *in* : *Bandos y querellas dinásticas en España al final de la Edad Media. Actas del coloquio celebrado en la Biblioteca española de París, los días 15 y 16 de mayo de 1987*, Paris-Madrid : Ministerio de Asuntos exteriores, Dirección general de relaciones culturales (Cuadernos de la Biblioteca española, 1), 1991, p. 59-75.

77. Voir plus loin « Alfonso de Palencia et Miguel Lucas de Iranzo : exemple de l'utilisation d'un personnage ».

Michel Garcia propose deux auteurs et deux temps de rédaction : Luis del Castillo, secrétaire du connétable, jusqu'en 1466, et son successeur Juan de Olid, dont le travail aurait pu s'inscrire dans le *taller literario* de Pedro de Escavias[78]. Catherine Soriano est également favorable à la thèse des deux auteurs et des deux temps de rédaction[79]. Plus récemment (1996) José Rodríguez Molina a proposé le nom de Diego Fernández de Iranzo, dit aussi parfois Diego de Cerezo, frère du connétable et *comendador de Montizón*. L'argumentation se fonde sur le rôle joué dans les *Hechos* par ce personnage, l'importance des informations privées et intimes dont il dispose, et les qualités littéraires dont il a fait preuve par ailleurs[80]. Il faut aussi retenir, comme l'a suggéré Michel Garcia, la possible utilisation de cette biographie élogieuse pour renforcer les droits de Luis de Torres, fils du connétable, qui se trouvait dans une situation délicate après l'assassinat de son père. Luis de Torres, après avoir vu sa position confirmée à la cour des Rois Catholiques, entra dans l'ordre des Franciscains. Cette biographie, qui commence comme une sorte de livre d'étiquette ou de protocole, se trouve par la suite probablement liée à des fins de légitimation d'une famille et d'une lignée.

Deux dédicaces en forme de biographie : *Los hechos del arzobispo de Toledo don Alonso Carrillo* et *Los hechos del maestre de Alcántara don Alonso de Monrroy*

Tout semble séparer les protagonistes de ces deux récits et les récits euxmêmes[81]. Alonso Carrillo est le puissant archevêque de Tolède, la plus haute dignité ecclésiastique en Espagne, la plus riche aussi. Archevêque et véritable chef de parti, il a défait et fait les rois, détrônant Henri IV, proclamant Alphonse, mariant Isabelle à Ferdinand, soutenant le parti aragonais ; la suite est moins glorieuse : jaloux de la faveur du cardinal Mendoza, il s'est heurté à Isabelle et a pris le parti de Jeanne et de son prétendant le roi du Portugal. Il est mort en 1482, réconcilié avec les rois. Quant à Alonso de Monrroy[82],

78. Rappelons que la chronique de Miguel Lucas de Iranzo a été attribuée à Pedro de Escavias, attribution considérée aujourd'hui comme très improbable après les études de Michel GARCIA, « À propos de la *Chronique du connétable Miguel Lucas de Iranzo* », *Bulletin hispanique*, 75 (1-2), 1973, p. 5-39.

79. Catherine SORIANO, « Los *Hechos del condestable don Miguel Lucas de Iranzo*, crónica del siglo XV », *Atalaya*, 2, 1991, p. 180-190.

80. José RODRÍGUEZ MOLINA, *La vida en la ciudad de Jaén en los tiempos del condestable Iranzo*, Jaén : Ayuntamiento de Jaén, Concejalía de Cultura (Raíces), 1996.

81. Ces récits ne sont pas tout à fait contemporains ; si le premier a été achevé vers 1475, le second ne l'a été probablement qu'en 1504.

82. J.-P. JARDIN justifie ainsi son choix de l'orthographe du patronyme : « Nous gardons l'orthographe archaïque de MONRROY comme le fait l'éditeur du texte qui justifie ce parti pris

issu d'une noble lignée d'Estrémadure, il est pris à sa manière dans les tourbillons de la vie politique, dont il espère tirer profit. Clavier de l'ordre d'Alcántara, il prétend devenir grand maître. Mais, en dépit de ses prouesses militaires et des promesses des rois, il n'obtiendra pas cette dignité ; après un moment de gloire, il fera le mauvais choix et finira sa vie au Portugal.

L'archevêque est un homme d'église, ce qui ne l'empêche pas d'être un homme de guerre[83] ; il est aussi un mécène qui a rassemblé autour de lui des nobles et des lettrés. Ce « *círculo de Alonso Carrillo* », dont on mesure de mieux en mieux l'importance[84], semble avoir joué un rôle de premier plan dans la vie littéraire et intellectuelle du premier humanisme espagnol ; il suffit de rappeler que Gómez Manrique fut le chef de la maison de l'archevêque et le capitaine de ses troupes. Alonso de Monrroy est un chef de guerre, un meneur d'hommes et de surcroît une sorte de monstre de la nature, pourvu de qualités exceptionnelles. Il vient d'une famille qui a sa grandeur, sa mémoire héroïque et ses mythes, où la violence se confond volontiers avec la force et où l'on pratique la vengeance sans s'encombrer de règles juridiques.

À l'archevêque et au clavier sont adressés des récits de leurs « *hechos* » qui se présentent en forme de *proemio*-dédicace, précédant des œuvres adressées à leurs maîtres par des serviteurs lettrés. Le premier est Pero Guillén de Segovia, poète et probablement secrétaire, qui fait partie de la maison de l'archevêque où il a été nommé *contador* vers 1463[85]. Les *hechos* sont inclus dans la dédicace du traité dit *La Gaya Ciencia* ou encore *La Gaya de Segovia* ou *Libro de los consonantes*[86]. Les *Hechos de Alonso de Monrroy* précèdent la traduction des *Guerres civiles* d'Appien d'Alexandrie, qu'adresse à son maître Rodrigo Maldonado dont on ne sait pas grand-chose, si ce

---

par l'existence en 1935 encore, d'une branche de la famille ayant conservé dans l'orthographe de son nom le double *r* (« Utopie chevaleresque et réalité, les *Hechos del maestre de Alcántara don Alonso de Monrroy* d'Alonso Maldonado », *in :* G. MARTIN (dir.), *La chevalerie en Castille*..., p. 261-284, p. 262, note 3). Nous adoptons cette même orthographe.

83. On connaît le célèbre portrait tracé par PULGAR dans les *Claros varones*..., p. 62-64, qu'il faut compléter par celui qui est inclus dans la *Crónica de los Reyes Católicos, version inédita*, éd. cit., t. 1, chap. 26, p. 82.

84. Voir Carlos MORENO HERNÁNDEZ, « Pero Guillén de Segovia y el círculo de Alfonso Carrillo », *Revista de literatura*, 47 (94), 1985, p. 17-49, ainsi que *id.* (éd.), Pero GUILLÉN, *Obra poética*, Madrid : Fundación universitaria española, 1989, Introducción , p. 7-90. Ces études ont été reprises dans *En torno a Castilla. Ensayos de historia literaria*, Las Palmas de Gran Canaria : Gobierno de Canarias, Consejería de Educación, Cultura y Deportes, 2001, p. 75-107.

85. *Id.* (éd.), *Obra*..., Introducción, p. 8-18.

86. *La Gaya Ciencia de P. Guillén de Segovia*, éd. cit. Dans cette édition, c'est-à-dire dans la transcription de O. J. TUULIO, le *Proemio* occupe les pages 1-46. Ce *Proemio* est incomplet ; la perte des deux premiers folios et celle des folios intermédiaires (16 à 19) semblent peu importantes. Il n'en est pas de même pour ceux de la fin dont on ignore le nombre. S'ils contenaient un traité du *gay saber*, la perte de cet art poétique serait inestimable. Voir l'introduction, p. I-LXXI.

n'est qu'il fut une sorte de « secrétaire lettré » pour reprendre les termes de Charles-Vincent Aubrun[87]. Cette traduction est aujourd'hui perdue.

Ces deux prologues en forme de panégyrique montrent que le simple éloge du dédicataire pouvait se développer en biographie. Il serait intéressant de savoir si dans un cas ou dans l'autre, ou dans les deux, il a pu s'agir d'une véritable commande. Cela semblerait plus vraisemblable de la part d'un « mécène » comme Alonso Carrillo, mais le clavier avait lui aussi de bonnes raisons de souhaiter que ses exploits soient connus. Le fait de se voir dédier une œuvre, commandée ou non, ne pouvait d'ailleurs qu'ajouter à la gloire du héros célébré dans le prologue-dédicace. Certes, l'articulation entre ce type de *proemio* et l'œuvre introduite n'est pas tout à fait la même dans les deux cas. Pour ce qui concerne Alonso Carrillo, on ne sait pas très bien ce que Pero Guillén écrivait dans les feuillets initiaux, aujourd'hui perdus ; mais il s'agissait probablement, comme il est dit dans le retour au *proemio* après le récit des *hechos*, d'offrir à un maître généreux et savant le *service* que constitue la rédaction d'un livre consacré à la *gaya ciencia*[88]. Les choses sont un peu plus compliquées dans le cas du clavier. Alonso Maldonado part du lieu commun des méfaits de l'oisiveté, cause des guerres qui ravagèrent l'Empire romain et dont il a traduit le récit. Cherchant à qui l'offrir, il a choisi son maître parce que celui-ci a été témoin, tout comme lui, de guerres semblables dans les temps présents[89]. Cela, dit-il, lui a inspiré le désir de mieux faire connaître les exploits de ce maître, mais celui-ci, s'il l'apprenait, ferait brûler l'œuvre ; c'est pourquoi l'auteur l'adresse au dieu Mars.

Dans cette succession de topiques on peut malgré tout discerner deux démarches plus intéressantes : la première est la gestation, rhétorique certes mais réelle, des *Hechos*, où l'auteur semble se prendre à son propre jeu[90]. La seconde est l'inversion de l'ordre de l'exemple, tel qu'il apparaît du moins dans l'ordre des textes, si on le compare à celui du *Proemio* du *Victorial*. Bien sûr, l'exemple présent est encore appelé par ceux du passé, mais il apparaît le premier et c'est à lui que sont dédiés ceux qui figurent dans l'œuvre offerte. Dans ces deux cas la biographie est justifiée, mais pas de

87. C.-V. AUBRUN, « Alonso Maldonado et sa chronique sur Alonso de MONRROY », *Bulletin hispanique*, 39, 1937, p. 239-243.

88. « [...] *quise fazer y ordenar este tratado e indocta obra conteniente dos fynes o rrespectos : vno, que pues en vuestra muy magnífica* [*casa*] *he gastado gran parte de mi vida y he rresçebido en ella mayores benefiçios y merçedes que mi seruiçio pudo nin puede meresçer, quiero que quede en ella alguna* [*cosa*] *por contyno miradero que sostener pueda la memorya de mi nonbre, porque avn después de mis días vuestra señoría sea de aquella seruido* » (*Hechos del arzobispo*..., p. 43).

89. « *Mas examinando yo en mí a quién había de ofrescer estas mis vigilias y trabajos, acordé escoger antes que a otro nadie en el mundo a Vuestra Señoría, como a persona que en sus tiempos vido semejantes cosas pasar, hallándome yo presente a todas las más* » (*Hechos del maestre*..., p. 7).

90. Cette gestation de l'œuvre a été analysée par A. RODRÍGUEZ MOÑINO (éd.), « Estudio preliminar », p. XXII-XXVIII.

la même façon. Comme l'a montré Rafael Beltrán, Alonso Maldonado ne cherche pas comme Gutierre Díaz de Games le meilleur chevalier, mais le chevalier qui pourra le mieux comprendre la valeur exemplaire de l'histoire passée dont la traduction lui est adressée[91].

Les *Hechos* de l'archevêque et du clavier peuvent montrer deux choses, plus complémentaires que contradictoires : tout d'abord que la biographie, ne disposant pas d'un statut bien défini, pouvait se glisser dans les espaces qui s'offraient à elle et qui pouvaient lui servir de support. Si elle avait pour but de louer et de légitimer, elle avait peut-être besoin d'être légitimée elle-même. Mais on pourrait tout aussi bien conclure que le récit biographique avait tendance à parasiter des espaces textuels plus traditionnels. Quoi qu'il en soit, la biographie semble bien être à la mode : louer son maître revient à célébrer ses vertus mais surtout à raconter sa vie et à faire de lui un exemple. Le lien est aisé à établir entre la vie guerrière du *clavero* dans les *bandos* de son temps et la traduction qui lui est adressée ; le redoutable capitaine pouvait la lire ou l'entendre pour son plaisir et son profit, car c'est là le genre d'histoire que les nobles avaient appris à fréquenter et dont on leur conseillait la lecture pour les exemples et les leçons qu'elle leur apportait. Le traité de Pero Guillén s'adresse à un public plus raffiné, cultivé, soucieux de *ciencia poética*. Les *Hechos del arzobispo* sont pourtant dans leur grande majorité constitués par une succession d'actions guerrières. On n'y trouve aucune référence aux origines, à la famille, à la *vie* proprement dite[92]. Les *Hechos de Alonso de Monrroy*, même s'ils ne concernent qu'une dizaine d'années de sa vie (1464-1475), sont inclus dans une structure biographique qui reprend des thèmes que l'on hésite à dire traditionnels mais qu'il faut bien considérer ainsi : la lignée, la famille, les enfances, le portrait du héros ; la différence est donc grande entre les deux structures. Mais dans les deux textes, et sans doute en raison de l'appartenance à l'ordre religieux – le clavier était, en principe, un moine chevalier –, on peut remarquer l'absence de dame ainsi que d'héritier direct. Ces deux apologies ont pourtant été écrites comme des états de services pour revendiquer les mérites des protagonistes : il est vrai que tous deux peuvent être considérés comme des victimes de la politique, pour ne pas dire

91. « *Maldonado no escoge como destinatario al mejor caballero, sino a quien mejor pueda entender, como testigo de la historia contemporánea, una labor de escritura que pretende la relación entre esta historia contemporánea y la historia antigua* [...]. *De otro modo, su destinatario será aquel que sepa asumir su papel ejemplar en la historia* » (Rafael BELTRÁN, « La justificación de la escritura en las biografías de Alonso Carrillo y Alonso de Monroy », *in :* José Manuel LUCÍA MEGÍAS (dir.), *Actas del VI congreso internacional de la Asociación hispánica de literatura medieval (Alcalá de Henares, 12-16 de septiembre de 1995)*, Alcalá : Universidad, Servicio de publicaciones, 1997, I, p. 265-277, p. 275.

92. Les origines des Acuñas auraient pu inspirer de belles inventions lignagères comme le montre Francisco ESTEVE BARBA, *Alfonso Carrillo de Acuña autor de la unidad de España*, Barcelone : Amaltea, 1943.

de l'ingratitude des rois. Proclamer leur droit à la reconnaissance royale et à la *fama* est donc autre chose qu'un simple lieu commun[93].

Un autre sujet, et non des moindres, réunit l'archevêque et le capitaine : la guerre, à tel point que le récit de leurs *hechos* prend parfois des airs de traité de *disciplina militar*. De l'un comme de l'autre on a pu dire qu'ils étaient des figures anachroniques[94]. Faut-il voir en ceci une des causes de leur échec ? Tous deux, dans une certaine mesure, ont trahi et mal fini une vie qui s'annonçait prometteuse. Mais les choses sont plus complexes et méritent que l'on regarde de plus près leurs vies, non pas leurs vies réelles, car l'entreprise dépasserait le cadre de cette étude, mais celles que leurs biographes ont racontées. Ni l'un ni l'autre en tout cas ne nous ont rapporté leur mort[95].

L'archevêque

Pero Guillén de Segovia est sans doute le type du « *funcionario culto del siglo XV* » pour reprendre les termes de Carlos Moreno Hernández[96]. Les *Hechos* de l'archevêque apparaissent deux fois dans son œuvre : dans une composition en vers et dans le *Proemio*, en prose cette fois, de *La Gaya Ciencia*. L'ensemble de l'œuvre poétique de Pero Guillén est constitué par 29 compositions qui lui sont attribuées, parmi lesquelles prédominent les poèmes sérieux et allégoriques[97]. Une des dernières compositions (le numéro 29 de l'édition de Carlos Moreno Hernández), qui compte 223 *coplas de arte mayor* suivies de quatre vers, soit de 1 788 vers, est aussi la plus longue de celles qu'il a dédiées à Alonso Carrillo. Ce long poème, imité du *Laberinto* de Juan de Mena, renferme un panégyrique des *fechos* de l'archevêque ; Ferdinand et Isabelle y apparaissent comme princes, ce qui permet d'avancer, pour la composition du poème, une date antérieure à la mort d'Henri IV en décembre 1474. Par contre, le *Proemio* de *La Gaya Ciencia*, qui développe en prose les faits évoqués dans ces *coplas*, inclut des

93. Il est intéressant de signaler que le fils de Pero Guillén de Segovia a écrit à la demande du neveu de l'archevêque, évêque de Pamplona, un panégyrique d'Alfonso Carrillo ainsi qu'un panégyrique d'Isabelle. Voir à ce propos l'introduction de C. MORENO HERNÁNDEZ (éd.), *Obra...*, p. 17.

94. Voir les remarques de J.-P. JARDIN dans « Utopie chevaleresque... », p. 103.

95. Selon toute vraisemblance, Pero Guillén de Segovia est mort vers 1475, c'est-à-dire plusieurs années avant l'archevêque.

96. « *Guillén representa el prototipo del funcionario culto del siglo XV, de probable origen converso, al servicio del poder y educado en diversas cortes de la época, en contacto con los nobles e intelectuales que las componían. Pasó por la corte de Santillana, al que consideraba su maestro, junto a Juan de Mena. Quizá estuvo al servicio de Álvaro de Luna a quien defiende, en la corte de Juan II* » (*Obra...*, p. 7).

97. « *Predomina en Guillén el poema serio de carácter culto o humanista con propósito moral, religioso o político. La técnica trovadoresca de base va acompañada de la utilización de la alegoría y de las citas de autoridades, sean éstas la Biblia, los clásicos o los autores medievales, con una finalidad claramente ideológica inseparable del contexto social de su época* » (*loc. cit.*).

événements de l'année 1474 et 1475 ; il semble donc avoir été écrit, du moins dans sa partie finale, entre 1474 et la rupture de l'archevêque avec les rois en septembre 1475. Cette date de rédaction (1475) proposée par Tallgren-Tuulio est aussi celle que retiennent Eloy Benito Ruano et Carlos Moreno Hernández[98].

Deux choses importantes apparaissent avec ces textes de Pero Guillén de Segovia : tout d'abord un exemple d'historiographie en vers, puis ce que l'on peut considérer, si l'on en croit ce que dit l'auteur lui-même, comme un exemple de version, de commentaire ou de développement en prose. L'auteur indique son projet :

> *Y sera esto commo comento o declaraçion de la otra primera obra que desta materya a vuestra señoria se fizo en metro, la medida y conpas de la qual non me consintio espresar por estenso los notables fechos celebrados por vuestro animo veryl, ally tocados. Lo qual aqui se fara por esta más ancha y espaçiosa carrera, que lo consiente* (*Proemio*, p. 2)[99].

Jusqu'à des dates récentes, l'historiographie en vers n'avait suscité que peu d'intérêt ; on avait tendance à la noyer sous le flot des éloges et triomphes de toutes sortes qui introduit des événements historiques dans la poésie, et qui n'a cessé de grossir dans la deuxième moitié du XVe siècle. Des travaux comme ceux de Derek Carr ou de Pedro Cátedra sont venus rappeler que, à côté de la très sérieuse historiographie en prose, une historiographie en vers n'avait pas disparu[100]. Certes, sous les artifices des allégories et l'emphase d'un discours apologétique, on peut craindre la déformation d'une certaine vérité. Mais, si l'approche est différente, elle est loin d'être négligeable, comme le souligne Juan Carlos Conde qui a établi une sorte de bilan des œuvres qui peuvent être ainsi désignées[101]. Parmi celles-ci figure un *Laberinto del duque de Cádiz*, dont le titre dit assez combien il doit à Juan de Mena, mais dont le texte, œuvre de Juan de Padilla, reste encore inaccessible[102] ; or le marquis, déjà très présent dans *La Consolatoria de Castilla* de Juan Barba et à qui a été consacré le *Laberinto* de Juan de Padilla, est

98. Voir Eloy BENITO RUANO, « Los *Hechos del arzobispo de Toledo D. Alonso Carrillo*, por Pero Guillén de Segovia », *Anuario de estudios medievales*, 5, 1968, p. 517-530. L'auteur y commente les différents *hechos* en apportant les éclaircissements historiques nécessaires. Voir aussi C. MORENO HERNÁNDEZ (éd.), *Obra*..., Introducción, p. 86.

99. « *No es muy común ese tipo de desdoblamiento biográfico prosa-verso en la segunda mitad del siglo XV* » (R. BELTRÁN, « La justificación de la escritura... », p. 268, note 18).

100. Pedro CÁTEDRA, *La historiografía en verso en la época de los Reyes Católicos, Juan Barba y su Consolatoria de Castilla*, Salamanque : Universidad, 1989 ; et Derek C. CARR, « Pérez de Guzmán and Villena : a polemic on historiography ? », *in* : John S. MILETICH (dir.), *Hispanic studies in honor of Alain Deyermond. A North American tribut*, Madison : Hispanic Seminary of medieval studies, 1988.

101. Juan Carlos CONDE LÓPEZ, « La historiografía en verso : precisiones sobre las características de un (sub)género literario », *in* : *Medioevo y literatura. Actas del V congreso de la Asociación hispánica de literatura medieval*, Grenade : Universidad de Granada, 1995, p. 47-59.

102. P. CÁTEDRA, *La historiografía en verso*..., p. 34-35.

également le héros d'une chronique biographique. S'il présente des caractéristiques bien particulières, le cas de l'archevêque de Tolède mis en vers et en prose n'est donc pas unique. Il se pourrait même, si l'on en croit les hypothèses séduisantes et bien argumentées de Juan Luis Carriazo, que le *Laberinto del duque de Cádiz* et les *Hechos del marqués* soient les œuvres d'un même auteur[103].

Dans sa savante composition en vers, Pero Guillén de Segovia doit lui aussi beaucoup à Dante et à Juan de Mena. Après une terrible vision qui annonce les malheurs de l'Espagne, le poète est transporté au pied de la montagne de *Sabiduría*, dont son *Entendimiento*, sous la forme d'un enfant, entreprend l'ascension[104]. Il passe par une succession de sept *casas*; dans chacune d'entre elles se trouve une *doncella* qui l'instruit dans un des sept arts et un *cerco* où l'on peut voir des personnages, exemples passés et présents de l'influence bonne ou mauvaise de ce signe astrologique. Chaque *doncella*, lorsque l'*Entendimiento* quitte sa maison, l'adresse à l'archevêque afin qu'il suive cet exemple parfait. Dans chaque cercle, à l'exception de ceux de Mercure et de Vénus, figurent les princes Ferdinand et Isabelle ainsi que l'archevêque[105]. L'enfant pénètre ensuite dans le paradis, jardin allégorique où se trouvent les sept vertus, et enfin au pied de la montagne il retrouve son corps. Le poète adresse alors son œuvre à la princesse à qui il demande d'*acatar* l'archevêque[106], ainsi qu'à l'archevêque à qui il demande de mettre fin aux malheurs du royaume[107].

C'est lorsqu'il arrive à la maison de *Giometria* et au cercle de Mars que le poète en vient au récit des *fechos del señor arzobispo* qui constituent sans doute le noyau générateur du poème. Une *copla* (v. 777-784) est consacrée à l'éloge commun des princes (*que son para reyes por Dios elegidos*, v. 784). Viennent ensuite, dans ce cercle guerrier, un éloge de Ferdinand (v. 785-792) et la longue série des *fechos* d'Alonso Carrillo, clairement mise en relief : « *Comienza el actor notar los claros fechos del señor Arzobispo de Toledo sobre lo qual tomo aquesta*

103. Voir Juan Luis CARRIAZO RUBIO, « Algunas consideraciones sobre la *Historia de los hechos del marqués de Cádiz* y Juan de Padilla el Cartujano », *Bulletin of hispanic studies*, 72 (2), 2000, p. 187-200. Repris dans l'étude préliminaire à l'édition des *Hechos* (*Historia de los hechos del marqués de Cádiz*, éd. cit., p. 72-89). On reviendra plus loin sur ce sujet dans l'étude consacrée à cette œuvre.

104. On trouvera le résumé détaillé de cette longue allégorie, établi par John G. Cummins et rapporté avec quelques corrections par C. Moreno Hernández, dans *Obra*..., Introducción, p. 86. Comme le rappelle R. BELTRÁN, « La justificación de la escritura... », p. 269, en se fondant sur les travaux de Francisco José Domenech Mira, Guillén de Segovia s'inspire ici très largement de la *Visión deleytable* d'Alfonso de la Torre.

105. Il faut préciser qu'Isabelle ne figure pas dans le cercle de Jupiter.

106. « *Deste primado que vos obedece / seguid vos, señora, su recto consejo, / pues que vos sirbe buscando aparejo / por darvos el reyno que vos pertenesce / y pues que sobresto ya claro paresce / que pone a peligro su vida y facienda / haya por pago reciba en enmienda / que sea acatado segun lo meresce* » (v. 1729-1736).

107. « *A males tan crudos señor proveed / y habredes sin duda por tal beneficio / de Dios galardon del reino serbicio / y asi me despido de vuestra merced* » (v. 1785-1788).

invencion. » Le premier vers d'une strophe d'introduction dit encore : « *Ya somos al punto de nuestra invincion* » (v. 793). Il s'agit d'une série de 22 *coplas* (*coplas* 100-121) qui se déroulent du vers 793 au vers 968, autrement dit dans la partie centrale du poème. Une série de 13 *fechos* est ainsi rapportée, chacun faisant l'objet d'une *copla*, à l'exception de la bataille d'Olmedo, de la mort d'Alphonse et des événements de Huete qui occupent chacun deux strophes. Mis à part la proclamation et la mort d'Alphonse et le mariage d'Isabelle, il s'agit de faits guerriers qui se déroulent de 1445 à 1469. La dernière *copla* est une sorte de représentation en majesté de l'archevêque (v. 961-968). Dans l'ensemble du poème, l'éloge se fonde sur des variations que l'on pourrait dire binaires (les princes/l'archevêque) ou ternaires (Ferdinand/Isabelle/l'archevêque). La longueur de l'éloge est variable comme l'est aussi la place accordée à Ferdinand ou à Isabelle, mais l'archevêque vient toujours en dernier[108]. C'est à lui que l'*Entendimiento* est adressé à sa sortie de chaque maison. Il constitue donc le lien entre les différentes *casas* et les cercles correspondants ; il est aussi le comble de la perfection qui assure le bon fonctionnement et la progression de cette montée initiatique. Dans ce véritable triomphe on peut noter la présence de prophéties ou de leur équivalent : de même que Ferdinand sera *rey de reyes*, l'archevêque mérite d'occuper le trône du pape : « *Aquel quen Toledo ya tiene su silla / y es digno de haber la otra romana* » (v. 1123-1124). Il se peut que les amplifications de l'éloge expriment une idée plus profonde, c'est-à-dire la revendication non seulement de l'indépendance mais de la supériorité de l'Église par rapport au pouvoir temporel ; autrement dit, une résurgence de l'affrontement pape/empereur, ici neutralisé par une harmonieuse coexistence dont on sait qu'elle ne correspond guère à la réalité[109].

Il reste à voir comment ces différents *hechos* sont traités dans le texte en prose que l'auteur présente comme *comento o declaraçion* et qui, n'étant plus astreint aux contraintes des mètres, peut aller « *por esta más ancha y espaçiosa carrera* »[110]. La première question qui se pose est celle de la priorité

108. Dans le cercle de la lune, l'ordre est le suivant : la princesse, le prince et l'archevêque ; « *en muy rica silla estaba sentado* » (v. 249). Dans le cercle du soleil, Isabelle précède encore Ferdinand. Dans le cercle de Jupiter c'est à Ferdinand que s'adresse l'éloge (v. 1041-1072), assorti d'une prophétie : « *aqueste fara temblar a Granada* » (v. 1058). Le cercle de Saturne retrouve un éloge de la princesse (v. 1193-1208) et du prince (v. 1209-1224) avec encore une prophétie : « *sera rey de reyes por fechos famados / porna el templo santo so su señorio* (v. 1217-1218). La symétrie est ici parfaite : après les deux *coplas* consacrées à la princesse et les deux *coplas* consacrées au prince, deux *coplas* (v. 1225-1248) présentent encore l'archevêque : « *el otro que ves en alta cadira* » (v. 1225). Les princes et l'archevêque sont encore réunis au paradis tandis que, on l'a vu, c'est à la princesse et à l'archevêque que l'auteur s'adresse à la fin du poème les laissant face à face.

109. Voir C. MORENO HERNÁNDEZ, « Pero Guillén de Segovia... ».

110. Se pose le problème de l'information de l'auteur. Pero Guillén avait sans doute accès aux documents. Il lui arrive de préciser par exemple qu'il n'a pas été présent lors de la libération d'Alphonse : « *Yo non estoue a lo biuo dello* » (p. 12). Si c'est une *visión* qui lui raconte la prise de

dans l'ordre de l'écriture. Une analyse comparative des textes a conduit Rafael Beltrán à mettre en doute les déclarations de l'auteur en raison de certaines erreurs que l'on peut trouver dans les *coplas*[111]. Même si l'ordre pourrait être révisé et si l'on peut surtout imaginer une source commune aux deux versions, il n'en reste pas moins que l'auteur a voulu présenter ou justifier ainsi son récit en prose. Rien ne permet de mettre cette intention en doute et cette démarche est en soi intéressante.

Il s'agit encore d'une sélection qui, à l'exception de la proclamation d'Alphonse, du mariage d'Isabelle, du concile d'Aranda[112], d'une rapide allusion à la mort d'Henri IV et à la proclamation des nouveaux rois, ne retient que des faits guerriers. Ce sont à peu près les mêmes que ceux qui sont évoqués dans le cercle de Mars. La différence essentielle vient de l'ajout d'événements plus tardifs qui permet de justifier l'hypothèse d'une rédaction quelque peu postérieure, comme on l'a vu plus haut. Il s'agit de l'aide apportée par l'archevêque à Ferdinand pendant le siège de Perpignan, du concile d'Aranda, de la venue du couple princier à Ségovie, de la prise par l'archevêque des forteresses de Canales et Perales[113], de la mort du roi Henri et de la proclamation d'Isabelle et de Ferdinand. La numérotation des événements s'arrête au siège de Perpignan (16 au lieu de 13 dans le poème). Il est vrai qu'après ce numéro 16, la suite du récit, par une étrange invention, est rapportée à l'auteur par une vision qui rappelle les inventions du poème. Il est à peu près certain que les folios perdus ne contenaient pas d'événements nouveaux, en tout cas importants, car la liste finale qui est proposée aux folios 24 verso et 25 recto inclut tous ceux qui sont rapportés dans le récit (*Proemio*, p. 40). Elle ajoute toutefois une idée importante, celle de perfection, après la proclamation des rois :

> Alço *por rreyes a los dichos principes faziendo en ello aquel acto que se rrequerya* [...]. *El qual acto se puede ya dezir ser perfecto en genero pues que allende de aquel ninguna otra cosa sespera. Es asimismo de difiniçion, vna por la postrymera diferençia ser impedida. Es fyn*

Canales, la précision du récit laisse supposer une information plus personnelle. Il s'agit d'une «*acción de la que debió de hallarse más cercano si no presente a la mayoría de sus pormenores*» (E. BENITO RUANO, «Los *Hechos*...», p. 529).

111. «*En todo caso, el texto en prosa precede evidentemente (al menos hasta la laguna en el ms. y el reinicio en el que interviene la visión) al texto en verso incluido en la suplicación. No tiene sentido, pese a las palabras de Guillén al inicio del Prohemio que lo afirman, que el texto en prosa, históricamente correcto, parta de un poema que presenta algunas arbitrariedades sólo poéticamente justificadas. Hubo un texto o un borrador de partida, y éste se acercaría mucho más, como es lógico, a la relación encomiástica en prosa*» (R. BELTRÁN, «La justificación de la escritura...», p. 272).

112. L'importance de ce concile «*donde se halla presagiada toda la que va a ser reforma clerical y eclesiástica de los Reyes Católicos*» a été étudiée par José SÁNCHEZ HERRERO, «El clero en tiempos de Isabel I de Castilla», *in* : Julio VALDEÓN BARUQUE (dir.), *Sociedad y economía en tiempos de Isabel la Católica*, Valladolid : Ámbito - Instituto de historia Simancas, 2002, p. 151-181, p. 154.

113. Cet épisode a fait l'objet d'une étude d'Eloy BENITO RUANO, «Canales y Perales. Un episodio de las rebeldías del arzobispo Carrillo», *Anuario de estudios medievales*, 2, 1965, p. 377-398.

bueno y deleytable al arçobispo por auer seydo prinçipio de la tal operaçion desdel comienço fasta el fyn [...]. *Por ende concluye tu obra, que ya non queda cosa que impedyr te pueda la conclusion* (p. 38).

Cela peut *a posteriori* donner un sens à une suite de récits qui ne se dérouleraient que selon un ordre chronologique assez lâche et sur le principe de l'énumération ou plutôt de la numérotation. Dans le poème, le passage d'un *fecho* à un autre est marqué par la présence d'un titre. Dans le *Proemio* l'ordre devient numérique et le passage est assuré par des formules très simples qui ne présentent une certaine emphase qu'à l'occasion d'événements importants[114]. Sous cette simple énumération se cache pourtant un ordre un peu plus significatif dont les points stratégiques sont les numéros 7 et 8 relatifs au prince Alphonse, le numéro 14 qui rapporte le mariage d'Isabelle, et la *perfección* que constitue la proclamation des rois. Ceci souligne bien ce qui est annoncé dans le poème : l'archevêque a fait les rois, remédiant ainsi aux malheurs de l'Espagne. Si la triade princesse/prince/archevêque n'apparaît plus régulièrement, le rôle de l'archevêque, resté seul héros, se trouve renforcé. Il devient une autorité supérieure qui sait ce qui convient au service de Dieu et au bien de la nation, un parfait défenseur et même un sauveur. Dans cette position supérieure il ne peut recevoir de *galardón* que de Dieu et il refuse les autres[115]. On se souvient pourtant de la fin du poème et des strophes adressées à la princesse ; il est très probable que les *Hechos* ont été écrits en vers et en prose pour montrer les services de l'archevêque et la dette des princes devenus rois ; dans le même temps ils montrent à l'archevêque la loyauté de ce parfait serviteur qu'est Pero Guillén de Segovia[116]. Constitués pour l'essentiel d'événements guerriers, les *Hechos* sont aussi un véritable traité sur la guerre[117]. Étant donné qu'il s'agissait de guerres civiles la justification devait être renforcée comme devait l'être aussi la légitimité de la cause à défendre ; l'archevêque semble mener une sorte de croisade.

La composition des *Hechos*, à la fois fragmentaire et rigoureuse, lâche et serrée, rappelle quelque peu la série des strophes du poème et se trouve à mi-chemin entre l'historiographie en vers et la chronique en prose[118]. Au

114. Citons quelques exemples : « *Poniendo el primero acto o fazaña en orden* [...] », « *Pues si notamos por segundo fecho o fazaña* [...] », « *Pues non es de pasar so silencio el terçero y famoso fecho.* » Par contre le mariage d'Isabelle est introduit ainsi : « *Viniendo al quarto deçimo acto solepnizado con la prudencia y virtud de vuestra señoria.* »

115. « *Lo qual todo ha bien conseguido vuestra gran magnifiçençia, que por todos estos trabajos non ha querido tomar cosa alguna de la corona rreal, antes se ha trabajado contradezir lo que della algunos con desmoderada codiçia de señorear por no liçitas causas han tomado* » (p. 26).

116. L'auteur semble annoncer son traité. Voir *supra* note 88.

117. Voir en particulier les pages 24-27.

118. Ces deux panégyriques de Pero Guillén n'excluent pas l'existence d'une possible chronique d'Alfonso Carrillo. Voir à ce propos B. TATE et J. LAWRANCE (éd.), *GH*, I, 5, 2 ; TL, 1, p. 200, note 1.

lieu d'ancrer les événements sur une trame biographique, cette composition numérique très simple peut élever les *fechos* de l'archevêque à une catégorie supérieure, même si dans la réalité il s'agit souvent d'événements sans importance. Les allégories du voyage initiatique cèdent ici la place à un véritable déferlement d'autorités et de comparaisons érudites qui finissent par étouffer le texte, son héros et son sens. Évaluer chaque *fecho* de l'archevêque à l'aune des exemples illustres de l'Antiquité, en lui donnant, bien sûr, l'avantage, finit par lui enlever son sens propre, sans pour autant lui donner accès à une autre forme de vérité. La comparaison ainsi comprise et utilisée fait dévier le sens du texte vers une autre échelle de valeurs et peut devenir un véritable masque. Mais ce n'est là qu'une des armes utilisées par l'auteur pour déguiser la réalité et mieux la manipuler ; tout est mis en œuvre pour faire d'Alonso Carrillo le sauveur d'une Espagne accablée par les malheurs[119].

Pourtant, Pero Guillén de Segovia peut se montrer bon historien. Son récit de la prise de Canales et Perales est un petit chef-d'œuvre ; rien n'y manque, ni la qualité de l'information ni la vivacité du récit agrémenté de la présentation de nombreux personnages, dont Gómez et Rodrigo Manrique, ainsi que de harangues. La scène finale de la reddition est d'une grande beauté. Mais ce récit est rapporté par une vision et les soldats y sont dotés d'une érudition pour le moins surprenante[120].

Le clavier

Alonso de Monrroy, ainsi que tous ceux de son *linaje*, est le type même du noble farouchement indépendant pour qui l'essentiel reste la guerre sous toutes ses formes. On sent que la paix, la *concordia* lui sont odieuses.

La grandeur des Monrroy, telle que le biographe l'*invente*, vient d'abord de l'ancienneté d'un glorieux *linaje* ; aux origines, un peu comme dans le cas des Niño, figure un illustre aïeul français, frère puîné du roi de France, qui aurait apporté son aide à Pelayo[121]. De cet aïeul descendent plusieurs nobles figures jusqu'à cette héritière doña Catalina Alonso de Monrroy que le roi Henri II (« *el Rey don Enrique el Bastardo* ») marie à un proche-

119. L'archevêque put en effet être considéré comme un sauveur. Cela apparaît clairement dans le texte édité et analysé par Carmen PARRILLA GARCÍA, « La "Exclamación de España" dirigida al arzobispo Carrillo. Un ejemplo de la *fictio personæ* al servicio del alegato político », *Scriptura*, 13, 1997, p. 67-99.

120. « [...] *seguiremos las señas de vuestra señoria, aunque aquellas por vuestro seruiçio conuenga trasponer los collados de los Alpes o quieran guerrear los pueblos de Siçia por las rryberas de los peligros que se dizen Sirtes, o por las arenas de la seca Libia* [...] » (p. 32).

121. « *Aquel Vigil de Monrroy, que veló la cueva en Asturias con el infante don Pelayo era hijo segundo del rey de Francia que venía huyendo de la indignación que su hermano mayor le tenía* » (*Hechos del maestre...*, p. 14).

parent et chambellan du roi de France ; il s'agissait probablement d'un ancien routier[122]. Jean-Pierre Jardin fait justement remarquer que l'histoire compliquée des Monrroy au XVe siècle reproduit « sous une forme mineure » l'histoire de la famille royale de Castille dans laquelle on voit s'unir dans le mariage le descendant d'un assassin et la descendante de la victime de l'assassinat[123].

Dans les querelles familiales et les *bandos* d'Estrémadure on se soucie peu d'obéissance et de justice royale ; on préfère des formes plus archaïques de vengeance. Hernán Rodríguez, grand-père du *clavero*, servit loyalement l'infant Ferdinand, mais, sous le règne de Jean II, de grands différends l'opposèrent à ses voisins, si bien que le roi envoya Ayala, seigneur de Cebolla, pour y mettre fin. Le biographe dit simplement : « *Y Hernán Rodríguez hízole un agravio a Ayala* » ; ce qui suit est particulièrement révélateur : « *de manera que como Ayala fuese buen caballero no quiso quejarse al Rey sino vengarse* » (p. 14). Le roi fait alors appeler Hernán Rodríguez qui, à juste titre, se méfie et se fait accompagner d'une nombreuse troupe. Ayala l'attaque en effet en chemin, mais il est battu. Hernán Rodríguez s'en va alors trouver le roi :

> *Y como fuese a besar las manos al Rey, el Rey le dijo que él le había mandado llamar para cortarle la cabeza por lo que había pasado con Ayala, pero pues Ayala se había querido vengar por sus manos sin quejarse a él, que se volviese enhorabuena a su casa* (p. 15).

Ce même Hernán Rodríguez, apprenant que le roi a donné Plasencia à don Pedro de Zúñiga, se défend longuement et cette longue résistance mérite les éloges du biographe[124]. La valeur personnelle semble donc l'emporter sur l'obéissance.

Quand il en vient au récit de la vie de don Alonso, le biographe passe sans transition et sans explication au règne d'Henri IV, mais par contre commente longuement la faveur dont jouit Gómez de Solís nommé *maestre de Alcántara*. Or toute la vie d'Alonso de Monrroy fut marquée par une lutte incessante pour obtenir ce *maestrazgo*. Le m*aestre* Gómez de Solís ayant suivi le parti d'Alphonse, le roi demanda au *clavero* de lui faire la guerre et lui

122. « Malgré l'emphase avec laquelle est présenté ce régénérateur du lignage, il y a gros à parier que celui-ci n'est autre que l'un des routiers français demeurés en Castille après 1369 » (J.-P. JARDIN, « Utopie chevaleresque... », p. 264).

123. « Alonso de Monrroy, ses frères et ses cousins, descendent en fait du couple formé, à l'époque d'Henri III le Dolent, par un arrière-petit-fils du Français cité plus haut et par la fille d'un homme ayant tué le fils de ce Français ; autrement dit, le petit-fils de l'assassiné a épousé la fille de l'assassin. Faut-il rappeler qu'Henri III est précisement celui qui a épousé la petite-fille du roi assassiné par son grand-père ? » (p. 15).

124. « *Los hechos señalados que este Hernán Rodríguez hizo en todas estas cosas ciertamente no cupieran en una muy grande histona, y por eso no los contaremos* » (p. 15).

accorda le *maestrazgo* sans lui donner pour autant l'aide matérielle nécessaire pour pouvoir le conquérir[125].
La vie du *clavero* est une succession de prouesses qui assurent sa renommée. On retiendra seulement deux exemples : uniquement, semble-t-il, pour le désir de se battre, il prend la ville d'Alburquerque pour Beltrán de la Cueva : « [...] *esto sin habelle tenido por amigo ni enemigo* » (p. 67). Quand le duc de Medina Sidonia cherche trois champions pour se battre avec lui contre le marquis de Cadix, don Alonso de Monrroy est choisi. On imagine sa joie devant cette nouvelle *empresa*, mais voici que ce roi lointain, et que tout le monde avait oublié, interdit le combat.

Alonso de Monrroy est prisonnier de son gendre Francisco de Solís lorsque intervient le changement de règne, rapporté de façon très brève : « *A esta sazón murió el Rey don Enrique y reinaron los Reyes Católicos* » (p. 124). Après des années de combat acharné, le pape Sixte IV avait accordé le *maestrazgo* à Juan de Zúñiga, qui, dans la crise de succession, prit le parti de Jeanne. Aussi, lorsque les nouveaux souverains demandent au *clavero* de faire la guerre aux partisans des Portugais, le ton monte, tant la joie est grande. Certes, ce n'est pas tant le service des rois qui importe que le fait de pouvoir, sur ordre et dans un but précis, faire la guerre : « *Esta empresa aceptó el maestre don Alonso de Monrroy con grande alegría* » (p. 134). On retrouve bientôt le schéma bien connu *servicio-merced* dans un passage qui, sans aucun doute, peut être considéré comme le point culminant de la carrière de notre capitaine :

> *Sabido esto por los Reyes Católicos, enviaron al Maestre Don Alonso de Monrroy gracias por los servicios que les había fecho, así en la toma de Trujillo como en la entrada de Portugal, y prometiéronle mercedes : que de verdad en este tiempo no era mas hablar en el Maestre Don Alonso de Monrroy que en Héctor en su tiempo. El maestre envió a besar las manos a los Reyes por las mercedes que le hacían, y picado de estos favores, tornó a entrar en Portugal* [...] (p. 137).

Enfin, quand la reine vient à Trujillo, la renommée de don Alonso est si grande que l'on fait des *coplas* sur ses exploits : « *Y un loco las cantaba delante de la Reyna : tantas eran las mercedes que deseaban hacer al Maestre* » (p. 152)[126]. Mais rien de concret n'est dit sur ces *mercedes* et le texte s'achève, après cette apothéose, sur une légère teinte de mélancolie lorsque la reine, considérant que cette guerre est presque finie, refuse de l'aide à Alonso de Monrroy pour reprendre Alegrete. La reine n'avait plus besoin de lui[127]. Lorsqu'il réclama de nouveau le *maestrazgo*, il se heurta à la nouvelle

125. « *A todos sus deudos y amigos les pareció que no solamente el Rey quiso con esto destruir al Clavero en mandárselo el maestrazgo, mas a todo su linaje* ; [...]. *El Clavero tomó esta empresa con gran corazón, como si tuviera a su mandar cien mil hombres para ejecutallo* » (p. 43).

126. On peut trouver ces *coplas* aux pages 153-154.

127. Voir J.-P. JARDIN, « Utopie chevaleresque... », p. 263.

autorité d'Isabelle qui lui fit savoir que ces affaires-là se traitaient à Rome. Déçu, Alonso de Monrroy reprit ses activités *banderizas*. La sentence de 1481, qui accordait définitivement le *maestrazgo* à Juan de Zúñiga, laissait à Monrroy deux possibilités : solliciter le pardon des rois et participer à la guerre de Grenade, ou choisir l'exil au Portugal. Il choisit la deuxième possibilité et mourut obscurément en 1511. Quelques légendes coururent sur les dernières années de sa vie[128].

Sa figure est controversée. On pourrait dire, non sans raison, que Monrroy, toujours fidèle aux rois légitimes, Henri IV et Isabelle, fut mal récompensé de ses services et ne passa du côté portugais qu'après ce qu'il put considérer comme des injustices. Les rois se sont sans doute servis de lui, qui fut en quelque sorte leur condottiere en Estrémadure, mais il s'est lui aussi servi de la guerre contre les ennemis des rois pour son propre profit et surtout pour se battre, ce qu'il fait à merveille. Malgré son dernier choix politique douteux, il ne s'attira que des éloges de la part du redoutable Alfonso de Palencia, trop heureux de trouver en lui un représentant de la *disciplina militaris*[129].

Le héros de cette biographie est donc, surtout, un capitaine, on pourrait dire un condottiere. Il sert ses propres intérêts et sans doute aussi sa *fama*, mais l'essentiel reste la joie même de la bataille. Ses rapports avec Henri IV n'ont d'autre intérêt que de donner lieu à des combats pour le *maestrazgo*. Les rapports avec les Rois Catholiques ne changent pas grand-chose ; ils ne sont qu'une nouvelle et merveilleuse occasion de se battre. La vertu de loyauté dont nous avions vu l'importance dans les chroniques précédentes est absente ici, car, en réalité, don Alonso de Monrroy n'est loyal qu'envers lui-même et envers ceux qui se battent avec lui.

Le récit que fait de ses *hechos* Alonso Maldonado n'enjolive pas la réalité ; sans doute peut-on y trouver à plusieurs reprises des accents épiques et une forme d'héroïsme qui rappelle à la fois l'épopée et les héros de

128. Voir l'étude préliminaire de Leonardo ROMERO (éd.), A. MALDONADO, *Vida e historia del maestre de Alcántara...*, p. 17-23, et l'important document du 28 juin 1482 publié par Antonio de LA TORRE et Luis SUÁREZ FERNÁNDEZ, *Documentos referentes a las relaciones con Portugal durante el reinado de los Reyes Católicos*, 3 vol., Valladolid : CSIC (Biblioteca Reyes Católicos, Documentos y textos, 7-8, 10), 1958-1963, 2, p. 228-235.

129. Le *clavero* apparaît à plusieurs reprises dans les *Gesta hispaniensia* et les jugements portés sur lui sont toujours positifs ; Palencia reconnaît en lui un parfait homme de guerre (« prisce discipline alumnus »), et va même jusqu'à accompagner les éloges d'une sorte de courte biographie dans laquelle on voit Alonso de Monrroy passer d'une situation modeste (« ut latro fugax ») à une véritable puissance militaire grâce à ses qualités de combattant et de chef. Parmi les nombreux éloges on peut citer celui de la troisième Décade : « Quippe artes Alfonsi clauicularii comprobabantur ab omnibus auctoritas perita comitas grata uiuacitas accommodata bello uigilantia singularis atque infatigabilis perseuerantia in prosequendis rebus quas aggredi dictabat animus nunquam devius a bellica disciplina. Talis itaque ac tantus dux sine certo stipendio ducentos alebat equites. nec amitis populis grauis erat » (*GH*, III, 26, 2 ; ms. *A*, fol. 94r° ; PyM II, 280-281).

l'Antiquité[130]. Mais la violence brutale, qu'il s'agisse de celle des hommes ou des femmes[131], n'y est pas adoucie par des concessions courtoises ou chevaleresques. Il s'agit bien d'une histoire « sans Dieu et sans dame »[132] dont le héros, abandonné par la fortune et par les rois, frôle parfois le tragique, mais frustre un peu l'attente du lecteur. De même que les notions de droit et de justice sont compromises, que la loyauté et l'amour prennent des accents plus rudes, la relation *servicio/merced* se trouve elle aussi ébranlée.

Le triomphe du marquis de Cadix

Tout autre est l'histoire de Rodrigo Ponce de León, marquis de Cadix ; devenu, à partir de 1484 marquis de Zahara et duc de Cadix[133], il mourut le 27 août 1492, quelques mois à peine après la fin de la guerre de Grenade dont il avait été le héros. Il s'agit cette fois de l'héritier, fils naturel mais légitimé, de l'une des plus grandes familles andalouses – l'une des plus anciennes familles du royaume –, les Ponce de León[134], comtes d'Arcos, seigneurs de Marchena, qui avec les Guzmán, ducs de Medina Sidonia, se sont longtemps disputé le pouvoir à Séville, y entretenant, jusqu'à l'arrivée des Rois Catholiques, une véritable guerre civile. Le comte Juan, père de Rodrigo, n'eut pas d'enfant légitime, mais par contre vingt-six enfants naturels. Il fit légitimer les huit enfants qu'il eut de Leonor Núñez et, après la mort de l'aîné Pedro, désigna le second, Rodrigo, comme héritier, lui transmettant le *mayorazgo*. Rodrigo fit un excellent mariage : il épousa

130. Voir C.-V. AUBRUN, « Alonso Maldonado et sa chronique… », p. 239-243.

131. Les femmes sont en effet tout aussi redoutables et féroces que les hommes, qu'il s'agisse de l'héroïque María la Brava ou, du temps du *clavero*, de la comtesse de Medellín ou de la duchesse d'Arévalo.

132. « *Sin Dios y sin dama* », dit RODRÍGUEZ MOÑINO dans son « Estudio preliminar », p. XXI, jugement qui est complété et nuancé par J.-P. JARDIN, art. cit., p. 275-278.

133. On trouvera le texte de la *merced* royale dans Ignacio ATIENZA HERNÁNDEZ, « La aristocracia en tiempos de Isabel I de Castilla : una aproximación cuantitativa y cualitativa », *in :* J. VALDEÓN BARUQUE (dir.), *Sociedad y economía…*, p. 133-149, p. 139. Curieusement, Rodrigo Ponce de León continua de signer « *el marqués duque* » ; voir Miguel Ángel LADERO QUESADA, *Los señores de Andalucía*, Cadix : Universidad, Servicio de publicaciones, 1998, p. 445. C'est le nom de marquis de Cadix que la litttérature apologétique qui lui a été consacrée a retenu.

134. « [...] *una de las familias más antiguas del reino, una de aquellas estirpes elegidas que consiguieron sobrevivir a la criba del siglo XIV* » (*Historia de los hechos…*, « Estudio preliminar », p. 31-32). Pour tout ce qui concerne le *linaje* des Ponce de León, il est indispensable de consulter les nombreux et importants travaux de J. L. CARRIAZO RUBIO dont on trouvera la liste dans la bibliographie qui fait suite à sa belle édition de la *Historia de los hechos del marqués de Cádiz*, déjà citée. On retiendra deux titres : *La memoria del linaje. Los Ponce de León y sus antepasados a fines de la Edad Media*, Séville : Universidad de Sevilla, Ayuntamiento de Marchena, 2002, et *Los testamentos de la casa de Arcos* (1374-1530), Séville : Diputación Provincial de Sevilla, Ayuntamiento de Marchena, 2003. L'essentiel de ce qui éclaire la chronique biographique qui nous intéresse ici se trouve parfaitement résumé dans l'« Estudio preliminar », p. 15-36.

Beatriz Pacheco, fille du puissant Juan Pacheco, le favori d'Henri IV. Il eut pourtant des difficultés à transmettre le *mayorazgo*, puisqu'il n'eut pas d'enfant légitime, mais seulement trois filles naturelles, légitimées. Il maria l'aînée à son cousin Luis et léga le *mayorazgo*, avec l'appui de la reine, à leur fils Rodrigo qui n'avait qu'un ou deux ans à la mort de son grand-père. Mais le frère du marquis, Manuel, réclama ses droits et il s'ensuivit un interminable procès entre 1494 et 1522, qui finit par des indemnisations financières et des alliances matrimoniales. Le panégyrique de Rodrigo Ponce de León, écrit à la fois pour la gloire du marquis et pour celle du *linaje*, a peut-être eu une importance réelle dans ces problèmes de succession.

Mais, dira-t-on, si cette chronique biographique est écrite à la gloire du *linaje*, pourquoi avoir privé le héros d'une noble généalogie, réelle ou inventée, et la réduire à quelques vagues références à la noblesse du sang et à la présence d'un vieux père malade ? Juan Luis Carriazo Rubio a bien vu le problème et en a donné, nous semble-t-il, une explication très convaincante, non sans avoir au préalable indiqué que, selon lui, la perte d'un folio initial du manuscrit ne saurait expliquer cette absence[135]. Traditionnellement, rappelle-t-il, la *Casa de León* était considérée comme débitrice des Guzmán ; c'est en effet à l'occasion du mariage de l'une de ses filles avec Fernán Pérez Ponce que Alonso de Guzmán accorda généreusement Marchena dans une dot somptueuse[136]. C'était là, surtout après la véritable guerre qui avait opposé les deux grandes familles, une marque de dépendance, que le chroniqueur a volontairement effacée, faisant de son héros un héros fondateur ; le passé est supprimé pour mieux affermir le présent et la mémoire de Rodrigo devient, pour la *Casa de León*, ce que fut celle de Guzmán el Bueno pour celle des Guzmán[137]. Rodrigo Ponce de León sera considéré, dans la chronique, comme un nouveau Fernán González et comme un nouveau Cid. On reviendra plus loin sur cette comparaison ; mais déjà, nous semble-t-il, l'absence de généalogie apparente davantage notre héros aux héros de l'épopée. Toutefois, comme l'on se trouve malgré tout dans le « genre » de la chronique, la généalogie lignagère ou familiale est remplacée par une autre, idéale, qui d'ailleurs donnera son vrai sens à l'histoire.

La biographie est anonyme, le nom du biographe figurant peut-être dans la partie perdue de l'introduction[138]. Pour ce qui concerne l'identité

135. « *No creo posible que en un solo folio sintetizara toda la trayectoria anterior del linaje* » (p. 61).

136. Voir J. L. CARRIAZO RUBIO, *La memoria del linaje...*, p. 44-57, et « Estudio preliminar », p. 33, note 100.

137. *La memoria...*, p. 17-18, et « Estudio... », p. 33-34.

138. On trouvera la description du manuscrit et une importante comparaison entre cette œuvre et la *Crónica de los Reyes Católicos* de Diego de Valera dans J. de M. CARRIAZO (éd.), *Crónica de los Reyes...*, « Estudio preliminar », p. CXLI-CXLV. Voir également *Historia de los hechos...*, « Estudio preliminar », p. 125-132.

de l'auteur ainsi que la date de rédaction, les travaux de Juan Luis Carriazo Rubio, quoique sans dépasser vraiment, comme il le dit lui-même, le stade des « *conjeturas* », ont considérablement fait progresser les choses[139]. Un passage du texte permet de penser que le marquis n'est pas mort au moment de la rédaction[140]. Un autre passage pourrait aller dans le même sens : alors qu'il vient de résumer, à l'occasion du récit des événements de 1484, l'histoire de Plácido, devenu *Santo Estacio*, l'auteur souhaite la même fin glorieuse à son héros[141]. Mais il pourrait s'agir d'une mort récente, comme le souligne Juan Luis Carriazo Rubio qui se montre favorable à cette possibilité[142]. C'est en tout cas auréolé de sainteté qu'apparaît le marquis à la fin du *Proemio* dans un texte important qui a permis les hypothèses les plus novatrices et les plus riches :

> [...] *así como honrrado y leal cauallero a Dios nuestro Señor y a la Corona real, asentado en vna muy rica silla, toda de oro bordada, con muchas perlas y esmaltes, rubíes y diamantes çercada, porque su memoria y gloriosa fama para sienpre en todas las naçiones del mundo sea mentada* (p. 144)[143].

139. J. L. CARRIAZO RUBIO, « Algunas consideraciones sobre la *Historia de los hechos...* », et « Estudio... », p. 72-89.

140. « *Y pues que plugo a Dios nuestro Sennor darle tan espeçiales graçias, a Él plega, por su santísima Pasión, en el fyn de sus días, con sus choros de ángeles, leuarlo a su santa gloria eternal* » (chap. 1, p. 146). J. de M. Carriazo suggérait que la chronique pouvait avoir été rédigée entre la prise de Grenade et la mort du marquis. Rappelons que Bernáldez consacrera au marquis un magnifique portrait (Andrés BERNÁLDEZ, *Memorias del reinado de los Reyes Católicos*, éd. cit., p. 236-240). On trouvera le texte de Bernáldez à la suite de la chronique du marquis éditée par J. L. CARRIAZO RUBIO (« Apéndice documental », 6, p. 319-322).

141. « *El qual mereçió ser santo y bienaventurado, y fue llamado Santo Estaçio. Y no menos se espera deste noble cauallero marqués de Cádiz, don Rodrigo Ponçe de León* » (chap. 28, p. 239).

142. « *Personalmente, creo que su muerte ya se ha producido, aunque estaba todavía reciente* » (« Estudio preliminar », p. 58).

143. Les *sillas* richement ouvragées, signes de gloire terrestre ou céleste, ne sont pas rares dans la poésie du XVe siècle. Le motif de la *silla preciosa* a fait l'objet de remarques intéressantes de la part de María Rosa de MALKIEL dans son ouvrage célèbre *Juan de Mena, poeta del prerrenacimiento español*, Mexico : El Colegio de México, NRFH, 1950, p. 404-432. Ce motif apparaît chez Santillana dans la *Coronación de mossén Jordi* et dans le *Laberinto de Fortuna*, de Juan de Mena, qui introduit des variantes pour décrire la « *silla tan rica labrada* » de Jean II ; la richesse des pierreries y laisse la place à la *imaginería* et à la *masonería* qui représentent les hauts faits de l'histoire de la Reconquête. On retrouve ce motif dans le *Triunfo del marqués* (de Santillana) de Diego de Burgos. Mais c'est chez Juan de Padilla, le Cartujano, qu'il est le plus fréquemment repris dans *Los doze triumphos de los doze apóstoles*, qu'il s'agisse de la richesse des pierres ou de la représentation des exploits des combattants pour la foi. On trouvera le texte dans le *Cancionero castellano del siglo XV*, FOULCHÉ DELBOSC (éd.), Madrid : NBAE, 19, 1912, t. 1, p. 354, 11. On peut y voir aussi les exploits de Ferdinand III. Les apôtres sont surtout glorifiés par la richesse des pierres précieuses, qu'il s'agisse de saint Pierre (p. 329, 8) ou de saint Jacques (p. 348, 14) pour ne citer que ces deux exemples. (Il existe une édition plus récente d'Enzo NORTI GUALDINI, *Los doce triunfos de los doze apóstoles*, Messine-Florence : D'Anna, 1978, t. 1 et 2 ; Pise : Cursi, 1983, t. 3.) Sur ce « mélange de poésie, de peinture et de sculpture » que constituent aussi bien le motif de la *silla labrada* que la grande composition du *Retablo de la vida de Cristo*, voir Bernard DARBORD, « De Juan de Mena a Juan de Padilla : quelques notes sur la poésie d'*Arte mayor* », *in :* Thomas GÓMEZ (dir.), *Variations autour de la poésie. Hommage à Bernard Sesé*, Nanterre :

On peut déjà avancer que le biographe est un fervent adepte de la *Casa de León* dont il ne semble pourtant pas avoir fait partie, bien qu'il ait eu accès à des documents importants. Il a certainement partagé la ferveur religieuse qu'il loue chez son héros. Mais il dissimule ce qui pourrait évoquer sa propre personnalité à l'exception de quelques rares remarques où apparaît la première personne[144]. Son récit, à la fois emphatique et austère, ne dit rien ou bien peu de choses sur la vie à Marchena ou l'aspect physique du marquis. Mais il se différencie essentiellement des biographes que nous avons déjà rencontrés par le choix qu'il fait de sa matière : il choisit de consacrer l'essentiel de son récit aux combats du marquis contre les Maures, laissant de côté les « chevaleries terriennes » :

> *E por tanto, de todas las cosas que este marqués de Cádiz fizo en las cosas del mundo, non queremos aquí fazer minçión, porque serían largas de contar e otras escripturas avrá que fablarán çerca dello largamente; mas solamente queremos dezir de sus grandes victorias y vençimientos que en los moros fizo fauoreçiendo y ensalçando la santa fe de Iesu Christo* (chap. 2, p. 158-159).

Ce choix, justifié par quelques lieux communs dont celui de la *brevitas*, est prudent : faut-il rappeler qu'avant son ralliement à la cause des rois et surtout avant sa participation à la guerre de Grenade, la vie de Rodrigo Ponce de León était tout sauf un modèle de vertu ? Mais il s'agit surtout d'un choix d'orientation qui va commander l'ensemble du récit, un récit que l'on peut inclure dans cette liturgie (pour reprendre un terme de Pedro Cátedra) qui va désormais célébrer l'action des Rois Catholiques et de leurs serviteurs. Deux exemples parfaits quoique différents en sont la chronique de Bernáldez et la *Consolatoria de Castilla* de Juan Barba, qui exalte aussi la figure du marquis. Plus important pour nous, quoique encore, hélas, inaccessible, est, ou serait, le *Laberinto del duque de Cádiz* de Juan de Padilla, auquel il a déjà été fait allusion. Ce *Laberinto*, édité en 1493, est dédié à Beatriz Pacheco, duchesse d'Arcos. Les travaux de Juan Luis Carriazo Rubio permettent cependant d'avancer, pour sa rédaction, une date antérieure à 1487, date de l'entrée de l'auteur à la chartreuse de Santa María de las Cuevas de Séville[145]. Plus important encore : il est désormais permis

---

CRIIA, 2001, t. 1, p. 171-181. Il est important de rappeler que Juan de Padilla est l'auteur du *Laberinto del duque de Cádiz* (il dédie les *Doze triumphos* au petit-fils du marquis, Rodrigo Ponce de León, duc d'Arcos). La *rica silla* en prose de la biographie serait-elle un emprunt à ce *Laberinto* que l'on ne peut consulter aujourd'hui ? J. L. CARRIAZO RUBIO souligne les traces de rimes dans ce texte (*bordada / cercada / mentada*) ; voir « Algunas consideraciones sobre la *Historia*... », ainsi que *Historia de los hechos*..., « Estudio preliminar », p. 51-59.

144. Pour dire par exemple qu'il entreprend son travail de façon désintéressée (*Proemio*, p. 145) ou qu'il a entendu le récit d'un miracle (chap. 20, p. 222).

145. Après une analyse des différentes traces et des témoignages conservés, ainsi qu'une comparaison avec les dates de rédaction et d'impression des autres œuvres du Cartujano, J. L. CARRIAZO RUBIO écrit : « *Es posible que una primera versión manuscrita, redactada antes de profesar*

de former l'hypothèse selon laquelle Juan de Padilla ne serait peut-être pas étranger à la rédaction des *Hechos* et pourrait même en être l'auteur[146]. Si cette hypothèse s'avérait, les *Hechos del marqués de Cádiz* viendraient rejoindre ceux de l'archevêque Carrillo, à qui un même auteur consacra un texte en vers et un texte en prose. Certes, les différences sont importantes et l'ordre d'écriture est peut-être inversé ; mais, comme nous l'avons suggéré plus haut, le cas de Pero Guillén de Segovia ne serait pas unique.

Quoi qu'il en soit, nous sommes ici dans un véritable récit de croisade et au bord de l'hagiographie. Mais n'est-il pas intéressant de rappeler que la lutte contre l'infidèle constitue précisément le deuxième volet des grands cycles chevaleresques, qu'il s'agisse d'Esplandián, de Tirant... ou de Pelayo ? Si cette littérature consacrée au marquis est apologétique, notre connaissance de la figure historique du personnage est précise, comme le fait remarquer Miguel Angel Ladero Quesada ; le marquis lui-même, en 1483, fit faire un *Memorial* de ses services afin de solliciter la concession par les rois du *señorío* de Zahara qu'il venait de conquérir[147].

Dans la biographie qui nous intéresse ici, tout commence, selon l'auteur, sur l'ordre des rois : car les rois, en reconnaissance des mérites et des services du marquis, ont donné ordre à leurs chroniqueurs (« *sus coronistas* ») d'inclure ces services dans leur chronique royale (« *en su corónica real* »). Aucune précision n'est donnée sur les modalités de cette inclusion ; on songe, bien sûr, aux relations épistolaires qu'entretenait Pulgar avec certains personnages de la guerre de Grenade[148]. Mais c'est avec la *Crónica de los Reyes Católicos* de Diego de Valera que notre texte présente, dans la partie qui est consacrée à la guerre de Grenade, d'étonnantes similitudes. Selon Juan de Mata Carriazo qui a fait une étude comparative des deux textes, on ne peut conclure que l'une des deux chroniques a pu être la source de l'autre ; il s'agirait plutôt d'une utilisation commune de l'ensemble des lettres du marquis ou d'une relation contemporaine de ses campagnes[149].

---

como cartujo, fuera dedicada al marqués en su momento de mayor gloria militar y que, pasados algunos años, tras su muerte, se estimara conveniente imprimir el poema » (« Estudio preliminar », p. 79).

146. *Id.*, « Algunas consideraciones sobre la *Historia*... », et « Estudio... », p. 72-89. L'auteur écarte en premier lieu les possibles attributions à Diego de Valera et à Juan de Mena. Une confrontation des *Hechos* avec les autres œuvres du Cartujano et en particulier *Los doze triunfos de los doze apóstoles* fait apparaître de curieuses coïncidences ; on en citera quelques-unes : la *silla* qui montre le marquis dans sa gloire, un même intérêt pour les *fábulas* séduisantes mais fausses, un même saut chronologique dans la succession des rois. Tout cela, sans compter d'autres points d'érudition, permet à J. L. Carriazo Rubio d'aboutir à la « *conjetura* » d'une possible attribution des *Hechos del marqués* à Juan de Padilla.

147. Sur ce *Memorial*, voir M. Á. LADERO QUESADA, *Los señores de Andalucía*..., p. 616. On en trouvera le texte dans *Historia de los hechos*..., « Apéndice documental », p. 311-314.

148. *Crónica de los Reyes Católicos*, éd. cit., « Estudio preliminar », t. 1, p. LXIV-LXX.

149. D. de VALERA, *Crónica de los Reyes Católicos*, J. de M. CARRIAZZO (éd.), Madrid : Centro de Estudios Históricos, Anejos de la Revista de Filología Española, 8, 1927, p. CXLI-CLII. P. CÁTEDRA a souligné l'importance croissante des échanges entre les chancelleries

Quoi qu'il en soit, le marquis et ceux de sa lignée pourront ainsi partager la mémoire et la gloire des rois ; et les rois de Castille seront dans l'obligation, jusqu'à la fin du monde («*fasta la fyn del mundo*»), d'honorer la *Casa de León*. on ne saurait mieux mettre à profit le service du roi et mieux récupérer, sous la forme d'une consécration, les valeurs et les ambitions de la noblesse, même s'il faut, pour cela, engager entre la noblesse et la monarchie une relation perpétuelle *servicio/merced*. Les *hechos* du marquis sont un témoignage d'adhésion absolue à la politique royale[150]. On ne saurait non plus mieux donner la réplique aux Guzmán, si fiers de leurs origines[151], et mieux se détacher de leur encombrante parenté.

Cette insertion dans la chronique royale est donc une *merced*, et peut-être la plus grande. On peut considérer que, par dérivation, la biographie s'inscrit dans la même perspective : le biographe, qui travaille très probablement sur l'ordre du marquis, se présente comme étant à la fois

nobiliaires et la chancellerie royale où pouvait se trouver « *una especie de diario oficial de operaciones que, consignado en la cancillería, podría ser no sólo un memorándum de actividades, sino que se concebía también como el tejido narrativo del que se beneficiarían otros textos de distintos géneros, como la historia oficial o no oficial, o como una* carta de relación » ; *in : Las relaciones de sucesos en España (1500-1750). Actas del primer coloquio internacional (Alcalá de Henares, 8, 9 y 10 de junio de 1995)*, Paris-Alcalá : Publications de la Sorbonne - Servicio de publicaciones de la Universidad de Alcalá, 1996, p. 33-64, p. 56. Les relations sont complexes entre les documents familiaux, les *cartas* ou *memoriales* transmis aux rois, et l'utilisation qui peut en être faite dans la chronique royale. On peut voir à ce propos les études éclairantes de Gonzalo PONTÓN, *Escrituras históricas, relaciones, memoriales y crónicas de la guerra de Granada*, Barcelone : Universidad autónoma de Barcelona - Bellaterra, 2002, dont on citera ce passage : « *Si bien la información podía discurrir de la cancillería regia al archivo nobiliario, lo más habitual fue que siguiese la dirección contraria, en un movimiento centrípeto desde el foco de la acción hacia la corte. La historiografía regia constituyó un excelente reclamo para las aspiraciones simbólicas de la nobleza guerrera, a la que brindaba el privilegio de figurar en el registro oficial de los hechos considerados de relieve y de influir mediatamente en su redacción* [...]. *Desde esta perspectiva* [celle des acteurs et de leurs héritiers], *la redacción de la crónica puede considerarse una tarea de negociación colectiva, que concilia la aspiración unitaria, monárquica y patriótica con los afanes de preeminencia de la alta nobleza* » (p. 30-31).

150. Le texte, un peu grandiloquent, mais bien révélateur de la politique nobiliaire des Rois Catholiques, mérite d'être cité en entier : « *Porque commo quiera que los muy serenísimos rey y reyna nuestros sennores, el muy magnífico sennor rey don Fernando e la muy esclareçida sennora reyna donna Ysabel, reyes y sennores de los reynos de Castilla, Aragón y Çeçilia, elegidos, alunbrados y enbiados por la graçia del Spiritu Santo para esecutar su justiçia y ensalçar la santa fe cathólica, acatando los muy grandes y sennalados seruiçios que el honrrado y leal y muy esforçado cauallero el marqués de Cádiz don Rodrigo Ponçe de León sienpre fizo y procuró la honra y estado de la Corona real, e deliberadamente Sus Altezas ayan mandado a sus coronistas que todos los nobles y virtuosos fechos del marqués de Cádiz pongan y asienten en su corónica real, porque ygualmente goze con Sus Altezas en las cosas santas y virtuosas, porque para sienpre dél quede esclareçida memoria, y a cabsa de su grand merescimiento su linaje mucho resplandesca, e porque en todos sus fechos acabadamente fue muy notable cauallero, es muy grand razón que todos los reyes, príncipes, cuantos serán fasta la fyn del mundo en los reynos de Castilla, vsando de sus acostunbradas virtudes y grandeza queden en esta debda y obligaçión : honrar y nobleçer sienpre la Casa de León* » (*Proemio*, p. 137-138).

151. Voir M. Á. LADERO QUESADA, *Los señores de Andalucía*..., p. 88-89. M. Á. Ladero Quesada a édité la biographie de don Alonso Pérez de Guzmán : « Una biografía caballeresca del siglo XV : *La Corónica del yllustre y muy magnífico cauallero don Alonso Perez de Guzman el Bueno* », *En la España medieval*, 22, 1999, p. 247-283.

obligé et couvert par l'autorité royale[152]. Il est vrai que cela suppose une plus grande dépendance par rapport à cette autorité : dans son panégyrique, l'auteur se fera en réalité le porte-parole des rois, par qui passeront les éloges. Si le marquis doit être présent dans la chronique royale, les rois le sont aussi dans la biographie du marquis; ils sont indissociables. *Reyes y caballeros* le sont dans l'histoire comme vont le montrer les résumés proposés par l'auteur. Mais on comprend mieux, dans cette perspective, le choix qu'a fait le biographe de sa matière : ces actions entièrement guerrières s'inscrivent facilement, tout naturellement pourrait-on dire, dans la chronique des rois.

«Reyes y caballeros»

Le *Proemio*, qui développe des thèmes que l'on avait vus apparaître dans celui du *Victorial*, introduit un long cortège de rois et de chevaliers depuis l'Antiquité jusqu'au marquis de Cadix; telle est la généalogie idéale : il s'agit d'un véritable *sumario* d'histoire universelle mais surtout nationale, où rois et chevaliers viennent unir leurs exploits pour le triomphe de la foi et la grandeur de l'Espagne. À la valeur exemplaire s'ajoute donc ici une dimension historique qui grandit le rôle du marquis en lui donnant un destin national ainsi qu'une place importante dans l'expansion de la chrétienté. Après les chevaliers romains et troyens, que l'auteur semble parfois confondre avec des héros de roman, et qu'il considère avec un mélange d'admiration et de mépris, l'histoire d'Hercule introduit l'histoire d'Espagne[153]. Le ton change quand la chevalerie est mise au service de la foi; grâce au roi Ferdinand III, aidé par la Vierge, la victoire et le miracle font leur apparition[154]. Le fils de Ferdinand, le roi savant, a droit à une courte biographie[155], mais il est le dernier roi évoqué; après lui viennent les

152. Le biographe aussi fait son devoir, sans être attiré par des promesses de *mercedes* : « [...] *syn ser rogado nyn tener neçesidad, ni otro conosçimiento de mercedes que por ello resçibiese, salvo de my propia voluntad sojudgado a una virtud : que los fijosdalgo son obligados con todas sus fuerças procurar la honrra y memoria de los nobles caualleros porque su virtuosa fama non peresca, mas antes sea acreçentada en los coraçones de los buenos* » (*Proemio*, p. 145). Faut-il voir dans ce désintéressement un simple lieu commun ou la trace des aspirations qui conduiront l'auteur vers un autre mode de vie et qui apparaîtront dans les œuvres suivantes? Voir «Estudio preliminar», p. 87-88.

153. L'auteur suit ici la *Crónica abreviada de España* de Diego de Valera (voir «Estudio...», p. 63). La *Crónica abreviada* reste sa source principale dans ces résumés historiques comme le montrent les importantes notes qui accompagnent le texte.

154. «*Asy commo el muy magnífico rey don Fernando que ganó a Seuilla día de Sant Clemeynte, e la víspera antes de su fiesta, en la noche, le apareçió nuestra Sennora la Virgen María e le puso las llaues de la çibdad en su mano, e lo metió dentro*» (*Proemio*, p. 142). Il s'agirait, selon J. L. Carriazo Rubio, du plus ancien témoignage connu de cette légende sévillane («Estudio preliminar», p. 72-73).

155. «*¡ O, rey don Alonso, fijo de este santo rey don Fernando, que fue elegido por Enperador en Roma! Éste fizo las Siete Partidas, y la General Estoria, y el Libro del Thesoro, e las Tablas Alfonsíes, que oy se leen en los Estudios Generales. E por la fama de su grand nobleza e saber, le eligieron por Enperador. Este noble rey don Alonso casó con donna Violante, fija del rey don Jayme de Aragón. E ganó la çibdad de Xerez dos veces por*

chevaliers (« *Pues agora vengamos a los nobles y virtuosos caualleros* ») ; il s'agit des champions de la lutte contre les Maures et en quelque sorte des patrons de l'Espagne : Fernán González, bien sûr, puis « *el santísimo cauallero Cid Ruy Díaz* » ; ils sont accompagnés par le grand maître de Saint-Jacques, Peláez Correa (Pelayo Pérez Correa), un autre grand dévot de la Vierge, qui lui apporte une aide miraculeuse pendant la bataille de Tudia[156]. C'est dans cette glorieuse tradition, et dans cette histoire nationale que s'inscrit, comme un parfait accomplissement, le marquis de Cadix dont la gloire est rehaussée, comme on l'a vu, par la *silla* sur laquelle l'auteur le présente.

Après le *Proemio*, le premier chapitre, très court, ouvre l'ordre de la biographie en présentant rapidement la naissance et les *mocedades* du héros ; plus que celles des héros des biographies déjà étudiées, elles évoquent les enfances de Pelayo dans la *Crónica sarracina* ou les Saintes Enfances de Jésus. Cela est dû en particulier à la dévotion à la Vierge qui se manifeste de façon précoce chez ce futur héros de la guerre contre l'infidèle[157]. Mais, comme si l'auteur ne parvenait pas à maîtriser la composition de son œuvre (autant que permette d'en juger le texte du manuscrit conservé), jusqu'à ce qu'il en vienne enfin aux *hechos* du marquis, il revient en arrière et introduit, non sans se répéter à l'occasion, un nouveau résumé d'histoire : il s'agit cette fois de celle des rois wisigoths : « *Agora digamos alguna cosa de los reyes de los godos* », dit-il, mêlant à l'emphase une certaine désinvolture (chap. 2, p. 146). En réalité, cela se limite à un très bref résumé de l'histoire d'Atanaric et d'Alaric sans qu'il soit fait autrement allusion aux rois wisigoths d'Espagne, jusqu'au roi Rodrigue et au comte don Julián ; il semble que le but poursuivi est d'opposer à un souvenir de splendeur le malheur de la chute[158]. À propos du comte don Julián, l'auteur retrouve son style

---

fuerça de armas ; e ganó a Carmona e a Eçija e la villa de Niebla e muchos otros castillos de moros, e recobró el reyno de Murçia » (*Proemio*, p. 143).

156. Le récit de cet épisode figure dans le *Proemio*, p. 143-144. Sur la figure du grand maître et l'existence d'une chronique qui lui aurait été consacrée, voir Philippe JOSSERAND, « Itinéraires d'une rencontre : les ordres militaires et l'idéal chevaleresque dans la Castille du bas Moyen Âge (XIIIe-XVe siècle) », *in* : J.-P. SÁNCHEZ (dir.), *L'univers de la chevalerie...*, p. 77-99, p. 92-99.

157. « *Y commo quiera que el conde don Juan touiese otros muchos fijos, todos muy nobles y virtuosos, mas en su coraçón no avía cosa que él tanto amase commo a este don Rodrigo Ponçe de León, por mucha lynpieza, bondades y virtudes que dél conosçía, porque desde su ninnez y juuentud, sienpre se levantó cortés, muy graçioso y de gentil crianza, y muy humilde al mandamiento del conde su padre* [...] *Y este marqués de Cádiz, don Rodrigo Ponce de León, entre otras muchas virtudes, touo vna muy sennalada : que desde edad de nueve annos sienpre ayunó los días de nuestra Sennora la Virgen María, la cual mucho le acorrió en los tienpos que más la ovo menester* » (chap. 1, p. 145-146). Cela rappelle les enfances de Pelayo ; voir *supra* « Pelayo et la fille du marchand : réflexions sur la *Crónica sarracina* », note 19. On peut noter la présence de la *lynpieza*, qui jouera un rôle fondamental dans l'histoire.

158. Faire d'Atanaric le premier roi wisigoth d'Espagne est bien entendu une erreur, que l'auteur des *Hechos* avait pu trouver chez Diego de Valera, lequel aurait pu l'emprunter lui-même à la *Crónica de 1344* ou encore la déduire de la construction de la *Historia de los hechos de España* de Jiménez de Rada. Ce qui importe ici, dans cette généalogie très abrégée, est le souci

déclamatoire sans pour autant perdre une distance critique déjà présente dans le *Victorial* (p. 148)[159]. Pelayo vient donc s'inscrire, non dans la succession de Rodrigue, mais dans l'histoire de ceux qui ont lutté contre les Maures, l'histoire nationale étant recentrée autour de celle de la Reconquête[160].

On peut voir dans ce retour en arrière et dans ces redites l'application maladroite de deux modes de pensée et de composition fréquents au XVe siècle : tout d'abord, le goût du résumé, du *sumario*, qui conduit à inclure un personnage dans un ensemble, une succession ou une liste qui remonte autant que possible aux « origines ». Ces « introductions » peuvent être exemplaires ou historiques ou les deux à la fois. À cela vient s'ajouter le goût d'une composition plus ou moins compliquée, comme celle qui structure certaines œuvres poétiques. Les listes viennent s'y ordonner sur de véritables montages qui donnent un sens à l'ensemble de la composition ; la plus connue est le *Laberinto de Fortuna*, mais on a pu en voir aussi un exemple dans le poème de Pero Guillén. Il semble que, maladroitement, l'auteur des *Hechos* ait utilisé ce mélange de structure linéaire et circulaire, peut-être déjà présent dans le *Laberinto del duque de Cádiz*, pour mieux exalter la figure de son héros. Pour la deuxième fois, au chapitre 2, celui-ci apparaît en effet comme l'instrument qui permet l'accomplissement du plan de Dieu sur l'Espagne et donc comme le parfait serviteur des rois, eux-mêmes instruments de la Providence et point d'aboutissement d'une succession royale.

Le résumé qui est consacré à l'Espagne au chapitre 2 suit un ordre à la fois chronologique et hiérarchique. Les rois se succèdent de Pelayo à Alphonse X, qui constitue, comme dans le *Proemio*, le terme de cette succession royale[161]. Chaque roi est accompagné d'un bref portrait et d'une

---

de marquer le commencement de l'histoire nationale wisigothique par rapport à l'histoire universelle. Ce souci explique la division de *Las siete edades del mundo* de Pablo de Santa María, comme le montre J. C. CONDE, *La creación de un discurso historiográfico*... Cette même division apparaît dans l'*Anacephaleosis* d'Alfonso de Cartagena. Voir Y. ESPINOSA FERNÁNDEZ, *La «Anacephaleosis» de Alonso de Cartagena*... Selon I. Fernández Ordóñez, il s'agirait, de la part d'Alfonso de Cartagena, d'une décision personnelle, peut-être fondée sur des textes antérieurs, mais qui eut une influence considérable sur l'historiographie de la fin du XVe siècle : « *Por lo que he podido averiguar, ese arranque empieza a difundirse a partir de la Anacephaleosis de Alfonso de Cartagena* » (Inés FERNÁNDEZ ORDÓÑEZ, « La técnica historiográfica del Toledano. Procedimientos y organización del relato », *Cahiers de lingustique et de civilisation hispaniques médiévales*, 26, 2003, p. 187-221, p. 200).

159. Voir le texte cité plus haut dans « Le roi Rodrigue ou Rodrigue roi », note 119.

160. « *Y tornando a nuestro propósito, ¿ quáles fueron los más prinçipales reyes y caualleros de gloriosas memorias que más fauoreçieron la santa fe católica, destruyendo los moros ynfieles después de la destruyçión de Espanna que fue en el anno de sieteçientos e veynte annos?* » (p. 149).

161. L'auteur rappelle le *Proemio* : « *Este noble rey fizo muchas cosas marauillosas ensalçando la santa fe cathólica, segúnd dicho auemos en el prohemio deste libro* » (chap. 2, p. 155). On peut s'interroger sur la raison qui fait arrêter la succession à Alphonse X ; s'agit-il d'un hasard, ou plus probablement du contenu de la source utilisée ? On n'ose y voir une volonté de taire, d'Alphonse X aux Rois Catholiques, toute une série de rois, même si cela entraîne l'absence d'épisodes importants de

courte biographie[162] qui peut s'étendre davantage pour rapporter un événement important (l'histoire du tribut des « *cien doncellas* », par exemple), ou un épisode significatif dans l'histoire de la reconquête. Après Alphonse X apparaissent Ferdinand et Isabelle (« *los santísimos reyes* »), auxquels sont consacrés deux portraits. C'est la première fois que le portrait du roi régnant figure dans une chronique biographique castillane ; il s'agit donc d'une nouveauté destinée à montrer combien sont indissociables les figures des rois et de leur serviteur[163]. Ces portraits sont en réalité deux panégyriques, dans lesquels la piété vient en première place[164]. S'il est naturel que Ferdinand soit le premier nommé, il est plus surprenant qu'il apparaisse dans la succession castillane et que l'ordre du mariage ait été inversé : « *Y este tan virtuoso rey casó con la muy esclareçida sennora reyna donna Ysabel, fija del rey don Juan* [...]. » Le point de vue semble donc aragonais, comme le montreront d'autres éléments du texte. Il est surprenant aussi que soient attribuées à Ferdinand une dévotion et des œuvres de charité qui sont habituellement louées chez Isabelle. Le portrait de la reine est tout aussi grandiloquent[165] et, si l'auteur ne s'étend pas davantage, c'est, dit-il, parce que l'on pourra trouver un récit plus complet « *en sus corónicas reales* » : on connaît l'excuse, devenue lieu commun. Mais au passage ont été loués Jean II et, chose plus rare, Henri IV[166].

Après les rois, comme un complément nécessaire, viennent les chevaliers ; le premier nommé étant le duc Godefroi de Bouillon (« *de los duques, el duque don Godufre de Bullon* »), l'auteur justifie la présence d'un

---

la Reconquête. Les brèves allusions qui seront faites à Jean II et Henri IV font en réalité partie de la présentation des Rois Catholiques. Le but, s'il existe, pourrait être de renforcer l'importance du présent en faisant apparaître brusquement, après un saut chronologique, les rois et le marquis. Il est important de rappeler que ce même « saut » apparaît dans le cinquième des *Doze triunfos de los doze apóstoles* de Juan de Padilla.

162. Cela montre une fois de plus que le portrait n'est pas évacué par la technique de l'abréviation.

163. Voir « Place et fonction du portrait du roi » dans ce même ouvrage.

164. À propos de Ferdinand on peut lire : « [...] *tovo vna muy santa costumbre : él confesaua e comulgaua muchas veces en el anno con grandísima reuerençia y lágrimas de sus ojos. Fue muy piadoso e avía grand conpasión de la gente ; quando vía venir algunos feridos de los suyos, pesavale mucho dello,* [...]. *Y desta cabsa, sienpre en las guerras que fazía traya en su hueste vn espital fecho de ricas tiendas, en el qual traya capellanes que contino dixesen mysa e confesasen los feridos y enfermos, e físicos e çirugianos que los curasen* [...] » (chap. 2, p. 156).

165. « *Esta muy serenísima reyna fue christianíssima, muy católica, piadosa, caritatiua, y de grand coraçón, y fundada sobre todo lo bueno, y muy amiga de las obras de Dios y de nuestra Sennora la Virgen María, y procuradora y ensalçadora de la Corona real., Y anbos juntamente fueron enviados por la mano de Dios para esecutar su justicia y castigar los malos* » (p. 157). À propos des vertus louées chez la reine, voir María Isabel del VAL VALDIVIESO, « Isabel la Católica en el contexto cultural de su tiempo », *in* : J. VALDEÓN BARUQUE (dir.), *Arte y cultura...*, p. 369-390.

166. « [...] *fija del rey don Juan, que fue rey de los reynos de Castilla ; muy noble, y virtuoso, y justiçiero rey. El qual mandó degollar a don Áluaro de Luna, maestre de Santiago, porque era tirano y por otras justas cabsas conplideras a su estado y Corona real* » (p. 157). « *El qual rey don Enrique, de gloriosa memoria, sienpre amó mucho a este don Rodrigo Ponçe de León* » (p. 158).

chevalier de terres lointaines (« *de luennes tierras* ») par l'excellence de ses œuvres[167]. La succession continue dans un ordre bien établi : « *De los maestres, don Peláez Correa* [...]. *De los condes, el buen conde Fernand Gonçales* [...]. *De los caualleros, el santísimo Çid Ruy Diaz* [...]. » À chacun est attribuée une brève mention de sa vie. Voici enfin le marquis (« *de los marqueses, el bienaventurado, noble y esforçado cauallero don Rodrigo Ponçe de León, marqués de Cádiz* »), accompagné d'un long éloge de ses exploits ; c'est par lui que l'œuvre de reconquête a été terminée : « [...] *él fue la prinçipal cabsa y el medio y el fyn de toda la destruyçión de los moros y reyno de Granada* » (p. 158).

Si, comme le fait remarquer Miguel Ángel Ladero Quesada, le personnage était trop actuel pour qu'il fût possible de « *mitificar* »[168], l'époque, par contre, était très attentive aux signes et aux prodiges de toutes sortes et savait en user avec adresse[169]. Notre biographe en est un bon exemple et une remarque, en particulier, peut donner au personnage une dimension nouvelle : l'auteur précise que son héros est né « *en día muy sennalado y bienaventurado, y de grand gozo y alegría, que fue día de la Conçepçión de nuestra Sennora la Virgen María* ». Le marquis serait donc né le 8 décembre 1443, c'est-à-dire le jour où l'église latine fêtait traditionnellement la Conception de la Vierge Marie, ce qui n'est pas sans importance dans l'histoire. Cette précision semble suspecte à Juan Luis Carriazo Rubio[170], mais l'essentiel est de se demander pourquoi le biographe a fait ce choix. Il correspond sans doute à la dévotion mariale et plus particulièrement immaculiste de la *Casa de Arcos*, du marquis lui-même et de ses successeurs[171]. Quelle que

167. « *Y pues que avemos dicho de los santísimos reyes, digamos de los nobles y esforçados caualleros ; y avnque busquemos alguno de luennes tierras, bien pareçerá, por sus santas obras. De los duques, el duque don Godufre de Bullon, que fizo cruel guerra a los moros e mató ynfinitos dellos conquistando la casa santa de Ierusalem, por la ganar* » (p. 157).

168. M. Á. LADERO QUESADA, *Los señores de Andalucía*..., p. 89.

169. *Id.*, « El marqués de Cádiz y sus profetas. Vaticinios, prodigios y ambiente apocalíptico en torno a don Rodrigo Ponce de León », *in : Actas I simposio de jóvenes medievalistas, Lorca, 2002*, Mureia, Universidad, 2003, p. 59-71.

170. « [...] *no coincide con otros testimonios documentales* [...] *fechas no faltan, pero tampoco motivos para ocultar o tergiversar una realidad que, en última instancia, se nos escapa* » (« Estudio preliminar », p. 18-19).

171. L'étude des testaments de la *casa de Arcos* a permis à J. L. CARRIAZO RUBIO de montrer l'importance de cette dévotion : don Pedro Ponce de León, premier comte d'Arcos, ordonne de célébrer la fête de la Conception (*Los testamentos*..., chap. 6, 4/37, p. 157). Le père du marquis, don Juan Ponce de León, ordonne de célébrer chaque année deux fêtes de la Conception dans deux églises différentes (chap. 6, 5/15, p. 176). Dans son testament, le marquis ordonne lui aussi la célébration des deux fêtes, mais cette fois à deux dates distinctes : la première huit jours avant Noël (serait-ce une façon de célébrer sa naissance ?) et la deuxième, le 25 mars – il pourrait s'agir, selon nous, de l'Annonciation – (6/6/19, p. 239). Beatriz Pacheco, veuve de don Rodrigo, ordonne de célébrer une messe de la Conception au couvent de *San Agustín* « *el miércoles de cada mes* » (6/7/38, p. 276). Quant au testament du premier duc d'Arcos, petit-fils du marquis, il apporte une information intéressante : le duc dit avoir commué son vœu de fonder un monastère de religieuses « *que truxesen el hábito de la Conçebçión de nuestra Sennora* » en une institution différente où seraient élevées neuf jeunes filles si possible parentes de la maison

soit la définition exacte de cette Conception, Conception immaculée ou sanctification de la Vierge *in utero* dès sa conception[172], il s'agit de la plus haute exaltation de la pureté, de la virginité et de la chasteté. Cela a permis la Rédemption comme l'avait déjà dit le *Victorial* et aussi la restauration comme l'avait parfaitement montré la *Crónica sarracina*. L'histoire du marquis suit la même démarche. Après le récit de la faute de Rodrigue et de la trahison de Julián (le vrai coupable), le texte a rappelé la pénitence du roi, sauvé grâce à la Rédemption. Or la Rédemption est passée par la Vierge, ce qui entraîne un long éloge de la virginité et de la chasteté. Si la *lympieza* de la Vierge, liée à la Rédemption, suppose la préservation ou l'absence de « macula », c'est-à-dire de la première souillure et de la première trahison, la Vierge, dès sa conception, a toujours été pure et fidèle, s'opposant ainsi aux deux fautes qui ont entraîné la chute de l'homme et, ajouterions-nous, de l'Espagne. Il est facile de passer de la Rédemption à la restauration. Déjà on a pu voir combien la chasteté et la virginité sont importantes dans *l'histoire* de Pelayo, qui a entrepris la Reconquête[173]. Il est tout aussi important que le marquis de Cadix, par qui cette œuvre va être achevée, soit né précisément le jour de la Conception de la Vierge : il est en quelque sorte prédestiné. C'est pourquoi nous pensons que le choix du jour de la naissance, réel ou inventé, semble aller au-delà d'une

---

d'Arcos (6/8/22 et 23, p. 302). Il semble bien s'agir de la Conception immaculée ; J. L. CARRIAZO RUBIO précise en effet que ces arguments seront rappelés au XVIIe siècle comme preuve « *de la multisecular adhesión del linaje al dogma de la Inmaculada Concepción de María* » (« El marqués de Cádiz y sus profetas… », p. 64, note 30).

172. Ces deux croyances ont coexisté et se sont parfois affrontées. Saint Bernard, dont l'autorité est invoquée dans notre texte (dans l'éloge que fait l'auteur de la chasteté et de la virginité, p. 149), récusait l'absence totale de péché et se disait favorable à la sanctification *in utero*. Cependant, la croyance en la Conception immaculée de la Vierge ainsi que la fête qui la célébrait n'avaient cessé de s'étendre. On sait que le décret publié par le concile de Bâle en 1438, et qui faisait de la fête de la Conception de la Vierge une fête d'obligation dans le monde chrétien, manqua de valeur juridique ; toutefois la « pieuse croyance » aussi bien que la fête ne cessèrent de se développer, en particulier en Espagne. On peut citer l'exemple de Beatriz de Silva qui fonda en 1484 à Tolède, avec le soutien de la reine, un ordre religieux sous l'invocation de l'Immaculée Conception de Notre-Dame. La dévotion à la Conception de la Vierge, de plus en plus généralisée, garde pourtant encore un caractère de choix et d'engagement personnel. Il est certain que le choix du marquis de Cadix (et de la *Casa de Arcos* en général) contribue encore à le rapprocher de la reine, très attachée elle-même à cette dévotion comme le rappelle Peggy K. LISS, *Isabel la Católica*, Madrid : Nerea, 1992, p. 155-156. À propos de la *Inmaculada*, voir Estrella RUIZ GÁLVEZ PRIEGO, et plus particulièrement *El Rimado de la conquista de Granada o Cancionero de Pedro Marcuello*, édition en fac-similé du manuscrit 1339 de la bibliothèque du musée Condé de Chantilly, Madrid : Edilán, 1995, p. 146-148. Voir également l'étude d'Alain Boureau : « L'Immaculée Conception et la souveraineté. John Baconthorpe et la théologie politique (1325-1345) », *in :* Jean-Philippe GENET (dir.), *L'État moderne, genèse, bilans et perspectives*, Paris : Éditions du CNRS, 1990, p. 733-749. On dispose désormais de l'important travail de Marielle LAMY, *L'Immaculée Conception : étapes et enjeux d'une controverse au Moyen Âge (XIIe-XVe siècle)*, Paris : Institut d'études augustiniennes, 2000.

173. Voir plus haut « Pelayo et la fille du marchand : réflexions sur la *Crónica sarracina* ».

simple marque de dévotion mariale ou même d'un bon augure[174]. L'histoire nationale est ici parallèle à celle du salut.

Peut-être faut-il revenir au nom que porte notre héros : Rodrigo. L'hypothèse d'un choix volontaire de la part du père, afin d'apparenter son fils au héros castillan Rodrigo de Vivar, est séduisante et ne manque pas de fondement[175]. Mais qu'il ait été choisi ou non dans cet esprit, il se trouve, nous semble-t-il, que le nom du marquis, s'il l'apparente au Cid, l'apparente aussi à Rodrigue, le roi pécheur et destructeur, cette fois pour s'opposer à lui. Rodrigo Ponce de León pourrait fort bien être l'anti-Rodrigue, le rédempteur de Rodrigue, celui qui finit de sauver ce que le premier avait perdu. Dans cette nouvelle histoire qui reproduit la première pour la restaurer, ce sont les Guzmán qui jouent le mauvais rôle, et le duc de Medina Sidonia, qui tient celui de Julián, en s'alliant à l'ennemi[176].

On se souvient de la dévotion précoce de Rodrigo[177] ; la Vierge, véritable mère, lui est apparue lorsqu'il a eu dix-huit ans et a promis de lui accorder la victoire dans ses batailles contre les Maures[178]. Ainsi intervient

174. «*Sea como fuere, la particular devoción mariana de los condes de Arcos pudo dar lugar a la consideración de la hipotética fecha del nacimiento de Rodrigo como un buen augurio*» (J. L. CARRIAZO RUBIO, «El marqués de Cádiz y sus profetas…», p. 64).

175. J. L. Carriazo Rubio écrit en effet : «*Intentaré demostrar que no es descabellado pensar que la elección realizada por su padre el conde don Juan pudo no ser fruto del azar*» (*ibid.*, p. 61). La *Casa de Arcos*, rappelle-t-il, a longtemps cru descendre de Roland. Un neveu du marquis, fils de son frère Manuel, portait ce nom. Or, dans une anecdote rapportée par Gonzalo Fernández de Oviedo, Roldán Ponce de León prétend que son épée Tizona appartient au Cid Ruy Díaz, son oncle. Il est vrai que don Roldán donnait des signes de démence (*ibid.*, p. 63).

176. À propos de ces traîtres – dont la trahison d'ailleurs est loin d'être démontrée – le biographe écrit : «*Son dignos de mayores penas y grand castigo, pues que negaron el santo baptismo y confirmaçión de la Yglesia de Dios, como el conde Julián*» (chap. 7, p. 182). L'importance de cette allusion à Julián n'a pas échappé à J. L. Carriazo Rubio (p. 180, note 176).

177. Voir *supra* note 157.

178. «*Y este cauallero era mui deuoto de nuestra Sennora la Virgen María; secretamente ante la qual ymagen cada día dos vezes él fazía vna muy deuota oraçión, pidiéndole por merced le quisiese conplir aquel deseo que tenia. E vn día, estando en esta oraçión, le apareçió nuestra Sennora la Virgen María visiblemente e le dixo :"¡ O, buen cauallero, deuoto mío ! Sepas por çierto que mi amado fijo Iesu Christo e yo avemos resçebido tu oraçión, y por ser fecha tan continua y con tan lynpio deseo de coraçón, te otorgamos que en todas quantas batallas de moros te fallares, serás vençedor"*» (chap. 3, p. 159). La Vierge lui apparaît une deuxième fois avant la prise d'Alhama pour lui prédire encore la victoire : «*E allí le apareçió otra vez nuestra Sennora la madre de Dios y le dixo : "¡ O cauallero tan deuoto mío ! Sepas que porque tus deseos son muy agradables al seruiçio de mi amado fijo Iesu Christo e mío, tú yrás seguro en paz y tomarás aquella çibdad, e la sosternás y defenderás ; y ésta será cuchillo y el comienço de toda la destruiçión del reyno de Granada y de toda la morería del mundo. E la mezquita de los moros farás luego yglesia ; y ponerle has el mi nonbre* [ce sera l'église de Nuestra Señora de la Encarnación]. *E sepas que tú saldrás della con grande victoria y a la mayor priesa yo seré contigo"*» (chap. 15, p. 199-200). C'est également la Vierge qui envoie miraculeusement deux chevaliers resplendissants sur des chevaux blancs pour sauver le marquis dans la déroute de la Ajarquía de Málaga (chap. 20, p. 222). D'autres saints sont envoyés par Dieu au secours du marquis (*loc. cit.*). À Marchena, le marquis et la marquise font célébrer en actions de grâces «*diez misas de la Conçepçión de nuestra Sennora la Virgen María madre de Dios cantadas muy solenpnemente con muchos clérigos e hornamentos muy ricos, y con órganos*» (chap. 36, p. 258). Le jour de la Conception de la Vierge, le marquis fait célébrer des messes à ses frais dans toutes les églises

dans l'histoire un merveilleux chrétien qui reste rare et limité aux récits de croisade[179]. Dans l'atmosphère d'exaltation qui régnait à Séville en 1486, une grande prophétie est remise au marquis. Dans ce long texte d'inspiration aragonaise, le roi Ferdinand apparaît comme l'empereur des derniers temps, qui doit conquérir la *casa santa de Ierusalem*. Ici se rejoignent l'histoire nationale et celle du salut, mais c'est le marquis qui sert d'intermédiaire, de médiateur entre Dieu, les nobles et le roi (chap. 31, p. 244-247)[180].

«Grandes gozos y alegrías»

L'exaltation des miracles et des prophéties va de pair avec la précision extrême d'un véritable carnet de campagne, qui vient rappeler, dans l'étape finale de notre parcours, le «journal de bord» initial de Pero Niño. Cette précision est à son comble dans les lettres que le marquis adresse à la reine, à la demande de cette dernière. Ces *cartas de relación* ou *de nuevas*, dont Pedro Cátedra a montré l'importance, constituent donc à la fois une forme de service, c'est-à-dire une forme privilégiée de relation au roi, un document de chancellerie important pour la concession des *mercedes* et un témoignage personnel[181]. Elles permettent, au moment où s'amplifie

---

qui se trouvent sur ses terres (chap. 51, p. 302). Bernáldez précise que le marquis lui-même était chaste et faisait respecter la chasteté dans les domaines où il était le seigneur (*Memorias*, éd. cit., p. 239). On sait combien Isabelle appréciait cette vertu.

179. Voir M. Á. LADERO QUESADA, *Los señores de Andalucía*..., p. 615-617.

180. Cette prophétie a été étudiée par A. MILHOU, «La chauve souris, le nouveau David et le roi caché...», p. 51-62. Voir aussi *id.*, «De Rodrigue le pécheur à Ferdinand le restaurateur», *in :* Jacques FONTAINE et Charles PELLISTRANDI (dir.), *L'Europe héritière de l'Espagne wisigothique. Colloque international du CNRS tenu à la frondation Singer-Polignac (Paris, 14-16 mai 1990)*, Madrid : Casa de Velázquez, 1992, p. 365-382. Elle est également l'objet d'une étude dans J. L. CARRIAZO RUBIO, «El marqués de Cádiz y sus profetas...», p. 69-71, et *Historia de los hechos*..., «Estudio preliminar», n° 8, p. 89-121. *El Encubierto* est à l'évidence le roi Ferdinand ; pourtant, le portrait qui en est fait, et qui suit le modèle de Unay, évoque, plus que les traits du roi, ceux du marquis de Cadix. Cela a permis à J. L. Carriazo Rubio d'avancer une autre conjetura : «*¿ Habría servido el marqués como modelo para el propio fray Juan Unay? Tan sólo es una conjetura, pero no cabe duda de que resulta sugerente, sobre todo si analizamos la perspectiva profética y sobrenatural con que cronistas de diversa procedencia – no siempre partidarios de la Casa de Arcos expusieron algunos hechos del marqués*» («Estudio preliminar», p. 120).

181. P. CÁTEDRA, «En los orígenes de las epístolas de relación», *in : Las relaciónes de sucesos*... Ces lettres sont aussi, comme le dit G. PONTÓN, «*como un testimonio en primera persona de los acontecimientos*» (*Escrituras históricas*..., p. 13). L'importance de ces relations se trouve résumée dans une lettre de la reine : «*Marqués, primo, muy grand gloria y plazer he resçebido con vuestras buenas andanças y leales seruiçios. Bien pareçe, por la obra, la gana y deseo que tenéys de seruir al rey my sennor e a mí en las cosas tan sennaladas, de buenas, que hazéys. Por las quales, es cosa muy justa, creçidas merçedes resçibáys ; y así será, con vida del rey mi sennor e mía. Sennalado plazer y seruiçio resçebiré, largamente me escriuáys las cosas que cada día pasaren*» (chap. 51, p. 292). Suit une série de sept lettres du 9 juin au 10 juillet 1488 (p. 292-302). On trouvera aussi une lettre adressée au roi à une date antérieure (chap. 49, p. 287). Ces lettres sont peut-être, comme le suggérait J. de M. Carriazo, une partie de la source commune qui permettrait d'expliquer la parenté entre la biographie du marquis et la *Crónica de los Reyes Católicos* de Diego de Valera. Voir *supra* note 149.

l'importance de la cour, non seulement de resserrer les liens avec le roi, mais aussi de remplacer et même de renforcer paradoxalement la présence physique d'un parfait serviteur. C'est d'ailleurs en recevant et en commentant les nouvelles et à plus forte raison les lettres du marquis que les rois lui adressent leurs plus beaux éloges : il est d'ailleurs probable qu'ils lui aient été réellement reconnaissants ; en tout cas les rois, et l'auteur avec eux, le comparent à Fernán González, au Cid ou à d'autres héros ; mais les héros nationaux l'emportent dans les éloges des rois. En ces temps de croisade, il n'est pas surprenant que les mythes et les héros fondateurs de l'expansion castillane se trouvent réactivés[182]. Ces éloges se font aussi par des gestes et par l'expression physique des sentiments : les yeux des rois sont « *llenos de agua* », et par deux fois l'auteur précise que les rois, recevant le marquis, « *le echaron los braços ençima* »[183]. Il est important que ces éloges soient faits en public et devant les grands, car dans l'entourage royal il ne suffit pas d'être excellent : il faut être le meilleur. C'est ainsi que le marquis reçoit le titre, en partie imaginaire, de *capitán mayor de la frontera y visorrey de toda el Andaluzía*[184].

Le marquis reçoit les rois avec magnificence et leur offre de somptueuses collations soigneusement décrites. Il accompagne la reine lorsqu'elle visite les *estanças* près d'Archidona et reçoit d'elle son plus beau compliment : « *No pareçe, marqués, sino que los canpos por donde venís, vienen llenos de alegría.* »[185] « *Gozos y alegrías* » : telle veut être la tonalité dominante de cette biographie, depuis la naissance du héros né, on s'en souvient, « *en día muy sennalado y bienaventurado y de grand gozo y alegría, que fue día de la Conçepçión de nuestra*

182. Voir à ce propos dans C. MORENO HERNÁNDEZ, *En torno a Castilla*..., le chapitre « Mitología y mitografía : héroes y clérigos », p. 21-45. Le marquis est comparé six fois à Fernán González et cinq fois au Cid. Voici quelques exemples. Après la prise d'Alhama, Ferdinand s'exclame : « *¡ O, bendito sea Dios nuestro Sennor, que en mi tienpo quiso que ouiese vn conde Fernand Gonçález e vn Çid Ruy Díaz !* » (chap. 15, p. 206). Après la prise de Zahara, le roi et la reine font un éloge semblable : « *E dixeron ante todos los grandes de su Corte e muchas otras gentes que ay estauan : "¡ Vendito sea Dios ! Que en nuestros tienpos alcançamos ver y tener en nuestros reynos otro conde Fernand Gonçález"* » (chap. 23, p. 229). Ayant appris la *tala* de Malaga, ils disent encore : « *Syn dubda, el marqués de Cádiz es el más noble y el más bien andante cauallero que oy ay en todos los reynos christianos* » (chap. 25, p. 232). Lorsqu'ils reçoivent des lettres du marquis à Saragosse, ils manifestent leur gratitude et leur joie : « [...] *fue muy grande el plazer y alegría que con ellas resçibieron ; y con grand gozo, los ojos llenos de agua, dixeron ante todos los grandes de su Corte : "Nos bien creydo tenemos que todos los enperadores y reyes christianos no alcançan más bien andante cauallero que nos tenemos en el marqués de Cádiz"* » (chap. 49, p. 287).

183. « *Y él les besó las manos, y el rey e la reyna le echaron los braços ençima ; e así se despidió de Sus Altezas* » (chap. 44, p. 277). On retrouve cette formule chap. 52, p. 306.

184. *Ibid.*, p. 305-306 et note 593. Ces éloges publics expliquent le retour régulier de ce qui devient un véritable topique : « *Y dixeron ante todos los grandes de su Corte* » (par exemple, p. 229, 232, 287).

185. La suite est tout aussi importante : « *Meresçimiento tenéys de grande honrra, y el rey mi sennor e yo vos faremos grandes merçedes* » (chap. 35, p. 254). Le compliment de la reine se retrouve chez Diego de Valera (*Crónica de los Reyes Católicos*, éd. cit., p. 207).

Sennora la Virgen María», jusqu'aux joies de la bataille et de la victoire[186], sans compter ces véritables triomphes que sont les réceptions du marquis par les rois[187]. Ce journal de campagne qu'est la biographie devient une perpétuelle et réciproque action de grâces. Les «*gozos y alegrías*» qui la portent sont peut-être autant de préfigurations de la gloire du paradis comme l'était déjà la «*muy rica silla*» sur laquelle était glorifié le marquis. Le héros a pour les rois une véritable dévotion et sans doute la reine contribue-t-elle par sa présence à donner à cet univers une signification supplémentaire : n'est-elle pas à la fois la dame que sert le marquis et en quelque sorte la figure terrestre de la Vierge protectrice ? L'«amour du roi» est donc ici à son comble, mais, dans sa parfaite humilité, le marquis croit qu'il est inspiré par Dieu[188]. Seule l'exaltation de cette véritable liturgie peut, dans une sorte de rituel, racheter – en partie – l'excès même des louanges et leur retour incessant.

À la lecture de cette biographie, le souvenir du Cid vient immédiatement à l'esprit, autrement qu'à l'occasion des éloges que font l'auteur et les rois. Certes, la comparaison est facile, trop facile et a déjà été faite ; doit-elle pour autant être tue ? Voici un chevalier qui conquiert pour le roi des terres occupées par des Maures, qui entretient avec ces Maures des relations à la fois guerrières et plus ou moins amicales, qui offre aux rois ses qualités de combattant mais aussi ses biens et une part du butin, trente chevaux par exemple, à Vélez Málaga (chap. 40, p. 266). On pourrait multiplier les exemples. Le marquis est un nouveau Cid ; mais l'harmonie est parfaite dans le couple marquis-Cid/roi : le Cid apporte au roi la gloire de son nom et sa loyauté, mais le roi fait du marquis un parfait *caballero* qui a toujours un *buen señor*[189].

En vérité, on voit se dessiner dans l'histoire du marquis de Cadix une sorte de composition sur trois niveaux qui peut en effet évoquer la peinture ou la sculpture : au niveau supérieur figurent Dieu et la Vierge ;

186. Avant de reprendre la guerre contre Grenade en 1486, le marquis entend la messe, reçoit les sacrements, se recommande à la Vierge et éprouve une grande joie : « [...] *él se falló tan alegre y tan dispuesto, que le pareçió que ya estaua dentro en Granada* » (chap. 37, p. 259). Il est vraiment en état de grâce.

187. On peut citer en particulier la réception du marquis à Cordoue (chap. 52, p. 306) et à Jaén où «*Sus Altezas se gozaron mucho con él, y todas las otras gentes*» (p. 307).

188. «*Mas que él bien creya que el amor que Sus Altezas le tenían más venía por la mano de Dios que por sus mereçimientos ; commo de arriba todas las graçias sean repetidas segúnd a su diuina sabiduría plaze. Ca commo quiera que el marqués era cauallero esforçado, muy varón, feroz y espantable contra los moros enemigos de nuestra santa fe católica, así era muy humilde, cortés, muy piadoso en todas las obras de misericordia*» (chap. 50, p 288).

189. Toute trace d'indiscipline a disparu dans l'évocation de ces héros fondateurs ; il en est de même dans les textes qui font revivre, en prose ou en vers, l'illustre Fernán González. Voir à ce propos Gonzalo de ARREDONDO, *Vida rimada de Fernán González*, Mercedes VAQUERO (éd.), Exeter : University of Exeter, 1987.

au-dessous, leurs représentants sur terre, le roi et la reine, et enfin le marquis et la marquise. Tout cela dans un ensemble harmonieux et triomphal pour la plus grande gloire de Dieu, des rois et du marquis.

Mériter une chronique, ou une histoire, ou une « *larga escriptura por sí* », apparaît comme un lieu de l'éloge, aussi bien dans les *Hechos* de Alonso de Monrroy que dans la *Crónica incompleta de los Reyes Católicos* ; par souci de brièveté, ou parce que cela se trouve ailleurs, ou parce que ce n'est pas le lieu opportun pour l'écrire, le chroniqueur ne fait pas le récit mérité[190]. Mais six fois au moins, à notre connaissance, une histoire a été faite dont les héros ne sont pas forcément des personnages que l'on attendait. Il n'est pas interdit d'imaginer qu'il put y en avoir d'autres.

Ces chroniques biographiques sont, en principe, écrites en dehors de l'autorité royale ; deux cas pourtant font exception : la première partie de la *Crónica de Álvaro de Luna*, dans laquelle intervint peut-être le même auteur que l'on retrouve dans la chronique royale, et les *Hechos del marqués de Cádiz*, dans lesquels le biographe revendique l'autorité des rois. Toujours avec ces deux exceptions, le contenu de ces biographies se trouve pour une bonne part, variable selon les cas, en dehors de l'histoire officielle et nationale dans le sens où pouvait être ainsi définie la chronique royale. Mais il est vrai que des liens plus ou moins importants relient les deux histoires, rattachant le héros de la biographie au roi et l'écriture de la chronique du roi à celle de la biographie : tel est le cas pour Pero Niño, Álvaro de Luna et le marquis de Cadix. La *crónica real*, à laquelle il est fait allusion ou référence de façon variable et parfois sous la forme d'un simple topique, est autre chose qu'une toile de fond ; la biographie peut en devenir une véritable réécriture ou en modifier l'éclairage et la perspective ; l'ordre d'importance peut se trouver inversé, et quand de grandes similitudes apparaissent, il s'agit probablement de l'utilisation d'une même source d'information, une information dont le va-et-vient se fait de plus en plus serré et complexe sous la double pression des ambitions nobiliaires et monarchiques.

En dépit d'éléments communs dans la conduite du récit, il serait erroné d'imaginer que ces chroniques biographiques ne sont que des imitations ou des modèles réduits de la chronique royale. Non seulement la

190. À propos du grand-père d'Alonso de Monrroy, Hernán Rodríguez, A. MALDONADO écrit : « *Los hechos señalados que este Hernán Rodriguez hizo en todas estas cosas, ciertamente no cupieran en una muy grande historia, y por eso no los contaremos* » (*Hechos*..., p. 15). C'est à propos d'Alonso de Monrroy lui-même que l'auteur de la *Crónica incompleta* écrit lui aussi : « [...] *sus cosas fueron tantas y tan señaladas que requerían crónica o larga escriptura por sí, pero porque non fueron en el tiempo del rey y reyna, non curo de contar su larga estoria pasada, sinon remitirme a los que en el tiempo del rey don Enrrique escreuieron* » (éd. cit., p. 250). La même idée apparaît à propos de Rodrigo Manrique : « *Sin que agora en su loor me detenga, lo mucho escripto de él me haze perezoso, y avn porque sus cosas eran tantas, y los grandes casos que en el reyno acaesçen, que vnas a otras no me dan lugar a se escreuir como mereçen* » (*ibid.*, p. 294).

perspective peut être modifiée, mais surtout la concentration autour d'un seul personnage favorise la composition d'une histoire et l'organisation ou la réorganisation d'un récit. Par ailleurs, on peut y voir apparaître, en dehors du cercle royal, des aspects de la vie familiale ou seigneuriale en général absents dans des récits plus officiels.

Ces récits sont une exaltation et une revendication des mérites du héros et de sa lignée. Tous ces héros ont en commun, à divers degrés, une nécessité de légitimation, de justification ou même de réhabilitation liée soit à leurs origines, soit à leur engagement politique, soit aux problèmes que pose leur propre succession. Cela se fait par le récit plus ou moins complet de leur *vie*, c'est-à-dire de la mise en pratique des vertus qu'ils incarnent. Hormis les cas de Pero Niño et Álvaro de Luna, il manque à ces *vies* le récit des dernières années et de la mort ; cette absence, qui peut être due à des causes diverses, est sans doute préférable pour la gloire de personnages tels que Miguel Lucas de Iranzo, Alonso Carrillo ou Alonso de Monrroy. Elle n'en reste pas moins regrettable – elle l'est surtout dans le cas du marquis de Cadix – à une époque où la mort, devenue un élément essentiel de la vie, a pris une grande importance.

Les vertus qu'incarnent ces héros sont essentiellement liées à l'éthique chevaleresque ou tout simplement guerrière. Elles illustrent des valeurs en principe partagées par tous : le service du roi et du bien commun. On chercherait en vain dans ces textes, exception faite peut-être de quelques passages de la *Crónica de Álvaro de Luna*, des modèles différents ou des valeurs opposées à cette éthique, telles que « l'utile » ou « la pratique », qui pourraient indiquer l'émergence « du politique »[191]. Juan Pacheco, sorte de contre-figure d'Álvaro de Luna, est un parfait exemple de cette forme de *prudencia* que sont devenues la versatilité et l'hypocrisie. Mais c'est dans les *Claros varones* seulement que Pulgar, qui le critique dans la *Crónica de los Reyes Católicos*, en fait un « *ome esencial* »[192].

Peut-on voir dans ces récits une « prise de parole » de la noblesse[193] ? Celle-ci n'avait jamais cessé de faire entendre sa voix, surtout pour revendiquer ses droits. Mais il s'agit en effet d'un nouveau mode d'expression qui, en même temps qu'il constitue une marque de pouvoir, est destiné à renforcer des droits. Plus que l'indépendance de la noblesse, ce discours souligne pourtant ce qui la relie au roi. La relation *servicio/merced*, fondée sur la loyauté[194] et l'amour, joue dans l'ensemble de ces œuvres un rôle

191. Nous renvoyons à l'étude de Joël BLANCHARD, *Commynes l'Européen, l'invention du politique*, Genève : Droz, 1996.

192. F. del PULGAR, *Claros varones de Castilla*, éd. cit., p. 29-33.

193. Voir J.-P. JARDIN, « Voix et échos du monde nobiliaire… », p. 203.

194. Il s'agit selon Luis SUÁREZ FERNÁNDEZ d'une « *relación de recíprocas lealtades* » (« Nobleza y monarquía : sus interrelaciones », *in : La nobleza peninsular en la Edad Media*…, p. 481-486, p. 483).

fondamental, mais cette relation telle qu'elle peut être comprise et mise en œuvre par le roi coïncide-t-elle avec la relation dans laquelle les nobles souhaitent l'inclure, c'est-à-dire avec celle qu'ils prétendent promouvoir et revendiquer par leur exemple et le récit qui en est fait ? Cette relation est-elle également profitable aux deux parties ? Si elle est parfaite dans sa réciprocité, elle peut assurer la progression du personnage et du récit pour le bien du roi et pour celui de tous. Elle peut introduire dans l'ordre social une forme de « dynamisme ». Mais, dans le même temps, elle renforce la stabilité de cet ordre, donc un certain immobilisme. Quant à la valorisation des mérites, elle contribue à la fois à renforcer une forme d'individualisme et à assurer la cohésion sociale ; elle est aussi source d'ordre. Dans cette relation *servicio/merced*, contractuelle au fond et qui court le risque de devenir un peu mécanique, le roi peut perdre son entière autonomie. Il est vrai que la fonction de la *merced* n'est pas ici de caractériser ni de louer le roi qui l'accorde, même si la justice, la libéralité et la magnificence comptent parmi les plus importantes vertus royales[195], mais plutôt de l'obliger, et surtout de grandir celui qui la reçoit. Un renforcement du pouvoir du roi, de plus en plus absolu, ainsi que du rôle de la grâce royale vont donner un dynamisme nouveau à cette relation essentielle, modifiée mais revitalisée.

Les dérèglements de cette relation, dont le roi est rendu responsable de façon plus ou moins explicite, lorsqu'il ne s'agit pas d'un simple revers de fortune, sont funestes et peuvent être mortels. Du côté des nobles, les possibles difficultés ont été habilement accommodées au moyen de différentes manipulations. Dans trois de ces œuvres le roi est pris en charge par un noble : Álvaro de Luna délivre Jean II de ses soucis et de ses ennemis, Miguel Lucas de Iranzo est le soutien d'Henri IV persécuté et Alonso Carrillo semble investi du pouvoir de faire les rois.

On a pu voir combien il est délicat, surtout si l'on prend en compte le temps de l'écriture, de dégager pour ces textes un ordre chronologique. Il serait tout aussi vain d'y chercher une quelconque évolution. Pourtant on ne peut s'empêcher de remarquer entre la première et la dernière des œuvres étudiées, le *Victorial* et les *Hechos del marqués de Cádiz*, des similitudes et aussi des différences. Parmi les éléments communs on peut citer le long *Proemio* qui introduit le héros, le thème de la destruction de l'Espagne, la lamentation sur la faute du roi Rodrigue que l'on trouve trop sévèrement puni, la condamnation de Julián, l'exaltation de la virginité. Tout cela pourrait bien dériver, entre autres choses, d'une influence commune encore insuffisamment étudiée, celle de la *Crónica*

195. Les vertus royales qui figurent dans l'œuvre d'Alonso de Cartagena ont été étudiées par L. FERNÁNDEZ GALLARDO, *Alonso de Cartagena...*, p. 321-365. On y trouvera en particulier un développement sur la vertu *epiqueya*.

sarracina[196]. Les *Hechos del marqués de Cádiz* retrouvent aussi dans leur précision de carnets de campagne celle du journal de bord de Pero Niño. Mais de la première à la dernière biographie on peut aisément constater quelques variations dans la relation *servicio/merced*; l'idée de service s'est renforcée ainsi que la présence et le rôle des rois. Pour le marquis, cette harmonie parfaite est importante, car c'est ainsi que le héros veut être vu. Sa propre glorification exige cette haute présence royale : s'il est un parfait capitaine, le roi est désormais maître de la guerre et chef des armées.

Malgré leur nombre restreint, et en dépit d'absences que l'on peut regretter, si l'on songe à certaines figures des *Generaciones y semblanzas* ou des *Claros varones*, ces chroniques biographiques forment un ensemble assez représentatif de la noblesse castillane du XVe siècle. D'une façon générale, ces œuvres se situent plutôt du côté de l'histoire que de celui du roman, car il faut bien y reconnaître un souci de vérité, c'est-à-dire un ancrage puissant dans le réel. Il n'y a pas dans ces histoires de fin heureuse : soit la fin manque, soit elle est triste ou tragique. Peut-on y voir un signe des « malheurs des temps » si souvent déplorés par les moralistes ?

196. Cette influence apparaît aussi dans le thème des « saintes enfances » de Pelayo et du marquis, dans l'apparition du merveilleux et, plus prosaïquement, pour ce qui concerne le *Victorial* et la *Crónica sarracina*, dans la critique des « bourgeois ». Voir « Pelayo et la fille du marchand ».

3. DE LA FABLE À L'HISTOIRE : L'ITINÉRAIRE D'ALFONSO DE PALENCIA

La *Batalla campal de los perros contra los lobos*[*]

«*Fizo comienço e entrada de una fablilla*»
(*Batalla campal*)

Dans l'Étude préliminaire du tome 116 de la BAE Mario Penna justifie ainsi les raisons de son choix entre deux traités d'Alfonso de Palencia[1] :

> *Pensé en un primer momento incluir el de la Batalla campal pero renuncié a ello por no encontrar la clave para una explicación, por lo menos parcial, de las alusiones que a mi parecer encierra*[2].

Hâtons-nous de dire que nous n'avons pas découvert cette clef. Notre seule ambition est de livrer ici quelques remarques sur ce texte de Palencia, dans l'espoir de nuancer peut-être les termes du problème qu'il semble poser.

Palencia écrivit en latin la *Batalla campal* et la traduisit lui-même en castillan. Le manuscrit du texte latin est jusqu'ici demeuré introuvable. Quant à la traduction, elle a été conservée dans un exemplaire unique de l'édition de 1490. Fabié publia ce texte en 1876 et en 1944 Matilde López Serrano fit paraître une édition en fac-similé de l'incunable[3]. À la dernière page

* Première publication : « La *Batalla campal de los perros contra los lobos* d'Alfonso de Palencia », *in : Mélanges de langue et littérature médiévales offerts à Pierre Le Gentil*, Paris : SEDES, 1973, p. 586-603. Cette étude a été remodelée par endroits en fonction de l'étude suivante.

1. Ces deux traités de Palencia ont pour titre : *Batalla campal de los perros contra los lobos* et *Tratado de la perfección del triunfo militar*. La version castillane du deuxième traité a été éditée par Mario Penna dans *Prosistas castellanos del siglo xv*, Madrid : Espasa-Calpe (BAE, 116), 1959, p. 345-392. [Plus récemment J. Durán Barceló a édité les deux versions, latine et vernaculaire : A. de Palencia, *De perfectione militaris triumphi*, *La perfeçión del triunfo*, éd. cit.]

2. M. Penna (éd.), *op. cit.*, « Estudio preliminar », p. clii.

3. [*La guerra & batalla campal entre los perros & los lobos avida* a été éditée à Séville (Cuatro compañeros alemanes, ca 1490).] Cet incunable appartient à la biblioteca de Palacio. Édition en fac-similé par Matilde López Serrano, *El incunable « Batalla campal de los perros contra los lobos »*, *Revista de bibliografía nacional*, 6, 1945, p. 255-302. Pour les références bibliographiques, la description et l'historique de l'incunable, se reporter à l'étude de M. López Serrano, p. 249-

de cet incunable il est dit : « *Este tratado de los lobos e perros fue compuesto en el año del señor de mill e quatroçientos cincuenta e siete años* » (p. 104). Mais s'agit-il de la première rédaction en latin ou de la date de la traduction ?

Alfonso de Palencia, après avoir été élevé chez Alonso de Cartagena, le savant évêque de Burgos, fit un séjour à Florence et à Rome, où il fréquenta la maison du cardinal Bessarion et eut pour maître le célèbre professeur de rhétorique Georges de Trébizonde. Les dates exactes de son départ et de son retour ne sont pas connues, mais on sait qu'il se trouvait à Rome en 1453 et qu'il était de retour en 1456[4]. Il était à ce moment-là au service de l'archevêque de Séville don Alfonso de Fonseca qui sollicita pour lui la charge de chroniqueur royal (« regius historiographus »), laissée vacante par la mort de Juan de Mena. Palencia fut nommé chroniqueur le 6 décembre 1456[5]. Or il dit expressément dans le Prologue adressé à Alfonso de Olivares, familier de la maison de l'archevêque de Séville, avoir écrit la *Batalla campal* pour s'exercer et donner un aperçu de ses capacités d'historien :

> *Antes que pusiese la péñola en escribir los fechos de España quise someter a tu sabia enmienda lo que sobre la guerra cruel entre los lobos e los perros avida conpuse* (p. VI)[6].

254. Pour les problèmes relatifs au *Tratado de la perfección del triunfo militar*, voir. M. PENNA (éd.), *op. cit.*, p. CLXXVIII-CLXXIX [et J. DURÁN BARCELÓ (éd.), *op. cit.*, Introduction, p. 13-51]. Antonio Maria FABIÉ avait fait paraître une première édition des deux traités de Palencia : *Dos tratados de Alfonso de Palencia*, Madrid : Libros de Antaño, 5, 1876. Dans notre étude nous citerons la *Batalla campal* d'après l'édition de Fabié, la seule disponible, après en avoir contrôlé le texte sur l'édition en fac-similé. [Les références à *La perfeçión del triunfo* seront faites d'après l'édition de J. Durán Barceló.]

4. [Sur ces années de formation de Palencia, voir Rafael ALEMANY FERRER, « En torno a los primeros años de formación y estancia en Italia del humanista castellano Alfonso de Palencia », *Revista de ciencias humanas*, 3, 1978, p. 61-72.]

5. [À propos de cette nomination, voir R. B. TATE, « El cronista real durante el siglo quince », *in : Homenaje a Pedro Sáinz Rodríguez*, 3 vol., Madrid : Fundación universitaria española, 1986, 3, p. 659-668 ; repris dans l'Introduction à *Gesta hispaniensia*, citée *infra*.] L'étude fondamentale sur Alfonso de Palencia reste celle de A. PAZ Y MELIA, *El cronista Alfonso de Palencia*, Madrid : Publicaciones de la Hispanic Society of America, 1914. On peut également consulter l'étude préliminaire de M. PENNA (éd.), *op. cit.*, p. CXXXVI-CLXIV, et le prologue de FABIÉ déjà cité. FABIÉ a également consacré à Palencia *son Discurso de entrada en la Real Academia de la historia. Vida y escritos de Alfonso Fernández de Palencia*, Madrid : Fontenet, 1875. [Voir également Javier DURÁN BARCELÓ, *Obra poética, retórica, lexicografía y filosofía moral de Alfonso de Palencia. Ediciones críticas del* De perfectione militaris triumphi *y* La perfeçión del triunfo, Ph. D. Dissertation, University of Michigan, 1992. Et surtout R. B. TATE et J. LAWRANCE (éd.), *Gesta hispaniensia ex annalibus suorum dierum collecta*, Madrid : Real Academia de la historia, 1998, t. 1, Introduction, p. XXXV-LXIX).]

6. *La Batalla campal* telle qu'elle est conservée dans l'incunable est précédée de deux Prologues : le Prologue du traité écrit en latin et traduit (éd. cit., p. V-VIII) et le Prologue de la traduction, adressé à Alonso de Herrera (p. I-IV). La *Despedida* (p. 102-104) faisait partie de l'œuvre latine. C'est dans ces deux Prologues et dans la *Despedida*, ainsi que dans le Prologue de *La perfeçión del triunfo militar* (éd. cit., p. 129-130), que Palencia apporte quelques éclaircissements sur ses intentions.

Faut-il en conclure avec Mario Penna que l'œuvre fut écrite « *o inmediatamente antes o inmediatamente después del nombramiento* »[7] ? Mario Penna ajoute :

> *La primera hipótesis parece más natural ; la segunda ofrece la ventaja de llevarnos hacia* el *año de 1457 que encontramos en la rúbrica final de* la versión, *pero expresada, como hemos dicho, en forma que parece atribuible al texto latino*[8].

Le seul fait certain est que Palencia présente cette œuvre comme un exercice. [Ce sont en effet des sortes d'exercices appliqués que le jeune Alfonso de Palencia, riche de son expérience italienne et élève doué de Georges de Trébizonde[9], propose comme premiers témoignages de son savoir et aussi comme premières leçons à son retour en Espagne. L'introduction de Javier Durán Barceló à sa belle édition des deux versions latine et vernaculaire de *La perfeçion del triunfo* permet aujourd'hui de mieux apprécier l'importance de la *fábula humanística* à Florence dans les années où Palencia y séjourna[10]. On peut voir quels furent les modèles, extrêmement variés, dont put s'inspirer le jeune humaniste pour composer aussi bien la fable animale que le traité allégorique.

Le voici, comme tant d'autres, frappé par la fin brutale d'Álvaro de Luna, qui lui inspira une méditation sur la fortune[11]. Quoique bien différente, la mort d'Alfonso de Madrigal *el Tostado* a donné lieu un peu plus tard (1455) à une belle élégie funéraire, déjà sous une forme allégorique[12]. Palencia, plongé dans une Séville toujours agitée, n'a pu manquer de garder le souvenir vivace des *bandos* qui troublèrent le règne de Jean II et dans lesquels jouèrent un si grand rôle les infants d'Aragon, frères du roi Alphonse le Magnanime tant admiré. Le cadet, l'infant Henri, n'est-il pas mort – peut-être comme mourra le loup Harpaleo – des suites d'une blessure reçue à la bataille d'Olmedo en 1445 ? Cette bataille reste emblématique des

7. M. Penna (éd.), *op. cit.*, p. cxlii.

8. *Loc. cit.*

9. [Selon V. Da Bisticci, Georges de Trébizonde faisait faire de nombreux exercices à ses étudiants : « *E faceva fare a'sua scolari molte esercitazioni* » (Vespasiano Da Bisticci, *Vite di uomini illustri del secolo xv*, Florence : Racolta nazionale dei classici della Società editrice Rinascimento del libro, ms. mcmxxxviii-xvi, p. 510). A. de Palencia entretint des relations épistolaires avec son ancien maître comme en témoigne sa lettre « Sapientissimo viro patrique ornatus ac utilis cujusque doctrine magistro domino Georgio Trapesuntio Alfonsus Palentinus hispanus historiographus salutem plurimam dicit » (1465), *in :* Alfonso de Palencia, *Epístolas latinas*, Rafael Alemany Ferrer et Robert Brian Tate (éd. et trad.), Barcelone : Universidad autónoma, 1982, p. 57-63. Dans sa réponse à la lettre de Palencia, Georges de Trébizonde se réjouit de voir que son élève, dont il avait toujours apprécié les qualités, est encore plus docte et plus éloquent qu'il ne l'aurait imaginé (« doctiorem ac eloquentiorum esse percepi quam existimaram [...], facundia, elegantia, facilitate vicisti opinionem meam », *ibid.*, p. 64).]

10. [J. Durán Barceló (éd.), *op. cit.*, Introducción, « La fábula humanística », p. 19-31.]

11. [Le texte n'en a pas été conservé, mais on peut en trouver des échos dans le long chapitre consacré dans la première Décade à la vie et à la mort du favori (*GH*, I, 2, 7 ; TL, 1, p. 61-71).]

12. *Epístolas latinas*, éd. cit., p. 78-100.

rivalités nobiliaires, toujours actives et prêtes à ressurgir. Palencia garde aussi sans doute le souvenir de la vision éblouie qu'il eut à l'âge de dix-sept ans d'Álvaro de Luna à cheval pendant le siège de Maqueda[13]. Viennent ensuite les premières années du règne d'Henri IV ; ce sont des années à la fois prometteuses et décevantes, car la façon dont le nouveau roi conduit ses premières campagnes andalouses semble bien étrange, à tel point qu'apparaissent les premières réactions contre la politique du roi et de ses favoris : le chef des mécontents est précisément l'archevêque Carrillo à qui Palencia va dédier son deuxième traité, *De perfectione militaris triumphi.*]

La bataille des loups et des chiens : exercice et satire

Près du Guadalquivir, Antarton[14], roi des loups, et sa femme Lecada se réjouissent au milieu de leur cour lorsque Harpaleo, un vaillant « chevalier », décide pour plaire à sa femme Amartula et pour rapporter du butin de partir en expédition en compagnie de Pançerion. Pour n'avoir pas respecté la prudente et sage tactique mise au point par ce dernier, l'orgueilleux Harpaleo tombe, victime des chiens, tandis que Pançerion ramène son butin. Faut-il pour venger cette mort déclarer la guerre aux chiens ? Au cours d'une assemblée délibérative trois discours sont prononcés : Feronio, jeune loup insolent et téméraire, se moque de la prudence des anciens et veut se jeter dans la bataille ; Pançerion, le loup d'âge mûr, rendu orgueilleux par son récent succès, crie vengeance et réclame aussi la guerre ; enfin Gravaparon, vieux loup vaillant et sage, prouve dans un long discours et avec force arguments – sans doute la pièce maîtresse de l'œuvre – que cette guerre est juste, nécessaire et profitable. La guerre est décidée ; Calidina, le renard (ou plutôt la renarde[15]), choisi comme héraut, transmet son

13. [« Eorum uni Burgensi ego in ætate annorum septem et decem famulabar, ideoque interfui in profectione illa [...]. Sed non multo post conspeximus ex editiore illa oppidi parte uiginti fere equites per inferiorem planiciem cursu celerrimo uersus scalonam aduentare, quorum anterior comestabilis ut ceteri omnes qui flumen Alberchim iusta oppidum preterfluens uadarunt noluit ingredi fluenta, uerum quidem rapido uelut per planiciem cursu pontem infirmo tabulatu tremulum multis primis uacilantem atque perfractum et longum ualde, tamque angustum ut etiam pedites formidolose ineant, pertransit » (*GH*, I, 1, 3 ; TL, 1, p. 8, § 6).]

14. On trouvera dans l'édition de Fabié une tentative de déchiffrage des noms des différents personnages de la fable (p. 171-199).

15. [Il n'est sans doute pas indifférent que Palencia ait choisi le féminin, précisant d'ailleurs qu'avant d'entreprendre sa mission, Calidina s'empresse de changer sa nichée de place. Mais il est vrai que lorsque dans son discours le loup Gravaparon fait allusion au partage naturel des animaux, il cite les « *raposos* » comme compagnons des loups : « *Diónos despues, por compañeros de la morada montesina a los raposos, asy soberanos en ingenios i en fuerças al linaie más vil de los perros que moran en las casas de redor de las ollas* [...] » (p. 39). Les définitions de l'*Universal vocabulario* ne permettent pas de trancher la question : « *Volpinari se dize reboluer o fingir engaños o mentiras a manera de raposas que corren con bueltas torçidas* » (*Universal vocabulario en latin y en romance* (1488), édition en fac-similé de S. Gili Gaya, Madrid : Comisión permanente de la Asociación de Académicos

ambassade aux chiens par l'intermédiaire de Macharrion, vieux chien pacifique qui ne songe qu'à dormir. Halipa, capitaine des chiens, invite ceux-ci à délibérer et c'est Banborsio, «*perro viejo*», qui dans un beau discours prouve à ses compagnons que cette guerre est juste et profitable. Mais les «*gozques*», après avoir entendu le discours de Lambiolo, décident de ne pas entrer dans un conflit qui ne les concerne pas ; ayant été trop souvent victimes d'Halipa et de ses pareils, ils resteront neutres, souhaitant même la victoire des loups[16]. Quant aux bergers, mis au courant, ils s'empressent de bien nourrir les chiens en vue d'une bataille dont ils espèrent tirer profit. C'est alors qu'arrivent les alliés étrangers, français, italiens, allemands, que loups et chiens sont allés quérir, et qu'ont lieu les premières escarmouches. Arrive le jour de la *Batalla campal*. Après avoir entendu les belles harangues prononcées par Antarton et Halipa, loups et chiens se battent avec violence. Cette bataille, qui est une somme de combats singuliers, est d'ailleurs le seul passage vraiment burlesque de l'œuvre. Mais la nuit tombe, il n'y a pas de vrai vainqueur et les chefs décident de ne pas insister, préférant, pour ne pas être complètement détruits, vivre comme par le passé. Antarton organise un grand festin pour ses alliés, mais auparavant il a demandé à Viaporio d'aller voler les brebis du berger Mandron avant que les chiens n'aient regagné le troupeau. Avec ces brebis, il régale ses amis ; pendant le festin il est interdit de parler des morts.

Palencia, nous l'avons vu, présente cette fable comme un exercice :

> *Como quier que de todo buen exerçiçio siempre se reçiban muy muchos frutos pero quanto puedo me esforçaré allegar a ellos algunos presentes prouechos del tiempo : conuiene a saber prinçipalmente esperimentar por estas fablillas quanto valdria mi péñola en la historial conposicion de los fechos de España* (p. 103)[17].

Dans le prologue adressé à Alfonso de Olivares, il invoque l'exemple des musiciens qui s'exercent sur leurs instruments et aussi celui d'Homère qui,

---

de la lengua española, 1967, fol. 535d) ; « *Vulpis, vulpeia o raposo se dize por que da vueltas con los pies. Ca nunca corre por sendas derechas mas corriendo da vueltas por torçidos callejones e sendillas. Es animal engañoso e ascondese en foyas y en cueuas e algunas vezes finge que está muerta por tomar e tragar las aues que desçienden a comer las carnes mortecinas. Su diminutivo de vulpe es vulpecia* » (fol. 440d et 541a). On peut rappeler que si Juan Manuel dans le *Conde Lucanor* dit «*raposo*», le *Buen Amor* préfère «*raposa*». Dans le *Calila e Dimna* on trouve «*zorra*» ou «*vulpeja*». Voir Emmanuelle KLINKA, «Le féminin dans les apologues du *Comte Lucanor*», *Cahiers de linguistique et de civilisation hispaniques médiévales*, 25, 2002, p. 353-362.]

16. Lambiolo va même jusqu'à invoquer l'aide de Dieu : « [...] *ruego a Dios Todopoderoso que otorgue el vençimiento a los lobos* » (p. 65).

17. [Comme le fait remarquer F. GÓMEZ REDONDO, «*fabliella*» est le terme employé par Juan Manuel dans le Prologue du *Libro del cauallero et del escudero* ; ce qui entraîne le commentaire suivant : «*Fabliella*» *no designa un registro literario concreto ; alude, más bien, a una forma de organizar el discurso mediante procedimientos narrativos, sugeridores de un entramado argumental cercano a la ficción* » (*Historia de la prosa*..., I, 6. 2. 3. 1, p. 1111).]

avant d'entreprendre l'*Iliade*, a écrit la *Batrachomyomachie*[18]. Mais il dit aussi, et à plusieurs reprises, que cette fable a une signification :

> *Et desde agora pierdo la dubda que del todo entenderás que significan los lobos, i que es lo que pensaron i fizieron los perros, i que con sus engaños cobdiçiava concluir la raposa; i por esto escogí á ty solo, cuya prudencia dentro situada en el entender muy maduro me tengo por dicho, que ligeramente comprehende qualesquier figuras de moralidades* (p. VII).

C'est d'ailleurs pour que cette œuvre soit plus facilement comprise et par conséquent plus utile qu'il a jugé bon de la traduire en langue vulgaire, comme il le dit dans le Prologue de *La perfeçión del triunfo*, adressé à don Fernando de Guzmán :

> *Pero como ove conpuesto el pequeño tratado de los lobos y perros, y que la intiligençia que dél se podía aver conforme a las turbaçiones deste lloroso tiempo sería a pocos manifiesta no se trasladando en vulgar, pareçióme devido alterar el propósito y antes escoger que fuese reprehendido iusta o iniustamente de impropriedad en alguna parte de la traslaçión, que dexar sepultado mi trabaio y intençión avida en la conpusición de aquella fablilla* (p. 129).

[L'exercice semble donc avoir une double fonction : celle de préparation, d'entraînement, mais aussi celle de preuve. En écrivant la *Batalla campal*, à la fois exercice et échantillon, Alfonso de Palencia montre plus qu'il ne s'exerce; il prouve à la fois plusieurs choses : sa maîtrise de l'art *littéraire*, ses capacités d'historien et la perspicacité de son jugement, sans négliger – ce qui ne manque pas d'importance – ses qualités de moraliste, parfaitement capable par ailleurs, comme va le lui permettre la fable animalière, de montrer les adaptations ou même les transgressions de cette morale. Mais faut-il décoder le sens sociopolitique de la fable afin de bien comprendre son éventuelle leçon ?]

Fabié, se fondant sur le fait que l'œuvre est destinée au roi en un moment où très vraisemblablement Palencia brigue la charge de chroniqueur, écarte son intention satirique : «*No fue otro el propósito de Palencia sino dar muestra de su aptitud para el género historiográfico*» (p. XVII). Il admet toutefois que cette fiction recouvre peut-être des allusions plus ou moins voilées à l'époque de l'auteur, mais ces allusions ne seraient pas, il s'en faut, l'essentiel. Paz

18. Dans le Prologue adressé à Alfonso de Olivares, Palencia écrit : «*Fizo lo semeiante el muy artificioso i muy grande Homero sabidor en todas las artes, el qual antes que començase escribir la Iliada, muy fondo piélago de grandes y maravillosas batallas, conpuso la guerra de las ranas i mures, sin dubda contienda entre animales viles, mas no con vil péñola escrita. Et yo cobdiçiando seguir, o muy valeroso varon, el camino y dotrina de tan grand cabdillo, ántes que pusiese la péñola en escribir los fechos de España, quise someter a tu sabia enmienda lo que sobre la guerra cruel entre los lobos i perros avida conpuse*» (p. VI-VII). L'exemple de la *Batrachomyomachie*, attribuée à Homère et considérée comme antérieure à l'*Iliade*, a souvent été invoqué pour justifier le genre du comique et de la parodie; voir E. R. CURTIUS, *Literatura europea y Edad Media latina*, trad. esp., Mexico-Buenos Aires : Fondo de cultura económica, 1955, t. 2, p. 596.

y Melia y voit au contraire une transposition satirique plus précise[19]. Les rapides remarques de Lucas Dubreton et, plus tard, de Tarsicio de Azcona vont dans le même sens[20]. Menéndez Pelayo, pour sa part, est d'avis que ce traité, auquel il faut sans doute prêter une intention satirique de portée plus générale, est avant tout un exercice destiné à faire la preuve des capacités de latiniste de son auteur. Il voit par ailleurs dans la *Batalla campal* une imitation de la *Batrachomyomachie* mais ne précise pas les rapports entre ces deux œuvres[21]. Quant à Mario Penna, il trouve ingénues les conclusions de Fabié : Palencia pouvait fort bien, sans déplaire au souverain, s'en prendre aux *bandos* de la noblesse. L'étrange procédé « *del cual no conocemos, que yo sepa otro ejemplo* », qui consiste à donner ainsi un échantillon du talent de l'auteur, pourrait peut-être s'expliquer par le fait que la future chronique allait être rédigée en latin[22].

Il est regrettable que Fabié n'ait pas dit de façon plus précise ce qu'il entendait par « *dar muestra de su aptitud para el género historiográfico* ». Il importerait avant tout de savoir si un tel genre existait, et d'en définir les règles. Si nous prenons au pied de la lettre cette affirmation – ainsi que celle de Palencia lui-même d'ailleurs, malgré ce qu'elle peut comporter de jeu, ou même de topique –, la *Batalla campal* devrait, à la limite, être considérée comme un précieux document sur l'écriture de l'histoire au XVᵉ siècle. Sur le mode mi-sérieux mi-burlesque, elle constituerait, non seulement un échantillon de procédés et de recettes, [mais une véritable mise en forme de l'art de la narration historique : habileté dans l'agencement des faits, mise en relation des effets et des causes, analyse des mobiles, étude des caractères, maîtrise des différents genres de discours; Georges de Trébizonde n'y trouverait rien à redire.]

19. Paz y Melia, *op. cit.*, p. XXIX, voit dans la *Batalla campal* des allusions plus ou moins précises au règne de Jean II, aux conspirations de la noblesse, à la bataille d'Olmedo, ou peut-être aussi à la récente campagne d'Henri IV contre les Maures (1454).

20. J. Lucas-Dubreton écrit simplement à propos de la *Batalla campal* : « L'œuvre de Palencia est remplie d'allusions à l'histoire contemporaine » (*L'Espagne au XVᵉ siècle. Le roi Sauvage*, Paris : Perrin et Cie, 1922, p. 182, note 2). Tarsicio de Azcona a également fait allusion à la *Batalla campal* dans *Isabel la Católica*, Madrid : BAC, 237, 1964, p. 71. Nous reviendrons plus loin sur le passage qu'il lui consacre.

21. « *Con decir que estas obrillas fueron compuestas primeramente en latin* [...] *puede sospecharse ya que se trata de ejercicios de estilo.* [...] *No sin fundamento se ha sospechado, y el autor mismo parece insinuarlo, que es la Batalla campal una sátira política disfrazada. Si algo hay de esto, hemos perdido la clave ; de todos modos, no puede referirse al período más turbulento del reinado de Enrique IV, puesto que fue compuesta muy a los principios de él, en 1457* [...]. *Leída sin prevención, la Batalla de los lobos es un grande apólogo que, por su generalidad puede aplicarse a cualquier Batalla y contienda humana, y que da pretexto al autor para ejercitar la pluma en describir consejos militares, ardides y astucias de guerra, y poner pulidas arengas en boca de los animales, adiestrándose así para la narración histórica que iba a emprender en sus Décadas* » (M. Menéndez Pelayo, *Orígenes de la novela, I*, Madrid : Bailly-Baillière (NBAE), 1925, p. CXIV-CXV).

22. M. Penna, *op. cit.*, p. XLII.

Fabié ne précise pas davantage si, selon lui, cet exercice est ou non sérieux. Peut-on imaginer que la *Batalla campal* représente comme la *Batrachomyomachie* la parodie d'un genre ou du moins une imitation plaisante, et dans ce cas, de quel genre s'agit-il ? Il faut se souvenir qu'Homère était considéré comme l'auteur de la *Batrachomyomachie*, que l'on croyait antérieure à l'*Iliade* et dont on ne pouvait voir par conséquent la portée parodique. Il ne faut pas non plus oublier que pour Palencia comme pour tout le Moyen Âge « *el muy artificioso e muy grande Homero sabidor en todas las artes* » (p. VI)[23] était essentiellement un historien, et que par conséquent une imitation plaisante de l'*Iliade* – ou de la *Batrachomyomachie* – pouvait passer pour une *muestra* de l'art d'écrire l'histoire. D'autre part, il est intéressant de comparer la *Batalla campal* à la traduction de l'*Iliade* faite par Juan de Mena[24]. Est-ce un pur hasard si cette traduction et la *Batalla campal* ont un nombre presque identique de chapitres (trente-six pour la première, trente-cinq pour la seconde, en réalité trente-six si l'on compte aussi la description préliminaire du lieu où se déroule l'action). Déjà chez Alonso de Cartagena, Palencia avait sans doute eu connaissance des problèmes de traduction de l'*Iliade* en Castille[25]. Souvenons-nous aussi qu'il prétendait succéder à Juan de Mena dans les fonctions de chroniqueur royal. A-t-il voulu rivaliser plaisamment avec lui en écrivant une nouvelle, quoique très différente, *Batrachomyomachie* ? C'est une question à laquelle il nous est impossible de répondre.

[Certes, une comparaison entre la bataille des loups et des chiens et celle des rats et des grenouilles fait ressortir bien des points communs : l'invention même de la bataille déclenchée par une cause triviale, la distribution en différents épisodes, les noms burlesques, la parodie des

23. Sur l'importance d'Homère au Moyen Âge, voir J. A. MARAVALL, « La estimación de Sócrates y del saber clásico en la Edad Media española », *RABM*, 63, 1957, p. 5-68.

24. Juan de MENA, *La Iliada*, Valladolid, 1519. Il existe des éditions plus récentes : *La Iliada en romance*, Martin de RIQUER (éd.), Barcelone : Selecciones bibliográficas, 1949. [*La Iliada de Homero : edición crítica de las « Sumas de las Yliada de Omero » y del original latino reconstruido, acompañada de un glosario latino-romance*, T. GONZÁLEZ ROLÁN, M. F. del BARRIO VEGA et A. LÓPEZ FONSECA (éd.), Madrid : Ediciones clásicas, 1996.] Sur cette œuvre de Juan de Mena, qui eut un grand succès, voir Maria Rosa LIDA DE MALKIEL, *Juan de Mena, poeta del Prerrenacimiento español*, Mexico : NRFH, 1950. [Voir également la mise au point de Ángel GÓMEZ MORENO, dans Carlos ALVAR et José Manuel LUCÍA MEGÍAS, *Diccionario filológico de literatura medieval española. Textos y transmisión*, Madrid : Castalia (Nueva biblioteca de erudición y crítica), 2002, p. 671-685.]

25. Voir A. MOREL-FATIO, « Les deux Omero Castillans », *Romania*, 25, 1896, p. 111-129. Après quelques pages consacrées à Juan de Mena et à son modèle latin, Morel-Fatio étudie le deuxième Omero Castillan, c'est-à-dire la traduction faite par Pedro de Mendoza à partir de la traduction latine de Pier Candido Decembrio. Cette traduction latine avait été faite à la demande du roi Jean II, et Alonso de Cartagena avait servi d'intermédiaire entre l'humaniste et le roi. [On possède désormais une bonne édition de cette traduction, accompagnée d'une importante étude : Guillermo SERÉS, *La traducción en Italia y España durante el siglo XV. La « Ilíada en romance » y su contexto cultural*, Salamanque : Universidad de Salamanca, 1997.]

combats[26]. Mais il existe aussi des différences : Robert B. Tate en a souligné quelques-unes qui concernent le ton – plus ironique et plus éloigné des procédés outranciers de la parodie –, l'intention satirique et surtout le dénouement qui n'a plus le même sens puisque dans la *Batrachomyomachie* Jupiter envoie les crabes au secours des grenouilles[27]. Dans une étude plus récente, José María Balcells Domenech est revenu sur cette question en soulignant de nouveau ce point fondamental : Palencia n'a pas pu comprendre la portée parodique réelle de la *Batrachomyomachie*, même s'il a vu le décalage entre le sujet et le style[28]. La *Batalla campal* « *que no sólo no es una parodia sino que tampoco es una epopeya* »[29] est, selon lui, une « *novelita* » où l'on peut remarquer l'absence de scènes burlesques ainsi que celle du merveilleux. José María Balcells Domenech s'interroge donc sur la place réelle de cette fable animalière de Palencia dans l'histoire de la littérature burlesque en Espagne[30].

La question demeure, cependant : existe-t-il dans la *Batalla campal* un *hypotexte*, et dans ce cas, lequel ou lesquels ? Il y a à l'évidence imitation, plus ou moins sérieuse ou plaisante, même si celle-ci ne renvoie pas à l'épopée ou à ses canons littéraires. Mais, s'il existe une « disconvenance entre le style et le sujet »[31], cette disconvenance n'a rien de vraiment burlesque en effet. L'ironie de Palencia est plus subtile et plus profonde, comme l'est

26. Palencia avait sans doute connu la *Batrachomyomachie* à travers la traduction de Carlo Marsuppini. Voir Robert B. TATE, « Political allegory in fifteenth-century Spain : a study of the *Batalla campal de los perros contra los lobos* by Alfonso de Palencia (1423-1492) », *Journal of Hispanic philology*, 1, Number 3, Spring, 1977, p. 169-186, p. 177, note 9.

27. *Ibid.*, p. 177.

28. [« *Como se habrá podido advertir, de las palabras del cronista se desprende que conoce la atribución a Homero de la* Batracomiomaquia, *pero se desprende asimismo que no entiende que dicho texto se gestase como burla de la Ilíada, sino como ejercicio narrativo de adiestramiento, con un tema intranscendente* [...]. *A Palencia, en suma, le pasó inadvertida la índole paródica de la* Batracomiomaquia *y sin embargo constató, sin reparar en sus implicaciones, el problema de teoría de los estilos que plantea una epopeya animalística, texto que, al ser de naturaleza paródica, ha de remedar marcas pertinentes de la obra parodiada, pues de otro modo la parodia no se consumaría. Palencia observa, sobre la Batracomiomaquia que es "sin dubda contienda entre animales viles, mas no con vil péñola escrita", de lo cual deja meramente constancia, pero sin que equivalga, en su caso, a suponer que suscribía la tesis de que, pese a su tema bajo, una parodia conseguida mediante protagonismo animal ha de escribirse en el mismo estilo elevado en el que se hubiese compuesto la creación literaria objeto de parodia* » ; José María BALCELLS DOMENECH, « Alonso de Palencia y la epopeya burlesca », *in :* Maurilio PÉREZ GONZÁLEZ (dir.), *Actas I congreso nacional de latín medieval (León, 1-4 de diciembre de 1993)*, León : Universidad de León, Secretariado de publicaciones, 1995, p. 237-243, p. 239-240.]

29. [*Ibid.*, p. 241.]

30. [*Ibid.*, p. 241-242.]

31. [Gérard GENETTE, *Palimpsestes*, Paris : Seuil, 1982, p. 157. Tant que ne sera pas entreprise une recherche systématique d'éventuelles « citations » dans la *Batalla campal*, on ne pourra qu'essayer de retrouver à partir du texte de Palencia, non seulement les clés politiques de la fable, mais aussi celles de sa « transmodalisation » pour reprendre un autre terme de Genette (p. 323). Tout exercice n'est-il pas d'ailleurs une imitation qui bascule aisément vers le second degré ?]

aussi le regard qu'il porte sur cette comédie et la manière dont il la traite. Une étude comparée de la *Batalla campal* et des *Gesta hispaniensia* montre que l'historien a conservé plus tard, en la compliquant, la façon de faire du fabuliste, mais elle montre aussi qu'il a utilisé rarement les procédés oratoires de la *Batalla campal* : *oratio recta*, harangue, portrait chargé comme celui d'Halipa (à l'exception, bien significative, de celui du prince Henri). En l'absence d'un *hypotexte* clairement imité ou suggéré on peut songer à plusieurs modèles, discours, fables, et même à certaines caractéristiques de l'historiographie humaniste, les nombreux discours, par exemple. Un jeu plus surprenant consiste à retrouver dans les *Gesta hispaniensia* des évocations de la *Batalla campal* – perceptibles seulement pour un lecteur attentif, voire complice –, un peu comme si Palencia s'imitait lui-même ou comme si sa fable était devenue par moments son *hypotexte*.]

Paz y Melia, qui ne croyait guère à l'exercice, écrivait :

> *Y si sólo se proponía demostrar sus aptitudes para cronista ¿ cómo no preferiría el buen talento de Palencia a una simple fablilla la narración de un episodio histórico cualquiera de la historia de España*[32] ?

Mais cela revient à méconnaître les liens étroits qui, pour Palencia, devaient unir fable et histoire, fable et exercice, exercice et satire. C'est juger de façon trop moderne un exercice à la fois plus sérieux et plus subtil de rhétorique. Les rapports et les différences entre fable et histoire, établis et véhiculés par la tradition de la rhétorique et formulés en Espagne par Isidore de Séville, étaient chose familière à Palencia comme le prouve la définition qu'il donne de ces genres dans son *Universal vocabulario*[33]. D'autre part, il répond en partie lui-même dans le Prologue du *Tratado de la perfección del triunfo militar* à la question posée par Paz y Melia : il sait fort bien que « *no*

32. PAZ Y MELIA, *op. cit.*, p. CXLIII.

33. « *Fábulas nombraron los poetas de fando que es fablando porque no son cosas fechas mas tan solamente fingidas para fablar y son de muchos linaies Fabla y argumento y historia assi son diferentes que la fábula ni fue ni pudo ser : mas en las fablas se cuenta muchas cosas o para adulçir con alguna delectatión a los oyentes o para los induzir a institución de costumbres. Por ende algunas fablas se llaman esópicas y otras se llaman libisticas. Las esopicas tomaron nombre de su inuentor esopo que fue muy enseñado fablador fingiendo que vnos animales brutos y mudos razonauan con otros semeiantes por que destas fictiones tomasen los ombres alguna rezia enseñanza que guardasen para en sus fechos cotidianos.* [...]. *Argumento llaman al que en las tragedias y comedias antecede a la narración que dende se sigue contando cosas que no fueron fechas pero podieran se fazer.* [...]. *La historia es que por orden cuenta la verdad de los fechos desechando del todo qualquier mezcla de las fictiones fabulosas* » (*Universal vocabulario*..., fol. 151b). Les rapports entre fable et histoire ont été étudiés dans tous les grands traités de rhétorique (en particulier *Rhet. à Her.*, I, 8, 13 ; *Institution oratoire*, II, 2, 4, 2). Pour la persistance et l'évolution de ce thème chez Isidore de Séville, voir Jacques FONTAINE, *Isidore de Séville et la culture classique dans l'Espagne wisigothique*, Paris : Études augustiniennes, 1959, p. 174-190. On y trouvera des pages intéressantes sur les raisons de l'importance de la « fabula » dans la *Grammaire* d'Isidore ainsi que sur les rapports entre fable et histoire, fiction et réalité. La définition de Palencia est probablement inspirée de la définition isidorienne (*Orig.*, I, 44, 5).

es dado a los historiadores escrivir fablillas antes seguir derechamente la propiedad de las cosas toda fabla desechada». S'il a quand même choisi ce genre, c'est pour deux raisons qui sont, bien entendu, l'agréable et l'utile :

> *Pero no querrría ofender los ánimos de los grandes con mis trabaios, con los quales siempre me esfuerço a plazerles. Esto dio causa principal para que mi péñola seguiese camino de figuras, con propósito quel presente librillo ponga fin a las fablas y de aquí adelante dé lugar a la historia* (p. 131)[34].

Le deuxième argument nous intéresse davantage, car, s'il développe un lieu commun – l'utilité de l'*exemplum*[35] –, il nous ramène de façon plus précise à la *Batalla campal*; on pourrait en effet songer que cette justification de l'emploi de la fable concernait uniquement le second *Tratado*, écrit de façon certaine après la nomination de Palencia comme chroniqueur. Mais cette justification semble se rapporter aussi à la *Batalla campal* :

> *Pero comigo tove muy luenga y muy prolongada contienda sy sería lícito reduzir tan extendida materia de digna escriptura so forma de fablas. E ya desviando el tal presupuesto la maiestad de las cosas, púsose delante la lástima de los tiempos, y fizome remembrar en qué manera el muy buen maestro de razonar, Demóstenes, más lleno de luz entre todos los oradores, fizo comienço y entrada de una fablilla quando libró la república de Athenas de la cautela de Filipo, rey de Maçedonia, el qual, con color de sanear con ellos buena amistad, demandava que expeliesen los oradores. Començó declarar el orador escogido qué conseio ovieran los lobos quando, avido conosçimiento cómo los pastores eran muy deseosos de sosiego. Les enbiaron enbaxada que perpetuamente guardarían con ellos la paz si desterrasen a los perros de los hatos, que eran enemigos de tal apaziguamiento. Et dende usó de comparación el muy bien razonado Demóstenes, y fizo que seguiesen su acuerdo el pueblo ya primero inclinado y aun delibrado a incurrir daños llorosos* (*loc. cit.*)[36].

Ce texte a pour nous une double valeur : il confirme tout d'abord que c'est bien dans les fables d'Ésope que Palencia a trouvé les éléments de sa

34. Ce passage a inspiré à José Antonio MARAVALL les réflexions suivantes : «*Del uso de fablillas y de figuras protesta ya en nuestro siglo XV Alonso de Palencia – claro parece que su protesta, en tanto que historiador, se refiere más a los "ejemplos" inventados (esos apólogos de los moralistas medievales) que no a los casos verdaderos y ejemplares de la historia*» («La idea del saber en una sociedad estática», *Cuadernos hispanoamericanos*, 197 (1), 1966, p. 349).

35. Jean-Thiébaut WELTER, *L'exemplum dans la littérature religieuse et didactique du Moyen Âge* (Paris-Toulouse, 1927), reprint Genève : Slatkine, 1973, a consacré un chapitre à l'étude de l'*exemplum* dans la chronique (ch. 2, p. 150 *sq.*).

36. C'est donc la fable d'Ésope et son utilisation par Démosthène – épisode rapporté par Plutarque – qui semble avoir inspiré à Palencia la matière de son premier traité. Palencia d'ailleurs attribue à Philippe et non à Alexandre comme le dit Plutarque l'intention de se faire livrer les orateurs. On sait que Palencia traduisit en castillan les vies de Plutarque : *Traslacion de las Vidas de Plutarco de latin en romance*, t. 1 : *La primera parte de Plutarco*, t. 2 : *La segunda parte de Plutarco*, Séville : Paulo de Colonia, Juan Nuremberg, Magno, e Thomas, Alemanes, 1491. MENÉNDEZ PELAYO avait bien fait remarquer que «*los elementos que combina Alonso de Palencia pertenecen todos a la fábula esópica*» (*Orígenes de la novela*…, p. 115).

Batalla campal et d'autre part il insiste sur le rôle des *oradores*. Autrement dit, il développe le thème de l'utilité de la *fábula* et de la *fabla*[37]. Palencia, dans le Prologue de la *Batalla campal*, dit que cette œuvre doit intéresser les nobles :

> [...] *a los quales más perteneçe saber y más deve deleytar la materia en este tratado so manera de fablas contenida; assy por ser invençion fundada sobre cautelas de guerra, como porque en el proçeso de aquellas podrán meior ver quánto mueve en las deliberaçiones, que en los comienços de las empresas se fazen, el artifiçio de bien fablar i las razones coloradas con esperanças de grandes provechos* (p. II)[38].

La *Batalla campal* est donc une longue *fábula* qui traite de « *el artifiçio de bien fablar* » et de « *las cautelas de guerra* ». L'art du discours et la moralité y sont intimement liés et, par la même occasion, Palencia fait la preuve de ses propres capacités d'*orador* : il connaît la matière et l'art de la traiter. Nous sommes en pleine rhétorique ; nous ne sommes peut-être pas très loin de l'historiographie. La *muestra* dont parle si vaguement Fabié et que Menéndez Pelayo et Penna semblent interpréter dans un sens trop restrictif (un exercice de latiniste) pourrait bien être un authentique – mais pas forcément sérieux – exercice préliminaire. Disons plutôt que Palencia a voulu jouer le jeu des *praeexercitamina*[39]. Dans son Prologue, en effet, il invite à juger autre chose que son latin ; ne parle-t-il pas de « *agudeza de la invención* » et de « *disposición de la mano* » (p. V). On ne peut s'empêcher de songer que *inventio*, *dispositio* sont les deux premières parties de la rhétorique. En réalité, Palencia semble inviter le lecteur à faire de cette fable un commentaire selon les trois niveaux bien connus : *littera*, *sensus*, *sententia*. Et l'exercice se situe à ces trois niveaux.

La fable constituait l'exercice par excellence. Si dans la *Batalla campal* elle est articulée comme une « *novelita* », elle se décompose aussi en une série de petits exercices ; on pourrait presque dire que chacun de ses trente-cinq (ou trente-six) chapitres correspond à une situation, à un thème, à un genre et constitue en somme un exercice complet. Citons les plus importants.

37. [Dans la troisième Décade, Palencia évoquera la fable du chien qui avait lâché la proie pour l'ombre à propos des risques que prennent les Portugais en se désintéressant de la politique africaine au profit de leurs ambitions castillanes : « Ne fabula Esopi annotetur Lusitanis de cane qui ferens carnes ore ac flumen transiens [...] » (*GH*, III, 24, 9 ; ms. *A*, fol. 71r° ; PyM II, 247b).]

38. Les *razones coloradas* renvoient sans aucun doute aux artifices de la rhétorique. Sur la *razón colorada*, voir F. LÓPEZ ESTRADA, « La retórica en las *Generaciones y semblanzas* », *Revista de filología española*, 30, 1946, p. 310-352 et plus particulièrement p. 332-339.

39. Une bonne mise au point sur les exercices préliminaires et sur l'utilisation de la fable comme exercice est faite par Heinrich LAUSBERG : *Manual de retórica literaria*, José Pérez Riesco (trad.), Madrid : Gredos, 1966, t. 2, chap. 3, p. 405-430. On a vu plus haut (note 9) que Georges de Trébizonde faisait faire de nombreux exercices à ses étudiants.

1. La description :
– la description d'un lieu (le *locus amœnus*)[40] ;
– la description des batailles[41] ;
– la description physique : elle est essentiellement représentée par le portrait d'Halipa tout à fait dans la tradition de Suétone (on peut se demander pourquoi cette description minutieuse – à l'évidence une imitation comique – qui se situe à peu près au centre de l'œuvre est réservée au capitaine des chiens; elle fait songer en tout cas à la technique du portrait dont les chroniqueurs font de plus en plus usage au XVe siècle)[42] ;
– la caractérisation :
- l'esquisse de caractère : c'est le cas pour Antarton, Harpaleo, Pançerion, Mandron, Feronio, Gravaparon, Viaporio, Calidina, Macharrion, Banborsio[43] ;
- la caractérisation des alliés étrangers[44] ;
- la caractérisation par l'attitude : Mandron, Macharrion[45].

Ces caractérisations ont essentiellement pour but d'indiquer les mobiles moraux et entrent par conséquent dans l'étude des causes immédiates de l'action : citons entre autres l'orgueil et l'indiscipline d'Harpaleo, la cupidité et l'hypocrisie de Calidina, l'envie et le ressentiment chez Lambiolo, l'indolence et le mensonge chez Mandron.

2. Les discours : la caractérisation se fait surtout par les discours et c'est également dans les discours que sont présentées les causes «profondes» ou

40. Nous n'en citerons qu'un passage : «*Et en la parte que deçiende á lo llano, porque es húmeda y abondosa de fuentes perenales, ay iunto a los arroyos muy muchos povos, í otros árboles que se gozan estar çerca del agua. Allí ay azeres, allí mimbreras e muchos otros sombríos de diversas ramas*» (p. 9).

41. Pages 20-22; 79-80; 91-94.

42. «*Entre estos perros era el más principal Halipa, el qual, más cresçido que los otros, era de los compañeros i de qualesquier canes de la provinçia honrado como su rey. Et porque más ligeramente por las fechuras vengan en conosçimiento los que esto oyeren quales eran sus fuerças, paresçió debido dezir que tal era su forma. Su cabeça era, por la grand anchura de fruente, quasi quadrada, salvo que el hoçico hosco, que avia algun tanto luengo, disminuya parte del anchura. Tenía los dientes muy agudos i firmes. Los oios pequeños y como bermeios, que pareçian saltar de su vista çentellas, las oreias anchas faza el casco de la cabeça, en la parte de arriba agudas i siempre enhiestas. En la muestra de la grand fortaleça del cuello nunca de otro alguno oida, favoreçian las vediias que del desçendian faza los picos de las espaldas. El pecho muy ancho; las piernas derechas y llenas de mureçillos. Los dedos de los pies llegados en uno i apretados. Los lomos poblados de sedas, davan grand muestra de fuerça. La cola retornada faza la çima del lomo de cada parte della, desparçida la lana, que fazia semeiança de cabelladura. Su color muy blanco, salvo el hoçico, i de las iuntas de las rodillas fasta los piés era negro. Estos tales miembros eran acompañados de tal fuerça, que cada quel caso se ofreçia, nunca menguavan tales obras que diesen a Halipa honrado nombre*» (p. 53-54).

43. Pages 11, 13, 15, 18, 33, 35, 37, 45, 50, 57.

44. Les Allemands par exemple étaient «*tardios a provocar la saña*» (p. 92). On trouve dans la *Batalla campal* une ébauche de caractérisation de nations et de peuples, caractérisations qui seront plus développées dans le traité postérieur [ainsi que dans les *Gesta hispaniensia*].

45. «*Dormia Mandron envuelto y çercado de ropa de una piel, soñoliento so un açebuche que solia cobrir su usada pereça de sueños, y fazia durmiendo tamaño sonido, como si echara por la boca quanto en el cuerpo tenia*» (p. 98). Les mouvements de Macharrion sont dépourvus d'énergie : «*Floxadamente extendió façia quien lo fablava el cuello, que tenia escondido entre las piernas* [...]» (p. 51).

du moins la justification officielle du conflit. On parle en effet beaucoup dans cette longue fable puisque les discours (*fablas*) occupent dix-neuf des trente-cinq chapitres qui la composent. Leur genre est très varié et l'ensemble constitue une sorte de répertoire. On peut citer entre autres :
– la *fabla* d'Harpaleo qui demande à Antarton l'autorisation de partir en expédition contre les chiens (p. 12) ;
– la *loa* de Pançerion prononcée par Antarton (p. 25) ;
– le *llanto* d'Amartula, épouse d'Harpaleo (p. 27) ;
– le genre délibératif (*suasoriæ*) : discours d'Antarton à l'assemblée des loups (p. 32), discours des trois loups (p. 33-43, p. 58-59 et p. 63-65), discours des chiens (p. 58-59 et p. 63-65) ;
– les *fablas* de Calidina : pour le renard en effet, comme pour tout ambassadeur, l'art de la parole est essentiel (p. 48 et 51) ;
– les harangues d'HaIipa et d'Antarton (p. 85-90).
Tous ces discours sont immédiatement suivis d'effet, du moins en apparence, car ils sont démentis par la réalité. S'ils sont rigoureux, éloquents et persuasifs, on a tôt fait de voir qu'il existe un profond décalage entre la parole et l'intention réelle, décalage qui est particulièrement sensible chez Calidina mais qui apparaît plus ou moins en plusieurs occasions. Sans vraiment faire l'objet d'une parodie, ces textes sont subvertis à des fins satiriques. La *fabla colorada* est un masque et constitue peut-être la plus redoutable des *cautelas de guerra*.

Cautelas de guerra

Ce qui dans la *Batalla campal* se rapporte à la philosophie ou à l'art de la guerre est fondé sur la doctrine formulée par la *Segunda partida*, reprise par Juan Manuel et par Alonso de Cartagena dans son *Doctrinal de caballeros*[46].

46. *Segunda partida*, Salamanque : Andrea de Portonariis, 1555, Título XXIII ; JUAN MANUEL, *Libro de los estados*, *in* : *Obras completas*, *I*, éd. cit., chap. 70 à 80, p. 382-358. [Alonso de CARTAGENA, *Doctrinal de los cavalleros*, José María VIÑA LISTE (dir.), Saint-Jacques-de-Compostelle : Universidade de Santiago de Compostela, Secretariado de publicaciones, 1995. Il est probable que c'est le *Doctrinal*, qui reprend d'ailleurs la deuxième *Partida*, qui a le plus directement influencé Palencia.] La doctrine et l'art de la guerre au Moyen Âge ont été étudiés par J. L. GÁRATE CÓRDOBA, *Espíritu y milicia en la España medieval*, Madrid : Publicaciones españolas, 1967. Quant à la philosophie de la guerre telle qu'elle apparaît dans les textes espagnols du XVe siècle, elle a été analysée par V. FRANKL, *El Antijovio*..., p. 110-115 et 238-249. [La guerre et la chevalerie ont donné lieu à de nombreux traités et à une très abondante bibliographie. On ne peut que renvoyer à quelques ouvrages de synthèse : Jesús D. RODRÍGUEZ VELASCO, *El debate sobre la caballería en el siglo XV. La tratadística caballeresca castellana en su marco europeo*, Valladolid : Junta de Castilla y León, 1996 ; Carlos HEUSCH, *La caballería castellana en la baja Edad Media. Textos y contextos*, avec la collaboration de Jesús Rodriguez Velasco, Montpellier : Université de Montpellier III - ETILAL, 2000 ; Philippe CONTAMINE, *La guerre au Moyen Âge*, Paris : PUF (Nouvelle Clio), 1980.]

Cette fable est donc un véritable petit traité qu'il serait intéressant de confronter plus minutieusement avec les trois textes cités ou d'autres sources.

On sait que la *Segunda partida* distingue plusieurs sortes de guerres. Les plus redoutables, celles qui demandent le plus de réflexion, sont les *civiles* et *plus cuanciviles*[47]. La *Batalla campal* entre très probablement dans la catégorie des guerres civiles comme semble le suggérer l'arrivée des alliés étrangers et comme le laisse entendre le loup Gravaparon lorsqu'il affirme que les loups et les chiens sont de même race. Cette guerre ne saurait donc être décidée qu'après une longue délibération, car, si dans tout combat *provecho* et *mal* sont mêlés, le mal peut ici plus facilement l'emporter[48]. La guerre doit être juste et c'est pourquoi Gravaparon, le Nestor de cette épopée, condamne le désir de vengeance, l'orgueil, la témérité des orateurs qui l'ont précédé. Pour sa part, il s'emploie à justifier cette guerre, et son argumentation mérite d'être analysée, car si cette fable a une intention politique, c'est peut-être dans les arguments du vieux loup qu'il faut la chercher, même s'ils ont une valeur parodique ou tout simplement ironique.

Après avoir renoncé à *componer e afitar* son discours par le rappel de ses prouesses passées, mais non sans avoir établi par un *argumento sin contradicción* que les vieux ont eu nécessairement plus d'occasions de se couvrir de gloire que les jeunes, Gravaparon, après cette « captatio benevolentiæ », en vient à l'essentiel : cette guerre est juste et par conséquent les loups peuvent espérer la victoire. La nature est à l'origine de tout : elle a promis la nourriture à tous les animaux, leur a donné l'appétit et les organes nécessaires pour se nourrir, a partagé entre eux les moyens de se procurer les aliments. C'est elle qui a créé les loups, les renards et les chiens, donnant aux deux premières espèces les montagnes et les bois :

> *Ella mesma crió el linaie de los canes, muy grande en la forma, del qual fizo muy poca diferençia, pero mucha en la grandeza del ánimo. Quiso que nosotros, los cuales éramos canes más fuertes i más generosos, poseyemos las montañas i selvas, i porque resplandeçíamos en poderío, mudado el nombre del universal linaie, llamáronnos*[49] *lobos. Diónos despues, por compañeros de la morada montesina, á los raposos, asy soberanos en ingenios i en fuerças al linaie más*

47. *Part. II*, titulo 23, ley 1.

48. *Loc. cit.* C'est toute la fable de Palencia qu'il faudrait étudier à la lumière des trois textes précédemment cités. Voici quelques rapprochements sommaires : pour les motifs de la guerre ou peut comparer les pages 37 et suiv., 85 et suiv. de la *Batalla campal* avec la ley 2, tit. 23, « *Por que razones se mueuen los hombres a facer guerra* ». À propos des *galardones* dont traite la ley 29, tit. 27, « *De los galardones* », on peut citer le passage que la *Batalla campal* consacre à la *loa* (« *Quanto es bueno al rey loar las buenas façañas* », p. 25), ainsi que de nombreuses allusions à « *la gloria, la fama el prouecho* ». Les qualités des chefs définies par la ley 4 et la ley 5 apparaissent un peu partout dans la *Batalla campal* et particulièrement au chap. 26, « *De la reprehensión que fizo Ancario, perro, a Halipa su capitán* » (p. 76). Notons encore que Mandron et Macharrion, toujours occupés à somnoler, sont de véritables anti-chevaliers : la *Partida II* insiste sur la nécessité pour les chefs de ne pas être *dormidores*.

49. Et non *llamarannos*, comme le dit l'édition Fabié.

> *vil de los perros que moran en las casas de redor de las ollas, como nos sobrepuiamos en fortaleça al más robusto linaie que mora en los canpos* (p. 38-39).

Une longue familiarité a fait oublier aux hommes les erreurs des chiens qui sont nourris par leurs maîtres et cependant leur font du mal, allant jusqu'à mordre les petits enfants. Les chiens sont donc des traîtres, mais ils sont choyés tandis que les loups, qui ne s'écartent pas de leur devoir, sont seuls accusés de vol et de mille crimes. Cela est contraire à toute raison et à toute justice :

> *Así que, segund pareçe fazen á los perros dañosos buenas obras por maleficios : y á nosotros, que nunca del dever nos desviamos, siempre nos fazen guerra cruel. Tenemos por esto doblada causa, para que, por todas las maneras que podemos,* [...] *echemos a perder nuestros enemigos* [...] (p. 41).

Les loups peuvent donc espérer la victoire : « *Ca el provecho buenamente se espera alcanzar, sy la iniustiçia i contradiçion de la iniustiçia es çimiento de la esperança* » (p. 40). Gravaparon réclame une guerre totale et rapide, car tout retard serait favorable aux chiens dans la mesure où les hommes s'habitueraient à les considérer comme des alliés indispensables.

C'est à Banborsio, *perro uiejo*, que revient la charge de justifier la guerre des chiens et des loups. Il est, dit-il, inutile d'insister sur leur naturelle inimitié, et les chiens ne seront « *seguros de bienandanza* » que s'il peuvent se défaire complètement de leurs ennemis. S'ils ne l'ont pas fait jusqu'ici, c'est pour ne pas paraître orgueilleux. Mais les loups ont pris l'initiative et « *su loca osadia fizo onesto lo que primero creyamos ser soberbioso* » (p. 59). Il s'agit d'une agression. Les deux discours sont donc fondés sur les arguments fondamentaux du genre délibératif : *utile*, *honestum*, et se fondent sur la même doctrine de la guerre, d'une guerre que l'on veut totale et non « *de escarnio* »[50]. Les orateurs prétendent exclure toute motivation d'ordre personnel[51].

Sur le champ de bataille, Halipa et Antarton adressent à leurs troupes deux belles harangues. Halipa commence par justifier cet usage[52], puis il

50. Cette guerra « *de escarnio* » semble s'apparenter à la « *guerra tibia* » dont parle JUAN MANUEL : « Ca *la guerra muy fuerte et muy caliente, aquella se acaba ayna, o por muerte o por paz ; mas la guerra tivia nin trae paz nin da onra al que la faze nin da a entender que ha en él vondat nin esfuerço, asi commo cunplia* » (*Libro de los estados*, éd. cit., p. 190-597, chap. 79, p. 357).

51. « *¿ Dirá, por ventura, alguno de vosotros que la lesion de la pierna me da quexura de airado conseio ? Consumirme pueda arestin seco i aborresca las aguas con ravia sin esperança de vida, si por esto deseo la batalla* » (discours de Banborsio, p. 59). C'est pourtant parce que Halipa a un jour saccagé le logis de Lambiolo que les *gozques* refusent d'entrer dans la guerre : « Assy *que este crímen contra mí cometido, á todos los mastines se deve imputar* », dit Lambiolo (p. 64-65).

52. « *Si solamente quisiese façer señas á los muy fuertes perros del linaie de los mastines que yo aquí veo, para que luégo començasen á batallar, muy çierto soy que sin deçir tan sola una palabra, farian lo que yo cobdiçio* [...]. *Pero muchas cosas, por aver sido otras vegadas provechosas, son aprovadas por uso, mayormente aquellas de que daño no se pueda seguir ; segund aquesto, conviene á saber : amonestar á los valientes que usen de su valentia ¿ quién iuzgaria demasiada esta diligençia en el cabdillo ?* » (p. 85). Il s'agit ici de ce que

rappelle aux chiens qu'ils se battent pour leur «*perpétua folgança*» et que leur cause est juste. Antarton, avec plus d'emphase, évoque lui aussi la «*bienandança*» et les «*galardones*» qui sont la «*gloria*» pour les morts, la «*honra*» et le «*provecho*» pour les survivants (p. 89). Ces deux harangues successives et parallèles se détruisent l'une l'autre ; toute cette doctrine, toute cette rhétorique soulignent en réalité l'hypocrisie et la vanité des justifications et des idéaux invoqués. Il n'est pas impossible que la satire englobe à la fois le genre même du discours et les arguments proposés : les artifices de la parole correspondent aux ruses des hommes et servent à les couvrir. Cette *Batalla campal* où résonnent à la fois les belles paroles et le fracas des coups est un faux combat ; bataille larvée, elle va finir dans l'ombre et dans un silence hypocrite.

Devant l'issue incertaine du combat Antarton préfère en effet vivre comme auparavant : «*Le pareçia más sabio conseio que biviesen en la manera acostumbrada*» (p. 100). Les chiens pensent de même. Le loup Viaporio, chargé par Antarton d'aller voler les brebis du berger Mandron, juge prudent et avisé de mordre au pied le berger endormi :

> [...] *sin dubda le será reputado á loor que le muerda, porque pueda afirmar, que por su valentía quedaron las otras oveias, las quales defendió peleando esta noche contra todas las compañas de los lobos. Et muy más provechoso nos será queste muy suçio pastor, aunque no lo mereçe, aquiste buen nombre, porque nos quede lugar de robar cada dia* (p. 98-99).

Au cours du grand festin organisé par Antarton pour ses alliés, festin sur lequel s'achève la *Batalla campal*, on a vu qu'il est interdit de parler des morts. Ne se croirait-on pas déjà dans quelque *Coloquio de los Perros* ? Tout est hypocrisie et jeux de dupes : le berger dort au lieu de garder les brebis, Viaporio sait que Mandron mentira, qu'il se fera le héros de l'aventure, et Mandron sera l'allié des loups. Telle est la vraie guerre, celle qui ne finit jamais, car le combat de tantôt ne signifie rien et tout le monde a échoué :

> *Assy que no suçedió el intento á los lobos del pelear ; no consiguió la raposa llena de engaños, segund pensava, perpétuos provechos ; no quedó á los perros despues de esto la dureça de su presuntuosa opinion ; nin esto mesmo redundaron en tanta ganançia á los pastores las espensas que avian fecho ante de la batalla, que mientra quisiesen guardar sus oveias, no oviesen menester para ello los perros* (p. 100-101).

Les seuls gagnants sont Viaporio qui rapporte son butin et Mandron qui usurpe la gloire, c'est-à-dire ceux qui ont travaillé dans l'ombre et le

---

Gárate Córdoba désigne du nom de «*filosofía militar del callar y del hablar*». Selon la *Partida II*, tit. 21, les «*cabdillos*» doivent avoir deux qualités : «*la una que fuesen habladores y la otra calladores*» ; ils doivent toujours respecter la vérité «*fuera de aquellas cosas en que la mentira se hubiesse de tornar en algùn bien*». Il existe aussi dans la *Batalla campal* une «*filosofía del callar y del hablar*» ; citons en particulier le chapitre 22 : «*De las demasias del fablar de algunos perros*» (p. 68), et le chapitre 27 qui oppose Buçerio, chien espagnol, à Galerio, loup italien (p. 79).

mensonge, créant une sorte de pacte tacite. Une sagesse ambiguë et équivoque a mis fin aux hostilités grandioses. S'agit-il d'une parodie amusée ou d'une tentative de destruction du mythe de la guerre et surtout de la satire d'une chevalerie mal comprise[53] ? [Le choix du travestissement animal n'est peut-être pas innocent et pourrait correspondre à d'autres motivations que le simple respect de certaines traditions *scolaires* ou *pédagogiques*. La fable animalière pourrait rapprocher de l'*état de nature*, auquel il est fait allusion dans le grand discours de Gravaparon, un état où régnait un certain ordre que l'homme est venu subvertir en y apportant le désordre. Il correspondrait à une sorte de niveau bas de l'ordre social fondé sur une hiérarchie de prédateurs ; il n'est donc pas surprenant que l'allégorie animale ait été choisie pour illustrer le grand désordre de la *Batalla campal*. Il faudra, pour rétablir un ordre efficace, par le haut cette fois, construire sur de nouvelles bases, à partir d'une autre forme de sagesse. À première vue on aurait pu imaginer que cette allégorie animale se prêterait à un décodage facile, si ce n'est pour ce que représentent et signifient les *personnages*, du moins pour la *moralité* si tant est qu'il y en ait une. Or on sait – au moins depuis *Calila et Dimna* – que la fable est au contraire une école de l'ambiguïté, où l'on apprend l'art de la ruse et la « transgression maîtrisée, sinon tolérée des normes sociales »[54]. La *Batalla campal*, pragmatique, finit donc sur un compromis et ce compromis est, semble-t-il, l'objet principal de la satire ; c'est à lui que viendront s'opposer les fermes assurances du *Triunfo militar*.] Une fois de plus on ne peut que regretter la disparition du traité *De vera suficientia ducum atque legatorum / De la verdadera sufficiençia de los cabdillos e de los embaxadores*, où Palencia apportait peut-être sa doctrine de la parole et de l'action[55].

Mais qui sont donc ces adversaires irréductibles qui doivent se supporter pour éviter d'être exterminés ? Il faut sans doute renoncer à chercher des clefs trop précises et à attendre une lumière totale d'un meilleur déchiffrage

53. Sans aller jusqu'à assimiler l'attitude de Palencia à celle de Commines, nous pensons que d'utiles rapprochements pourraient être faits entre les deux chroniqueurs. Voir Jean DUFOURNET, *La destruction des mythes dans les Mémoires de Philippe de Commines*, Genève : Droz, 1966, plus particulièrement chap. 5, p. 599.

54. [Vincent SERVERAT, « Le prince dans sa ménagerie : *exemplum*, cas et fable dans *El conde Lucanor* », *Tigre*, 10, 1999, p. 32. « Les récits animaliers, écrit encore V. Serverat, sont politiquement plus retors, en règle générale, que les récits humains » (p. 25).]

55. Palencia dit lui-même avoir composé ce traité dans la *Mención* de l'*Universal vocabulario* (éd. cit., fol. 548c). Peut-on voir dans la *Batalla campal* un exemple de la rivalité entre la guerre et la diplomatie ? Calidina est ici un héraut plus qu'un ambassadeur et elle a, elle aussi, échoué. Palencia, excellent diplomate lui-même si l'on en croit ce qu'il rapporte dans ses Décades, a souvent souligné le rôle essentiel des ambassades non sans en montrer les défauts comme il le fait dans le portrait de Pero Vaca, parfait représentant d'une époque et d'une fonction où il faut « simulare, dissimulare, insimulare, mentiri impudenter loqui » (*GH*, I, 4, 4 ; TL, 1, p. 142, § 2).

des noms. [Il faut aussi renoncer à voir dans les animaux de cette fable des sortes d'*universaux* héritiers des définitions des bestiaires moralisés[56].] On pourrait imaginer que ces trois groupes d'animaux (loups, chiens et brebis) représentent les *estamentos* traditionnels de la société tripartite, mais une seule chose est sûre : personne ne songe aux brebis, qui font toujours les frais de la lutte.

S'agit-il, comme on l'a suggéré, des chrétiens et des Maures ? La guerre contre les Maures n'aurait pas exigé la longue justification de Gravaparon puisque la guerre contre l'infidèle était en principe légitime. On sait que Jean II, ou plutôt Álvaro de Luna, n'avait pas entrepris une campagne décisive contre Grenade et s'était contenté d'une guerre de *escarnio* ou de propagande. [On peut aussi entendre dans cette bataille des échos des premières incursions andalouses du roi Henri pendant les années 1455-1458[57]. Le récit qu'en a laissé Palencia dans les livres 3, 4 et 5 de la première Décade, construits, il est vrai, pour la dégradation du roi, est bien entendu postérieur à cette fable, aux événements eux-mêmes et surtout à ceux de 1464, quand le réquisitoire présenté par les nobles reprocha au roi, entre autres choses, de ne pas faire la guerre contre les Maures ou de la faire mal[58]. Mais il est vrai que ces premières campagnes surprirent et déçurent : la noblesse accepta mal cette guerre « économique » ou de « *desgaste* » à base de *talas* d'ailleurs menées avec tiédeur[59]. Nous ne voulons pas dire par là que la *Batalla campal* reproduise déjà – en tout cas pas uniquement – la mauvaise guerre menée par le roi Henri contre les Maures

56. [V. Serverat met en garde contre cette démarche (« Le prince dans sa ménagerie... », p. 33).]

57. [Sous la pression des nobles et à la grande satisfaction du pape Calixte qui accorda la bulle de croisade, le roi entreprit la guerre contre Grenade. Une première incursion dans la *vega* (avril-mai 1455) fut suivie d'une deuxième dans la *vega de Málaga*. En juin 1455 l'armée se dispersa. Une nouvelle bulle de croisade fut reçue pour l'année 1456-1457, et le roi fit de nouvelles incursions dans la *vega de Granada*. En juillet 1457 il installa à Jaén son quartier général jusque-là situé à Cordoue. C'est au cours de ces dernières campagnes, pendant lesquelles la nouvelle reine Jeanne « joua à la guerre » à Cambil, que s'intensifia le mécontentement de la noblesse. José Luis Martín, *Enrique IV*, Hondarribia : Nerea, 2002, commente ces campagnes grenadines (p. 101-110) ; en dépit des critiques qu'elles purent susciter parmi les nobles, et plus tard chez les chroniqueurs (essentiellement chez Palencia), elles donnèrent à Henri IV une certaine renommée : « *La fama de Enrique se difundió por toda Europa* » (p. 105).]

58. [On sait que Palencia, après avoir activement pris parti en faveur du « roi » Alphonse, utilisa de façon régressive les plaintes de cette faction nobiliaire afin d'occulter les dix premières « bonnes » années du règne. On trouvera le texte de ces doléances dans *Memorias de don Enrique IV de Castilla*, éd. cit., p. 355-379. Ce texte figure également dans Fernando Díaz Plaja, *Historia de España en sus documentos*, Madrid : Cátedra, 1984, p. 143-154.]

59. [« [...] continet dissolutam exercitus disciplinam aduersosque honori mores henrici et quibus facinoribus mentem reddiderit manifestam » (*GH*, I, 3, 8 ; TL, 1, p. 109 et notes 63-71). Voir à ce propos Jeremy Lawrance, « Memory and invention in fifteenth-century Iberian historiography », *in* : Pedro Cardim (dir.), *A história : entre memoria e invenção*, Cursos da Arrábida 03, Mem Martins : Publicações Europa-America, 1998, p. 91-128.]

telle qu'elle apparaîtra plus tard dans les Décades.] Les choses sont, bien sûr, plus compliquées, mais l'essentiel reste, nous semble-t-il, quels qu'en soient les clés ou les masques, qu'il s'agit d'une mauvaise guerre, à la fois parce qu'elle est mal menée, sans véritable chef, et parce qu'elle laisse la place à des affrontements civils qu'elle déguise à peine et auxquels elle ne peut mettre fin. Dans cette hypothèse, Palencia s'indignerait devant l'issue de cette *Batalla campal*; il dénoncerait cette guerre totale qui retombe en razzia, en complicités douteuses et en festins.

Les loups et les chiens évoqueraient-ils plutôt les *bandos* ou tout simplement les différentes catégories de la noblesse ? Peut-être. Mais, encore une fois, il est malaisé de leur attribuer une signification précise. Les loups insistent sur leur noblesse (ils ont d'ailleurs un roi, mais non le pouvoir) et sur le caractère vil des chiens. [Pour ces derniers, les brebis ne sont plus une nourriture nécessaire, mais une forme de commerce et une source de revenus. On peut en effet songer à la *mesta*.] Les chiens semblent « embourgeoisés » : ils vivent dans les maisons, autour des *ollas*, et ils travaillent. [Les plus vils d'entre eux pourraient-ils représenter la *caballería villana* que Palencia dans les *Gesta hispaniensia* évoquera avec intérêt mais non sans réticence[60] ?] Ils peuvent représenter aussi une noblesse bien établie et pourtant encore mécontente de son sort et querelleuse, cette *nobleza de seruicio* étudiée par Luis Suárez[61] ; bien pourvue de charges et de rentes, elle défend l'ordre et se veut soi-disant l'alliée du pouvoir – ici les hommes –, cherchant à se rendre indispensable à l'État, mais agissant en vérité pour son propre compte ; Halipa pourrait alors évoquer Álvaro de Luna. Il est étrange en effet que ce long portrait lui soit consacré. Halipa est sans doute le personnage essentiel, même si son rôle ne semble pas prépondérant dans la fable. Les loups, qui par leur rôle pourraient tout aussi bien évoquer les *hombres nuevos* obligés de se tailler une place dans une société déjà bien organisée où les profits et le pouvoir sont partagés et surveillés, seraient donc plutôt les représentants de la haute noblesse constituée par les « *parientes del rey* », exclue progressivement du pouvoir et recréée sous le règne de Jean II par l'infant Ferdinand et le parti aragonais[62].

60. Nous songeons aux passages consacrés à la *caballería de alarde* de Jaén sous les ordres de Miguel Lucas de Iranzo (*GH*, I, 8, 3 ; TL, 2, p. 346, § 1), aux *caballeros villanos* de Jeréz (*GH*, II, 15, 5 ; ms. *P*, fol. 97r° ; PyM II, 39b) ou à ceux de Séville (*GH*, II, 17, 9 ; ms. *P*, fol. 142r° ; PyM II, 85b). Voir à ce propos les deux études qui suivent.

61. Voir L. SUÁREZ FERNÁNDEZ, *Nobleza y monarquía*..., p. 80-82 . Pour une bibliographie complémentaire, voir ci-dessus « Noblesse et monarchie », note 2.

62. Nous regrettons que T. de AZCONA, *op. cit.*, n'ait pas explicité sa pensée lorsqu'il fait allusion à la *Batalla campal* dans son chapitre « Institución monárquica y oligarquía nobiliaria » (p. 69) ; à propos de la noblesse du règne de Jean II il écrit : « *Esta casta nueva de nobleza castellana que no sé por qué nos la imaginamos, limada de toda ofensa, como una de aquellas fuertes estirpes germánicas lanzadas a la conquista de un nuevo suelo, a la organización de una vida próspera, a la incesante rivalidad contra sus vecinos y al cultivo de las armas más que de las letras* [...]. *Esta nobleza sustentaba*

[Dans son étude citée plus haut, Robert B. Tate a montré la complexité chronologique et politique des situations qui peuvent être suggérées par cette fable[63]. Outre le souvenir toujours vivace de la bataille d'Olmedo (1445), on peut y voir, selon lui, un écho des affrontements entre les grands partis constitués et souvent reconstitués autour du prince Henri et des infants d'Aragon. À quoi viendrait se mêler la rivalité entre les deux grandes familles andalouses, Guzmanes et Ponces de León, car il ne faut pas oublier que l'histoire se déroule en Andalousie, et l'Andalousie, ajouterions-nous, offre « l'avantage » de réunir toutes les sortes de mauvaises guerres.] En vérité, on pourrait infiniment épiloguer sur ce sujet. À peine voit-on se dessiner une possible interprétation que l'interprétation contraire paraît tout aussi plausible. Querelles, combats, *confederaciones*, *ligas*, *concordias*, tout aussi éphémères qu'hypocrites, se répètent inlassablement durant tout le règne de Jean II[64]. On voit Álvaro de Luna chercher désespérément la *Batalla campal* afin de triompher de ses adversaires, mais se trouver finalement contraint de pactiser avec eux. On voit le parti aragonais chasser Álvaro de Luna, mais être obligé de le rappeler pour n'être pas lui-même anéanti. Vers la fin du règne Juan Pacheco, favori du futur Henri IV, entre en scène et, bien supérieur encore à Calidina, il va sans cesse d'un parti à l'autre pour faire son profit. L'essentiel de cette fable reste ce que Pérez de Guzmán exprime si bien lorsqu'il essaie de porter un jugement sur les responsabilités des partis en présence :

---

su categoría social en más o menos extensos señoríos con su propiedad territorial y su jurisdicción real y en la participación en empresas comerciales y principalmente ganaderas como el consejo de la Mesta», et il ajoute en note : « *El hiriente cronista Palencia no dejó de interesarse de* [*sic*] *este estamento social caricaturizándolo en la Batalla Campal de los perros y los lobos de marcadísimo gusto social* » (p. 71). [V. Serverat fait un rapide commentaire à propos de la *Batalla campal* : « Que ce texte renferme un codage politique, nous l'accordons bien volontiers, à ceci près qu'il nous semble renvoyer surtout aux aléas de la conjoncture historique, le conflit entre Jean II et les infants d'Aragon, bien plus qu'à une prise de position idéologique portant sur le profil des élites gouvernantes » (Vincent Serverat, *La pourpre et la glèbe*, Grenoble : ELLUG, 1997, p. 102). On peut également regretter que la *Batalla campal* n'ait pas donné lieu à un plus ample commentaire lorsque L. Fernández Gallardo compare la symbolique des animaux utilisée par Alonso de Cartagena, c'est-à-dire une symbologie politique proche de l'héraldique, à l'allégorie morale d'Alonso de Palencia : « *De ahí que la orientación decididamente política de la exposición heráldica frente al alegorismo moral de los animales – modo de articular el discurso político que precisamente cultivará un discípulo suyo, Alonso de Palencia con su Batalla campal de los lobos y los perros – presente especial importancia* » (Luis Fernández Gallardo, *Alonso de Cartagena. Una biografía política en la Castilla del siglo* xv, Valladolid : Junta de Castilla y León, 2002, p. 361).]

63. R. B. Tate, « Political allegory… ».

64. « *El signo de la guerra civil es una constante negociación* » (L. Suárez Fernández, *Nobleza y monarquía…*, p. 107). Il est certain que dans les guerres entre chrétiens il était recommandé de saisir toute possibilité de paix si cette paix signifiait « *restablecimiento del derecho y honra para el ofendido* ». Voir Luciana de Stefano, *La sociedad estamental de la baja Edad Media española a la luz de la literatura de la época*, Caracas : Universidad central de Venezuela, 1966, p. 113.

E ansi concluyo, que cuanto a la verdad, aunque los unos touiesen más colorada e fermosa razón que los otros, pero la principal entención toda era ganar, en manera que se podría dizir que cuanto a la pura verdad, en este pleito ninguna de las partes tenía derecho, nin actores nin reos, saluo que los unos tenían más claro nombre e más colorada e legítima razón, e los otros, por el contrario[65].

Historial composición de los fechos de España

Si les Halipa, Calidina et autres personnages de la fable sont de tous les temps, la *Batalla campal* peut aussi passer pour une synthèse des «*fechos de España*» dans la mesure où ces *fechos* sont de perpétuelles luttes entre partis et même à l'intérieur des partis[66]. L'auteur traite un sujet fondamental : la guerre. Il est impartial et véridique ; il s'efforce de dégager les causes, les mobiles et aussi de tirer les leçons des événements. Il compose avec soin les morceaux de genre d'une chronique élégante : portraits, discours, harangues[67]. Tout son récit s'inspire des idéaux et des vertus chevaleresques[68].

Quelle est dans cette fable la place et la portée de l'ironie de l'auteur ? En réalité, il n'est dupe de personne, d'aucun discours. Ses portraits, ses harangues ne sont pas dépourvus d'humour. Il est impartial, mais parce qu'il démasque tout le monde. Il fait en même temps une satire morale et la satire de certains artifices. Cela veut-il dire qu'il ne les utilisera pas lui-même ? On peut interpréter de plusieurs manières son attitude : ou bien il se moque, et dit ce qu'il ne fera pas ; ou bien il s'amuse et ce n'est qu'un jeu d'humaniste ; ou bien il veut montrer qu'il connaît à la fois les hommes, les artifices du langage et les procédés oratoires, procédés qu'il ne repousse pas absolument, qu'il maîtrise mais dont il n'est pas dupe. La *Batalla campal* est une comédie sur laquelle il jette un regard sceptique, amusé parfois mais toujours lucide. Ce qui importe, c'est ce souci de démasquer, de fouiller, l'ironie amusée ou amère, la puissance de caricature. Cette

65. F. PÉREZ DE GUZMÁN, *Generaciones y semblanzas*, éd. cit., p. 151.

66. Si les loups sont unis, on a vu qu'il n'en était pas de même pour les chiens. Cette idée a certainement été donnée à Palencia par Ésope. Dans la fable *Les Loups et les Chiens en guerre*, les chiens ne se pressent pas d'engager la bataille, car ils sont divisés : «Vous autres, vous êtes tous de même race et de même couleur mais nos soldats à nous ont des mœurs très variées et chacun a son pays dont il est fier» (ÉSOPE, *Fables*, Paris : Les Belles Lettres, 1927, p. 95).

67. Pour l'historiographie du XVe siècle, l'étude de base reste celle de B. SÁNCHEZ ALONSO, *Historia de la historiografía española*, 2e édition, Madrid : CSIC, 1947, t. 1. Voir également l'ouvrage fondamental de R. B. TATE, *Ensayos sobre la historiografía…*, 1970.

68. On trouve au début de la fable une rapide et plaisante allusion à l'idéal courtois. Harpaleo, un jour de fête, prend part à des jeux et sa compagne l'admire : «*Cuya conpañera muy amada, llamada Amártula, estando çerca de la cama de Lecada un dia de fiesta, iuntamente con otras diez i nueve fenbras, desde dentro de la cueva miraba con alegres oios cómo su Harpaleo sobrepuiaba á los otros en fuerças, i él aquesto viendo engrandeçió su coraçon i dixo asy. Mayores cosas me quedan aún de fazer ¡ oh rey ! porque Lecada tenga meior de comer, i yo a mi conpañera muy querida añada alegría i todos iuntamente podamos gozar fartura de buena vianda*» (p. 13).

fable parfaitement ordonnée dénonce en réalité les dangers du désordre, destructeur du bien commun et de la communauté. Il est sans doute dangereux de faire le chemin en sens inverse, de revenir à la *Batalla campal* après la lecture des Décades, mais on ne peut s'empêcher de faire certains rapprochements. Il y a dans les Décades des Macharrion (nous songeons à certains moments de la vie du comte de Haro) et des Mandron. Il n'y a pas de discours pompeux ni de harangues creuses. La description imitée de Suétone n'apparaît qu'une fois, dans le portrait du prince Henri[69], et Palencia préfère d'autres formes de caractérisation. Lorsqu'il part lui-même en compagnie de Gutierre de Cárdenas pour sa dangereuse mission en Aragon, il montre en souriant à son compagnon un heureux présage. Le lecteur se souvient alors de Pançerion et d'Harpaleo qui, partant eux aussi en expédition, s'entretenaient longuement de la valeur de ces signes (p. 1-17)[70]. Sans doute, le plaisant et éloquent orateur de la *Batalla campal* se sera mué en violent polémiste, la rhétorique sera pour lui non plus seulement un exercice de style mais une arme redoutable, les idéaux chevaleresques seront bien souvent renversés. Cependant, pour le lecteur attentif, tout cela ne sera que le déchaînement de forces déjà présentes dans une simple fable. Quant aux animaux, personnages à la fois familiers et énigmatiques de ce premier exercice d'humaniste, ils prendront une nouvelle signification et deviendront, selon une échelle plus ou moins métaphorique ou emblématique, les figures inquiétantes de nombreux prodiges[71].

69. *GH*, I, 1, 2; TL, 1, p. 6, § 5-6.

70. On trouvera le récit du voyage de Palencia et de Gutierre de Cárdenas dans *GH*, II, 12, 3; ms. *P*, fol. 33v°; PyM I, 288b. On peut également citer certains personnages comme Juan Pacheco, qui évoque Calidina, et surtout le comte de Haro : celui-ci, qui s'est retiré dans un couvent fondé par lui, vient proposer au roi ses services en apparence pour jouer le rôle de médiateur et rétablir la paix. Il arrive revêtu d'un habit religieux et monté sur un âne («asino uestus»), le cheval étant interdit aux religieux. Mais tout en prêchant la conciliation, il demande un partage des biens rattachés à la couronne, «se contentant» pour sa part des villes de Miranda et de Pancorbo. Palencia cite alors les paroles que le roi dit à ses intimes («inter suos carissimos») : «"Comes, inquit, Fari uidetur mihi similis canis fabri ferrarii, qui durante magno maleacionis sono semper dormit, at uero exiguum masticationis sonum excitatur; dum bellum gerebatur, in sua mansit clausura, nunc uero tempore induciarum primus exactor adest." Quibus uerbis perceptis comes domum rediuit» (*GH*, I, 8, 2; TL, 2, p. 345, § 9).

71. On en trouvera de nombreux exemples dans M. M. Dubrasquet Pardo, *Alfonso de Palencia*..., p. 181-221.

Guerre et chevalerie selon Alfonso de Palencia : entre fables et histoire*

En l'an 1474, au mois de mai, les ambassadeurs du duc de Bourgogne viennent remettre au prince Ferdinand un prestigieux insigne chevaleresque, la Toison d'or; cet emblème de fraternité d'armes internationale est surtout celui de l'amitié entre le père du duc Charles et le roi Jean II d'Aragon, père de Ferdinand[1]. Ces ambassadeurs viennent d'un haut lieu de la chevalerie, mais Alfonso de Palencia ne fait preuve à leur égard d'aucun intérêt particulier et cet événement, auquel il consacre apparemment un chapitre, n'entraîne dans son récit aucune digression véritablement « chevaleresque ».

En réalité, l'attitude de l'historien est calquée sur celle du prince ou celle qu'il a voulu lui prêter. Recevoir la Toison d'or était un très grand honneur; le prince est honoré en effet, mais sans excès, par cette distinction et plutôt ennuyé par une cérémonie obligée, mais peu opportune, au milieu des soucis qui sont alors les siens. Il est en effet occupé par l'affaire compliquée de Carrión, que se disputent le comte de Benavente et le marquis de Santillana, ainsi que par les affaires d'Andalousie où ne cessent de s'affronter le duc de Medina Sidonia et le marquis de Cadix. Par ailleurs, le prince est pauvre (« illis diebus egestas arcta reuocabat animum tanti principis a ceremoniis festiuitatum huiuscemodi ») et n'a pas les moyens d'assurer les frais de cette cérémonie. Enfin, le prince est pressé de rejoindre Isabelle qui l'attend à Ségovie, entourée de mille dangers, car la réconciliation avec son frère le roi Henri ne va pas sans risques.

* Première publication : « Entre fables et histoire : la chevalerie et la guerre selon Alfonso de Palencia », *in :* Georges Martin (dir.), *La chevalerie en Castille à la fin du Moyen Âge*, Paris : Ellipses, 2001, p. 241-259. Texte remodelé en fonction de l'étude précédente.

1. « [...] quibus honus precipuum legationis erat confirmatio solida prisce parentum suorum fraternitatis sub insigni [fol. 178v°] veleris aurei » (*GH*, II, 19, 4 : ms. *P*, fol. 178r°-179v°; PyM II, 123-124). Pour ce qui concerne les références au texte de Palencia, voir « Place et fonction du portrait du roi », note 67.

Ferdinand, qui donne la priorité à Carrión, demande aux ambassadeurs de l'attendre à Burgos. Il se propose de les recevoir ensuite à Palenzuela, qui appartient à son oncle l'amiral Enríquez (rappelons que Ferdinand est le fils de Juana Enríquez, deuxième épouse de Jean II d'Aragon), car il espère que celui-ci pourvoira aux frais de la réception. Mais l'amiral n'est pas large (« natura parcus ») ; il invente donc des prétextes plus ou moins politiques pour échapper à ces coûteux honneurs : ne pourrait-on pas par exemple accuser Ferdinand de faire dévier l'ambassade vers l'Aragon[2] ? C'est pourquoi il propose que la cérémonie ait lieu à Dueñas, c'est-à-dire chez Pedro de Acuña[3], à qui Ferdinand écrit, non sans avoir compris (« quum adolescens prudentior multo quam etas illa expetet ») les véritables motifs de la proposition faite par son oncle. Pourtant il ne manque pas de présenter le choix de Dueñas comme un honneur au comte de Buendía Pedro de Acuña. Celui-ci, qui est d'un naturel généreux (« liberalissimus hisque in rebus diffusus »), se prépare à rendre au prince ce service, mais ne peut s'empêcher de regretter auprès de ses familiers que l'amiral, malgré son manque de largesse, soit plus honoré que lui[4]. Ferdinand entend ces rumeurs (« rumorem curialium ») et décide d'aller recevoir les ambassadeurs à Medina de Rioseco où, tout compte fait, son oncle l'amiral veut bien les accueillir à la seule fin, dit Palencia, de rendre vaines les dépenses déjà faites par Pedro de Acuña. Heureusement, au milieu de ces duperies et de ces marchandages, le sage et habile Rodrigo Manrique (« dexterius flexit optimus vir comes paredensis ») parvient à trancher en faveur de Dueñas, où a lieu la cérémonie, dans l'église Santa María. Un tiers du chapitre a été consacré à ces « négociations ».

L'éloquent discours prononcé alors par l'orateur bourguignon – non nommé – est rapporté en *oratio obliqua* ; il résume les statuts et les avantages de l'ordre, insistant sur l'importance que peut avoir son intervention dans les plus hautes affaires internationales, comme le montre l'exemple récent du roi Édouard d'Angleterre qui a récupéré sa couronne grâce à l'appui du duc Charles [il faut se souvenir que Ferdinand n'est pas encore roi, et que les problèmes de la succession sont loin d'être réglés[5]]. À la demande

2. « [...] etsi initio hoc acceptauerit hospitium haud multo post intentius quum respexerit sumptum quantitatem ac qualitatem admitendorum finxit nouas difficultates hospitalitatis huius ob incommoditatem loci murmurque sinistrum emulorum qui tergiuersari dicerent principem aragoniam versus » (*GH*, II, 19, 4 ; ms. *P*, fol. 178v° ; PyM II, 123a).

3. Rappelons que Pedro de Acuña est le frère de l'archevêque de Tolède, Alonso Carrillo.

4. « Itaque etsi verbis non renuit fronte tum haud serena hospitalitatem acceptat et seorsum cum amicis familiarioribus incusat principem quod primos honores [...] auunculo concedat » (*GH*, II, 19, 5 ; ms. *P*, fol. 179r° ; PyM II, 123b).

5. « [...] quemadmodum orator unus eorum qui mentem ducis conditionesque ueleris exposuit luculenta reserauit oratione qui inter multas utilitates accepti ueleris non quod apud colcos Jason sed quod Gedeon acquisiuit unam recensiorem extulit videlicet rex anglie eduardus recuperauisset sceptrum » (*GH*, II, 19, 4 ; ms. *P*, fol. 179r° ; PyM II, 123b). Récemment,

du prince, Francisco de Noya répond brièvement («breviter»). Mais rien n'est dit de la cérémonie elle-même ni de l'orateur[6]; comme l'indique la suite du texte, Palencia était pourtant présent, mais tout le monde est pressé : dès le lendemain les ambassadeurs prennent le chemin du Portugal, et Ferdinand s'en va retrouver Isabelle. Mais avant de quitter Dueñas, il apprend l'accord qui est intervenu à Marchenilla, en Andalousie, entre le duc et le marquis. Palencia, qui était venu demander de l'aide au prince pour le premier et qui apprend la nouvelle en même temps que lui, sait combien il a dû en coûter au duc d'accepter cette conciliation :

> [...] facile cognita mihi fuit qui aduocaturus principem adueneram fore ipsum haud leniter ducis henrici necessitatem qua compulsus fuisset aceptare pacta quæ nullo modo dux acceptauisset si in tempore ipso tulisset[7].

Si le chapitre s'ouvre sur la grande ambassade bourguignonne, il se ferme donc ou plutôt s'ouvre de nouveau sur cet ambassadeur plus secret mais plus important peut-être qu'est Alfonso de Palencia.

Car tout Palencia est là, dans ce chapitre qui fait, comme tant d'autres, le lien et le passage entre la Castille, l'Andalousie et l'étranger. La remise de la Toison d'or en est en principe l'objet et le centre; mais la moitié, au moins, du chapitre est consacrée à l'analyse de «l'état des esprits». La Toison d'or devient en réalité un révélateur des tensions et des intrigues qui s'affrontent autour du prince, un prince avisé mais pauvre, et dépendant des nobles qui l'entourent. Ce sommet du rituel chevaleresque donne à peine lieu à un vrai récit descriptif et encore moins cérémoniel; osera-t-on dire que, dans les circonstances présentes, ces ambassadeurs prestigieux sont presque des gêneurs?

[Certes, il ne faut pas sous-estimer l'importance de cette alliance internationale que, sous l'apparence de rites chevaleresques, représentait en réalité l'ordre de la Toison d'or. Si Palencia s'intéressait vivement à ce que nous appellerions aujourd'hui la politique internationale ou les affaires étrangères, la splendeur dont savait s'entourer ce puissant réseau politique et armé n'avait rien qui puisse lui plaire : on sait combien il est prompt à dénoncer les fastes inutiles et, selon lui, souvent hypocrites. Aucune critique explicite n'apparaît ici. Toutefois l'austérité du récit montre que Palencia se tient à l'écart de la pompe chevaleresque qui d'ailleurs, en raison des

---

J. L. MARTÍN a souligné l'importance de l'entrée de Ferdinand dans cette alliance et aussi le peu d'enthousiasme dont les nobles sollicités ont fait preuve pour recevoir les ambassadeurs (*Enrique IV*, p. 346, note 269).

6. [Francisco Vidal de Noya est pourtant bien connu comme maître et secrétaire de Ferdinand, qui confia à cet humaniste, réputé pour ses talents d'orateur, des missions importantes et délicates.]

7. *GH*, II, 19, 4; ms. *P*, fol. 179v°; PyM II, 124a.

circonstances, avait peut-être été discrète à Dueñas. L'effet recherché pourrait-il être différent et la Toison d'or, ordre prestigieux, viendrait-elle se perdre dans les « petitesses » castillanes ? C'est pourtant à ces « petitesses » que Palencia accorde la première place, l'essentiel restant peut-être une volonté de contraste et le désir de montrer comment en réalité se fait l'histoire. Que peuvent en effet les fastes de la chevalerie devant les véritables mobiles qui animent les actions des hommes et qui peuvent expliquer les événements ?] Il existe heureusement, aux côtés des princes avisés comme Ferdinand, quelques rares conseillers habiles et fermes comme Rodrigo Manrique, ou des ambassadeurs perspicaces comme Alfonso de Palencia même si, dans le cas présent, sa mission n'a pas eu le résultat escompté.

On serait tenté de voir dans la réticence et la brièveté de l'historien un exemple du peu de cas qu'il fait en général des rites chevaleresques, même si l'on ne trouve ici aucune critique[8]. Mais on retiendra surtout que l'histoire est un jeu compliqué, dont les acteurs doivent se montrer vigilants en toute circonstance ; ces rites sont bien souvent des masques auxquels d'autres masques viennent s'ajouter. Le *je* qui apparaît brièvement mais avec force à la fin du chapitre est là pour rappeler la réalité des choses, et le lecteur de cette deuxième Décade ne peut s'empêcher de songer que le collier d'Isabelle, ce fameux collier que Palencia avait réussi à ramener comme gage d'accord matrimonial avec Ferdinand[9], était autrement important que celui de la Toison d'or.

La position de Palencia vis-à-vis de ce qu'il est convenu d'appeler « la chevalerie » semble pour le moins complexe, ce qui n'a rien qui puisse surprendre le lecteur tant soit peu habitué à l'univers des *Gesta hispaniensia*. Mais cette complexité même invite à tenter de mieux définir les relations que cet univers peut entretenir – ou non – avec l'univers chevaleresque, non seulement dans ses fondements éthiques, ou encore ses rites et ses fastes, mais avec ce qui en constitue la face la plus sérieuse, réalité ou métaphore, et vers laquelle en réalité tout converge : la guerre. Chevalerie ? Guerre ? On peut hésiter, comme hésitèrent bien des auteurs du XVe siècle lorsqu'ils

8. Plus tard, à l'occasion des conflits avec la France et le Portugal, alors que le duc de Bourgogne cherche des excuses pour ne pas intervenir en faveur de Jean II et de Ferdinand, Palencia rappelle l'ordre de la Toison d'or et fait une digression moralisatrice sur la fragilité de l'amitié des princes face à l'ambition et au désir de profit (*GH*, III, 26, 3 ; ms. *A*, fol. 123r° ; PyM II, 283b-284a).

9. Le récit de cette mission, menée à bien par Palencia, figure au début de la deuxième Décade (*GH*, II, 11, 10 ; ms. *P*, fol. 24r°-25v° ; PyM I, 277ab). On trouvera la description du collier dans Tarsicio de AZCONA, *Isabel la Católica*, Madrid : BAC, 1964, p. 146. Ce collier, évalué à quarante mille ducats, fut, avec vingt mille florins d'or, le gage des accords matrimoniaux entre Isabelle et Ferdinand. Quant au rôle joué par Palencia dans cet épisode et, d'une façon plus générale, dans les quatre premières Décades, et à la façon complaisante dont il le rapporte, nous les avons analysés dans notre étude *Alfonso de Palencia, historien*... Voir en particulier « Apologie pour l'historien ou le détournement de l'histoire », p. 18-91.

ne choisirent pas de se réfugier dans le commode mais ambigu *militia*. Il a pourtant semblé préférable de conserver ici les deux termes, ou les deux approches, car chevalerie et guerre ne se recouvrent pas, la deuxième étant tantôt le tout, tantôt la partie de la première, en tout cas sa manifestation extrême et sa fonction la plus visible.

Des études récentes[10] ont permis de mieux mesurer combien fut vaste, profond et complexe le débat sur la chevalerie au XVe siècle, en particulier parmi les premiers humanistes castillans, au nombre desquels figure en bonne place Alfonso de Palencia[11]. On serait tenté de dire que par goût – de moraliste – et par métier – d'historien – celui-ci s'est beaucoup intéressé à la guerre et fort peu à la chevalerie, si ce n'est précisément pour montrer la nécessité de rénover les valeurs de la seconde afin d'assurer le succès de la première, réelle ou figurée. C'est là un vaste champ d'exploration que l'on ne pourra ici qu'aborder et qui concerne non seulement l'ensemble des *Gesta hispaniensia* (c'est-à-dire les Décades I, II, III, IV, et la « Guerre de Grenade »), mais la totalité de l'œuvre de l'auteur[12] et en particulier les deux fables qu'il écrivit dans sa jeunesse après son retour d'Italie en 1453.

Fables

C'est bien de guerre qu'il s'agit dans ces deux premiers traités de Palencia, tous deux écrits en latin et traduits en castillan par l'auteur lui-même. Le premier est une fable animale, *Bellum luporum cum canibus* ou *Batalla campal de los perros contra los lobos*, dont le texte latin n'a pas été conservé. Le deuxième est un traité allégorique, *De perfectione militaris triumphi* ou *La perfeçión del triunfo*[13]. À propos de la *Batalla campal* qui a fait l'objet de l'étude précédente, on retiendra essentiellement trois choses qui nous concernent ici : la date probable de sa traduction par Palencia lui-même (vers 1457) ;

10. Nous songeons en particulier à celle de J. D. RODRÍGUEZ VELASCO, *El debate sobre la caballería*...

11. On sait qu'Alfonso de Palencia (1424-1492), après avoir fait partie de la maison de l'évêque de Burgos Alonso de Cartagena, fit un important séjour d'une dizaine d'années en Italie, d'où il revint en 1453. Recommandé au cardinal Bessarion, il eut pour maître le célèbre professeur de rhétorique Georges de Trébizonde. Voir l'étude précédente et la bibliographie citée.

12. Il s'agit des deux importantes œuvres lexicographiques *De sinonymis elegantibus libri III* (1472), Séville : Meynardo Ungut y Stanislao Polono, 1491, et *Universal vocabulario*... Il s'agit aussi des traductions de PLUTARQUE, *Vidas*... et de FLAVIUS JOSÈPHE, *Guerras de los judíos con los romanos* (1491), Séville : Meynardo Ungut y Stanislao Polono, 1492. Le traité *De vera suficientia ducum atque legatorum* que Palencia dit avoir composé n'est malheureusement pas localisé. Il en est de même pour les *Antigüedades de España* ; voir à ce propos R. B. TATE, « Alfonso de Palencia and his *Antigüedades de España* », *in* : A. DEYERMOND et I. MACPHERSON (dir.), *The age of the catholic monarchs*..., p. 193-196.

13. Les questions relatives aux textes de ces deux fables et à leurs éditions respectives ont été exposées dans l'étude précédente. Voir en particulier les notes 1, 2 et 3.

le fait que l'auteur la présente comme une *muestra* de ses capacités d'historien (Palencia a été nommé chroniqueur officiel en 1456) ; enfin, la conclusion particulièrement pessimiste de cette guerre manquée, puisque tout le monde a échoué[14]. Alors que la justification de la « bonne guerre » est d'apporter la paix, les adversaires doivent continuer à vivre comme par le passé. Cet échec concerne sans doute essentiellement la situation politique et sociale de la Castille, divisée par les querelles intestines dont la guerre est une conséquence. Mais l'échec guerrier lui-même, celui de la *Batalla campal* proprement dite, n'est pas une simple métaphore : il s'agit bien d'une guerre mal menée et par conséquent aussi vaine que nuisible.

Bien différente est la leçon de la deuxième allégorie qui va proposer à la fois une possible explication de l'échec antérieur et les moyens nécessaires pour y remédier. La version latine du *De perfectione* est dédiée à Alfonso Carrillo, archevêque de Tolède, et la version castillane à Fernando de Guzmán, *comendador mayor de la Orden cavallerosa de Calatrava* – plus connu de la postérité comme commandeur de Fuenteovejuna. Cette version castillane étant datée de 1459, on peut imaginer que la version latine fut composée entre 1457 (c'est-à-dire la fin de la traduction de la *Batalla campal*) et 1459, même si l'on ne saurait totalement écarter la possibilité que Palencia ait travaillé à ces deux traités en même temps. L'essentiel reste qu'il occupait alors, depuis décembre 1456, la charge de chroniqueur, dont il fait état dans le prologue adressé à Alfonso Carrillo ; quant à ces « précisions » chronologiques, elles ont, comme on le verra plus loin, leur importance.

L'intrigue de la *Batalla campal* a été déjà résumée dans l'étude précédente. Voici maintenant *El Exerçiçio* qui vient « *de la más estendida España* ». Quoique pourvu de toutes les qualités nécessaires[15], il ne parvient pas à connaître le *Triunfo*, car celui-ci a déserté l'Espagne. Voulant savoir pourquoi, *El Exerçiçio* s'adresse à *La Esperiençia*, mais celle-ci lui conseille d'aller consulter sa fille *La Discreçión* qui a choisi de vivre en Italie. *El Exerçiçio* entreprend alors une sorte de *viaje sapiencial*[16], dans ce cas, un voyage en Italie, qui le conduit d'abord auprès de faux *aldeanos* chasseurs[17], puis en

14. *Batalla...*, p. 100-101.

15. « *Era en la más estendida España un varón que avía nombre Exerçiçio, de alta estatura, fermoso en todos sus miembros ; no covarde, antes prinçipal en fuerte manera de guerrear ; de ánimo espierto, valiente y no perezoso ; y muy sofridor de qualquier travaio* » (*La perfeçión...*, p. 131-132). Suit un véritable éloge de l'Espagne, pourvue de tout ce qui pourrait faire d'elle, comme par le passé, la province du *Triunfo*, et en particulier bien pourvue de chevaux (p. 132).

16. Voir sur ce sujet l'étude de Marta HARO, « El viaje sapiencial en la prosa didáctica castellana de la Edad Media », *in :* Ralph PENNY et Alan DEYERMOND (dir.), *Actas del I congreso anglo-hispano*, t. 2, p. 59-72. [V. SERVERAT voit dans ce voyage « du couchant vers le levant, de la Castille vers l'Italie, mais aussi du chaos vers l'ordre », l'illustration du *topos* de la *translatio* (*La pourpre...*, p. 112-113).

17. Cela donne lieu à un intéressant débat sur la chasse, écrit sans doute comme réplique au *Vergel de príncipes* de Rodrigo Sánchez de Arévalo. L'ironie de Palencia y prend pour cible les

Catalogne, en France, en Lombardie, et en Toscane, où il découvre enfin la demeure de *La Discreçión*, maîtresse de tous les arts[18]. Ayant répondu à ses questions et lui ayant montré que les fondements de la *disciplina militaris* sont *Orden* et *Obediençia*[19], *La Discreçión* adresse *El Exerçiçio* à Gloridoneo qui s'apprête à livrer bataille. Pour rejoindre le capitaine, *El Exerçiçio* poursuit son voyage : il entre, émerveillé, dans Florence, visite Sienne, Pérouse et Rimini, se lamente sur la désolation de Rome et arrive enfin au camp magnifiquement ordonné de Gloridoneo, où les livres voisinent avec les armes. *Orden* et *Obediençia* accompagnent en toute chose le capitaine et lui permettent d'obtenir une victoire parfaite. C'est ainsi que *Orden*, *Obediençia* et *Exerçiçio*, c'est-à-dire les trois piliers de la *disciplina militaris*, permettent un triomphe glorieux[20]. Il s'agit donc d'une situation totalement opposée à la précédente sur laquelle se refermait la *Batalla campal*.

Comme il a été dit dans l'étude précédente, l'introduction de Javier Durán Barceló permet aujourd'hui de mieux apprécier la variété des modèles dont Palencia put s'inspirer[21]. Par-delà ces précisions éclairantes sur les différents genres et la variété des formes discursives, on peut retenir aussi l'importance accordée dans l'Italie du XVe siècle à la question de la *militia*, étroitement liée à ce qui a été désigné d'une façon plus générale comme humanisme civique. Dans cette même introduction, sous le titre *Ética de las armas*, Javier Durán Barceló indique les grandes lignes de ces nouveaux courants de pensée, et l'on sait que dans son ouvrage déjà cité, Jesús D. Rodríguez Velasco a étudié le *Tratado de la perfección del triunfo* comme exemple de «*prudencia caballeril*»[22]. Il est certain que *El Exerçiçio* accompagné de *Orden* et *Obediençia* est devenu une parfaite incarnation du nouveau savoir, qui d'ailleurs inclut tous les autres comme le montre l'enseignement qui est dispensé dans la demeure de *La Discreçión*. Fondé tout autant sur *prudentia* que sur *fortitudo*, ce savoir permet d'obtenir le triomphe.

---

mœurs de la noblesse, indifférente à *la cosa pública*. Voir à ce sujet l'introduction de J. DURÁN BARCELÓ (éd.), *La perfeçión*..., p. 25-28.

18. Robert Brian TATE a proposé une identification de cette demeure dans «El *Tratado de la perfección del Triunfo militar* de Alfonso de Palencia. La Villa de Discreción y la arquitectura humanista», *in : id.* (dir.), *Essays on narrative fiction in the Iberian peninsula in honour of Frank Pierce*, Oxford : Dolphin, 1982, p. 163-176. Le modèle de la villa pourrait être Careggi, située près de Florence, et que Palencia put connaître. Careggi était un centre d'éducation où Cosme de Médicis, qui y mourut en 1464, avait fondé une sorte de retraite philosophique.

19. Comme le fait remarquer J. Durán Barceló, l'insistance sur la *Obediençia* a été ajoutée au binôme de Végèce, *orden* et *ejercicio*. Voir *La perfeçión*..., Introducción, «Ética de las armas», p. 43.

20. Palencia indique les conditions nécessaires au triomphe dans l'*Universal vocabulario* et en donne une définition dans le *De sinonymis*. Voir *La perfeçión*..., p. 34 et note 3.

21. *Ibid.*, «La fábula humanística», p. 19-31.

22. *Ibid.*, «Ética de las armas», p. 33-51. J. RODRÍGUEZ VELASCO, *El debate sobre la caballería*..., p. 328-331. Voir aussi l'étude de R. B. TATE, «The civic humanism of Alfonso de Palencia», *Nottingham Renaissance and medieval studies*, 23, 1979, p. 25-44.

Plus généralement encore, on peut retenir l'importance de la rhétorique, omniprésente, aussi bien dans la *Batalla campal* où, comme on l'a vu, la pompe des discours recouvre et met en relief à la fois la petitesse et la vanité des faits que dans *La perfeçión del triunfo* où, au contraire, le triomphe des armes s'accompagne d'un véritable triomphe du discours. C'est d'ailleurs, dans l'Italie humaniste, le temps des triomphes[23] et l'on ne peut s'empêcher de songer que *El Exerçiçio* ne représente pas seulement les armes mais aussi les lettres. N'est-ce pas le cas, exemplaire, du roi Alphonse V, roi d'Aragon et de Naples, héros incontestable de ce triomphe ? Mais n'oublions pas que ce temps des triomphes est aussi celui des exercices, car il faut « discipliner » aussi bien le savoir que son acquisition. Ce sont, on l'a vu, des sortes d'exercices appliqués, que le jeune Alfonso de Palencia[24] propose comme premières leçons à son retour en Espagne.

Par-delà leurs implications politiques, sociales ou tout simplement morales, les deux fables d'Alfonso de Palencia, la *Batalla campal* et *La perfeçión del triunfo*, sont essentiellement liées par un sujet commun : la guerre. La fable animale a été choisie pour dire la mauvaise guerre, alors que la deuxième allégorie, qui mélange en réalité les personnages allégoriques et les humains, représente au contraire l'accès au triomphe. Les raisons déjà évoquées dans l'étude antérieure pour justifier le premier choix peuvent se résumer au caractère plus trivial, « bas », mais pourtant à peine burlesque de la première fable. La seconde allégorie, dont le caractère est plus noble, plus « élevé », peut prétendre à devenir non plus un exemple des *fechos de España*, mais un modèle théorique universel. À quoi il faudrait pourtant ajouter que si le travestissement animal permet de mieux déguiser le sens véritable, l'allégorie, au contraire, dans un souci didactique, est parfaitement claire et a même pour but de clarifier. Cela est si vrai que si l'auteur lui-même invite à « décoder » la *Batalla campal*, à la différence d'Alfonso de Olivares qui, au dire de Palencia, ne manquerait pas de trouver les clés, les critiques qui se sont intéressés à cette histoire – et parmi lesquels figure l'auteur de ces lignes – ne sont pas certains d'être parvenus à une lecture satisfaisante, si tant est qu'il y en ait une, et une seule[25]. Par contre, chacun s'accorde à retrouver dans le triomphe de Gloridoneo celui qui le 26 février 1443 avait célébré l'entrée à Naples d'Alphonse V[26]. Or Alphonse V est

23. Nous renvoyons à Francisco RICO, *El sueño del humanismo. De Petrarca a Erasmo*, Madrid : Alianza Universidad, 1993.

24. À propos des exercices que Georges de Trébizonde faisait faire à ses élèves, voir dans l'étude précédente la note 9.

25. On trouvera résumées dans l'étude précédente les différentes interprétations de cette fable.

26. Voir à ce propos M. PENNA (éd.), *op. cit.*, « Estudio preliminar », en particulier p. CLII-CLXIV.

mort en 1458, ce qui ramène vers la date de composition du *De perfectione* (traduit, on le sait, en 1459). Palencia aurait-il composé ce triomphe à la gloire du Magnanime à l'occasion de sa mort comme il avait consacré une méditation à Álvaro de Luna et une élégie allégorique au *Tostado*? Il serait cruel d'aller jusqu'au bout des correspondances et de voir dans la mort d'Harpaleo celle de l'infant Henri; mais la chose n'est pas impossible et n'en rendrait que plus triste et grinçante la *Batalla campal*[27]. [On se trouverait en tout cas devant des variations intéressantes sur le discours funéraire, si important au XVe siècle.]

Rafael Alemany a justement signalé que les trois premières œuvres de Palencia (les deux fables et l'élégie consacrée au *Tostado*) forment une sorte de triptyque[28]; il a aussi fait remarquer la parenté de structure entre la *Batalla campal* et *La perfeçión del triunfo*. À tel point, ajouterions-nous, que l'on peut à bon droit se demander si ces fables, si différentes et si complémentaires, ont été conçues et écrites l'une après l'autre, chacune de façon autonome et indépendante, ou bien si elles forment un ensemble, la deuxième venant en quelque sorte compléter et inverser la première. On se trouverait alors, par-delà les variations du discours, en présence des deux volets du diptyque bien connu : destruction/restauration. La *Batalla campal* montrerait, dans ses éclats aussi pompeux que vains, une sorte de destruction de la chevalerie (de l'Espagne ?) dans une guerre faussement noble et mal menée. Elle serait la parfaite illustration de ce qui, en Espagne, empêche *El Exerçiçio*, figure cette fois allégorique et noble, de rencontrer le triomphe. La démarche de *El Exerçiçio*, les enseignements de *La Discreçión* et la sage stratégie de Gloridoneo, fondée sur *Orden* et *Obediençia*, permettent ensuite

27. On se souvient que le loup Harpaleo, désireux de plaire à sa femme Amartula, était parti en expédition en compagnie de Pancerión. À cause de son imprudence, et pour n'avoir pas respecté la sage tactique mise au point par ce dernier, il est mort, victime des chiens. R. B. TATE écrit simplement : « *There is no clear parallel between the historical death of the Infante Enrique and any of the principal wolves* » (« Political allegory in fifteenth-century Spain... », p. 181-182). Palencia est l'un des très rares sinon le seul chroniqueur du XVe siècle à proposer un portrait flatteur de l'infant Henri dans une notice nécrologique qui est sans doute une addition postérieure : « Verum quidem interiit ille uir, qui comitate, salibus, humanitate uenustateque haud dignitatis experte omnibus eius ætatis hominibus prestantior fuit, neque cuipiam uel magnanimitate uel robore cessit. Hunc multi ob ingenitam conuersationis dulcedinem gratiamque insitam ori insatiabiliter sequebantur, et post miserandam cædem incesanter luxere. Fuerunt quoque nonnulli [...] stolida socordique opinione capti, credentes eum superstitem fore » (*GH*, I, 1, 7 ; TL, 1, p. 26, § 14). Palencia ne reprend pas l'hypothèse de l'empoisonnement dont il est question dans la chronique de Jean II. Le texte rapporte ensuite – mais sans critiques – les deux mariages de l'infant en dépit des statuts de l'ordre et la succession d'Enrique Fortuna. On peut rappeler le romance écrit par Pedro de Escavias *Yo me so el ynfante Enrique*. Voir M. GARCIA, *Repertorio de príncipes...*, p. 405-408.

28. Rafael ALEMANY, « Dimensión humanística de una obra menor de Alfonso de Palencia : *El tratado de la perfección del triunfo militar* (1459) », *Anales de literatura española de la Universidad de Alicante*, 1, 1982 (1983), p. 7-20.

de retrouver la *virtus* et le triomphe, apportant une restauration ou une espérance de restauration sinon de la chevalerie, du moins de l'art militaire : une *disciplina militaris*[29] qui d'ailleurs ne se limite certainement pas à la guerre ; on peut imaginer que le parfait capitaine est aussi le prince, la guerre juste et victorieuse le bon gouvernement, et le triomphe le bien public. Or il faut rappeler que le remède vient d'Italie et de Naples, dont le roi est à la fois « espagnol » et « italien », autrement dit, issu de la branche aragonaise des Trastamare. Il faut rappeler aussi que ce deuxième traité est adressé à Alfonso Carrillo, archevêque de Tolède. On a dit plus haut avec quelle prudence on pouvait évoquer, à propos de la *Batalla campal*, les premiers échos des expéditions andalouses du roi Henri : si elles déçurent la noblesse, elles ne déçurent pas moins peut-être le jeune humaniste rentré d'Italie. C'est bien plus tard, dans la première Décade, que Palencia en fera un récit parfaitement organisé en vue de la dégradation du roi. Mais sans doute était-il déjà, par sa formation, ses activités et son tempérament, à l'écoute des événements, et parfaitement au fait des critiques et des rumeurs que tout cela pouvait provoquer.

C'est pendant ces années de campagnes andalouses que Palencia a composé ses fables sans que l'on puisse, bien entendu, établir une relation concrète entre cette production littéraire et les événements guerriers. Mais le sujet était à la mode et même, semble-t-il, d'actualité. Par ailleurs, la lecture de la première Décade s'avère fort instructive et non pas sans rapport – avec toute la prudence chronologique qui s'impose – avec ces deux premiers traités. Le livre 5 de la première Décade, c'est-à-dire son parfait milieu – ce qui n'est pas un hasard quand on sait le soin qu'apporte Palencia à la composition de son œuvre –, est consacré au rôle joué par Alfonso Carrillo, devenu le chef du parti des mécontents. Les nobles, qui souhaitent entreprendre le siège de Málaga sont indignés par l'attitude de plus en plus *nephanda* du roi, présenté comme l'ennemi de la religion, de la chevalerie et de toute l'armée. En leur nom et aussi en vertu des prérogatives qui sont les siennes en tant qu'archevêque de Tolède sur certains territoires de Grenade, Carrillo prononce devant le roi, en 1457, un discours qui, quoique rapporté en *oratio obliqua*, fut, semble-t-il, réellement dit[30]. Ce discours déplut si fort au roi qu'il eut, paraît-il, l'intention de faire emprisonner l'archevêque[31]. Ce n'est donc pas un hasard, peut-être, si en 1458, Palencia adresse à Carrillo le texte latin du *De perfectione*. D'autant plus qu'en 1458

29. « Disciplina » semble bien avoir deux sens : celui de science ou art, mais également celui de respect des règles et de l'ordre.

30. *GH*, I, 5, 2 ; TL, 1, p. 177-178.

31. « Fertur quidem tam molestam fuisse regi archipresulis orationem, ut de oppresione eius cogitarit » (*GH*, I, 5, 2 ; TL, 1, p. 178, § 6). L'archevêque en appelle, mais en vain, au pape Pie II (*GH*, I, 5, 9 ; TL, 1, p. 193).

disparaît le roi Alphonse d'Aragon, disparition que Palencia évoque dans une phrase saisissante[32] et qui ravive peut-être le souvenir du triomphe passé, plus que jamais important comme promesse de renouveau, même si l'on sait la part active que prirent les «Aragonais» dans les discordes de Castille. Cette dédicace du *De perfectione* est peut-être la première relation importante que l'on puisse établir entre Alfonso de Palencia, l'archevêque de Tolède, c'est-à-dire le «parti Carrillo», et la monarchie aragonaise, une relation qui est appelée, comme on le sait, à prendre une dimension considérable aussi bien dans l'histoire que dans la narration qu'en a laissée Alfonso de Palencia et, surtout, dans le rôle qu'il s'y est lui-même attribué[33]. La préférence aragonaise de Palencia, en dehors de motifs personnels que l'on ne peut qu'imaginer, est tout autant fondée sur les armes que sur les lettres ou plutôt sur la réunion des deux, pleinement incarnée par Alphonse le Magnanime[34]; c'est ce qu'illustre *La perfeçión del triunfo* : une sagesse et une vertu qui permettent une vraie guerre, une guerre de conquête. Si les deux fables ont été écrites l'une après l'autre et de façon indépendante, on peut voir que le temps de leur composition, très serré, correspond à l'évolution chronologique des événements pendant cette période, même si le récit qu'en a laissé Palencia – qui passe en quelque sorte d'un archevêque (Fonseca) à l'autre (Carrillo) – est plus tardif.

Histoire

Cette possible évolution entraîne une autre remarque qui, cette fois, peut devenir une tentation et un piège sans pour autant devoir être écartée, bien

32. Palencia consacre un long récit à la disparition du roi Alphonse, auquel il consacre une notice nécrologique royale, datée selon différents computs (*GH*, I, 5, 6; TL, 1, p. 184-188). Après le récit de cette mort suivie de celle du pape Calixte III, Palencia, en fin de chapitre et après une saisissante synthèse, rapporte un prodige : «Non ab re inseram quod anno hoc quinquagessimo octauo, quo et pontifex Calistus et Aragonum rex Alfonsus e uita decesserunt et uiuens Henricus Rex mortis aeterne uestigia sequebatur, contigit prodigium in urbe Segobiensi in atrio regis» (p. 187, § 10).

33. L'essentiel reste, bien sûr, le mariage d'Isabelle et de Ferdinand, dans lequel Palencia, à l'en croire, joua un rôle fondamental. Voir M. M. DUBRASQUET PARDO, *Alfonso de Palencia, historien…*, p. 75-82.

34. R. ALEMANY voit chez Palencia non seulement une admiration pour l'humanisme civique italien, mais aussi une préférence pour la confédération catalano-aragonaise : «*Seguramente los rasgos de modernidad que presentaba la confederación tanto en los planos político, social y económico como en el cultural, frente a la caduca estructura feudal de su Castilla originaria, dibujaban un modelo mucho más prometedor y sugestivo de cara a la cristalización de la utopía cívico humanista*» (art. cit., p. 15). Certes, la «modernité» de la confédération catalano-aragonaise demande à être sérieusement revue à la lumière d'études comme celle de Luis GONZÁLEZ ANTÓN, «Aragón y Alfonso V. Modelo político institucional», *in* : *El estado en la baja Edad Media : nuevas perspectivas metodológicas*, Saragosse : Universidad de Zaragoza, 1999, p. 77-116. Mais cela n'enlève rien à la signification qu'une figure comme celle d'Alphonse V pouvait avoir pour Palencia.

au contraire. Comment ne pas évoquer en effet, à propos des deux fables et des deux guerres, les deux versants apparemment opposés des *Gesta hispaniensia*? Au début, le sombre tableau du règne d'Henri IV, caractérisé entre autres choses par des guerres destructrices de toute chevalerie (songeons en particulier à la deuxième bataille d'Olmedo en 1467), et, à la fin, les bonnes guerres de Grenade jalonnées de quelques «triomphes». Le roi Henri, tel un nouveau roi Rodrigue, comme le suggèrent d'ailleurs les statues de l'alcazar de Ségovie, n'est-il pas la cause d'une nouvelle perte de l'Espagne[35] ? Et parmi ce qui rapproche les deux rois, ne peut-on évoquer le thème de la «destruction des armes» tel qu'il apparaît dans un état de la légende de Rodrigue et tel qu'il peut être suggéré par cette véritable destruction que constitue de la part du roi Henri l'interdiction des combats, le refus de *tala* et les ordres donnés pour la *remonta* afin de donner la préférence aux chevaux plus légers (*ludis aptiores*)? Ce roi sauvage, enfermé dans ses bois avec ses bêtes, est une menace de retour à la barbarie et livre l'Espagne à l'ennemi.

Ferdinand, après avoir lui aussi déçu, mais qui a été élevé dans l'art militaire et qui a remporté la décisive victoire de Toro, entreprend dans les années 1480 la guerre de Grenade. Pour le jeune humaniste qu'était autrefois Alfonso de Palencia, la guerre glorieuse était celle de l'expansion de l'*imperium*, un idéal de conquête plus que de reconquête. Mais il est vrai que désormais la Reconquête, sur l'infidèle, donne à la juste guerre, nécessaire au triomphe, un surplus de justification que ne peut manquer d'apprécier Palencia, déjà sur ses vieux jours. Il est vrai que la guerre a sauvé les rois[36] ; Ferdinand et Isabelle opposés, sinon par leurs prétentions personnelles du moins par certains de leurs partisans et en particulier par Palencia, ont retrouvé une unité bénéfique dans cette entreprise qui, d'une façon plus générale, a fait œuvre de réconciliation. Ferdinand, déjà familier des engagements militaires mais qui a bien failli se laisser prendre par indolence, par négligence ou par amour aux pièges «chevaleresques» qui lui étaient tendus[37], devient, à la dure école de la campagne de Grenade,

35. Voir plus loin «Des prologues et des rois, le "roi"Alphonse».

36. C'est ce que nous avons essayé de montrer dans notre étude citée dans la note précédente.

37. Seule l'occupation de Carrión empêche Ferdinand de tomber complètement dans le piège du tournoi organisé à Ségovie : «[...] ingenio muliebri helisabeth principis persuasere conatum reuocandi uirum hoc pretextu ut interesset hastaludio preter statuta catholice religionis statuendo in proximam dominicam passione» (*GH*, II, 19, 1 ; ms. *P*, fol. 173v° ; PyM II, 119a). Ces amusements du prince provoquent les reproches de Rodrigo Manrique : «At rodericus manrique ferens egerrime principis incuriam quod ludis iocisque ea in tempestate uacaret inuectus est in eum uerbis grauibus acerrimo dignis monitore» (*GH*, II, 19, 2 ; ms. *P*, fol. 175v° ; PyM II, 120b). Palencia critique également les joutes organisées à Valladolid (*GH*, III, 22, 3 ; ms. *A*, fol. 22r° ; PyM II, 187a) et n'omet pas le tumulte du jeu de cannes de Jerez que, chose rare, il décrit (*GH*, III, 30, 5 ; ms. *A*, fol. 172r° ; PyM III, p. 63ab). Dans la première Décade,

un vrai chef de guerre. Après quelques erreurs, il manifeste les qualités d'un parfait capitaine et, ajouterons-nous, d'un vrai roi, vers qui convergent désormais les grandes affaires internationales[38]. La guerre a aussi mis à l'épreuve les qualités d'Isabelle; forçant l'admiration de Palencia, elle est entrée en perfection[39]. Grâce à leurs vertus et à leurs victoires, les rois peuvent entrer de façon triomphale dans les villes conquises[40]. Il n'y a pas eu de *batalla campal*, mais une rude guerre de sièges qui a rendu d'autant plus nécessaires *El Exerçiçio* et le respect de *Orden* et *Obediençia.*

La comparaison entre ces deux versants des *Gesta hispaniensia* et les deux premières fables est tentante, mais dangereuse, car plus de vingt années et bien des événements les séparent. L'histoire a pourtant bien servi Alfonso de Palencia pour illustrer sa leçon; aurait-il pu, dans ses plus fins pronostics, imaginer que le *triunfo militar* serait réintroduit en Espagne par le neveu même de celui qui connut le triomphe de Naples? Mais, si Palencia n'était pas prophète, il n'a sûrement pas été fâché de voir ainsi son histoire prendre un air de prophétie.

Tout cela signifie sans doute qu'il existe dans son œuvre et dans son esprit des modèles plus profonds et des temps autres que chronologiques : le temps universel des schémas comme celui qui oppose destruction à

---

le tournoi organisé par Pacheco à Séville en 1456 s'était trouvé pris dans une funeste montée de prodiges (*GH*, I, 4, 6; TL, 1, p. 147-149) et les fêtes organisées par Beltrán de la Cueva à l'occasion de la venue du comte d'Armagnac («ad imitationem fabularum Galliæ») n'avaient guère été mieux traitées (*GH*, I, 7, 1; TL, 2, p. 286, § 1 et note 3).

38. Au livre 4 apparaissent vraiment les qualités de chef de Ferdinand : «[...] infœliciter aduersus granatenses geri bellum sub alio [fol. 42r°] duce arbitrabantur quam sub imperio regis qui simul cum dignitate suprema omnibus bonis artibus præpollebat» (*BG*, 4; ms. *M*, fol. 41v°-42r°; PyM III, 120b). Un peu plus loin, Palencia insiste sur les conséquences de l'absence d'un chef : «Quod malum ubique lætale redditur potissime autem castellanam gentem proterit quæ sinistris æmulationibus diuersisque studiis aut huic aut illi parendi uel non parendi tunc perturbat ordines militares» (*BG*, 4; ms. *M*, fol. 42v°; PyM III, p. 121b). Ferdinand réunit les qualités nécessaires : «[...] cum maxima (ut decet) prouidentia rem bellicam dirigebat cuncta nutu disponens et continens optimo sub imperio demum cum ætate virtus ei augebatur in dies [...] quod parem patri auoque dexteritatem et maiorem gloriam in belli gerando arbitrabantur omnes fernandus regem proculdubio consecuturum» (*loc. cit.*). Dans son «Estudio preliminar» à la *Guerra de Granada*, éd. cit., R. G. Peinado Santaella commente cet affermissement des qualités du roi, faisant, comme nous, un rapprochement avec *La perfeçión del triunfo* (p. lvi). Voir également María Isabel del Val Valdivieso, «Ascenso y caída de un "héroe" : Fernando el Católico en las *Décadas* de Alonso de Palencia», *Temas medievales*, 7, 1997, p. 37-55.

39. Citons entre autres : «[...] secundum reginæ sententiam in omnibus perspicacissima» (*BG*, 4; ms. *M*, fol. 47v°; PyM III, p. 126a) ou : «[...] ut fidelissimus quisque persuaderetur magnu fuisset fœlicis successus adminiculo tantæ reginæ laudatos mores intentissimasque ad deum preces necnon innatam caritatem erga eos qui militiam cristianorum sequebantur» (*BG*, 6; ms. *M*, fol. 80v°-81r°; PyM III, p. 166a).

40. C'est le cas en particulier à Malaga en 1487 : «Et rex reginaque et illustrissima eorum filia virgo helisabeth cardinalis cæterique præsules atque optimates post dies aliquot Malacam multis in locis deformatam processim ingrediuntur cum hymnis in laudem omnipotentis dei virginisque matris cælorum reginæ decantatis templa in honorem sanctæ religionis secundum vota consignantur» (*BG*, 7; ms. *M*, fol. 106r°; PyM III, p. 197a).

restauration, celui de la fable exemplaire qui peut se réactiver en prenant les contours d'une situation plus précise, ou encore le temps « psychologique » et personnel de l'auteur qui, dès ses premières œuvres, manifeste sa personnalité et trouve, avec les fondements théoriques de sa pensée, sa position critique. Palencia est ensuite sorti de la satire animale et de l'utopie allégorique pour entrer dans le champ de l'histoire, mais le regard et les idées de l'historien ne sont pas sans rapport avec ceux du fabuliste. [Il est tout à fait remarquable que ce même modèle apparaisse dans toute sa plénitude dans ce qui est sans doute la dernière œuvre de Palencia, c'est-à-dire la traduction de *La guerre des Juifs* et du *Contre Apion*. En traduisant Flavius Josèphe, Palencia a retrouvé dans sa vieillesse, mais avec son habituelle passion, son schéma de prédilection, porté cette fois à son comble : les guerres des Juifs, responsables de la destruction du Temple et de Jérusalem, sont la manifestation extrême des guerres civiles, tandis que la parfaite ordonnance des légions romaines, longuement décrites au livre 3, conduit à la victoire de Rome et au triomphe de Vespasien et de Titus qui clôt le livre 6, non sans rappeler au lecteur, tout autant qu'au traducteur, celui de *Gloridoneo*[41].]

La *Batalla campal* et *La perfeçión del triunfo* représentent déjà les formes extrêmes – et simplifiées – du désordre et de l'ordre ; or l'opposition entre ces deux forces contradictoires constitue, selon nous, l'une des tensions dramatiques les plus importantes de l'univers des *Gesta hispaniensia*. Mais cet univers est complexe ; sous le regard de Palencia, fait à la fois d'engagement passionné et de distance prudente, d'écart et d'urgence, apparaît un monde fourmillant, animé par un récit qui lui donne une authentique profondeur[42]. Il serait donc dangereux d'appliquer de façon trop réductrice la leçon des deux fables aux deux versants de l'histoire. Alfonso de Palencia est à l'évidence responsable de la vision très noire du règne d'Henri IV : ses deux premières Décades sont infiniment plus dures que la *Batalla campal*. Par contre, ce n'est pas de lui, mais de Pulgar qu'est venue l'image flatteuse du règne suivant, même si sa position s'est assagie dans le *Bellum adversus Granatenses*. On ne saurait pourtant voir dans la « Guerre de Grenade » le parfait avènement historique de *La perfeçión del triunfo*, car, si Palencia sait apprécier les qualités des rois et leurs victoires, il reste mesuré dans l'éloge, toujours prêt à la critique et maître dans l'art du brouillage. On est loin d'une utopique perfection. Les triomphes sont pris dans l'histoire, et dans l'histoire selon Palencia.

41. FLAVIO JOSEFO, *Guerras de los judíos con los romanos. Contra Appion Gramático* (1491), Séville : Meynardo Ungut y Stanislao Polono, 1492. Nous développons ceci dans notre étude « Alfonso de Palencia traducteur ou les leçons de Flavius Josèphe » (à paraître).

42. Voir M. M. DUBRASQUET PARDO, *Alfonso de Palencia, historien…*, plus particulièrement la conclusion, p. 508-518.

Certes, on voit disparaître du récit ces passages qui, dans les quatre premières Décades, sont autant de dénonciations de la vanité de certaines pratiques chevaleresques. C'est le cas en particulier pour les défis dont Palencia connaît le manque d'efficacité réelle[43]. La vraie leçon vient du marquis de Cadix dans la rivalité qui l'oppose au duc de Medina. Ce dernier a feint d'accepter de mener avec lui l'expédition portugaise, mais lui retire la concession de pêche au thon accordée à Marchenilla. Le marquis fait alors secrètement demander aux rois l'autorisation de défier le duc. Mais Ferdinand préfère profiter de l'occasion pour envoyer la *Hermandad*, c'est-à-dire, en premier lieu, Alfonso de Palencia et Rodríguez de Lillo. Aussi, plus tard, alors que le duc, toujours à propos de cette « guerre du thon », veut préparer une attaque armée, le marquis, ayant retenu la leçon, fait lui-même appel au *corregidor* de Cadix (præfecto gadicensio) et gagne. Les temps ont changé[44]. Non que Palencia refuse une chevalerie dont il sait voir les mérites[45]. Il aime le courage, cette vertu « romaine » qui figure presque systématiquement dans ses éloges (« strenuus », « impiger », « fortissimus »), alors que la lâcheté ou la négligence (« ignavia », « desidia », « nequitia ») sont pour lui la pire des accusations[46]. Il est aussi attentif, sinon plus, au courage qu'à la « prudentia ».

43. Personne ne répond à celui que lance le comte de Paredes (*GH*, I, 9, 4 ; TL, 2, p. 410, § 1), mais il permet au moins de démasquer Pacheco. Celui qui oppose Diego de Córdoba et Alfonso de Aguilar ne sert qu'à montrer combien les injures sont loin de la chevalerie (*GH*, II, 12, 6 ; ms. *P*, fol. 45r° ; PyM I, 300b). Les fanfaronnades d'Enrique Fortuna font sourire Ferdinand (*GH*, II, 17, 7 ; ms. *P*, fol. 137v° ; PyM II, 82b). Le défi des deux Catalans, Luis Margarit et Juan Semenat, est truqué, car Ferdinand est bien décidé à interrompre le combat avant qu'il ne soit mortel (*GH*, IV, 32, 8 ; LT, 1, p. 68-69 ; 2, p. 57-58). La vanité de ce défi est soulignée par l'enchaînement avec le chapitre suivant : « Nuntius sollertioris accessit facinoris » (il s'agit de l'occupation de Talavera). Il conviendrait d'ajouter le défi entre Ferdinand et Alphonse, roi du Portugal, plus solennel mais tout aussi inefficace ; il a au moins le mérite de montrer quelles voulaient être les positions juridiques des deux souverains à propos de la succession.

44. *GH*, III, 27, 1 ; ms. *A*, fol. 112v° ; PyM II, 302ab ; et *BG*, 9 ; ms. *M*, fol. 135r° ; PyM III, 220b.

45. On peut citer la belle scène dans laquelle Rodrigo Manrique montre à Palencia et à son compagnon Pedro de la Algaba les chevaux dont s'occupent trois de ses fils (*GH*, II, 20, 4 ; ms. *P*, fol. 199r° ; PyM II, 145a) ; le portrait flatteur du jeune Fernando de Acuña resté chaste jusqu'à faire ses premières armes, contre la volonté de son frère, à la bataille de Quesada, et qui mérite le seul prodige chrétien de l'œuvre, puisque les Maures voient une « virginem splendentem » au-dessus de son casque ; le courage de Manuel Ponce, qui avait fait vœu de passer au Maroc et de n'en revenir qu'après avoir tué trois Maures en combat singulier (*GH*, II, 16, 5 ; ms. *P*, fol. 117v° ; PyM II, 61a). On peut aussi rappeler l'armure étincelante que porte le « roi » Alphonse à la bataille d'Olmedo, même s'il est trop jeune pour combattre (« armis fulgens equo optimo supersidens », *GH*, I, 9, 8 ; TL, 2, p. 421, § 5), et le courage de Beltrán de la Cueva qui, pendant cette même bataille, se désigne à l'ennemi : « [...] voluisse igitur se insignia singulari induere, stollam scilicet rubeam ex transuerso pectore superpositam candido tegmini quo arma tegebantur » (§ 7).

46. Palencia dénonce par exemple la conduite du duc de Medina Sidonia qui, par indolence, ne se porte pas au secours de ses frères (*GH*, II, 17, 8 ; ms. *P*, fol. 137v° ; PyM II, 83b-84a).

La remise de la Toison d'or à Ferdinand n'inspirait guère de nobles réflexions à Palencia ; il a la même attitude envers l'ordre de la Jarretière porté par le roi Alphonse du Portugal, un roi ennemi qui respecte les règles d'une chevalerie un peu désuète[47], et qui ne doit la relative clémence de Palencia qu'à l'amitié qu'éprouva pour lui son oncle le roi Jean II d'Aragon, pour qui notre auteur eut tant d'admiration. Mais Isabelle elle-même n'a-t-elle pas voulu, dit-on – comble d'audace usurpatrice pour une femme –, aller à Batalha où est gardé l'étendard royal pris à Aljubarrota, afin de laver cet affront[48] ?

La chevalerie est souvent associée au spectacle et à la fête, mais Palencia ne les aime pas et considère cette sorte de récit, qui fait pourtant les délices d'autres chroniqueurs, comme indignes de l'histoire (« historiæ dignitati diffusior narratio ludorum minime congruat nisi quantum rerum series exposcere visa sit »). D'ailleurs, quand elles ne dérivent pas vers la mascarade, les fêtes se situent le plus souvent sur la frontière de la « mollities » qui est le contraire et l'ennemie de la « virtus ». Pourtant, il critique aussi la mélancolie qui tient le duc à l'écart des réjouissances des Sévillans et il condamne par-dessus tout la conduite perverse du roi Henri, qui lui fait refuser tout cérémonial.

Les quelques facettes de l'univers chevaleresque ou antichevaleresque des *Gesta hispaniensia* que l'on vient d'évoquer viennent s'incarner dans quelques-uns de leurs principaux personnages auxquels Palencia a jugé nécessaire de consacrer un portrait ou une « vie »[49]. Dès la première Décade, le lecteur apprend que le courage de Rodrigo de Villandrando lui a fait quitter l'Espagne afin de courir l'aventure ; il a fait fortune, quoique de façon un peu équivoque, et sa biographie est, dans les *Gesta hispaniensia*, une des premières marques de l'intérêt de l'auteur pour l'art militaire[50]. Cette tentation du condottiere est parfaitement représentée par Alfonso

47. Le roi Alphonse, pour défendre les droits de sa nièce Jeanne, et s'emparer du trône, entre en Castille comme en procession alors que toute une propagande messianique le présente comme *El Encubierto*. L'ordre de la Jarretière l'oblige à ne jamais reculer, à ne pas refuser le combat et à ne pas dormir à l'abri des murailles. Plusieurs de ses chevaliers portent des queues de renard au bout de leur lance pour signifier qu'ils sont obligés d'attendre de pied ferme quatre ennemis, d'en combattre trois, d'en faire deux prisonniers ou d'en transpercer un avec leur lance. Le roi a donné à Lope de Alburquerque le nom « français » de « comitem penemoncoris [comte de Penamacor] quod cordi penas infligeret tamquam unice carus » (*GH*, III, 25, 7 ; ms. *A*, fol. 84r° ; PyM II, 266a).

48. On sait que Diego de Valera avait défendu l'honneur du roi de Castille à la cour de Prague. Sur cet épisode, voir J. D. RODRÍGUEZ VELASCO, *El debate sobre la caballería*..., p. 214-217.

49. Il se trouve que quatre d'entre eux sont précisément les héros de biographies « chevaleresques » ou plutôt de chroniques biographiques. Il s'agit d'Álvaro de Luna, d'Alfonso de Monrroy, de Miguel Lucas de Iranzo et du marquis de Cadix. Voir ci-dessus « Noblesse et monarchie ».

50. *GH*, I, 1, 3 ; TL, 1, p. 10, § 10-11.

de Monrroy, clavier d'Alcántara, dont les qualités militaires exceptionnelles («prisce discipline alumnus») ont valu à ce chef turbulent les éloges répétés de Palencia[51]. C'est également l'organisation militaire de Jaén, parfait exemple de *caballería de alarde*, sous l'autorité du connétable Miguel Lucas de Iranzo qui attire l'attention et l'approbation de l'historien ; cette approbation est pourtant mitigée, car il manque à ce bon administrateur la vertu essentielle du courage («ignauiam suam comestabilis reddidit manifestam»)[52]. Le vrai héros, après un revirement spectaculaire, reste le marquis de Cadix qui, dans les derniers livres de la «Guerre de Grenade», devient le porte-parole de Palencia en s'opposant aux «flatteurs» qui entourent Ferdinand. C'est donc le courage et la mise en pratique de l'art militaire – sans oublier l'expérience – qui donnent à certaines figures plus d'importance ; s'il y a peu de *claros varones* dans les *Gesta hispaniensia*, il s'y trouve quelques bons chefs de guerre, à qui vont les préférences de l'auteur. Face à ces hommes qui, il faut le préciser, restent des hommes et ne sont pas de simples figures exemplaires, se trouvent leurs contraires, véritables parodies, parfois, des valeurs chevaleresques. On en retiendra les deux figures principales : Diego Arias, héros d'une biographie picaresque, qui a acheté un cheval afin de mieux fuir, gagnant le surnom de «Didacus volans»[53], et Juan Pacheco, le «renard» de l'histoire, dont Pulgar dit qu'il était «*ome esençial*», figure à la fois parallèle et opposée à celle d'Álvaro de Luna et qui exerce sur Palencia, malgré des critiques très dures, une sorte de fascination. Si ces deux personnages s'inscrivent plutôt dans la perspective de la *Batalla campal*, ce qu'ils représentent n'a pas disparu dans la suite des *Gesta hispaniensia*, ce qui fait que l'histoire a le triomphe plus modeste que l'allégorie.

Si la guerre a sauvé les rois, si *Orden* et *Obediençia* s'imposent de plus en plus face au désordre, l'historien n'échappe pas à la règle et rentre lui aussi dans l'ordre. Mais il reste lui-même. Sans doute reconnaît-il que, dans cette guerre, Dieu est du côté des chrétiens, à qui il a accordé des victoires aussi importantes que celles de Málaga et de Baza, alors que, pour Baza en particulier, les leçons de l'expérience militaire, comme l'avait bien montré le marquis de Cadix, déconseillaient d'entreprendre le siège. Mais ce que veut surtout souligner Palencia, nous semble-t-il, avec l'importance de l'action des hommes, c'est que la puissance divine est aussi absolue qu'incompréhensible aux humains et ne se ramène pas au providentialisme facile que

51. À propos de ce personnage voir ci-dessus «Noblesse et monarchie», ainsi que *Alfonso de Palencia, historien...*, p. 434-436.

52. *GH*, II, 17, 10 ; ms. *P*, fol. 146r° ; PyM II, 89ab. Il sera plus amplement question de ce personnage dans l'étude qui suit.

53. *GH*, I, 2, 5 ; TL, 1, p. 57-58, § 1-2-3.

prônent les flatteurs (« scriptores adulationi inservientes »)[54]. C'est donc sur la victoire mais aussi sur la sévère leçon de Baza que s'achève, dans le texte conservé, le triomphe de la guerre de Grenade.

Dans les critiques que peut faire Palencia, aussi bien dans ses fables que dans ses *Gesta hispaniensia*, il faut bien sûr distinguer la critique tout à fait traditionnelle du mauvais usage de la chevalerie, et le tour particulier qu'elle a pu prendre dans une œuvre où s'exprime une position plus complexe. Cela est dû à la fois à la personnalité de l'auteur, à sa vision de l'histoire, à sa conception de son écriture et à son engagement dans les événements et dans la narration qui en est faite.

Ce n'est pas le monde chevaleresque qui fournit à Palencia l'essentiel des clés de son interprétation de l'histoire, ni les valeurs sur lesquelles il fonde ses jugements, aussi bien sur les faits que sur les personnages, ni les bases de la mise au jour des relations entre les différents acteurs. L'histoire se fait aussi et surtout ailleurs, grâce en particulier aux ambassadeurs et aux conseillers qui entourent les princes ; ils savent, comme l'historien, sonder les esprits et les cœurs.

Si Palencia accorde à la « prudentia » et au courage une si grande importance, c'est que l'on peut retrouver dans ces valeurs « revitalisées » la *virtus* romaine. Il ne s'agit pas d'une simple remise à neuf, mais d'une nouvelle conception de l'homme et de sa fonction dans un corps social qui, réussissant à vaincre les intérêts divergents et désordonnés du monde fourmillant qui le compose, peut trouver une unité bénéfique autour d'un chef assisté de *ejercicio*, *orden* et *obediencia*.

À la forme extrême du désordre qu'est la guerre, il faut opposer l'ordre efficace de la « disciplina militaris ». Certes, le discours guerrier peut en signifier un autre, et c'est alors, plus largement, de politique qu'il s'agit. Si la « bonne » guerre peut signifier le renouveau, il est vrai que le renouveau – la restauration – passe souvent par la « bonne » guerre, grande école de chefs et de princes ; les princes admirés par Palencia sont des princes sages et guerriers (et parfois lettrés). L'idéal de *La perfeçión del triunfo*, même s'il reste utopique dans sa réalisation parfaite, et même s'il se heurte à la voix toujours un peu discordante de l'historien, est un rêve possible.

54. *BG*, 9 ; ms. *M*, fol. 159r°-159v° ; PyM III, 233b-234a. Il est vrai, comme l'a fait remarquer R. G. PEINADO SANTAELLA, dans son « Estudio preliminar » à la *Guerra de Granada*, éd. cit., p. LXIII-LXXIV, que la Providence intervient dans le sens favorable à l'action des chrétiens, alors que les erreurs sont attribuées aux hommes. Palencia retrouve le pouvoir d'un Dieu maître des armées ; mais il insiste davantage sur cette puissance que sur une relation avec des hommes providentiels.

Alfonso de Palencia et Miguel Lucas de Iranzo : exemple de l'utilisation d'un personnage*

Le biographe émerveillé et scrupuleux du seigneur de Jaén, évoqué plus haut[1], n'a pas grand-chose à voir avec l'historien Alfonso de Palencia. Celui-ci a établi entre les événements qu'il rapporte et sa manière de les agencer et de les analyser une distance hautaine, où la perspicacité ne masque pas toujours une certaine malveillance. Aussi est-il considéré comme le champion de la vérité par les uns, et comme un menteur effronté par les autres. Il écrit en tout cas une histoire ambitieuse, partisane et parfois polémique, dans laquelle il s'engage avec force. Comme tous les grands créateurs, il a créé dans son œuvre un véritable univers ; l'une des caractéristiques de cet univers étant le fourmillement, ou plutôt la prolifération des personnages liés entre eux par les ricochets d'un récit qui s'efforce de suivre les réseaux complexes de la causalité, il n'est pas étonnant d'y rencontrer en plusieurs occasions le connétable Miguel Lucas de Iranzo. Pourtant le lecteur, habitué aux jugements souvent tranchants de l'historien dans le bien comme dans le mal, ainsi qu'à une certaine outrance dans l'appréciation des faits et des hommes, peut être surpris dans ce cas par sa mesure, toute relative sans doute mais réelle[2]. Lorsque intervient ce personnage, Alfonso de Palencia fait preuve de retenue et d'ailleurs peut varier dans ses jugements. Ici encore il faut préciser que Miguel Lucas de Iranzo n'est pas le seul personnage dont l'historien a pu, au fil de sa narration, donner des images différentes et à première vue contradictoires ; le cas le plus connu

* Première publication : « Alfonso de Palencia et Miguel Lucas de Iranzo : exemple de l'utilisation d'un personnage », *in : Mélanges à la mémoire d'André Joucla-Ruau*, Aix-en-Provence : Éditions de l'Université de Provence, 1978, p. 987-1000. Cette étude est à l'origine de certaines pages de notre thèse de doctorat, *Alfonso de Palencia, historien…* En retour, cette dernière a permis une nouvelle mise en perspective de ce texte.

1. Voir ci-dessus « Noblesse et monarchie ».

2. [Il est vrai que les très nombreuses caractérisations, brèves ou plus développées, que l'on peut relever dans l'œuvre de Palencia, ne sont pas toujours entièrement positives ou négatives. Sur ces jugements « mixtes », voir M. M. Dubrasquet Pardo, *Alfonso de Palencia, historien…*, « Portraits », p. 282-391.]

est celui du marquis de Cadix, vrai criminel dans les premières Décades, et devenu par la suite le héros de la guerre de Grenade et le porte-parole de l'auteur. Mais il s'agit là d'une évolution dans le temps. [Les jugements portés sur d'autres personnages sont plus complexes ou plus ambigus : tel est le cas pour Alfonso Carrillo, archevêque de Tolède, ou pour le roi Alfonso du Portugal[3].] L'explication de ces variations par une passion partisane mal contrôlée ou par une violence narrative qui peut conduire à une véritable incohérence ne nous a jamais semblé bien satisfaisante ; il nous est apparu au contraire que plusieurs facteurs devaient intervenir dans une tentative d'explication de chaque cas particulier ; si une certaine ambiguïté demeure malgré tout, elle acquiert alors une réelle signification qui n'a rien à voir avec l'incohérence. C'est pourquoi il convient d'analyser de plus près le cas de Miguel Lucas, ainsi que les rapports qui, au fil du récit, lient l'historien à ce personnage. Ce cas particulier peut constituer une bonne clé pour entrer dans l'univers des Décades, et, réciproquement, une meilleure prise en considération de l'ensemble des Décades peut aider à comprendre le cas, particulièrement complexe, de Miguel Lucas.

[Pour des raisons diverses, Miguel Lucas de Iranzo ne pouvait manquer d'intéresser Alfonso de Palencia ; on connaît la position politique de cet historien, adversaire acharné du roi Henri dont il a largement contribué à détruire l'image : les deux premières Décades, consacrées à son règne, sont en effet une véritable entreprise de destruction dans laquelle l'historien, s'appliquant à « prouver » l'impuissance du roi et d'une façon plus générale sa « tyrannie », est constamment à la recherche de preuves ou plutôt des arguments qui peuvent convaincre son lecteur. Parmi ces preuves de l'indignité du roi figurent en bonne place ses favoris auxquels le lient des relations suspectes, et il se trouve que Miguel Lucas en a fait partie ; du point de vue de l'austère Alfonso de Palencia, qui s'applique à dénoncer le mal, la « carrière » de ce favori a donc pu sembler particulièrement scandaleuse.] L'Andalousie, où Miguel Lucas se retrouve à la tête de la ville de Jaén, par conséquent mêlé aux ambitions et aux manœuvres des grands, intéresse tout particulièrement Palencia pour des raisons personnelles et pour la bonne connaissance qu'il avait pu acquérir de ses problèmes et de ses intrigues[4]. [Il a conduit de nombreuses missions qui ont fait de lui à plusieurs reprises un véritable agent de liaison entre certains grands andalous, le duc de Medina Sidonia en particulier, et les princes ou les rois.]

Palencia aime aussi les drames, et ce qui s'est passé à Jaén en est un. Belle occasion pour lui de jongler savamment avec tous les vices déchaînés :

3. [*Ibid.*, voir « Reprises et variations », p. 430-450.]

4. [Pour la biographie d'Alfonso de Palencia, voir l'introduction de R. B. TATE et J. LAWRANCE (éd.), *Gesta hispaniensia*…, t. 1, p. XXXV-XLVII.]

apathie du roi, cupidité des grands et du peuple, orgueil des parvenus. Il aime ces teintes noires, occasions de noirs récits. Mais il possède aussi cette intuition irremplaçable des faits et des hommes significatifs, qui va sans doute au-delà de la passion partisane ou des trouvailles de la rhétorique[5]. Lorsque, tissant les fils compliqués de ses Décades, il s'efforce de recréer le canevas des intrigues, il sait retrouver Miguel Lucas de Iranzo à maint croisement.

De la biographie anonyme aux ambitieuses Décades la distance est grande, et la perspective a changé. Miguel Lucas est ici replacé dans un contexte historique de plus grande envergure, et dans un monde où fourmillent les personnages de toute sorte. Cette population dense et variée est précisément une des caractéristiques du monde de Palencia, et celui-ci a su trouver pour présenter les acteurs de son histoire des procédés eux-mêmes très divers, qui vont de la caractérisation rapide aux véritables récits de vie. Chaque personnage est caractérisé et jugé, car Palencia juge, mais il arrive, comme il a été dit plus haut, que ces jugements puissent varier. Il arrive aussi que ces personnages se jugent les uns les autres ; tel est le cas de Miguel Lucas de Iranzo.

Sur le piédestal qu'il s'est dressé, l'historien domine tout son monde et jette sur chacun le regard averti de celui qui sait tout, qui ne se laisse abuser par aucun masque et sonde les cœurs. Pérez de Guzmán avait déjà hautement revendiqué pour l'historien le rôle de «*juez de la fama*», mais ce faisant, il avait plutôt mis l'accent sur les responsabilités de celui qui écrit l'histoire que sur ses droits. Il n'en reste pas moins vrai que tout jugement, s'il peut s'avérer néfaste à ce qu'il est possible de considérer comme la *vérité*, a du moins le mérite d'établir une distance qui peut, lorsqu'elle est bien comprise, être féconde. Palencia a choisi la plus orgueilleuse des distances ; il se permet de louer et de blâmer à son aise, la vérité étant ce qu'il sait, prétend savoir, ou veut nous faire croire. Cette *vérité* était bien connue des orateurs et des rhéteurs.

Vus à distance par ce regard plongeant et sans pitié, que vont devenir Miguel Lucas et Jaén ? Comment Palencia va-t-il interpréter et juger les choses ? La vraie question reste pourtant celle-ci : comment va-t-il se servir de Miguel Lucas ? que va-t-il faire de lui ? Quelques textes, malheureusement isolés de leur contexte historique et narratif pour les besoins de cette étude, vont essayer de le montrer.

5. [Il est curieux, comme nous l'avons indiqué dans l'étude précédente (note 49), que Palencia se soit intéressé à des personnages qui sont devenus les héros de chroniques biographiques. Si le cas d'Álvaro de Luna ou d'Alfonso Carrillo (eux-mêmes complexes) sont trop évidents pour être probants, il n'en est pas de même pour Miguel Lucas de Iranzo, Alonso de Monrroy ou le marquis de Cadix. Dans tous les cas, une comparaison est utile entre les panégyriques, que sont les biographies, et l'image plus complexe laissée par Palencia.]

Le favori du roi

[Miguel Lucas de Iranzo apparaît dans une de ces *séries* caractéristiques de l'art de Palencia et qui peuvent provenir soit de l'énumération, soit de la juxtaposition ou même de l'accumulation de plusieurs personnages. La série peut se présenter sous la forme d'une succession plus ou moins répétitive, une reprise qui, à intervalles presque réguliers, peut marquer par exemple les caprices de la faveur royale à l'occasion des différentes affaires dans lesquelles cette faveur exerce sa *tyrannie*. Particulièrement spectaculaire est la ronde des favoris qui sont, les uns après les autres, absorbés par le gouffre de la cour du prince, puis du roi Henri. La présentation de ces favoris suit l'ordre chronologique de leur ascension, de leurs rivalités ou de leur chute, mais il semble bien que Palencia, dans sa composition, ait quelque peu schématisé la réalité, tout en la compliquant d'ailleurs, au profit de l'effet satirique que pouvait produire ce continuel va-et-vient. Les nouveaux venus viennent aussitôt s'inscrire dans des partis ou des intrigues, et Palencia regroupe tout cela dans de véritables tableaux de mœurs pour la plupart « honteux », mais dont la présence dans le récit est justifiée :

> Igitur non ab re uidetur inserenda multarum originum narratio, qua explicentur commodius futura discrimina implicatius percipienda ni præcedat dillucidior facinorum haud illustrium series[6].

C'est dans cette ronde inquiétante que Miguel Lucas de Iranzo a fait son apparition. Le lecteur a d'abord fait amplement connaissance avec Diego Arias, à qui Palencia a consacré une longue *vie*, elle aussi justifiée : « Resumenda igitur non ab re uidetur origo Didaci Aries Abulensis, ut ulterior narratio ex radicibus prodeat. »[7] Un peu plus loin, regroupés autour des intrigues qui se nouent à propos des *maestrazgos* de Santiago et d'Alcántara, voici Juan de Monsalve et Miguel Lucas de Iranzo. Après avoir rapporté la rivalité entre Juan de Guzmán et Juan Pacheco, ce qui a permis de faire aussi la connaissance du rival de Miguel Lucas, Juan de Valenzuela, Palencia revient à la cour avec une longue biographie de Beltrán de la Cueva, le nouveau favori, à qui le roi va bientôt préférer Ruy Gómez de Cáceres. À peine Palencia a-t-il eu le temps de tracer le portrait et la biographie de ce dernier que les faveurs du roi vont à Francisco Valdés.

6. [*GH*, I, 4, 1 ; TL, 1, p. 137, § 1. Il semble bien que cet inquiétant cortège évoque celui des favoris de Néron ou des conjurés groupés autour de Catilina. Palencia dut avoir ces modèles à l'esprit comme le suggère, plus tard, il est vrai, le passage suivant : « [...] nec decesset consensus nobilioris iuuentutis. multi namque catiline coniurationibus perniciosis studebant unde processit repentinus tumultus » (*GH*, II, 19, 8 ; ms. *P*, fol. 186r° ; PyM II, 129).]

7. [*GH*, I, 2, 5 ; TL, 1, p. 57, § 1.]

La meilleure façon de dégrader ces personnages, et surtout le roi à qui l'on doit leur apparition, est de rappeler leur humble et parfois vile extraction ; mais Palencia sait en quelque sorte doser l'infamie des origines en fonction de l'attitude des différents favoris envers le roi. Ainsi, la biographie de Diego Arias est particulièrement dégradante, on dirait volontiers picaresque : elle ouvre un monde peu connu de l'historiographie, où l'on pourra trouver une ascendance *conversa*, des chants morisques (« cantibusque arabicis advocabat sibi cœtum rusticorum »), la vente des épices, la recollection des impôts, la parodie chevaleresque que constitue l'achat d'un cheval qui permet de fuir, le surnom de « Didacus volans », lui aussi parodique, un commerce facilité par une conversation plaisante (« Partim sollicitudine, partim denique facetiis salibusque gratus conversantibus »), le contraste brutal entre le crime qu'on lui attribue (« ut fama est »), sa libération par le prince sur le chemin du supplice et la faveur dont il jouit ensuite auprès de lui[8]. Tout au long de cette étonnante biographie Palencia garde le même ton volontairement froid, presque cynique, et s'abstient de tout commentaire ; il semble avoir retrouvé la tournure et le ton de certaines biographies de Tacite[9].

Juan de Monsalve avait refusé le *maestrazgo* d'Alcántara offert par le roi : son portrait est flatteur et l'on y trouve même, chose rare chez Palencia, un éloge de la mère ; pourtant, la porte reste ouverte à de possibles ragots[10].]

8. [Cette vie de Diego Arias, quoiqu'un peu longue, mérite d'être citée du moins en partie : « Temporibus principatus Henrici concessit Segobiam ex Abulensi urbe homo ex recentibus Christicolis, obscurus etiam genere, cui nomen Didaco. Hic præceps infinitati cœpit alimoniam querere ex infimis mercibus aliorum ex copia delatis per rura Segobiensia : crocum quidem ciminumque et pro maiore mercium æstimatione piparis cinamomi atque garofolorum aliquid commutatorus pro parua pecunia discurrebat, cantibusque Arabicis aduocabat sibi cetum rusticorum quibuscum familiarius degere cordi erat. Sic de domo in domum concilians agrestes acquirebat substantiam intentiori uictui ciuis parce sufficientem. Sed quum huiusmodi questum ægre feret et mores aliam solutiorem postularent uitam, uiator maluit esse eorum qui theloneo et perceptioni redditum principis præerant. Hoc ipse ministerium ut exerceret celerius tutiusque rediret equum emit neglectum forma precioque uilem, cuius uelocitas inter rusticos sufficiens erat incolumitati equitis, quando ob illatam aliqui agresti iniuriam Didacum inferentem persequebantur. At quoniam sepenumero persequentium euasit manus, cognomen nactus est uolantis, neque aliter notus erat quam si Didacus volans diceretur » (*GH*, I, 2, 5 ; TL, 1, p. 57-58, § 1, 2, 3, et p. 81-82, note 18). La *Crónica castellana* dit simplement que le roi choisit comme *Contador Mayor* « *Diego Arias de Avila, el qual era muy conforme a la voluntad suya* » (*Crónica anónima de Enrique IV de Castilla 1454-1474 (Cronica castellana)*, éd. cit., t. 1, chap. 5, p. 14).]

9. [On peut songer par exemple à celle d'Ofonius Tigellinus : « Ofonius Tigellinus, obscuris parentibus, fœda pueritia, impudica senecta, præfuturam uigilum et prætorii et allia præmia uirtutum, quia uelocius erat, uitiis adeptus » (*Histoires*, I, 52). Mais Palencia a-t-il connu Tacite ? Nous abordons ce sujet dans l'étude suivante, « Des prologues et des rois : le "roi" Alphonse », note 12.]

10. [« Quoque uoluisset rex Iohannes concedere dilectissimo suo Iohanni de Monsalue adolescenti gratissimo summaque dexteritate prædito, quum inter omnes nobiles adolescentes regis famulatui intentos hic ipse Iohannnes habilitatem in exercendis rebus militaribus singularem edoceret ; accederet quoque a prima infantia conuersatio adeo suauis ut multi opinarentur hunc

Miguel Lucas de Iranzo quant à lui est de très humble origine ; Palencia le dit mais ne se livre à ce sujet à aucune des enquêtes ou des inventions dont il a le secret ; il est apparu dans la première Décade au milieu de la ronde inquiétante des favoris :

> Sed seorsum præferebat Michælem Lucam, adolescentem infimis parentibus ortum, neque ideo posthabitum amore, uerum quidem singulariter carissimum[11].

Si Palencia se montre tout compte fait mesuré dans l'évocation de la basse naissance du favori[12], cela est dû sans doute au fait que le jeune homme va bientôt fuir une cour corrompue, où d'ailleurs des rivaux veulent prendre sa place ; c'est le cas de Juan de Valenzuela, à propos duquel apparaît l'accusation d'homosexualité ; Miguel Lucas tente d'y échapper et cette forme de vertu a sans doute contribué à lui valoir une certaine estime de la part de Palencia :

> Scripsi breuiter humillimam originem Michælis Lucas, cuius prima fundamenta laudis expertia honestauit odium conceptum ob Henrici mores omnia deprauantes ; sed ante quam uigor ueritatis fallacem illam æstimationem expelleret, certabant inter se præfatus Michæl et Valençuela, homo genere obscurus obscuriorque actibus atque penitissima mente[13].

---

regis filium esse, ni approbata pudicitia matris apud reginam Mariam commorantis famam aboleuisset» (*GH*, I, 3, 3 ; TL, 1, p. 99, § 2).]

11. [*GH*, I, 3, 3 ; TL, 1, p. 100, § 3.]

12. J. de M. CARRIAZO (éd.), *Hechos*..., p. XXXVII, écrit : «*El maldiciente Alfonso de Palencia es quien le trata peor hablando de su ínfima cuna y de su familiaridad de adolescente con el rey.*» Cela est exact, mais n'oublions pas que l'affront d'une horrible généalogie est épargné à Miguel Lucas. Lorenzo Galindez de Carvajal dit dans ses *Adiciones genealógicas a los Claros varones de Fernán Pérez de Guzmán* que Miguel Lucas fut «*natural de la villa de Belmonte, hijo de Alonso Alvarez de Iranzo, natural de la provincia de Guipûzcoa, que era un pobre labrador*» (CODOIN, 18, p. 456). Les notes du manuscrit de Salazar précisent : «*Fue Miguel Lucas de Iranzo natural de Belmonte, villa de Don Juan Pacheco, Marqués de Villena, hombre de bajo linaje y de muy poco estado, y assaz nacido y criado en baja suerte*» (cité par J. de M. CARRIAZO (éd.), *Hechos*..., p. XXXIX).

13. [*GH*, 1, 4, 1 ; TL, 1, p. 137, § 1. Si Miguel Lucas ne fait pas l'objet d'une généalogie infamante, il n'en est pas de même pour Juan de Valenzuela que Palencia considère comme un véritable histrion, qui n'hésitera pas à se déguiser en femme et à se farder comme une courtisane. Il était le fils de très pauvres gens et sa généalogie a une réelle portée satirique : «Huius pater fuit faber erarius qui Cordubæ uictum parce ex opificio tenui neglectoque acquirebat ; mater quidem Maria Gonzalez ut coniugis laborem suis leuaret industriis, pedisequa erat matronarum et quidquid gratum exequi poterat exercebat, lauando enim et huiusmodi seruilibus incumbendo dies haud infames una cum uiro degebat. Filius tamem opinatus fauores indepisci gratia formæ (nam pulcher erat) recusauit suæ pueritia cursum, scilicet lignatum ire onustosque asinos in urbem inferre, et magistro Calatrauæ obsequitur (ut libuit) gratiamque impetrat immodeste. Hinc acceptus regi numero accedit dilectorum. At quidem in re turpi turpior aliis nesciebat reticere tacenda et arrogabat sibi ex summo uilipendio laudem nec dignabatur alios iam in lenocinio prius eductos preferri» (*GH*, I, 4, 1 ; TL, 1, p. 137, § 1, et p. 160, note 3). La *Crónica castellana* dit simplement : « *Valençuela, criado suyo, de hedad de veynte años, natural de Cordova, hijo de un pobre platero, mançebo dado a muchos viçios y malas costunbres*» (éd. cit., I, chap. 29, p. 62). On trouve également un portrait de Valenzuela dans la chronique d'ENRÍQUEZ DEL CASTILLO,

[C'est aussi le cas de Francisco Valdés ; celui-ci, objet de l'amour équivoque du roi, mais qui a reçu une bonne éducation, résiste vertueusement et s'enfuit en Aragon ; il est rattrapé et quasi séquestré dans le palais où il poursuit sa vertueuse résistance[14]. Miguel Lucas, troublé par cette affaire, peut-être par jalousie ou par prudence – le texte de Palencia n'est pas très clair sur ce point –, s'enfuit lui aussi à Valence et finit par trouver refuge auprès de l'évêque de Cuenca Lope de Barrientos[15]. La biographie situe cette fuite après la cérémonie de Ségovie pendant laquelle Miguel Lucas est fait connétable, alors que Palencia semble la situer avant : le roi aurait ainsi voulu, par cette distinction, s'attacher l'affection de son favori et lui permettre d'épouser la riche héritière Teresa de Torres[16].] Même si Miguel Lucas est présenté sous un jour plutôt favorable (« iuuenis intentus catholicis preceptis »), la jalousie et la crainte ne sont donc pas étrangères à cette

---

Crónica de Enrique IV, éd. cit., chap. 16, p. 148. Au-delà de la grave dégradation morale que constitue l'accusation d'homosexualité, il faut y voir une « preuve » de l'accusation d'impuissance. Ces sujets évoqués par Gregorio Marañón dans son ouvrage célèbre, mais souvent mal interprété (*Ensayo biológico sobre Enrique IV de Castilla y su tiempo*), ont été repris plus récemment, dans une autre perspective, en particulier par José BOTELLA LLUSIÁ, « Personalidad y perfil endocrino de Enrique IV », *in : Enrique IV de Castilla y su tiempo*..., p. 130-140.]

14. [« Preterea rex nullum lasciuiæ terminum imponens cœpit alium adolescentem haud ignobilem diligere, Franciscum de Valdes, qui ab ineunte pueritia uersatus inter claram iuuentutem præ se ferebat approbatæ indolis specimen. Hunc rex conabatur illicere suauiloquio et pollicitatione amplioris fortunæ. Nec possum obscuriora illa dillucidari, nisi fides perhibeatur indiciis, quum nihilhominus hunc omnes uiderint subterfugitare fauorem, quam flagrantem ad illecebras regem. Vtriusque studium aliquandiu perstitit ; sed Franciscus que præcaueret edocuit, quum in Aragoniam profugit » (*GH*, I, 5, 4 ; TL, 1, p. 180, § 1, et p. 206, note 26). Dans la *Crónica castellana* on trouve : « *En este tienpo el rey començo mostrar grande amor a un criado suyo, llamado Françisco de Valdes, fijo de Rodrigo de Valdes, cavallero de buen linaje, el qual como quiera quel rey le mostrasse grand voluntad, e lo favoresçiesse e le diesse algunas cossas, el no se contentando de servir al rey se fue en Aragon* » (éd. cit., I, chap. 42, p. 85). Gómez de Cáceres lui aussi doit sans doute à ses origines nobles une conduite plus respectable : « Ut erat illis diebus apud regem egregius Gometius de Caceres, ante hac inops iuuenis, et quamuis ex equestri familia propter inopiam pedes in obsequuiis curialium herorum humiliter degens ; sed postquam palatium principis ingresus est, quum esset procerus corpore et forma pulcher conuersationeque suauis, officium maiordomi consequitur, tantumque emicuit in conspectu regis ut exactiones censorias ciuium Ispalensium qui secundum edictum delectui militari non satisfecissemt [...] » (*GH*, I, 5, 3 ; TL, 1, p. 179, § 4, et p. 204, note 20). La *Crónica castellana* dit simplement : « *aunque de pobre estado hidalgo e de buenos parientes* » (I, chap. 41, p. 83), ce que dit à peu près le *Memorial de diversas hazañas* : « *aunque de pobre estado, escudero hidalgo y de buenos parientes* » (éd. cit., chap. 13, p. 48).]

15. [Il y a sans doute quelque chose de tragiquement burlesque dans l'évocation de ce roi qui prétend s'emparer de ces jeunes gens qui, pour les meilleurs d'entre eux, tentent de lui échapper.]

16. [« Quod ægre quoque ferebat Michael Lucas iuuenis intentus catholicis preceptis, adeo ut illam delectionis causam odisset, peniteretque eum quotidianæ solicitudinis ex huismodi beniuolentia resultantis. Itaque profugit, et profectus in regnum Valentiæ habuit continuos qui eum prosecuti fuere suasores ut rediret, neque dedignaretur anxietatem regis tam eximie ipsius utilitatem honoremque requirentis. Rediuit ergo in Conchensem ciuitatem commoratusque est aliquamdiu apud Conchensem episcopum infensum Pacheconi fautoremque huius Michælis » (*GH*, I, 5, 4 ; TL, 1, p. 180, § 2).]

vertu. Mais la retenue de Palencia est peut-être due à une autre raison : le roi voulut en effet donner à Miguel Lucas le *maestrazgo* de Santiago auquel prétendait Juan Pacheco. Par haine de ce dernier, plusieurs nobles et en particulier le duc de Medina Sidonia don Juan, dont on sait les liens avec Palencia, prirent le parti de Miguel Lucas, qui profite peut-être ainsi dans les Décades de l'animosité envers le plus dangereux et le plus détesté des favoris[17]. [On sait combien le comportement du roi pendant son expédition contre Grenade est apparu de plus en plus scandaleux. Pendant la campagne de 1456, Palencia rapporte un incident qui provoqua, dit-il, un grand mécontentement parmi les nobles; Garci Laso de la Vega avait tué un cavalier maure et, selon l'usage, avait pris le cheval du vaincu. Le roi, courroucé, fit don du cheval à Miguel Lucas[18].]

C'est encore le roi que Palencia veut dégrader lorsqu'il rapporte l'union entre Miguel Lucas et Teresa de Torres; quoique réticente, la famille de la riche et noble héritière finit par céder :

> Deinde rex magis atque magis nobilitati infestus uidebatur, ut ignobilitati gratior. Nobilem enim uirginem atque locupletem, Tiresam de Torres maximarum opum heredem despondit Michæli Lucas, ut Gienensium omnium locupletissimus foret, cuius quidem ciuitatis et nobilitate et opibus primarius fuerat uirginis pater Petrus de Torres patruelis Petri Fernandez comitis Fari. Id initio inuitis consanguineis peregit; inde ob instantiam consensum impetravit, et ad accumulandos honores dignitatemque egregiam creauit eum comestabilem, id est generalem exercitus ducem, postquam ex Conchensi urbe simul cum episcopo Lupo de Barrientos, apud quem profugus ipse Michæl Lucas aliquamdiu permanserat, et regiæ uoluntati satisfacturus redierat[19].

Le mariage ne fut célébré que le 21 janvier 1461 à Jaén, ce qui permet au biographe de faire l'éloge de la chasteté du connétable[20].

[Mais encore une fois, l'éclairage essentiel vient du contexte; Palencia a rapporté parmi les événements de la dernière année de la campagne de Grenade du roi Henri (1457) la mort de Garci Laso de la Vega, commandeur de Montizón, envers lequel le roi s'était montré si injuste. D'après

17. [*GH*, I, 4, 1; TL, 1, p. 137, § 1, et p. 160, note 2.]

18. [« Mœstus rex iram haud dissimulauit, sed ablato equo donnat Michælem Lucam, ut maxime cognosceretur iniurius uictori. Rumor ob hoc haud paruuus augetur, seditioni proximus » (*GH*, 1, 4, 5; TL, 1, p. 146, § 8).]

19. [*GH*, 1, 5, 5; TL, 1, p. 184, § 6. Il semble que « nobilitate infestus » signifie plutôt l'aversion du roi pour la noblesse et tout ce qui s'y rapporte, comme le dit la traduction de Paz y Melia (« *enemigo de todo lo noble* »), que « *odioso a la nobleza* », qui fausse le sens. Voir également dans l'édition TL, 1, les notes 47 et 48, p. 210. Par-delà cette satire morale, il faut bien entendu retrouver l'essentiel, c'est-à-dire la politique du roi : la crainte des ambitions et même des trahisons d'une noblesse souvent rebelle a pu le conduire à créer cette noblesse « nouvelle ». Voir à ce propos les commentaires d'ENRÍQUEZ DEL CASTILLO, *Crónica de Enrique IV*, éd. cit., chap. 16, p. 158.]

20. *Hechos*..., p. 48.

Palencia, le roi a contemplé avec une cruauté perverse l'atroce agonie provoquée par une flèche empoisonnée. Puis, au lieu d'accorder cette *encomienda* au jeune fils du défunt, comme l'en priaient ses parents, il l'a donnée à un frère de Miguel Lucas[21]. C'est donc dans cette politique d'affaiblissement de la noblesse et de renforcement du pouvoir de Miguel Lucas, représentant de la noblesse «nouvelle», que Palencia situe cette alliance matrimoniale avec une noble famille de Jaén.] Quant à la narration de ces différents événements, elle est ainsi justifiée :

> Hec carptim scribuntur et collecte ut minutissima hec diuersis temporibus accidentia unico contextu narrationis contineantur; neque digna essent memoratu, si ad ulteriora dillucidius intelligenda non subsecundarent. Igitur ad seriem redeundum est, ut reditus Henrici ex Baçia et Guadixio in Gienensem urbem et ex Giene Idubedam resumat annalium connexionem[22].

Mais gardons-nous d'oublier la basse naissance du favori; elle déterminera en partie son comportement et jettera une ombre sur ses vertus, car aucune grandeur, apparente ou réelle, ne pourra vraiment l'effacer. On voit combien il est important de replacer cette première apparition de Miguel Lucas dans la *series rerum* telle que Palencia a voulu l'agencer; dans le long réquisitoire qu'est la première Décade, ce personnage sert doublement à dégrader le roi : à la fois par sa présence et par son refus. Aucun portrait ne lui est jusqu'ici consacré[23] : il est caractérisé par la comparaison que le lecteur peut faire avec ses rivaux; mais les jugements de Palencia restent ambigus et manquent de conviction.

Le nouveau connétable décide de se retirer à Jaén et il fait sagement.

Le maître de Jaén

Cependant, les relations entre le roi et les différentes factions de la noblesse ne cessent de se dégrader. Inquiets de la faveur croissante de Beltrán de la Cueva[24], Pedro Girón, Juan Pacheco et leur oncle l'archevêque Alfonso Carrillo ont signé une *confederación* à Alcalá de Henares le 16 mai 1464. Autour de l'archevêque se réunit la *Liga* ou *Junta* de Alcalá : dans un long discours en *oratio obliqua* l'archevêque prononce un véritable réquisitoire

21. [«Verum tamen eodem die administrationis uigore prouidit Nicolao Lucas fratri germano Michælis Lucas de preceptoria successione Montistitionis atque omnibus quoadeius fieri potuit redditibus honoribusque exuit filium interempti» (*GH*, 1, 5, 5; TL, 1, p. 184, § 5).]

22. [*GH*, I, 5, 5; TL, 1, p. 184, § 7.]

23. [Palencia ne fait aucune allusion à l'aspect physique de Miguel Lucas, et en cela aussi il fait peut-être preuve de mesure : on sait ce que signifient les allusions à la beauté de Gómez de Cáceres (voir plus haut note 19) et de Juan de Valenzuela (voir plus haut note 18).]

24. [Palencia ne pouvait manquer de tracer une biographie de Beltrán de la Cueva (*GH*, 1, 5, 3; TL, 1, p. 178-179, § 1, 2, 3).]

contre le comportement du roi et de son favori du moment, Beltrán de la Cueva. Le roi aurait en effet enlevé la *tenencia* d'Alcalá la Real à Miguel Lucas, alors que celui-ci semblait digne de cette charge. C'est donc la condamnation de la conduite du roi qui entraîne, de façon indirecte, il ne faut pas l'oublier, puisque c'est l'archevêque qui parle, un éloge de Miguel Lucas et de la vie qu'il mène à Jaén :

> Nam si superioribus annis insolenter nimis atque immoderate rex multis prefecisset rebus homines uel obscuros uel imprudentes, qui eorum prior existimabatur Michæl Lucas temperate multa actitabat : religionis obseruantissimus censebatur ex publicis actibus, quum quotidie ecclesiam uisitaret, missas deuote audiret, sæpe confiteretur, catholicæ comunionis particeps fieret, necnon post coniugium thoro coniugali sese uendicauisset, curie obscenitatem neglexisse, Gienem ubi uxor permanebat concessisset, illius urbis obsoletos mores optime correxisset ; quequidem seueritas uiri fuisset adeo acerba regi ut Alcalam Regiam urbem munitissimam finitimamque Granate ante hac eius presidio comissam cuiusdam hominis negligendi cure commisisset, Michæle Luca inde semoto, quem nemo posset insimulare blasfemiæ in Deum, contumelie in homines, neglectus in proceres[25].

Ces éloges pourraient passer pour un raccourci plus austère de la biographie de Miguel Lucas, mais leur but est de flétrir le roi ; en insistant sur la dévotion et la chasteté de l'un, l'archevêque dénonce les mœurs corrompues de l'autre. Et, surtout, le ton reste condescendant, les restrictions du début laissant la porte ouverte à de possibles critiques. Bien sûr Palencia, dont on ignore encore une fois l'opinion personnelle, ne dit rien du train de vie somptueux du connétable. Il l'eût sûrement critiqué et, quoi qu'il en soit, cela ne convenait pas à son propos du moment.

Nous revenons à Jaén en 1465 : Miguel Lucas y règne en maître malgré l'hostilité de nombreux nobles et en particulier celle de Pedro Girón. Palencia aborde alors un des aspects les plus intéressants de la manière dont le connétable administre cette ville frontière en y organisant une milice forte et disciplinée. Mais, une fois de plus, les éloges ne manquent pas de contrepartie et la basse naissance de Miguel Lucas est rappelée pour expliquer son accord avec le peuple et son pouvoir à Jaén :

> Erant enim plerumque infensi Michæli Lucas, qui popularibus ipse popularis congruebat magis. Sed ut sunt Gienenses omnes exerciti in armis, illa multitudo exercitum haud negligendum tam equitum quam peditum efficiebat ; et quamuis in multis ille comestabilis nosceretur breuis aridique ingenii homo, sed utebatur quadam simulatione auctoritatis, id genus nouæ cuiusdam seueritatis atque eloquii, ut non dedignarentur eum colere tanquam clarissimum regem Gienenses ciues, qui nunquam alias obedientiæ iugo submiti a

25. [*GH*, I, 7, 1 ; TL, 2, p. 287, § 3. Ce discours a probablement été inventé ou emprunté à une chronique de l'archevêque. Voir TL, 2, p. 316, note 8.]

quoquam potuissent [...]. Hæc ipsa opinio ciuilis atque popularis sublimauit adeo apud Gienenses Michælem Lucas, ut immemores ueteris suæ qualitatis nemini ductorum consentaneæ atque obliti genealogiæ imperantis nihilo deuiarent a semita preceptorum[26].

La première phrase est importante : elle rejoint, quoique d'un point de vue différent, un jugement moderne : « Le connétable, homme de peu, était son homme »[27], écrit Charles-Vincent Aubrun pour expliquer l'ascendant de Miguel Lucas sur une bourgeoisie consciente de sa force mais inexpérimentée. [Si l'on ne saurait demander à Palencia d'avoir vraiment perçu l'existence de cette force nouvelle – peut-être mal définie par le terme de bourgeoisie –, son expérience italienne et sévillane, ainsi que ses goûts personnels, l'entraînaient peut-être vers une conception différente de la vie citadine[28], encadrée par un civisme fort et discipliné. Par ailleurs, il aime par-dessus tout la « disciplina militaris »[29] ; c'est pourquoi ce qui se passe à Jaén, tout en le surprenant un peu, mérite son approbation et une description attentive[30]. Pourtant, il ne fait pas vraiment de Miguel Lucas un *capitán* ni même un *caballero*. Devant le chef autoritaire et respecté de cette milice digne d'éloge sans doute, son jugement reste ambigu. Palencia, qui pourtant critique aussi bien la noblesse que la chevalerie lorsqu'elle ne remplit pas sa véritable fonction militaire, se montre réticent devant la *caballería villana* qui lui semble faire preuve d'orgueil et usurper, grâce à sa fortune, la place des vrais chevaliers[31].] Si Palencia semble avoir parfois approché la vérité, c'est moins par souci d'impartialité que par défiance naturelle.

26. [*GH*, I, 8, 3 ; TL, 2, p. 346, § 1. Dans la *Crónica castellana*, le texte a été plus ou moins conservé : « *El qual como fuesse popular a los comunes sienpre más favoresçia que a los nobles, e como quiera que fuese onbre de poco saber, tenia por todo esso una disimulaçion con que se fazia grave e se abtorizava mas de quanto devia, e faziasse onrrar no como condestable, mas como un gran prinçipe, e por pequeños errores dava muy grandes penas, e en tanto se señoreo de aquella çibdat, que sus mandamientos eran asy obedesçidos como de un gran rey* » (éd. cit., I, chap. 71, p. 171).]

27. C.-V. AUBRUN, « La chronique de Miguel Lucas de Iranzo... », p. 87.

28. [R. B. TATE, « La sociedad castellana en la obra de Alfonso de Palencia », *in : Actas del III coloquio de historia medieval andaluza. La sociedad medieval andaluza : grupos no privilegiados*, Jaén : Diputación provincial, 1984, p. 5-23, p. 23.]

29. [Même si « disciplina militaris » a un sens plus général que celui de la moderne discipline, il est certain que *orden*, *obediencia* et *ejercicio* constituent l'essentiel de l'éthique des armes et permettent d'obtenir le triomphe comme le montre PALENCIA dans le traité qu'il adressa à l'archevêque de Tolède, *De perfectione militaris triumphi*... Voir à ce propos l'étude qui précède.]

30. [*GH*, I, 8, 3 ; TL, 2, p. 346, § 1.]

31. [Il critique, par exemple, les *caballeros villanos* de Jerez qui croient devoir leur promotion sociale à leurs seuls mérites et se montrent ingrats (*GH*, II, 15, 5 ; ms. *P*, fol. 97r° ; PyM II, 38b). Ou encore ceux de Séville (*GH*, II, 17, 9 ; ms. *P*, fol. 142r° ; PyM II, 85b). La *caballería villana* a bénéficié des études qui ont été faites aussi bien sur la chevalerie que sur l'administration urbaine. On peut consulter par exemple José Antonio JARA FUENTES, « La ciudad y la otra caballería : realidad político-social e imaginario de los caballeros ("*villanos*") », *in :* Georges MARTIN (dir.), *La chevalerie en Castille à la fin du Moyen Âge*, Paris : Ellipses, 2001, p. 27-44, ainsi que Manuel GONZÁLEZ JIMÉNEZ, « La caballería popular en la frontera », *ibid.*, p. 45-59.]

Son esprit soupçonneux et critique lui fait rechercher les torts de chacun et cette défiance, lorsqu'elle est tempérée, peut passer pour de l'objectivité. Son pessimisme, cause de plusieurs jugements outrés, lui a permis aussi ses analyses les plus justes.

Mais voici l'essentiel, le point vers lequel tout converge : Miguel Lucas, le favori, bien informé des secrets de la cour, va dénoncer la bâtardise de Jeanne. Lorsque le roi Henri, courroucé par le mariage aragonais, déshérite sa sœur Isabelle et rétablit Jeanne dans ses droits, Miguel Lucas fait preuve – du moins Palencia l'affirme-t-il – d'une louable intégrité morale : il envoie deux ambassades, en France et au Portugal, pour éclairer les deux prétendants à la main de la nouvelle héritière sur sa véritable origine. Comment mettre en doute la parole de cet ancien favori que sa loyauté même envers le roi met au-dessus de tout soupçon[32] ? Miguel Lucas joue ici pleinement son rôle de preuve et arrache à Palencia son plus bel éloge ; cet « homo nouus » peut être comparé aux Anciens : « prisci seculi in multis imitator »[33].

La chute et la mort

Mais à Jaén, les esprits sont surexcités par l'exemple des troubles de Cordoue où le peuple a pillé les *conversos*[34] ; de leur côté, les nobles poussent à la révolte, et la ville, lasse de l'autorité de son chef, retrouve son orgueil séculaire[35]. Pour calmer les esprits, Miguel Lucas organise une expédition

32. [On peut simplement rappeler la célèbre *Canción en alabanza del condestable* : « *Lealtad, ¡ o lealtad!* » (*Hechos…*, p. 328-329). La *Crónica castellana* dit parfaitement les choses : « *E como quiera que en otras cosas el oviese obedesçido el mandamiento del rey en esta no lo entendia obedesçer, como fuese ynjurioso a Dios e a su conçiençia y en daño comun de los tres estados destos reynos* » (éd. cit., II, chap. 27, p. 313). On ne peut omettre de citer le très beau discours (en *oratio recta*) que Palencia prête à Pedro de Escavias, *alcaide* d'Andújar et qui était le plus sûr allié du seigneur de Jaén. C'est au nom de la loyauté que l'*alcaide* refuse de livrer la forteresse au roi qui vient en personne la lui demander, car le roi, dit-il, est « tyrannisé » par les traîtres qui l'entourent (*GH*, II, 16, 1 ; ms. *P*, fol. 110r°-110v° ; PyM II, 55ab). Ce discours soulève un problème d'une extrême importance : celui de la loyauté envers un roi indigne. Si les arguments invoqués permettent de ne pas livrer la forteresse, ils ne vont pas jusqu'à la justification de la rébellion.]

33. *GH*, II, 13, 6 ; ms. *P*, fol. 61v° ; PyM I, 319b.

34. [Palencia a décrit longuement ces émeutes (*GH*, II, 17, 9 ; ms. *P*, fol. 142v°-143v° ; PyM II, 85a-88b).]

35. « Nam inter omnes hispanie populos gienenses viri magis magisque ad obedientiam suorum magistratuum per multa secula noscebantur irreverentes singulari quadam elatione quum in multis actis gestibusque / tum quoque in precinctu capuceorum. ita ut indignabunde respondeat interrogatus a quolibet alio profectus peregre quiuis gienensis ciuitas sit : nonne cognouisti me ex pre [fol. 146r°] cinctu capucei esse gienensem » (*GH*, II, 17, 10 ; ms. *P*, fol. 145v°-146r° ; PyM II, 88b-89a). [Palencia s'adonne ici à un de ses exercices favoris : la présentation des coutumes de nations ou de peuples, tout à fait dans le goût de la tradition classique. Ainsi trouve-t-on dans les Décades un tableau des coutumes de Biscaye et de Gascogne (I, 4, 9), sur lesquelles il revient à plusieurs reprises (*GH*, II, 14, 3, et III, 25, 10). Au livre 6 de

contre les Maures, mais au moment d'attaquer il laisse voir son manque de courage, défaut que ce chef autoritaire et intègre n'est parvenu ni à racheter ni désormais à cacher : « [...] ignauiam suam comestabilis reddidit manifestam gienensibus sibi obnoxiis. »[36] Depuis longtemps d'ailleurs on a cessé de le craindre ; ce peuple orgueilleux qu'il a flatté et soumis, exaspéré par une longue domination, poussé par les nobles, sacrifie le chef gênant qui ne sait pas s'imposer par le courage. [D'où vient cette accusation infamante ? On peut se demander si Palencia se fait ici l'écho de rumeurs nées dans le parti opposé au connétable ou tout simplement parmi les nobles qu'il était amené à fréquenter. On connaît l'importance des rumeurs et même des ragots dans son œuvre, et on peut également imaginer qu'il aurait été lui-même capable d'en inventer. Il semble pourtant que dans ce cas, ces rumeurs soient nées à Jaén dans une période de grande tension afin de nourrir la propagande contre le connétable et justifier, du même coup, une émeute « populaire »[37].]

Miguel Lucas pouvait difficilement survivre à une telle accusation ; il va mourir en effet, et de façon affreuse, sauvagement assassiné alors qu'il s'agenouille dans l'église où il a coutume d'entendre la messe. Les conjurés s'acharnent sur son cadavre[38]. Il est évident que Palencia accorde à cet assassinat une réelle importance : l'événement est daté et il occupe une place significative dans la construction de la deuxième Décade : tout un chapitre lui est consacré et ce chapitre se trouve être le dernier (le chapitre 10) du livre 7 (ou 17, selon la numérotation adoptée) de la deuxième

la « Guerre de Grenade » il consacre un long passage aux peuples du nord de l'Espagne, Galiciens, Asturiens et Basques. Sa curiosité, son goût du détail révélateur et sa capacité à saisir les signes lui ont fait noter des coutumes qui se révèlent aujourd'hui importantes pour les chercheurs ; il en est ainsi pour le serment prêté par les rois à Guernica. Voir François Delpech, « Le rituel du "pied déchaussé". Monosandalisme basque et inaugurations indo-européennes », *Ollodagos*, 10, 1997, p. 55-115.]

36. [*GH*, II, 17, 10 ; ms. *P*, fol. 146r° ; PyM II, 89ab. L'*Universal vocabulario* donne de *ignauia* la définition suivante : « *Ignauia se dize la floxedad e pereza e couardia que es flaqueza de animo : o quando no se saben las artes e destrezas del cuerpo a causa de la flaqueza del animo* » (fol. 203d).]

37. [On retrouve ces mêmes accusations dans la *Crónica castellana* et chez Diego de Valera. Dans la première on trouve : « *E vista la gran muchedumbre dellos* [*de los moros*] *lo qual dio osadía a los moros de pasar con gran presa, de que los de Jahen davan gran culpa e cargo a la flaqueza del condestable, su capitan. E luego començaron todos entre sy a murmurar e buscar algunas novedades, e fablar del condestable, no con aquel acatamiento ni reverençia que solian* » (éd. cit., chap. 69, p. 402). Diego de Valera porte une accusation plus dure : « [...] *de que los de Xaén davan muy gran culpa e cargo a la flaqueza del coraçón del condestable, su capitán ; como es çierto que, según el lugar donde estaban, si él quisiera hazer lo que caballero debía, los moros podían resçibir muy gran daño. E luego començaron todos entre sí de murmurar e dezir mal del condestable e no tratarlo con el acatamiento ni reverençia que solían* » (*Memorial de diversas hazañas*, éd. cit., chap. 84, p. 243-244).]

38. « [...] ex coniuratis unus proprior lateri Michælis cum balista ferrea tempus genuflexi comestabilis percussit illico multi circunstantium gladiis et lanceis lacerauerunt cum ita ut uix aliqua effigies corporis humani uideretur » (*GH*, II, 17, 10 ; ms. *P*, fol. 146v° ; PyM II, 89b).

Décade[39]. Il est également évident que Palencia condamne ce crime, mais sans faire pour autant l'éloge de la victime.

Il n'y a donc pas de contradiction réelle dans le personnage de Miguel Lucas qui peu à peu se dégage au cours de la première et de la deuxième Décade, car les éloges ont toujours été mitigés ou réticents et ont laissé la porte ouverte à la critique. Palencia n'a fait aucune allusion au train de vie somptueux du connétable ni aux fêtes qui constituent l'essentiel de la chronique qui lui est consacrée. Cela ne l'intéresse aucunement et on peut imaginer qu'il y aurait plutôt trouvé matière à critique. Par contre, il semble joindre sa voix à celle de l'archevêque de Tolède pour louer les mœurs de Miguel Lucas à partir du moment où il se retire à Jaén et en particulier sa dévotion et le respect de ses devoirs de chrétien. Étant donné la facilité avec laquelle Palencia porte certaines accusations, cette attitude de sa part est tout à fait remarquable. Il a également été sensible à la « nouveauté » de la milice de Jaén. Pour que cette milice si bien disciplinée soit vraiment efficace et mérite entièrement son approbation, il aurait été nécessaire qu'elle ait à sa tête un véritable chef, pourvu des qualités que, semble-t-il, seule la noblesse (la naissance ?) peut garantir[40]. Devant l'ennemi, c'est-à-dire dans un moment de vérité, le connétable se trouve comme démasqué, et l'on sait combien Palencia prend plaisir à enlever les masques et à dénoncer les fausses grandeurs. En réalité, Miguel Lucas existe surtout par rapport au roi, qu'il permet de condamner une fois de plus. Il est loyal à un roi indigne de cette loyauté. L'attitude de cet ancien favori qui sait s'opposer au roi tout en lui restant fidèle est pour l'historien un gage de vérité et d'impartialité. Miguel Lucas est une preuve.

À la source du drame de Jaén on trouve sans doute des mobiles moraux et de nombreux vices : la cupidité, la haine, l'orgueil. Miguel Lucas est une victime tragique, mais non une victime innocente, et Palencia retrouve à son propos son attitude favorite, soulignant, en homme avisé, les intérêts en jeu et les torts de chacun. Aucun portrait direct n'est consacré au personnage ; le portrait se forme au fil des événements et il est le résultat de différents éclairages : ainsi se succèdent et interfèrent les sentiments du roi, des grands, de l'archevêque, du peuple et de l'auteur qui se réserve en quelque sorte le dernier droit de regard : mais ce regard, comme on a pu le constater, reste quelque peu perplexe.

39. [Sur l'importance de tous ces éléments dans la composition des Décades, voir dans M. M. DUBRASQUET PARDO, *Alfonso de Palencia, historien...*, « La maîtrise du temps », p. 145-180.]

40. [Tel est bien le grand débat du XVe siècle. Voir J. RODRÍGUEZ VELASCO, *El debate sobre la caballería...*]

Si Palencia est indigné par le meurtre de Jaén, il ne semble pas scandalisé outre mesure. Quelle différence avec le drame qui quelques années plus tard se déroulera à Fuente Ovejuna ! Les choses y seront également compliquées, on y retrouvera les mêmes intrigues, la même utilisation par les grands, ambitieux et cupides, de la force aveugle que peut constituer un peuple déchaîné[41]. Mais cette fois les accusations portées contre le commandeur seront traitées de racontars[42], et malgré l'horreur de cet assassinat dont aucun détail n'est épargné au lecteur, Palencia fera l'impossible pour montrer la victime à son avantage, luttant vaillamment en *caballero*, ne cédant que pour sauver la vie des siens[43]. Il est vrai que ce commandeur était noble et, de surcroît, son ami.

41. Il s'agit cette fois de « paysans » dont Palencia fait de véritables sauvages aux mœurs féroces : « In montibus oppidani enim illi habitacula plerumque habent procul a Fonte Vegiuno ad examina apum apta, necnon quod inaquosum æstivo tempore oppidum reditus ; libentius ad frugum messem vel gregum pabulationem humidiora inter saltus in convallibusque loca incollunt et venationi vacant ferosque induunt animis mores ; in his itaque diverticulis conventus conciliabulaque multitudinis fiebant in perniciem infelicis Fernandi Ramirez qui mediam oppidi immuniti domum propugnaculis carentem habitabat » (*GH*, III, 26, 4 ; ms. *A*, fol. 99v° ; PyM II, 286a).

42. « Ut flagitiosum scelus aliqualiter excusent insimulabant occisum auctorem turpitudinis corruptissimæ » (*ibid.* ; PyM II, 286b).

43. « [...] deambulatorium sublime armatus defendebat Fernandus » (*loc. cit.*).

Des prologues et des rois : le « roi » Alphonse*

L'infant Alphonse, fils du roi Jean II de Castille et de sa deuxième épouse, Isabelle de Portugal, demi-frère du roi Henri et frère de la reine Isabelle, a connu un destin étrange. Né en 1453, il a été opposé en 1464 par une importante faction nobiliaire à la princesse Jeanne, dont on disait désormais bien haut qu'elle n'était pas fille du roi. Les quatre années qui suivirent furent des années de troubles, de difficiles négociations et de guerre civile. L'épisode le plus connu reste la déposition d'Ávila : le 5 juin 1465 le roi Henri fut déposé – en effigie – et Alphonse fut proclamé roi ; pour que la cérémonie prît tout son sens, on utilisa tous les emblèmes de la royauté, y compris la couronne, qui ne figurait pas, semble-t-il, dans les proclamations ordinaires. Après avoir longtemps considéré Alphonse comme un simple étendard ou le simple symbole d'une révolte nobiliaire, on lui accorde aujourd'hui plus d'importance et même une certaine forme de légitimité, certains historiens n'hésitant pas à dire qu'il y eut bien pendant trois ans deux rois en Castille[1]. Alphonse – Alphonse XII pour ses partisans – mourut brutalement, et de façon quelque peu mystérieuse, à Cardeñosa (Ávila), le 5 juillet 1468. Il avait quatorze ans et sept mois. Sa sœur Isabelle recueillit – à sa façon – l'héritage. Et l'on connaît la suite.

La querelle successorale, dont les victimes ont été, chacun à sa manière, Alphonse et Jeanne, ne doit pas masquer l'essentiel, c'est-à-dire l'affrontement entre deux conceptions de la monarchie : une monarchie plus soumise à l'oligarchie nobiliaire ou une monarchie plus autoritaire, celle qui, en dépit des avatars des règnes successifs, était depuis longtemps en train de se mettre en place. Et c'est bien parce qu'Isabelle s'est rangée, dès le

* Première publication : « Des prologues et des rois : le "roi" Alfonso », *Cahiers de linguistique hispanique médiévale*, 20, 1995, p. 97-158.

1. Telle est la thèse défendue par María Dolores C. Morales Muñiz, *Alfonso de Ávila, rey de Castilla*, Ávila : Diputación provincial de Ávila, 1988. [Sur les différents aspects de cette crise, il existe une importante bibliographie. On ne citera ici que la dernière synthèse de Luis Suárez Fernández, *Enrique IV de Castilla*, Madrid : Ariel, 2001, ainsi que le livre de J. L. Martín, *Enrique IV*.]

début, du côté d'une monarchie plus forte qu'une certaine confusion a régné parmi ses partisans. Si elle fondait sa légitimité sur les arguments de ceux qui furent les partisans d'Alphonse – arguments bientôt repris à Guisando –, son propre choix politique, bientôt renforcé par celui de Ferdinand, la portait plutôt vers ceux qui avaient défendu, en la personne d'Henri, l'inviolabilité du roi. C'est pourquoi – en résumant beaucoup – la restructuration des différents partis s'est faite de façon curieuse ; c'est pourquoi le futur cardinal Mendoza, issu de la famille qui fut à la tête des « enriqueños », l'emporta sur l'archevêque Carrillo, chef des « alfonsinos » ; et c'est pourquoi, paradoxalement, Carrillo et d'autres prirent le parti de Jeanne qu'ils avaient écartée, contre Isabelle qu'ils avaient soutenue.

Que devenait, dans cette difficile restructuration, le « roi » ou le prince ou l'infant Alphonse ? Peut-être victime déjà des ambitions des uns et des autres, devenu gênant et éliminé, physiquement – la supposition est loin d'être absurde –, victime encore des nécessités politiques qui ont suivi, il aurait pu disparaître aussi dans les durs reliefs du mythe, entre l'« indignité » de son frère et la « gloire » de sa sœur. Quelle place lui faire entre les deux volets de ce nouveau diptyque, dams ce nouveau schéma de destruction/restauration ? Il reste, il est vrai, quelques beaux vers de Jorge Manrique, disant l'éphémère grandeur de sa cour. Une très belle statue funéraire, sans couronne, à la Chartreuse de Miraflores. Quelques *coplas* de Gómez Manrique commandées par Isabelle pour fêter les quatorze ans du roi à Arévalo. Et aussi quelques strophes de la *Consolatoria de Castilla,* de Juan Barba écrite vers 1487, dont on verra plus loin l'importance. Il reste surtout l'habile construction d'Alfonso de Palencia, le redoutable historien, qui avait pris parti pour lui, pour qui sa mort fut un choc terrible et qui, se voulant mémoire et conscience des rois, a articulé autour d'Alphonse le passage fondamental de sa longue histoire. Des échos de cette construction se retrouvent chez les « dérivés » de Palencia : le *Memorial de diversas hazañas* de Diego de Valera, la *Crónica castellana*, anonyme, et, de façon plus lointaine, la *Crónica de Enrique IV* de Galíndez de Carvajal. Comme l'a bien montré Robert B. Tate, Palencia est en grande partie responsable du premier volet du diptyque, la destruction. Mais le deuxième volet, la restauration, vient d'ailleurs, de Fernando del Pulgar et des chroniqueurs qui ont suivi. Car Alfonso de Palencia, pour des raisons qu'il serait trop long d'analyser ici et qui relèvent à la fois de données politiques, culturelles ou tout simplement personnelles, a reporté sur les princes, puis sur les rois, son regard impitoyable. Terriblement lucide, mais amer et frustré, il s'est attiré l'inimitié de la reine.

Palencia a écrit – en latin – l'histoire de son temps comme on ne l'avait encore jamais fait en Castille, puisqu'il a choisi le moule formel des Décades, à la manière de Tite-Live. Sans entrer dans des détails d'érudition, en voici le contenu :

– Décade I : de 1440 jusqu'en juillet 1468, mort d'Alphonse ;

– Décade II : de 1468 à décembre 1474, mort d'Henri et proclamation d'Isabelle :

– Décade III : de l'annonce de la mort d'Henri à Ferdinand jusqu'au retour du roi Alphonse au Portugal (décembre 1474 à 1477) ;

– Décade IV : de 1478 à 1481, incomplète puisque six livres seulement ont été conservés ;

– « Guerre de Grenade » (ou Décade V) : de 1482 à 1489, le livre 10, peut-être jamais complètement rédigé, ne comporte qu'un court fragment.

Chaque Décade est divisée en dix livres et chaque livre en dix chapitres. Seule la « Guerre de Grenade » ne présente pas cette deuxième subdivision en chapitres. Ce moule formel permet à un historien habile de structurer à la fois la longue et la courte durée, le cycle long et les épisodes de son déroulement, l'ampleur des *Gesta hispaniensia* et les variations d'une rigoureuse *series*. La composition y prend un relief tout différent; aux articulations des Décades sont placés les prologues.

Cette façon d'écrire l'histoire était en effet une grande nouveauté. Palencia, né en 1424, possédait tout ce qui peut faire un grand historien. Une solide formation humaniste, et en particulier rhétorique, acquise pendant un premier séjour d'une dizaine d'années en Italie (1443 ?-1453)[2]. Palencia fit un deuxième séjour à Rome en 1463, envoyé cette fois en mission auprès du pape Paul II par Alfonso de Fonseca, archevêque de Séville. Car tel est le deuxième atout de Palencia : sa parfaite connaissance des affaires de toute sorte, jusqu'aux plus importantes affaires d'État. Conseiller et agent des grands – en particulier des grands andalous, des princes et des rois –, il fut chargé de façon plus ou moins officielle de très nombreuses et très importantes missions et ambassades, pour ne rien dire des grandes tournées de *sondage* qui semblent avoir eu sa préférence. Il n'ignore donc rien de l'envers des choses, ni de l'importance de ces causes souvent décisives que sont les traits de caractère des personnages de la gigantesque comédie dans laquelle il joue lui-même un rôle essentiel. Même si l'on peut accueillir avec quelques réserves ses très savantes mises en scène ou mises en récit toujours construites pour sa plus grande gloire, il n'en reste pas moins que son personnage et sa voix, sa double voix d'auteur et d'acteur privilégié, emplissent ou parasitent d'un bout à l'autre une histoire détournée à son profit; une histoire devenue, sinon autobiographie – elle l'est souvent –, apologie pour soi-même comme dirait Thomas Basin qui, par certains côtés, lui ressemble tant.

Palencia n'a pas fait les bons choix. Il a choisi Alphonse, qui est mort, puis, dans la logique du parti aragonais et dans sa propre logique, qui le

2. Voir plus haut « La *Batalla campal de los perros contra los lobos* », note 4.

portait à l'exaltation d'un prince, sur le modèle peut-être de Côme de Médicis, comme l'a suggéré Robert B. Tate, il a choisi, trop tôt, Ferdinand. Il s'est heurté à Isabelle. En 1480, elle voudra lui imposer un censeur et chargera Pulgar de l'histoire officielle. On peut dire, pour résumer, que Palencia s'est jugé mal récompensé des importants services qu'il avait rendus. D'où, peut-être, cette étonnante apologie et ce double *je* à la fois lieu de production et production du récit, qui, ayant fait comme acteur et écrivant, donc refaisant, l'histoire, la tient deux fois à sa merci. Cette voix, nette ou brouillée, deux fois maîtresse de l'histoire, est la grande autorité. C'est par elle que passent les multiples fils de la trame causale et les mille ricochets d'un récit à la fois vertigineux et savamment construit.

Mais il est une troisième voix qui est peut-être ou en tout cas se veut la première : la voix prologale. Un autre *je* donc, le premier pour le lecteur qui lit pour la première fois, se fait entendre : celui des prologues, dans lesquels Palencia, se préfaçant lui-même, s'adresse à un lecteur imaginaire ou plutôt à l'ensemble des lecteurs pour dire à la fois le jugement qu'il porte sur l'histoire et l'état d'esprit dans lequel il en entreprend le récit. Ces textes posent, bien sûr, les problèmes que pose tout prologue[3]. On y cherchera ici, surtout, l'importance et le rôle de la voix de l'auteur,

3. Pour résumer, on renverra à deux ouvrages essentiels : l'étude classique de A. PORQUERAS MAYO, *El prólogo como género literario*, Madrid : CSIC, 1957 ; et Gérard GENETTE, *Seuils*, Paris : Seuil, 1987. [On trouvera une étude d'ensemble sur le prologue littéraire dans Jesús MONTOYA MARTÍNEZ et Isabel de RIQUER, *El prólogo literario en la Edad Media*, Madrid : UNED, 1998.] Le prologue, terme choisi par Porqueras Mayo, ou la préface, terme choisi par Genette, consiste, comme le dit ce dernier, « en un discours produit à propos du texte qui suit [...] » (*op. cit.*, p. 150). Dans l'instance préfacielle, désignée par plusieurs parasynonymes viennent confluer plusieurs traditions que l'on peut ramener à deux : celle du prologue qui précède l'œuvre dramatique et celle de l'exorde, intégré au discours oratoire. Très vite se sont mêlées les différentes fonctions de ces textes : présenter, introduire l'œuvre et préparer l'auditoire. Certains manuscrits tardifs ont déjà détaché ces *sections de textes* plus ou moins intégrées, auxquelles l'imprimerie a contribué à donner une existence propre. PALENCIA a proposé différentes définitions dans son *Universal vocabulario*... On y trouve des définitions de *prologus*, *prefatio*, *proemium*, *exordium* et *argumentum*. À ces définitions, citées par Porqueras Mayo, il faudrait ajouter celles que donne Palencia dans le *De sinonymis elegantibus*, écrit avant 1472 et édité en 1491, autour de *principium*. On retrouve dans ces définitions la confusion entre les fonctions de ces textes, qui a effectivement régné dans la pratique, même si, à bien y regarder, le *prologus* peut sembler parfois moins lié au public que la *prefatio* et le *proemium* et ces deux derniers moins que l'*exordium*. Palencia avait peut-être été sensibilisé à ce problème par son maître Georges de Trébizonde qui a accordé une grande importance à l'exorde comme le montre l'étude de John MONFASSANI, *George of Trebizond : a biography and a study of his rhetoric and logic*, Leyde : E. J. Brill (Columbia studies in the classical tradition, 1), 1976, plus particulièrement p. 272-273. Un rapide sondage dans l'historiographie castillane du XIIIe au XVe siècle montre la coexistence des termes *prólogo*, *proemio*, *prefacio* et plus rarement *introducción* ou *exordio*. Il serait peut-être intéressant d'élargir et d'approfondir cette recherche. [Le prologue le plus célèbre et sans doute le plus important pour l'historiographie du XVe siècle, mais qui n'a pas de nom, est, bien sûr, celui qui précède les *Generaciones y semblanzas* de PÉREZ DE GUZMÁN, auquel il a été référence à plusieurs reprises dans les études qui précèdent.]

c'est-à-dire la façon dont le *je* prologal, devenu véritable maître de l'histoire, véritable autorité, synthèse ou annonce, structure les événements et la narration qui en est faite. En un mot, comment le *je* prologal, bien au-delà de la rhétorique, ou la poussant au comble de sa puissance, s'approprie l'histoire, s'instaure autorité et intronise les rois dans leur succession et dans leur légitimité. Les prologues sont de véritables entrées royales. Le grand narrateur et grand metteur en scène de l'histoire, « inventeur » de son propre personnage, n'a eu aucun mal à « inventer » aussi cet autre *je* dans la mise en scène particulière des prologues. Celle-ci souligne, sans forcément la reproduire, celle qui, après la mort du roi et ses funérailles, proclamait l'avènement de son successeur[4].

Mais, au-delà des sentiments oratoires obligés, peuvent apparaître des sentiments plus personnels qui, en structurant l'histoire et la narration, retracent peut-être à leur façon l'histoire d'une vie. C'est dire que l'on ne saurait aborder cette première personne prologale sans aborder aussi les questions tout à fait fondamentales qui lui sont liées et qui constituent le cœur même de l'histoire. C'est dire aussi que, dans ces prologues, le *je* de l'auteur se trouve aussi près que possible, et même au-dessus du pouvoir royal, puisque celui-ci n'existe en quelque sorte qu'en fonction de cette voix légitimante ; une voix qui est celle d'une première personne non présentée, non définie, qui ne se laisse ramener à aucun *lieu* précis de pouvoir, à aucune personne *officielle*, à aucun appareil, si ce n'est une vague allusion à une charge. Palencia ne se présente pas, ne se nomme pas[5]. C'est

4. Voir à ce sujet J. M. NIETO SORIA, *Ceremonias de la realeza...*

5. Le titre dit, il est vrai : « Alfonsi Palentini historiographi Gesta Hispaniensia ex annalibus suorum dierum colligentis prologus incipit. » Quant au prologue, il dit : « Quippe hinc susceptum honus, illinc uero premebat futuræ dedignatio narrationis, et quod officium iusserat animus pariter aspernabatur » (I, prologue ; TL, 1, p. 2, § 2). Nous sommes presque à l'opposé de la présentation formulaire dont le développement a été analysé par Christiane MARCHELLO-NIZIA, « L'historien et son prologue : forme littéraire et stratégies discursives », *in : La chronique et l'histoire au Moyen Âge*, textes réunis par Daniel Poirion, Paris : Presses de l'Université de Paris-Sorbonne, 1984, p. 13-25. La présentation de Palencia contraste avec la présentation formulaire de Pero López de Ayala, par exemple. Mais on peut noter que Alvar García de Santa María, Lope de Barrientos, Diego de Valera sont également très discrets. Enríquez del Castillo, peut-être parce qu'il a eu de sérieux problèmes pour à la fois sauver sa chronique et essayer de sauver sa rémunération, prend bien soin d'affirmer son autorité [et retrouve le *yo* de Pérez de Ayala] : « [...] *yo el liçençiado Diego Enrríquez de Castilla* [*sic*], *capellán y de su Consejo, como fiel coronista suyo, protesto rrelatando es*[*crevir*] *coronica* » (*Crónica de Enrique IV de Diego Enríquez del Castillo*, éd. cit.). Pulgar retrouve dans son *Proemio* à la fois la brièveté et une certaine hauteur (*Crónica de los Reyes Católicos*, éd. cit., I, p. 3-4). [Il est vrai qu'il existe deux prologues de Pulgar, ce qui constitue peut-être un des signes de la complexité de la transmission textuelle de son œuvre, comme le fait remarquer Isabel Hernández González dans C. ALVAR et J. M. LUCÍA MEGÍAS, *Diccionario filológico de literatura...*, p. 549-557.] L'imprécision du prologue correspondrait-elle à une certaine imprécision du statut officiel de l'auteur ? Si Palencia a été nommé « *Secretario de latín e cronista* » en 1456 en remplacement de Juan de Mena, il a quitté la cour en 1465. Il apparaît ensuite comme secrétaire des rois en 1469, et en 1471 il perçoit une rémunération. Mais la première

l'instance prologale qui crée cette voix et qui la pose comme autorité, la plaçant hors jeu parce qu'au-dessus du jeu. Le prologue – fondateur – devient une arme formidable qui, sans doute, introduit le récit du règne, mais qui surtout, non seulement reconnaît, mais instaure et légitime le pouvoir du roi. Ce pouvoir passe donc par cette première personne créée dès le début comme une nécessité et un devoir, confirmée ensuite dans le récit comme une autorité incontestable, et qui se voudra d'autant plus incontestable qu'elle sera précisément contestée à partir d'un des plus hauts lieux du pouvoir : la reine. Cette première personne prologale constitue le lieu initial et supérieur de justice et de vérité ; non seulement le tribunal de l'histoire, mais l'histoire elle-même.

Étant donné l'importance tout à fait fondatrice, nous semble-t-il, de ces prologues, on ne peut que regretter une fois de plus les lacunes et les incertitudes que présente la transmission textuelle des Décades. Tout en faisant donc les réserves d'usage et plus que jamais ici de rigueur, il semble malgré tout possible d'établir quelques points essentiels.

Si l'on veut bien considérer que la « Guerre de Grenade » (*Bellum adversus Granatenses*) constitue en quelque sorte une cinquième Décade – jugement un peu hâtif sans doute et réducteur, mais qui reste acceptable pour l'objet de cette étude –, on peut dire que quatre Décades sur cinq (les Décades I, II, III et V) sont précédées d'un texte introducteur. La Décade IV n'est pas précédée d'un prologue ; cependant le titre du premier chapitre dit : « prohemii vice »[6]. À l'opposé, la première Décade et la « Guerre de Grenade » ont en quelque sorte deux prologues. Dans la première en effet, l'auteur s'arrête après la mort de Jean II, au début du troisième livre et au seuil du nouveau règne, celui d'Henri, afin de justifier la présence du récit qui précède et d'introduire (« vice exordii ») le nouveau roi[7]. Dans la « Guerre de Grenade », après le prologue initial et après le résumé historique qui ouvre le livre 1, l'auteur exprime de nouveau ses intentions, dans une sorte de deuxième prologue, interne cette fois[8].

Tout de suite apparaît la différence entre les prologues hors texte et ceux qui sont intégrés au texte narratif. Tous ont pour centre le *je*, mais celui des prologues internes est en quelque sorte une simple amplification du discours métanarratif en première personne, relativement fréquent dans les Décades. Ces prologues internes ne sont pas fondamentalement

preuve de son titre officiel n'apparaît qu'en 1473. On sait qu'en 1480 Isabelle le remplaça par Pulgar mais qu'il continua à faire usage de son titre. À ce sujet, voir R. B. TATE, « Alfonso de Palencia : an interim biography », *in : Letters and society in fifteenth century Spain*, Llangrannog : The Dolphin Book C°, 1993, p. 177-191, ainsi que *GH*, TL, 1, Introducción, p. XXXV-XLVII.

6. *GH*, IV, 31, 1 ; LT, 1, p. 3 ; 2, p. 9.

7. *GH*, I, 3, 1, TL, 1, p. 95, § 1.

8. *BG*, 1 ; ms. *M*, fol. 1r° ; PyM III, 80a.

différents de ce type de discours, même s'ils marquent avec solennité des seuils importants. Tout autre est le *je* prologal qui se situe hors texte : il ne s'agit plus de l'auteur-narrateur-régisseur de son récit, mais de l'autorité qui décide de l'acte d'écrire et du rapport que cet acte entretient avec le jugement porté sur l'histoire et les sentiments éprouvés devant son déroulement. Tel est le *je* du prologue initial qui précède la première Décade mais peut-être également un ensemble de récit plus important; il s'agirait d'un vrai prologue général. Le dernier prologue, celui qui précède la « Guerre de Grenade », serait en quelque sorte indépendant et reprendrait dans une variation nouvelle les mêmes thèmes. Le *je* prologal apparaît aussi avant le récit de la troisième Décade. Est-ce par un simple avatar de transmission textuelle ou par une volonté délibérée de l'auteur que ce prologue se trouve en quelque sorte moins *hors texte* que le premier et le dernier ? Il présente pourtant les mêmes caractéristiques, c'est-à-dire qu'il forme un tout cohérent, et se fonde sur les mêmes grandes oppositions entre le bien et le mal, la joie et la douleur; il finit sur : *j'écris*[9]. Mais il se trouve situé au début du livre 1, avant le premier chapitre, détaché, donc, mais non complètement hors livre, à la fois *dehors* et *dedans*. Il est vrai qu'il est moins détachable, car davantage lié au récit et au prologue qui précèdent. Il porte le nom de « præfatio ». La deuxième Décade, quant à elle, n'a pas de prologue à proprement parler. Cependant, le premier chapitre commence par une introduction[10] (« in hoc capitulo præmittitur prologi quædam species ») dont la valeur préfacielle est certaine, mais dont l'autonomie est moins marquée et le contenu différent. Et, surtout, où ne figurent ni le *je* ni le *j'écris*. Il s'agit d'un texte qui pourrait lui aussi être considéré comme une amplification métadiscursive et qui se trouve à la fois dedans et dehors : c'est un avant-texte, presque déjà le texte, non un hors-texte.

Sans prétendre attribuer à Palencia une vision d'ensemble de son œuvre – nous pensons qu'il l'a eue, même si elle a été modifiée en cours d'écriture, en fonction de l'histoire qui se faisait et aussi de celle que le récit refaisait – ou une volonté de structure marquée par les prologues – nous pensons que tel est bien le cas, du moins dans une sorte de deuxième temps –, on ne peut pas ne pas remarquer certains faits. Le *je* prologal (*j'écris*) apparaît trois fois en hors texte dans les Décades I et III et dans la « Guerre de Grenade ». Le prologue de la première dit la douleur devant l'étendue du mal et la nécessité d'écrire. Celui de la troisième dit la joie de l'espoir : il pourrait donc, comme le dit Robert B. Tate, être le pendant du premier, le deuxième volet du diptyque laissé imparfait par la mort d'Alphonse[11].

9. *GH*, III, 21, Prólogo; ms. *A*, fol. 1r°; PyM II, 159ab.
10. *GH*, II, 11, 1; ms. *P*, fol. 1r°; PyM I, 255ab.
11. Il est indispensable de voir à ce sujet l'étude de R. B TATE, « Las Décadas de Alfonso de Palencia... », p. 223-241.

Mais il peut aussi se situer sur une trajectoire plus vaste qui irait de la douleur du premier à la joie du dernier, c'est-à-dire à la victoire définitive, semble-t-il, du bien sur le mal. Les trois étapes – douleur, espoir, joie – ne pourraient-elles pas aussi se ramener à deux, au diptyque des deux *vrais* hors-texte ? Au premier prologue, qui pourrait être en effet une sorte de prologue général qui donne la voix, le thème et le ton, correspondrait le prologue de la « Guerre de Grenade » (qui constitue sans doute une cinquième Décade, mais aussi une monographie particulière), prologue qui serait le deuxième volet, cette fois sans nuages – ou presque –, du diptyque destruction/restauration. Si l'on attribue le numéro V à la « Guerre de Grenade », on peut donc avoir un schéma I, III, auquel s'ajouterait plus tard V, soit un schéma I, III, V (le centre étant l'arrivée de Ferdinand roi en Castille), ou un schéma I, V, dans une opposition plus parfaite, au bout de la longue lutte entre le mal et le bien, que seule, semble-t-il, la guerre de Grenade permet aux rois (roi et reine cette fois) de gagner. Ces deux schémas sont d'ailleurs bien plus complémentaires que contradictoires.

Une première grande interrogation sur ces quatre textes reste pour l'instant sans réponse : ont-ils été composés avant ou après le récit qui en principe les suit ? S'agit-il d'ouvertures, réelles ou même fictives, ou de bilans ? Du lieu où se trouve la *vraie vérité*, la *sententia* en quelque sorte, ou au contraire du lieu d'une vérité toute rhétorique ? Autrement dit, et c'est la deuxième grande interrogation, le *je* de l'instance prologale est-il le même que celui qui apparaît – acteur ou narrateur ou auteur – dans le récit ? Le *je* semble se trouver ici, dans ces prologues, à sa puissance maximale, et la distance entre l'auteur et l'acteur peut s'y trouver réduite à son écart minimum. Un auteur, supérieur à celui qui va régir le récit et y rapporter l'histoire de l'acteur, assume l'acte d'écrire l'histoire, et dans cet acte acteur et auteur non seulement se rejoignent, mais se fondent dans une unité supérieure. Revêtu de l'autorité prologale, le *je* s'exhibe pour la première fois avant la première Décade, et toujours en premier, quoique déjà connu, avant la troisième et avant la « Guerre de Grenade ». Mais, qu'il ait été écrit avant ou après, le texte prologal est fait pour être lu avant. Quant à savoir si c'est à ce *je* primordial et fondateur à la fois de l'histoire et de lui-même que le lecteur doit rapporter et rapporte les deux *je* – acteur et auteur – qu'il va rencontrer dans le récit suivant, c'est une autre affaire, et bien délicate.

Il s'agit d'ailleurs de trois *passages*, comme il a été précisé plus haut, et ces *passages* ne sont pas seulement ceux des règnes et des rois, ainsi que ceux de l'auteur-acteur, mais aussi les *passages* du lecteur, qui, guidé par l'auteur, fait le chemin. Si, pour la première Décade, le *passage* se fait dans un ordre en quelque sorte normal, lorsqu'il aborde la troisième et à plus forte raison la cinquième, le lecteur, qui a l'expérience du récit, s'est familiarisé avec les voix internes. A-t-il alors l'impression de trouver, au seuil de la Décade qui suit, une autre voix ? La rapporte-t-il simplement – si l'on ose dire – à la toute première, ou bien cette voix, première encore, s'est-elle enrichie, *épaissie* en cours de route des deux autres ? Ces prologues, d'ailleurs, peut-on les lire hors récit ? Ont-ils un sens en dehors de la narration qu'ils introduisent, ou au contraire est-ce la narration (postérieure ?) qui leur donne un sens ? Ou bien encore, situation plus complexe, existe-t-il une véritable distorsion entre le prologue et le récit et par conséquent entre les différents *je* ? Enfin, existe-t-il un *suivi* des prologues, qui, dans l'affirmative, pourrait s'étendre à l'ensemble de la narration et donnerait la clé de l'histoire ?

Il est décidément nécessaire d'analyser de plus près ces différents textes. Dans le déroulement de l'histoire et du récit on peut, nous semble-t-il, voir apparaître successivement : 1) le roi dégradé ; 2) le roi sacrifié ; 3) le roi ; 4) les rois.

Le roi dégradé

La première Décade est donc précédée de ce que l'on peut appeler un *vrai* prologue. L'étude magistrale que Robert B. Tate a fait de ce texte nous dispense d'entrer dans les détails de l'analyse[12]. On rappellera simplement que ce prologue s'apparente davantage à ceux de l'historiographie latine – Tite-Live, Salluste et, ajouterions-nous, Tacite[13] – qu'à ceux qui, depuis le Toledano, introduisent le récit de l'histoire d'Espagne. Il ne s'agit pas

12. *Ibid.*, plus particulièrement p. 228-229. R. B. Tate fait remarquer que si ces idées se trouvent chez Salluste et Tite-Live, les métaphores qui désignent la semence maléfique et la contagion ne figurent pas dans les prologues de ces auteurs.

13. Il est très difficile de savoir si Palencia a pu avoir connaissance des *Histoires* de Tacite. Un manuscrit des *Histoires* se trouvait dans la bibliothèque du cardinal Bessarion, chez qui vécut Palencia. Ce manuscrit se trouve actuellement avec les autres livres ayant appartenu au cardinal à la bibliothèque Marciana de Venise. On connaît d'ailleurs son histoire : pendant sa légation à Bologne (1450-1455) Bessarion emprunta ce manuscrit à Francesco Barbaro, important patricien de Venise. Il le lui rendit six mois plus tard après en avoir fait faire une copie (voir à ce propos Henri VAST, *Le cardinal Bessarion, 1403-1472. Étude sur la chrétienté et la Renaissance vers le milieu du XVe siècle*, reprint édition Paris, 1878, Genève : Slatkine Megariotis Reprints, 1977, p. 168-169). On sait que le premier séjour de Palencia en Italie prit fin en 1453. Il fréquenta de nouveau la maison de Bessarion durant son deuxième séjour à Rome en 1464. Eut-il alors l'occasion, le temps ou le goût de lire Tacite ? En tout cas il ne le cite jamais, ni dans le *De sinonymis* ni dans sa lettre à Fernando del Pulgar, dans laquelle il fait allusion à Tite-Live, Salluste, César, Florus, Justin, Plutarque, Suétone et Pline (voir *Epístolas latinas*, éd. cit.). J. MONFASSANI, *op. cit.*, p. 286, fait remarquer que Georges de Trébizonde – qui fut le maître de Palencia – ne cite pas Tacite. [Il n'est pas facile non plus de mesurer l'influence exacte de Flavius Josèphe dont Palencia a traduit plus tard la *Guerre des Juifs* et le *Contre Apion* (traduction imprimée en 1492). Les deux historiens présentent cependant de nombreux points communs ; voir Javier DURÁN BARCELÓ, « Alfonso de Palencia : traductor de Flavio Josefo », *in :* E. Lorenzo DÍAZ (dir.), *Proyección histórica de España en sus tres culturas : Castilla y León, América y el Mediterráneo*, Valladolid : Junta

d'un prologue théorique et, s'il retrouve des *lieux* que l'on pourrait dire *communs* – le *continuum* de l'histoire[14], l'hésitation à écrire, la nécessité de le faire, le rôle de l'histoire dans la dénonciation du mal[15], le souci de vérité –, il les utilise et les restructure autour de deux grands axes qui en réalité n'en font qu'un : le schéma de la grandeur et de la décadence, auquel ne manque pas l'allusion à l'âge d'or, schéma bien familier aux historiens romains, et celui de la destruction qui appelle une restauration, bien connu des chroniqueurs de l'histoire d'Espagne. L'Espagne donc, après avoir connu des temps plus glorieux, court à sa perte, à sa destruction, et seule une main divine peut y remédier en détruisant le mal. Ainsi les mortels, terrifiés, tourneront les yeux vers les splendeurs passées de l'âge d'or et retrouveront à la fois le respect des lois divines et l'amour de l'honneur[16]. Ainsi apparaît avec force et discrétion le rôle de Dieu dans l'histoire. Son étrange mélange de puissance souveraine et de mystérieuse réserve – si différent du providentialisme louangeur et facile d'autres chroniqueurs – sera une des constantes des prologues et une des caractéristiques du discours historique de Palencia. On aura l'occasion d'y revenir.

L'auteur et l'œuvre sont le deuxième axe autour duquel se structurent les lieux communs pour « donner une idée favorable de l'orateur » comme le recommande le *De inventione*. L'auteur reste anonyme, on l'a vu, mais ses contours ne sont pas entièrement dilués dans la topique de l'exorde ; car s'il ne fait pas l'objet d'une présentation officielle, explicite et concrète, il est quand même question d'un travail déjà accompli,

de Castilla y León, 1993, p. 27-34.] Nous avons consacré une étude à ce sujet : « Palencia traducteur ou les leçons de Flavius Josèphe » (à paraître).

14. L'histoire d'un règne est considérée comme une suite, comme le dit parfaitement Alvar García de Santa María à la fin de son *Proemio* : « [...] *ordenó estoriador que tomase las ystorias en el lugar e estado que fueron dexadas en el tiempo e reinado del dicho rey don Enrique* [...]. *E por quanto en las arengas e prólogos que los estoriadores pasados de las dichas Corónicas fizieron en ellas está contenido, asaz e muy complidamente hordenado e tratado, lo que conviene e de razón se requiere al comienço e entrada de las dichas Corónicas, por ende el nuevo estoriador entra en la orden* [...] » (Alvar GARCÍA DE SANTA MARÍA, *Crónica de Juan II*, Juan de Mata CARRIAZO (éd.), Madrid, 1982, p. 4-5). C'est dans un *continuum* très large et dans un passé d'ailleurs mal défini que s'inscrit Palencia dès le début de son prologue : « Magna cum uoluptate qui retuli iamdudum antiquitatem Hispanæ gentis [...] » (*GH*, I, Prol. ; TL, 1, p. 2, § 1). Les traces de cette œuvre, dont Palencia parle de façon assez précise à la fin de son *Universal vocabulario en latín y romance*, ont été suivies par R. B. TATE, « Alfonso de Palencia and his *Antigüedades de España* », *in :* A. Deyermond et I. Macpherson (dir.), *The age of the catholic monarchs...*, p. 193-196.

15. Il s'agit d'un thème ancien dont il serait long de suivre la trace. On signalera simplement qu'il est présent dans les *Proemios* de la *General e gran estoria* et dans celui de la *Estoria de España*. Au XVe siècle il est repris par Diego de Valera dans le *Memorial de diversas hazañas* et par Fernando del Pulgar. Mais le texte qui se rapproche le plus du prologue de Palencia est peut-être le début du récit de l'histoire de Louis XI (*Historiarum de rebus a Ludovico XI*) de Thomas Basin.

16. « [...] nisi messis hæc ipsa sit superna manu perusta, et territi mortales libidinem perniciosam sibi fuisse cognoscentes, ad aurei seculi nitorem ac obseruationem sanctarum legum gloriæque cupiditatem reducantur [...] » (*GH*, I, Prol. ; TL, 1, p. 2, § 3).

et d'une charge[17]. Il est également fait allusion à une autre histoire, celle d'un chroniqueur mensonger que l'on peut identifier aisément comme étant celle d'Enríquez del Castillo, et dont il sera question plus loin dans le récit[18]. Quant à l'œuvre, si elle est reliée à la topique du *dire vrai* ainsi qu'à celle de l'éloge et du blâme, elle ne laisse pas de présenter des caractéristiques assez singulières dans l'historiographie castillane. Au-delà de toute exemplarité traditionnelle, elle se pose avec la vigueur d'une dénonciation, d'un réquisitoire contre toutes les perversions du mal. Contre un roi maléfique, foyer de contagieuse destruction en Espagne et dans le monde entier, et contre les mauvais chroniqueurs qui le louent, se dresse un de ces « cultores veritatis »[19] qui, dans ce contexte, peut devenir en quelque sorte l'instrument de la main divine pour châtier les méchants et sauver les peuples. Il ne nous appartient pas, du moins n'est-ce pas l'essentiel de notre propos, de déterminer si Palencia dit vrai ; tel est le travail des historiens. Nous avons à juger et à apprécier (quoi qu'il en soit) son prologue. Agressif et *catastrophique*, pour ne pas dire apocalyptique, ce prologue, plus que polémique, tyrannicide, est une prise de position et une déclaration de guerre[20]. Il rappelle les violentes et sombres couleurs de la décadence romaine, mais aussi les malédictions bibliques. L'auteur, prophète et juge – presque seul et dernier juste, semble-t-il –, transforme son propre choix politique en lutte contre le mal et en œuvre de salut. Son texte est si parfaitement construit que l'on pourrait l'*accuser* d'être un simple exercice rhétorique dans lequel l'historien orateur se laisserait emporter par une violence *imitée*. N'oublions pas que Palencia fut l'élève de Georges de Trébizonde pour qui l'art de l'historien devait se fonder sur celui de la rhétorique. Et n'oublions pas non plus que la rhétorique devait se mettre au service d'un *humanisme civique*[21].

17. Voir *supra* note 3.

18. Le jour où Ségovie tomba aux mains d'Alphonse, Palencia prit connaissance de la chronique du chapelain d'Henri IV. Il la remit ensuite, dit-il, à l'archevêque Carrillo (*GH*, I, 10, 1 ; TL, 2, p. 454, § 10). Enríquez del Castillo, dans son prologue, se plaint amèrement de cette mésaventure (*Crónica de Enrique IV*, éd. cit., p. 132). La guerre des chroniques accompagne, on le voit, la guerre civile. Il est hautement symbolique que le roi Henri perde le même jour sa ville et sa chronique : il se retrouve ainsi entièrement dépossédé.

19. « Igitur labore meo efficere conabor ut legentibus innotescat non defuisse cultorem veritatis, quemadmodum non desint falsitatis auctores [...] » (*GH*, I, Prol. ; TL, 1, p. 2, § 3).

20. R. B. TATE a souligné la violence de ce prologue dans son étude « Las Décadas de Alfonso de Palencia... », p. 228.

21. Georges de Trébizonde a consacré une partie importante de son manuel de rhétorique à l'histoire. Ce manuel a été édité pour la première fois à Venise en 1433-1434 (il sera édité à Alcalá en 1511). Tate a étudié la probable influence de Georges de Trébizonde sur le discours historique de Palencia : R. B. TATE, « Alfonso de Palencia y los preceptos de la historiografía », *in :* Victor GARCÍA DE LA CONCHA (dir.), *Nebrija y la introducción del Renacimiento en España. Actas de la III academia literaria renacentista*, Salamanque : Universidad de Salamanca, 1983, p. 37-51.

Il faut songer que ce n'est là qu'un avant-goût… Toute la première Décade aura la même agressive et sombre violence et montrera sans se lasser – au risque de lasser un peu le lecteur – les effets d'une maléfique contagion. L'essentiel reste de convaincre et de persuader de l'illégitimité de Jeanne. Palencia pratique donc l'art de certaines *preuves* : affirmer, pour ne pas laisser place au doute, et montrer l'ampleur du mal pour que ce que l'on dénonce apparaisse comme une conséquence évidente. Le mal, sous toutes ses formes, sera dénoncé, démasqué, débusqué, nous dirions presque persécuté. Rares seront les justes, et parmi eux, en effet, l'auteur, devenu acteur au service du bien et dont le *je* singulier l'emporte bientôt sur le pluriel des « cultores veritatis ». Il faudrait donc élargir à l'ensemble de la première Décade – au moins ! – l'accusation que l'on serait tenté de porter contre ce prologue *terroriste*. Cette accusation est en partie recevable, mais à condition de ne pas oublier l'essentiel, à savoir qu'il s'agit d'une *cause*, dans laquelle l'historien orateur en appelle à tous les procédés de l'invention rhétorique du judiciaire, y compris l'exorde.

Le *je* prologal se dresse donc dans ce réquisitoire initial qui retrouve la vigueur des avertissements prophétiques. Il introduit le lecteur dans l'univers redoutable des Décades où l'on ne saurait, quelle que soit l'époque de la lecture, contemporaine ou actuelle, s'aventurer sans risque, sans éprouver un malaise et même un choc. Voilà le ton donné et le lecteur prévenu. Voilà aussi l'auteur posé et son autorité fictivement, rhétoriquement peut-être, mais fortement garantie.

Ce « cultor veritatis » qui entreprend d'écrire l'histoire et de donner ce nécessaire témoignage est tout autant un acteur (celui qui réalise l'acte d'écrire pour lutter contre le mal) qu'un auteur. Et c'est pourquoi, peut-être, l'acteur Palencia intervient tout naturellement, quoique non annoncé, dans l'histoire qui suit. Son attente est créée. Il intervient précisément dans ce rôle de témoin privilégié et impitoyable qui relève de la dénonciation du mal, donc de la lutte contre lui. Le récit fait plus qu'illustrer et confirmer le prologue. Celui-ci est très vite soutenu, confirmé absolument par un *je acteur-témoin* qui se veut argument irréfutable et preuve maximale. L'historien justicier a besoin du témoignage de l'acteur qui est en réalité premier, mais qui semble issu de lui et qui retourne à lui. Le prologue autorise l'acteur comme l'acteur autorise le prologue, car le *je* primordial du prologue, relayé par les deux *je* auctoriel et actoriel du récit, les fond dans l'acte essentiel et unique vers lequel tous deux convergent mais qui les dépasse : écrire, donc faire l'histoire.

Voir *id.*, « The civic humanism of Alfonso de Palencia », *Renaissance and modern studies*, 23, 1979, p. 25-44. [Voir également *GH*, TL, 1, Introducción, p. LV-LXIX.]

Ce prologue, à la construction impeccable, et qui donne le ton de la démesure, inscrit les malheurs du temps présent dans le *continuum* de l'histoire d'Espagne en l'opposant à un plus glorieux passé. Ce n'est qu'un peu plus tard que Palencia rappellera aussi la destruction dans le passé, afin de pouvoir reproduire dans le couple Henri/Alphonse le couple Rodrigue/Pelayo. Pour l'instant, il semble appeler une manifestation de Dieu et laisse le lecteur enfermé dans le cercle du mal, avec une bien timide espérance.

Quand ce texte a-t-il été écrit ? Cette question revient à soulever d'une façon plus générale le problème encore non éclairci de la date de l'écriture des Décades. Une chose est certaine, quels que soient le moment et les modalités des commencements : la composition du texte qui est parvenu jusqu'à nous est soigneusement étudiée, car elle est le support même de l'œuvre, la condition première de son existence. Il s'agit sans doute de la construction d'un parfait développement rhétorique mais aussi de celle d'un véritable univers que l'on pourrait dire dramatique ou romanesque, en un mot, d'une œuvre d'art.

Qu'il s'agisse d'une violence nécessaire pour dégrader le roi – et sa soi-disant fille – afin d'en légitimer un autre, au moment d'Ávila, d'Olmedo, ou de la découverte à Ségovie des « *registros* » d'Enríquez del Castillo[22], c'est-à-dire aux alentours de 1467-1468, ou bien d'une violence encore plus nécessaire, au fond, pour justifier cela après, la violence de la dégradation éclate dans une sorte d'urgence passionnée. Au lieu d'être éteinte par la mort du *roi* Alphonse (« *cuando más ardía el fuego / echaste agua* », dit Jorge Manrique s'adressant à la mort) puis par celle du roi Henri, elle persiste et même s'acharne tout comme le mal qu'elle dénonce.

Le roi Henri est très probablement mort lorsque la première Décade s'ouvre sur la terrible rumeur de sa bâtardise, rumeur qui avait été étouffée, dit Palencia, du vivant de son père[23]. Il est vrai que, dès la mort d'Henri et dès la proclamation d'Isabelle et de Ferdinand, la nécessité de la dégradation s'est trouvée comme réactivée en 1475 par l'intervention portugaise, le manifeste de Jeanne, la *trahison* de Carrillo, la guerre de Succession. La dégradation est toujours nécessaire, car, selon Palencia, d'anciens partisans d'Henri continuent d'exercer autour d'Isabelle leur influence pernicieuse.

Mais il s'agit peut-être aussi d'autre chose ; la violence de cette première Décade ne viendrait-elle pas couvrir ou reproduire un malaise plus personnel, fait, on n'ose dire d'un obscur sentiment de trahison, mais à coup sûr de diverses frustrations : la plus évidente est la mort d'Alphonse, mais

22. Enríquez del Castillo dit dans son introduction : « *Me rrobaron, no solamente lo mío, mas los rregistros con lo proçesado que tenía escripto de ella* [...] » (*Crónica de Enrique IV*, éd. cit., p. 132).

23. Voir ci-dessus « Place et fonction du portrait du roi », note 68.

Palencia a sans doute été déçu également par ce qu'il a considéré comme une capitulation de Ferdinand. Il n'est pas impossible que, dans ce parcours narratif, il reproduise son propre parcours et que, en écrivant, il s'écrive. La *vérité* qu'il revendique contre tous, contre ceux qui n'ont pas voulu la voir, ou qui ne veulent plus la voir, ou qui l'ont déjà oubliée, est peut-être doublement la sienne parce qu'elle est devenue lui-même.

Une chose est certaine, quelle que soit la date de la composition ou de l'élaboration finale : Palencia a su, dans son prologue et dans sa première Décade, « inventer » un *avant*, plus encore une *attente*. Le lecteur, qu'il sache ou non la suite, accepte ce temps probablement feint. L'auteur, on l'a vu, appelle une manifestation de Dieu, mais de façon assez vague. Dieu parlera en effet, mais, du point de vue des hommes, avec une cruelle ironie puisque le prince que Palencia va préparer et accompagner mourra, et que le diptyque restera imparfait[24].

Ce n'est pas la moindre légitimation d'Alphonse dans l'œuvre de Palencia que de ne pas avoir été présenté seulement comme un passé ou une parenthèse, de n'être pas vu à rebours ou en marge, mais d'être pleinement inscrit dans un présent et un espoir, espoir déçu peut-être, mais espoir réel. Palencia a su organiser pour lui et autour de lui le temps de l'histoire et le sens du récit : ce sauveur avait été préparé.

Le roi sacrifié

Sans utiliser avec excès ni même toujours explicitement les motifs mythologiques ou folkloriques, Palencia sait se servir d'eux comme il sait se servir de la science majeure des historiens : la chronologie. Il a utilisé tout cela dans ce que nous appellerons le *livre des naissances*, c'est-à-dire le livre 2 de la première Décade, dans lequel le lecteur attentif peut reconnaître, avant la destruction totale qui menace, les germes de l'espoir[25]. Ce livre s'ouvre sur la naissance d'Isabelle et finit sur la naissance d'Alphonse et la mort du roi Jean II. Au centre, naît Ferdinand. Les hasards de la chronologie servaient bien Palencia, qui a su la mettre à profit et qui, tout en suivant l'« ordo rerum » et la « series », invite le lecteur à en faire une lecture discrètement prophétique.

24. Nous renvoyons ici à l'étude déjà citée de R. B. Tate.

25. [Les travaux de R. B. TATE et de J. LAWRANCE montrent combien Palencia a organisé et même manipulé dans ce récit les données du réel ; ainsi, Isabelle est née après les événements racontés au chapitre suivant (TL, 1, p. 79, note 1). Quant au récit de la naissance de Ferdinand, il a été ajouté au *borrador* sans doute pour équilibrer la naissance d'Isabelle. Cette addition, possible en 1477, pourrait avoir été faite en 1479 quand Ferdinand est devenu roi d'Aragon (p. 83, note 29). On trouvera des remarques sur l'utilisation de la chronologie par Alfonso de Palencia dans notre étude *Alfonso de Palencia, historien*..., « La maîtrise du temps », p. 145-180.]

Au début du premier chapitre du livre 2, c'est-à-dire en ouverture, voici Isabelle. La date est précisée, mais sans indications supplémentaires et sans qu'aucun signe particulier vienne la souligner. Quant à la joie annoncée au début, elle cède bientôt la place à la douleur en raison de l'étrange mélancolie (« ægritudo ») de la reine, longuement décrite dans ce premier chapitre[26]. Un peu plus loin, au chapitre 6, voici Ferdinand pour qui, cette fois, sont précisés le jour et l'heure[27]. Autour du jeune prince, « fœlicissimus Fernandus », la joie est sans mélange et on peut reconnaître des signes. La reine est doublement heureuse, car elle n'avait connu jusque-là que des espoirs frustrés : c'est donc une naissance attendue et presque inespérée ; pressentant (« uelut presagiens » – on retrouve les pressentiments des mères de héros –) que son fils régnerait sur l'Aragon, elle est allée le mettre au monde à Sos. Ferdinand naît aussi après la victoire de son père sur Charles de Viana[28]. C'est en fin de chapitre et après cette victoire qu'apparaît le prince. Si Isabelle est première dans la chronologie et la narration, Ferdinand est « fœlicissimus ». Faut-il y voir déjà une préférence aragonaise ? Il convient en tout cas de souligner que Palencia reste très mesuré. Il ne tombe ni dans la facilité ni dans les excès des prédictions et prophéties de toute sorte qui accompagnent la naissance de Ferdinand dans une historiographie aragonaise volontiers messianique.

À la fin de ce livre 2, au chapitre 9, c'est-à-dire avant le tout dernier chapitre qui rapporte la mort du roi Jean II, apparaît Alphonse. Tout est donc mis en œuvre dans le récit pour faire de lui un héritier sauveur. Il n'est pas impossible que Palencia retrouve ici un motif traditionnel : le meilleur, le *premier* est en réalité le dernier, l'*élection* inversant l'ordre

26. « Interea recens lætitia reficit animum regis ; nam Regina filiam peperit Helisabeth anno a natiuitate Redemptoris MCCCCLI IX Kal. Maii. Sed ut secundum Fortunæ mores nunquam sine mixtura doloris affertur mortalibus gaudium, ex puerperio adulescentula ægritudinem incurrit haud uulgarem » (*GH*, I, 2, 1 ; TL, 1, p. 52, § 1). Le *Cronicón de Valladolid* dit : « *Nació la Santa Reyna Católica doña Isabel, fija del rey don Juan el segundo e de la reyna doña Isabel su segunda muger en Madrigal, jueves XXIJ de abril, IIIJ horas e dos tercios de hora después de medio día anno Domini MCCCCLI años* » (*Cronicón de Valladolid (1333-1539), Edición. facsímil, ilustrado con notas por D. Pedro Sáinz de Baranda*, Valladolid : Grupo Pinciano, 1984, p. 30). [À propos de la date de la naissance d'Isabelle, voir les remarques de Nicasio SALVADOR MIGUEL, « La instrucción infantil de Isabel, infanta de Castilla (1451-1461) », *in* : J. VALDEÓN BARUQUE (dir.), *Arte y cultura*..., p. 155-157.]

27. « Hic fœlicissimus Fernandus nascitur sexto Idus Martii, scilicet decima die Martii anni a natiuitate Redemptoris MCCCCLII, die Veneris hora undecima aliquantisper transacta, ita ut uix hora transitura esset usque ad meridiem. Fuit hec natiuitas parentibus lætissima atque iocundissima regi, quoniam inter ceteras gaudii causas uictoria præcesserat ; reginæ quoque superaddebatur lætitia, quoniam in aliis conceptibus aborsu laborauerat » (*GH*, I, 2, 6 ; TL, 1, p. 61, § 8).

28. « Hanc uictoriam regis Cantabriæ subsecuta est fœlix natiuitas filii desideratissimi Fernandi, quem regina peperit apud oppidum Sosi in Aragonia quod finitimum est Navarræ [...] » (*GH*, I, 2, 6 ; TL, 1, p. 60, § 8). Le *Cronicón de Valladolid* dit simplement : « *Nació el Católico Rey don Fernando su marido X de marzo anno Domini MCCCCLII años* » (éd. cit., p. 21, et I, 42a).

chronologique de la naissance. Le début du chapitre 9 est consacré à cette naissance annoncée à grand renfort de dates et de façon triomphale, mais, il faut encore le souligner, sans merveilleux et sans prodiges. Le travail de Palencia consiste ici avant tout à bien organiser son récit plutôt qu'à y introduire des sortes de corps étrangers. D'ailleurs, chez cet habile inventeur et utilisateur de signes, les prodiges eux-mêmes, dont il fait grand usage, deviennent parfois de vrais effets de texte.

L'heure n'est pas indiquée, mais on connaît le saint du jour[29]. La joie est immense et universelle et Palencia invente une désignation muette d'Alphonse comme héritier par son vieux père malade et privé de parole[30]. À peine Alphonse est-il né que quelques mois plus tard (huit mois), au chapitre suivant et en fin de livre, le roi Jean II meurt[31]. Mais auparavant, il a demandé au plus grand savant de son temps, Alfonso de Madrigal, le *Tostado*, d'interroger les astres sur le destin de ce fils. L'horoscope a dit que les astres menaçaient la vie du prince avant sa quinzième année, mais que, si la grâce du Tout-Puissant lui permettait d'échapper à ce péril, il serait le prince le plus heureux de son temps (« omnium huius sæculi principum foret felicissimus »)[32].

29. « Eodem anno a natiuitate Nostri Redemptoris MCCCCLIII quo expugnatur a Machumeto Constantinopolis et apud Vallemoleti magister Sancti Iacobi Aluarus de Luna infeliciter moritur, natus est Alfonsus illustrissimus filius Iohannis regis Castellæ et Legionis, in oppido Oterdesillas, decimo septimo Kals Decembris in die Sancti Eugenii. Hæc natiuitas Alfonsi attulit omnibus regnicolis ingens gaudium inmensamque lætitiam » (*GH*, I, 2, 9 ; TL, 1, p. 75, § 1). Alphonse semble bien être né le 15 novembre, jour de Saint-Eugène, comme le montre une lettre adressée par la reine au Concejo de Murcia, lettre publiée par Juan TORRES FONTES, *El príncipe don Alfonso 1465-1468*, Murcie : Departamento de Historia de España, Universidad, 1971, p. 141-142 [voir toutefois TL, t. 1, p. 92, note 89]. Dans la *Consolatoria de Castilla* Juan Barba écrit : « *Y luego en es'año desta maravilla / de mill quatroçientos e çinquenta y tres, / un jueves alegre d'enmedio del mes / nuvienbre do sienbra la buena semilla, / el día de Santo Eugenio contado, / naçió don Alonso, ynfante querido / de Dios y del mundo con gloria venido, / para en los çielos ser colocado* » (Pedro CÁTEDRA, *La historiografía en verso en la época de los Reyes Católicos, Juan Barba y su Consolatoria de Castilla*, Salamanque : Universidad de Salamanca, 1989, p. 177, Estrofa 14).

30. « [...] atque nutibus indicat uero illi filio regnum se dimissurum post mortem, quam non ita proximam ut fuit suspicabatur » (*GH*, I, 2, 9 ; TL, 1, p. 75, § 1). Faut-il voir ici une allusion à l'insinuation qui figure au début du récit ? Les strophes 14 et 15 de la *Consolatoria de Castilla* de Juan Barba disent aussi cette grande joie, mais de façon plus pompeuse et plus vague : « *El fijo varón muy esperado, / como salud del rey esperada, / truxo gran gozo de gloria doblada, / de padre y de madre tan deseado ; / que todos pensaron ser delibrado / el muy alto rey de la quartana / con est'alegría tan soberana / de hijo benino de Dios enbiado* » (P. CÁTEDRA, *op. cit.*, p. 177, Estrofa 15). [À propos de la naissance d'Alphonse, voir également les remarques de N. SALVADOR MIGUEL, art. cit., p. 157-159.]

31. Le court espace qui sépare la mort de Jean II de la naissance d'Alphonse est bien mis en relief par Palencia ; cela permet peut-être d'établir un lien entre la naissance du fils et la mort du père, et donc de retrouver des thèmes *héroïques*.

32. « [...] consequiturque Abulensem sedem Alfonsus Matricalensis, cui cognomentum Tostado, uir litteratissimus, a quo artis astrologice peritissimo rex fata filii Alfonsi exquirens accepit minas uitæ finiendæ infantis illatas ab astris ante quintumdecimum ætatis annum ; sed si id

Arrêtons-nous un instant sur cet horoscope, qui rappelle celui du roi Alcaraz ou celui du *Sendebar* et semble donc s'inscrire davantage dans la tradition du conte que dans les courants prophétiques ou messianiques qui inspirent certains poètes ou certains chroniqueurs. Il a peut-être été inventé par Palencia soit au moment de la mort du roi, soit plus tard, en tout cas au moment de la composition de l'histoire; il est le type même de la prédiction *post eventum*. Son attribution à Alfonso de Madrigal, dont Palencia vient de rapporter la nomination à l'évêché d'Ávila, est toute naturelle, car il est naturel que ce soit le plus grand savant (ou l'ensemble des savants) qui prédise l'avenir du prince, ce qui revient d'ailleurs à désigner ce prince comme héritier[33]. Cela suffirait à justifier cette invention, qui d'ailleurs explique aussi l'étrange inquiétude du roi et la teneur de son testament[34], mais il faut bien reconnaître que l'horoscope, à première vue, va rendre très difficile la position de Palencia. Car enfin, Dieu, qui est présenté de façon très orthodoxe comme maître des astres et dont la

---

periculum fauore Omnipotentis ultra illos limites euaderet puer, omnium huius sæculi principum foret felicissimus» (*GH*, I, 2, 10; TL, 1, p. 77, § 5). Palencia ne reparlera plus de cet horoscope. Par contre, et à plusieurs reprises, il critique les faux astrologues et en particulier reproche à Jean II («uesana credulitas regis») d'avoir cru ceux qui lui avaient prédit qu'il vivrait jusqu'à quatre-vingt-dix ans (*GH*, I, 2, 9; TL, 1, p. 75, § 2). Cette crédulité est également reprochée à l'archevêque Alfonso de Fonseca («arioli magicique quibus ipse supersticiosius dedebatur», *GH*, I, 6, 8; TL, 2, p. 245, § 1). Quant à chercher chez Palencia une position ferme sur ce point, il n'y faut pas songer. Il en est comme des prodiges : il s'en sert, selon les besoins du moment, et ne craint pas le moins du monde de se contredire ou du moins d'avoir l'air de le faire, l'essentiel restant la parfaite cohérence de l'invention. Il saura, au moment de la naissance du prince Jean, se servir de vagues oracles non pour exalter la reine ou le prince, mais au contraire pour critiquer et, selon son habitude, prédire le malheur. Voir *infra* note 101.

33. Alfonso de Madrigal était savant, entre autres choses, en astrologie. Ainsi le dit Pulgar dans les *Claros varones de Castilla* : « [...] *puédese creer de él que en la ciencia de las artes e theología e filosofía natural e moral, e asímismo en el arte del estrología e astronomía, non se vido en los reinos de España ni en otros estraños se oyó aver otro en sus tiempos que con él se comparase*» (éd. cit., p. 71). [On connaît l'importance de l'astrologie dans la pensée scientifique du XVe siècle. Voir la mise au point de Mariano ESTEBAN PIÑEIRO, «El pensamiento científico en la época de Isabel la Católica», *in* : J. VALDEÓN BARUQUE (dir.), *Arte y cultura*..., p. 181-215.] Palencia a consacré à Alonso de Madrigal, mort en 1455, une magnifique élégie funéraire. Dans cette allégorie deux envoyés de l'Université de Salamanca, Acumen e Gimnasio, demandent à la mort un délai pour l'illustre savant. La mort répond qu'elle a obtenu de Dieu une bulle lui donnant le libre exercice de sa puissance et qu'il n'y a été fait exception qu'une fois en faveur du roi Ezechias. D'ailleurs, le très savant et très vertueux évêque d'Avila sera plus à sa place dans l'autre monde que dans ce monde corrompu. Les vertus, alors, se préparent à quitter l'Espagne (*Epístolas latinas*, éd. cit., p. 78-100). Cette allégorie n'est donc pas dépourvue de signification politique et l'on ne peut s'empêcher de la rapprocher de la mort du roi Alphonse qui, lui aussi, a quitté cette vallée de larmes pour un monde plus digne de lui.

34. «Hoc percepto judicio Matrigalensis magistri rex spem cum timore compensauit et mentem ad fauorem huius nati erexit. Quam præripuit mors [...]» (*GH*, I, 2,10; TL, 1, p. 77, § 6). On sait que Jean II laissait à Alphonse l'administration du *maestrazgo de Santiago* et qu'il avait fait jurer à Henri de respecter ses dernières volontés : «Deinde summis obtestationibus monuit Henricum ut formam testamenti nunquam transgrederetur in aliquoue minueret» (*loc. cit.*).

souveraine liberté est donc préservée, ne sauvera pas le *roi*[35]. La mort d'Alphonse, qui intervient après la quatorzième année – la majorité pour un roi – mais quelques mois à peine avant la quinzième année fatidique[36], a donc été sinon voulue, du moins permise. Palencia semble avoir choisi la difficulté. On essaiera plus loin de voir pourquoi, ne retenant ici que le motif lui aussi héroïque du destin menacé. Les différents motifs qui sont apparus à l'occasion de cette naissance ont fait d'Alphonse un prince sauveur, tandis que le récit, organisant un habile effet de succession, le désignait comme héritier.

Après la mort du roi Jean II, le livre 3 de cette première Décade s'ouvre sur un deuxième prologue – interne cette fois – qui marque le passage d'un règne à l'autre et justifie le récit qui précède[37]. Si le prince Henri était déjà mauvais et destructeur, que dire du roi ? On ne peut que s'étonner de l'action de la Providence qui fait s'incliner les peuples devant ce tyran[38]. Palencia marque pourtant avec une solennité presque dérisoire la date de sa proclamation après les funérailles[39]. Quelques années plus tard, en

35. Horoscopes et prophéties semblent avoir été fréquents au XVe siècle. Mais nous ne connaissons pas quant à nous, en Castille, de prédiction aussi précise que celle qui est ici attribuée au *Tostado*. On trouvera des indications intéressantes dans Jeremy LAWRANCE, « Las lecturas científicas de los castellanos en la baja Edad Media », *Atalaya*, 2, 1992, p. 135-155. L'astrologie et son rapport avec la Providence a donné lieu à un débat important au XVe siècle. On lira en particulier la mise au point de Pedro M. CÁTEDRA, *Amor y pedagogía en la Edad Media*, Salamanque : Universidad de Salamanca, 1989, et plus particulièrement le chapitre 3. Il existe souvent un lien entre les phénomènes astrologiques et les prophéties. Sur ces prophéties et, d'une façon plus générale, les courants messianiques au XVe siècle, on consultera les travaux désormais classiques d'Américo CASTRO, *Aspectos del vivir hispánico*, Madrid : Alianza editorial, 1970, p. 21 *sq.* ; A. MILHOU, « La chauve souris, le nouveau David et le roi caché… », p. 61-78 ; Joaquín J. CASALDUERO, « La profecía medieval en la literatura castellana y su relación con las corrientes proféticas europeas », *in : Estructura y diseño en la literatura castellana medieval*, Madrid : Porrúa Turanzas, 1975, p. 103-141 ; et P. CÁTEDRA, *La historiografía en verso en la época de los Reyes Católicos*…, en particulier p. 58-59.

36. Le *Sendebar* semble montrer une hésitation et fait même preuve d'une certaine incohérence entre le choix de l'âge de quinze ans – âge auquel le prince vient à la cour et montre son ignorance, qui sera corrigée en six mois –, et l'âge de vingt ans, auquel, d'après l'horoscope, il sera un danger de mort pour son père. De même, si le premier horoscope fait du fils un danger de mort pour le père, le deuxième horoscope indique un danger mortel pour le fils (*Sendebar*, María Jesús LACARRA (éd.), Madrid : Cátedra, 1989, p. 33).

37. « Huius ego annales in parte attigi breuitatisque conceptæ narrationem uerissimam sum prosecutus a tempore infœlicis connubii principis Henrici usque ad presentem sceptri mutationem, quando licuit ei hereditario iure, inmouerius iniuria detestabili nomen assequi regium inter gentes præcipuum summeque decorum. Vnde ut regnicolis excidium, ita mihi fastidiens obscenitatum memoratio insurgit, quum præterita damna immanis hic ipse rex nullatenus reparauerit […] » (*GH*, I, 3, 1 ; TL, l, p. 95, § 1).

38. « […] nemo tamen potuit satis discernere causas contemplarique diram supernæ Celsitudinis cunta regentis sententiam quæ uoluit repentino metu abolere audaciam gentis […] » (*ibid.*, § 2).

39. « Et proceres post funus defuncti regis obsequias simul cum noua lætitia sublimationis approbatæ terminarunt, morem nostræ gentis celeberrime prosecuti, anno ab initio mundi sexies millesimo sexcentesimo quinquagesimo tercio ; ab urbe condita bis millesimo ducentisimo

1465, Alphonse est proclamé roi à Ávila après une *mort* et une dégradation en effigie du roi Henri[40]. Mais, avant la fin de la première Décade, c'est-à-dire avant le récit de la mort d'Alphonse, Palencia va renforcer encore l'effet de roi sauveur. C'est d'abord, en ouverture du dernier livre, le livre 10, et comme en introduction ou préface, une description de Ségovie, véritable lieu politique et symbolique du pouvoir. Ségovie occupe dans le récit de Palencia, toutes proportions gardées, la place qu'a pu occuper Tolède dans les légendes de Rodrigue. C'est la ville, et surtout le palais que le roi a fait embellir, mais qui est présenté comme maudit. On y voit en tout cas, comme une tragique prophétie, les statues des rois, et le rapprochement se fait aussitôt entre les deux destructeurs de l'Espagne[41]. À Ségovie habite un roi sauvage, transformé en monstre, dans un palais à

---

atque tercio, era Cesaris MCCCC nonagesima secunda; anno a natiuitate nostri Redemptoris MCCCC quinquagesimo quarto, Arabum octingentesimo septuagesimo nono, sedente pontifice Nicolao Quinto anno pontificatus eiusdem septimo, imperante in Germania rege Romanorum Federico anno tercio regni eiusdem a coronationis celebritate, regnante Alfonso Aragonum in utraque Sicilia fœliciter» (*GH*, I, 3, 1 ; TL, l, p. 96, § 6). [Palencia ne dit rien, pas plus qu'Enríquez del Castillo, de la cérémonie d'intronisation. Or, selon J. M. NIETO SORIA, « La monarquía de Enrique IV... », p. 99-101, il conviendrait peut-être de nuancer l'image d'une cour « *triste y enojosa* ».]

40. La belle étude qu'a consacrée à cet épisode A. Mac Kay permet désormais de mieux en comprendre la profonde et complexe signification. On n'insistera donc pas ici sur les aspects juridiques – les accusations portées contre Henri ou le débat sur la légitimité de cet acte –, ni sur la signification du rituel proprement dit, ni sur les rapports qui peuvent être établis entre cet *auto* ou *farsa* et d'autres mises en scène similaires. Voir Angus MAC KAY, « Ritual and propaganda in Fifteenth-century Castile », *Past and present*, 107, 1985, p. 3-43.

41. « Nam prudentissimi quique id ita præsagiunt ubi Rodericum et Henricum a latere uno coherentes contemplantur, quod haud minor clades immineat Hispanis ob scelera Henrici quam ob infœlicitatem Roderici quondam accepta est [...] » (*GH*, I, 10, 1 ; TL, 2, p. 451, § 2). La légende du roi Rodrigue est également présente dans la chronique d'Enríquez del Castillo. À Simancas, raconte-t-il, des *mozos de espuela* d'Henri IV font brûler une statue de l'archevêque Alonso Carrillo après l'avoir jugé et condamné pour trahison. Ils chantent « *esta es Simancas / don Opas traidor* » (*Crónica de Enrique IV*, éd. cit., chap. 77, p. 242-243). Voir à ce sujet A. MAC KAY, art. cit., p. 43. Quant à Palencia, on sait qu'il s'intéressait à l'histoire des Goths et que, la jugeant « *faltosa* » ou « *pervertida* », il se proposait d'en entreprendre le récit : « *Habiendo yo contado en diez libros la antigüedad de la gente española con propósito de explicar en otros diez el imperio de los romanos en España, e desde la ferocidad de los godos fasta la rauia morisca, conosciendo que por la negligencia de los escriptores el cuento de los negoçios o ouiesse pereçido o traxesse confuçión en el modo de la verdad, de manera que o la narraçión de la destruyçión de España o la suma de cómo se fue recobrando lo que los moros auían ocupado en parte sea faltosa y en parte algunas vezes peruertida donde algunos escriptores modernos en muchas otras cosas loables tocaron el discurso de nuestros anales* » (*Universal vocabulario...*, *Mención*, 549a). Ces statues de Ségovie ont sans doute pour Palencia beaucoup d'importance. Enfermées dans ce palais beau et maudit, elles semblent représenter, plus que la succession royale, une annonce de malheur. [Cette série iconographique, qui fit l'admiration de Rosmithal, avait été entreprise sous le règne d'Alphonse X et fut complétée par Henri IV ; après les importants compléments apportés par Philippe II, elle disparut dans l'incendie de 1862. Voir à ce propos Elías TORMO, *Las viejas series icónicas de los reyes de España*, Madrid : Blass y Cía, 1916 ; Francis HASKELL, *L'historien et les images*, traduit de l'anglais par Alain Tachet et Louis Évrard, Paris : Gallimard (NRF), 1995 (1993 pour l'édition anglaise); et Rafael DOMÍNGUEZ CASAS, *Arte y etiqueta de los Reyes Católicos*, Madrid : Editorial Alpuerto, 1993, p. 184.]

la fois beau et monstrueux, vrai labyrinthe et repaire de brigands, lieu de débauche et de luxure, entouré de bois sombres et de bêtes qu'il est interdit de mettre à mort. Car ce roi, à l'opposé du bon roi nourrisseur, refuse de permettre que l'on coupe le bois et que l'on tue les bêtes[42]. Aussi, lorsque Alphonse, quelques chapitres plus loin et après la prophétie du laboureur qui condamne le roi[43], est présenté chassant et permettant la chasse dans ces bois interdits, il est, n'en doutons pas, plus que l'adversaire politique d'Henri. Il est le roi chasseur, c'est-à-dire le roi nourrisseur et aussi le héros purificateur, celui qui tue le monstre, le nouveau Pelayo face au nouveau Rodrigue. Ce n'est certainement pas un hasard si Palencia, retrouvant à la fois des motifs folkloriques et une tradition *nationale* mise à la mode par la *Crónica sarracina*, rapporte le désir d'Alphonse de tuer un taureau sauvage et un sanglier[44] devenus de véritables bêtes mythiques, par-delà lesquelles on peut retrouver le fameux ours que Rodrigue n'avait pas pu tuer mais qu'avait tué Pelayo[45].

À ce récit, tout imprégné à travers son apparente rigueur des échos de mythes fondateurs, succède, au chapitre suivant, un *discours de vertus* hagiographique, dans lequel le jeune Alphonse, *puer senex*, fait preuve de

42. L'insistance sur ce point est d'autant plus curieuse que l'on a précisément reproché à Henri IV sa passion pour la chasse. La chasse a fait l'objet d'un véritable débat au XVe siècle. Dans son *Tratado de la perfección del triunfo militar*, Palencia oppose deux «*rústicos aldeanos*» à l'*Ejercicio*. Celui-ci leur reproche de se livrer à un exercice réservé aux «*muy nobles varones*». L'«*aldeano*» en profite pour critiquer la vie des nobles et revendiquer aussi le droit à la chasse (A. de PALENCIA, *De perfectione militaris triumphi*...). La chasse est exaltée par Rodrigo Sánchez de Arévalo dans son *Vergel de los príncipes* (voir *Prosistas castellanos*..., p. 311-331). En vérité, il ne s'agit pas ici de chasse, mais au contraire, de son interdiction et du plaisir jugé pervers et monstrueux de contempler les bêtes.

43. Lorsque le roi quitte Ségovie, un paysan («agricola uel potius seluicola») lui prédit une fin funeste : «Quo, inquit, te is perditum, miserrime rex» (*GH*, I, 10, 4; TL, 2, p. 459, § 5). Le roi s'éloigne en pleurant, mais moins ému, dit Palencia, que lorsqu'il avait vu emporter du bois et que lorsqu'il avait appris à Coca la chasse d'Alphonse dans les bois interdits. La *Crónica castellana* a conservé la tristesse du roi et la chasse d'Alphonse, mais sans retenir la description de Ségovie et le plaisir pervers du roi. La chasse perd ainsi sa signification. Voir *Crónica anónima de Enrique IV de Castilla*, éd. cit., II, p. 227-228. Plus tard, la *Crónica de Enrique IV* de Galíndez de Carvajal fait de même (voir éd. cit., p. 313).

44. «Taurus quidem unus, qui credebatur inclusus et ferocissimus habebatur nusquam intra maceriam inuentus est; hunc et aprum unum cupiebat rex Alfonsus interimere, sed nihilominus magistri nitebantur modificare conatum, quoniam id gratissimum fore Henrico cognoscebant» (*GH*, I, 10, 4; TL, 2, p. 460, § 5).

45. Voir plus haut «Pelayo et la fille du marchand. Réflexions sur la *Crónica sarracina*». Mais peut-on raisonnablement rapprocher le sévère Alfonso de Palencia de Pedro de Corral, à qui il pensait peut-être lorsqu'il accusait certains «*escriptores*» de pervertir l'histoire? Voir *supra* note 41. Et pourtant, il a habilement donné à son récit et à son personnage cette dimension mythique. On peut en tout cas en déduire que l'influence de la *Crónica sarracina* ne s'est pas limitée au *Romancero* ni à la simple transmission de l'histoire de Rodrigue. On peut aussi remarquer qu'Alphonse, à la différence de Pelayo, fait un véritable carnage. Ce sont les maîtres de Santiago et d'Alcántara qui l'empêchent de tuer plus de bêtes, ce qui est peut-être le signe de leur réelle indécision politique!

qualités surprenantes en dénonçant, avec une sévérité qui commence à inquiéter Pacheco, les mœurs dissolues de la cour et surtout de la reine[46]. Ici encore on peut retrouver le souvenir du luxurieux Rodrigue et du très chaste Pelayo[47]. Il ne manque plus à la grandeur de ce *roi*, à ces *enfances* royales qu'une dimension, et c'est la mort qui va la lui donner en faisant de lui un prince souffrant, un prince martyr et un véritable saint. Vers la fin de la première Décade donc, et comme en annonce de la mort ou de la gloire, ou des deux, se produit une accumulation de signes[48]. La mort est rapportée comme celle d'un roi[49]. Palencia accuse Pacheco d'empoisonnement et,

46. *GH*, I, 10, 5 ; TL, 2, p. 461, § 3. Ce chapitre est composé d'une succession de *dits* (« Hæc et alia multa maturius quam exposcebat ætas illustrissimus rex Alfonsus protulit, quum apud eum Segobiæ permanerem »). Il s'agit ici non seulement d'exalter la vertu et la chasteté de l'innocent Alphonse, mais de faire de tout cela la preuve de l'inconduite de la reine, donc de la bâtardise de Jeanne, à laquelle il faut toujours revenir. On sait combien la sexualité est importante dans l'historiographie du XVe siècle. On peut voir à ce sujet Arturo R. FIRPO, « "Los reyes sexuales" (ensayo sobre el discurso sexual durante el reinado de Enrique IV de Trastamara, 1434-1474) », *Mélanges de la Casa de Velázquez*, 20, 1984, p. 217-227 ; 21, 1985, p. 145-158 ; et R. B. TATE, « Políticas sexuales : de Enrique el Impotente a Isabel, *maestra de engaños* (magistra dissimulationum) », *in :* Richard HITCHCOCK et Ralph PENNY (dir.), *Actas del I congreso anglo-hispano, III : Historia in memoriam Derek Lomax*, Madrid : Castalia, 1994, p. 165-176. La sévère rigueur du jeune Alphonse aurait, selon Diego de VALERA, incité certains membres de son entourage à le supprimer : « [...] *y como personas questavan mostrados a sojuzgar a su hermano, quisieron despachar a estotro por tornarse al otro. El qual dizen que muchas vezes se oviera ydo a su hermano si no le ovieran puesto guarda* » (*Memorial de diversas hazañas*, éd. cit., p. 138).

47. Voir plus haut « Pelayo et la fille du marchand ». Il n'est peut-être pas sans intérêt de remarquer que les *registros* d'Enríquez del Castillo ont été trouvés « *quodam in hospitio muliercule* [...] *(nam illa mulier concubina eius auctoris noscebatur)* » (*GH*, I, 10, 1 ; TL, 2, p. 454, § 10). La *purification* continue...

48. Des prodiges viennent marquer la gravité du passage de Tolède (où sévit d'ailleurs une autre femme aux mœurs dissolues, María de Silva) au parti d'Henri, coup très grave pour les partisans d'Alphonse et qui précède de peu la mort du « roi » (*GH*, I, 10, 9 ; TL, 2, p. 474, § 9).

49. Après avoir minutieusement décrit la maladie et l'agonie d'Alphonse, Palencia lui consacre une notice nécrologique royale, [comme il l'avait fait au moment de la mort d'Alfonse V d'Aragon (*GH*, I, 5, 6 ; TL, 1, p. 184-185, § 1)] : « [...] quin emitteret spiritum uitiis intemeratum sanctus puer III Non. Iulii, scilicet quinta die eiusdem mensis anno MCCCCLXVIII a natiuitate Redemptoris, ab initio mundi sexies millessimo sexcentessimo sexagessimo septimo, ab urbe condita-bis millesimo ducentesimo decimo septimo, æra Cesaris millesimi quingentissimi sexti, Arabum autem octingentesimo, nonagesimo tercio, sedente Paulo Secundo pontifice summo, Federico imperante in Germania, quum regnaret apud Gallos Ludouicus XI filius Caroli septimi, et in Aragonia Iohannes primus, in Portugalia Alfonsus. Vixit Alfonsus XIII [*sic*] Castellæ et Legionis rex annos quatuordecim menses septem dies uigenti, regnauit a die sublimationis annos tres mensem unum » (*GH*, I, 10, 10 ; TL, 2, p. 477, § 5). [Selon J. L. MARTÍN, *Enrique IV*, p. 206, cette datation transforme la mort d'Alphonse en « *noticia histórica* ». Si nous partageons ce point de vue, nous ne pensons pas que cela soit uniquement destiné à l'exaltation d'Isabelle.] Ce texte se trouve ainsi abrégé dans la traduction de A. Paz y Melia : « *El santo mancebo entregó su alma inmaculada al Señor el cinco de julio de 1468. Vivió Alfonso XII, Rey de Castilla y León, catorce años, siete meses y veinte días, y llevó la corona desde el de su exaltación tres años y un mes* » (PyM I, 250b). Une note du *Cronicón de Valladolid* précise : « *Yo oy decir que la Reyna santísima mandava que su vulto fuese figurado con corona, y que se pusiese en el catalvo de los Reyes* » (éd. cit., p. 72, note 85). On sait que les belles statues funéraires de Miraflores ont été faites par Gil de Siloé entre 1489 et 1493. Le seul portrait du « roi » est celui que donne la *Crónica incompleta de los Reyes Católicos* : « *Y*

chose quand même rare dans les Décades, le *je* auctoriel vient renforcer cette accusation («ego existimo»)[50]. Le jeune roi est alors proclamé saint par la voix innocente («*pues su hermano el inocente*», écrit Jorge Manrique) et miraculeuse de nombreux enfants qui meurent en même temps que lui[51]. Le bienheureux Alphonse a donc quitté cette vallée de larmes où de plus en plus le roi Henri, véritable monstre («monstro»), court à sa perte, car Dieu ne va pas tarder à l'abandonner comme le montreront, dit Palencia, les annales suivantes. Dieu, qui apparaissait en fin de prologue, est également convoqué en fin de Décade, dans un moment particulièrement solennel.

On peut récapituler : Alphonse a été envoyé au roi Jean II dans sa vieillesse; celui-ci, malade, le désigne comme héritier, mais le glorieux destin du prince est menacé par les astres. Très jeune, il fait preuve de vertus surprenantes et se fait le champion de la chasteté dans un monde

---

en estos comedios, ante que todo el reyno se perdiese, murió el rey don Alonso, el cual reynó dos años y murió; de quien el que su corónica tendrá escripta, soy çierto non dexará sin muy gloriosa memoria, porque en tan tierna juventud mayores graçias nin más acabadas en ningund príncipe de su edad fueron vistas, y la persona muy bien dispuesta y bella; y en todas cosas bien pareçía hijo de un tan famoso y exçelente rey como don Juan, de gloriosa memoria su padre» (éd. cit., p. 61). À peine trouve-t-on une rapide allusion dans le *Repertorio de príncipes* : «*Hera el rrey don Alonso de hedad de catorçe años y de muy gentil dispusición*» (éd. cit., p. 365). Juan Barba écrit simplement dans la strophe 53 : «*Y no dilatemos en cosa tan çierta / según que su vida de niño fue viejo / y de nuevos reyes era el espejo / de lunbre perfeta y graçia despierta*» (*Consolatoria de Castilla*, éd. cit., p. 189). La mort de Jean II et la mort d'Henri sont datées de façon très simple. Il faudra attendre la mort de Jean II d'Aragon pour retrouver cette emphase. Voir *GH*, IV, 33, 10; LT, 1, p. 89; 2, p. 107. [Il n'est pas impossible de voir dans ce récit les éléments nécessaires à l'ouverture d'une cause de béatification comme le suggèrent R. B. Tate et J. Lawrance (TL, 2, p. 495, note 86).]

50. Sur les circonstances de la mort d'Alphonse on peut voir la tentative de mise au point faite par M. D. C. Morales Muñiz, *Alfonso de Ávila*..., p. 361-373. [Sur l'importance du *je* dans les *Gesta hispaniensia*, voir M. M. Dubrasquet Pardo, *Alfonso de Palencia, historien*..., p. 18-91.]

51. *GH*, I, 10, 10; TL, 2, p. 477, § 5. Enríquez del Castillo, du parti adverse, n'a pu éviter d'entourer lui aussi cette mort d'un certain mystère : «*Pero fue cosa de gran maravilla que tres días antes que muriese fue divulgada su muerte por todo el reyno, de que todos los perlados e caballeros que lo seguían fueron muy tristes e temerosos*» (*Crónica de Enrique IV*, éd. cit., chap. 14, p. 178). Palencia qui, il faut bien le reconnaître, n'en est pas à une contradiction près, avait durement condamné les prétendus miracles qui avaient proclamé la «sainteté» du prince de Viana : «[...] affirmauerat multa miracula Caroli principis : quod ex sola uisitatione sepulcri ceci visum, surdi auditum, claudi gressum, paralitici sanitatem, defuncti quoque spiritum vitæ fuissent nacti» (*GH*, I, 6, 3; TL, 2, p. 232, § 9). Ce qui pour Alphonse est innocente proclamation devient sinistre farce chez les Catalans. Palencia n'hésite pas à employer, en les inversant, les mêmes arguments dans les deux causes, qui ont pourtant bien des points communs et qui ne sont peut-être pas sans rapport l'une avec l'autre. On peut se demander si Palencia n'a pas été influencé, même s'il les critique violemment, par les légendes catalanes qui ont très vite auréolé de sainteté le prince Charles de Viana et qui ont fait de lui un saint patron. *San Carlos* est devenu un cri de bataille de la révolution catalane (1461-1472). Voir à ce sujet Jocelyn Nigel HILLGART, *La hegemonía castellana, 1410-1474. Los reinos hispánicos*, Barcelone : Grijalbo, p. 305-306. La mère de Ferdinand, la reine Jeanne d'Aragon, marâtre donc du prince Charles et accusée par les Catalans de l'avoir empoisonné, est présentée par Palencia comme une mère héroïque, une épouse parfaite et presque une sainte puisque son corps, après sa mort, dégage une suave odeur (*GH*, I, 10, 6; TL, 2, p. 465, § 3). Palencia oppose à l'évidence cette belle figure à la malheureuse reine Jeanne de Castille.

de perversions sexuelles. Roi chasseur, il ouvre et purifie le lieu maudit où s'exerce le pouvoir maléfique de son frère. Il meurt, sacrifié sans doute, et son âme rejoint celles des bienheureux.

La deuxième Décade s'ouvre après le choc terrible de cette mort. Dieu a parlé, mais non comme on aurait pu le croire ou l'espérer; voilà le «mysterium»[52]. Pas de prologue ici, mais une sorte de méditation ou plutôt d'appel à la méditation, sur des thèmes bien traditionnels dont il est toujours possible de tirer des accents nouveaux : la vanité des choses de ce monde et le mystère des desseins de la Providence. L'auteur a disparu ou, plutôt, il est tout entier dans le recueillement – forcé et amer sans doute – qui doit illuminer l'esprit. *Je* s'est effacé avec l'ensemble des vanités humaines, car il est entièrement tourné vers Dieu, seul interlocuteur possible et maître de l'histoire. Ce texte dont, après tout, rien n'autorise à nier la sincérité et qui porte, quoi qu'il en soit et quelle que soit la date de l'écriture, la trace de la déception de Palencia, n'est ni innocent ni destiné uniquement à la méditation religieuse et morale. Il s'agit bien d'une pièce importante du jeu politique, qui veut marquer fortement un passage, dire encore qu'Alphonse est roi, et par conséquent faire passer par lui la succession. Cette méditation douloureuse est encore une légitimation; le *roi* est mort. Le deuil s'accompagne ici d'un véritable éloge funèbre; l'élévation même de l'esprit, qui s'efforce de vaincre et d'inverser l'abattement causé par la mort en inscrivant cette mort dans les plans mystérieux de Dieu, confirme et grandit le roi.

Palencia reprend et concentre au début de cette méditation une succession de *motifs* qui sont autant de vérités plus ou moins manipulées. De nouveau, Alphonse apparaît comme un *héros*; il est né alors que son père avait atteint la vieillesse; il a été arraché à sa mère à la mort du père et il a échappé cent fois («centies diuino nutu») aux poisons et aux maléfices; il a été enfermé en vain dans une forteresse; il a été persécuté, toujours en vain, par un frère inique et par la reine Jeanne qui l'a traité comme l'aurait fait une marâtre («tanquam nouerca uiolentissima»)[53]. Il

52. «Itaque poterit quodammodo gratiarum iudicari particeps quicumque excussis egritudinum tenebris ad mysterium decessus alfonsi regis dilucidius eleuetur in cogitatione» (*GH*, II, 11, 1; ms. *P*, fol. 1v°; PyM I, 256a). Un reste de cette structure en décades se trouve dans la coupure en deux parties (1454-1468 et 1468-1474), chacune composée de 98 chapitres de la *Crónica castellana*. Cette coupure se situe à la mort d'Alphonse. La méditation de Palencia s'y trouve résumée à une phrase : «*La dolorosa y açelerada muerte del inoçente rey don Alonso deve ser asaz çierta prueva a todos los mortales de la vana y poca firmeza de las cosas deste mundo*» (p. 245). On retrouve cette phrase dans le *Memorial de diversas hazañas*, p. 140, et dans la *Crónica de Enrique IV* de Galíndez de Carvajal, p. 331.

53. «[...] alfonsus [...] natus ad succedaneam spem regnicolarum in senectute genitoris qui subtractus a sinu genitricis post obitum patris centies diuino nutu a uenificiis maleficiisque fuisset ereptus. quem clausura munitissime arcis frustra cœrcuisset. Tyrannica potentia fratris

a été acclamé par le peuple, puis proclamé roi par une sorte de miraculeux accord entre les plus importantes villes. Il s'agit donc d'une forme de légitimation *post mortem*. Après avoir pleuré le roi et rappelé la grandeur de son jeune destin tronqué, Palencia va peut-être jusqu'au bout de sa construction d'un roi sauveur, fondant sur cette mort devenue mystérieux sacrifice, et dans laquelle on peut retrouver la mort du fils, la suite de l'histoire[54]. Si l'exemple contagieux de la vie du roi Henri entraîne les hommes à leur perte, la mort d'Alphonse peut les conduire au salut par des voies connues de Dieu seul. Mais qui ne se limitent pas en tout cas à l'exaltation d'Isabelle. Alphonse n'est pas, comme il peut le devenir chez certains chroniqueurs, un simple palier ou même un simple avatar, un peu gênant parfois, sur le chemin royal et providentiel de sa sœur[55]. Palencia le dresse en le grandissant au seuil de cette deuxième Décade, de même qu'il ouvrira plus tard la troisième, non sur la proclamation d'Isabelle, mais sur l'arrivée de Ferdinand.

En *inventant* l'horoscope du *Tostado*, Palencia avait choisi la difficulté. Mais, autour du jeune roi mort, que de rumeurs avaient dû circuler ! On en entend des échos, un peu plus tard ; le pape n'avait-il pas menacé d'anathème la faction usurpatrice ? C'est ce que dit Enríquez del Castillo. Quant à Pulgar, il rapporte, sans les approuver personnellement il est vrai, les discours de ceux qui essaient de décider le roi Henri à châtier durement les rebelles, en lui disant que la mort d'Alphonse est une manifestation du courroux de Dieu[56]. Il y avait une façon commode de récupérer cette mort (et qui ne revenait pas à exclure, au fond, le courroux de Dieu) : c'était de montrer l'apparition à la fois providentielle et plus sagement respectueuse de la royauté d'Isabelle. Mais Palencia, qui a choisi la difficulté de l'horoscope, n'a pas choisi la facilité de cette succession,

---

iniquissimi minime oppressisset et regina iohanna tanquam nouerca uiolentissima quum videretur pro libidine grassari posse » (*GH*, II, 11, 1 ; ms. *P*, fol. 1r° ; PyM I, 255a).

54. Dans la *Consolatoria de Castilla*, le deuil de la reine Isabelle, mère d'Alphonse, évoque celui de la Vierge Marie, comme le fait très justement remarquer P. M. CÁTEDRA, qui ajoute : « *Pero en este caso, cuando Barba dice que "la Reina viuda se vido de fijo y de padre" (51c), está recordando y nos trae a la memoria un tópico de los planctí marianos en latín y en romance, litúrgicos o dramáticos, bien sabidos por todos con lo que el recuerdo de la Virgen que plañe sobre el cadáver de Cristo, cuya muerte la ha dejado viuda de Hijo, de Padre y de Esposo (el Espíritu Santo), eleva mucho al propio linaje principesco del difunto don Alfonso : figuralmente hablando se trata del mismo Cristo hombre ; por extensión, de un mesías (le llama rey, en 52h)* » (*La historiografía en verso…*, p. 58).

55. Même si elle garde intacte la gloire d'Alphonse, la *Consolatoria de Castilla* montre essentiellement que Dieu a préparé l'avènement d'Isabelle. Voir en particulier les strophes 52, 53, 54, p. 189, et le commentaire de P. M. CÁTEDRA, *op. cit.*, p. 55.

56. Enríquez del Castillo reste en réalité assez vague lorsqu'il rapporte les menaces du pape : voir *Crónica de Enrique IV*, éd. cit., chap. 107, p. 295. On sait que la position de Rome, d'ailleurs compliquée par le changement de pape, ne fut jamais très claire à ce sujet. Quant à la position en quelque sorte officielle, elle apparaît clairement dans le discours prêté par Pulgar à l'évêque de Calahorra, le futur cardinal Mendoza (*Crónica de los Reyes Católicos*, éd. cit., I, p. 7-8).

ou plutôt, il l'a compliquée. L'invention de l'horoscope permet de récupérer les rumeurs et d'aller au-devant de l'adversaire sur deux fronts : contre ceux qui voient dans cette mort un châtiment de Dieu et contre ceux qui n'y voient que l'exaltation d'Isabelle, personnellement inscrite dans les plans de Dieu.

Celle-ci se retrouve, certes, héritière légitime, mais cette légitimité s'inscrit dans celle d'Alphonse et de Jean II plus que dans celle d'Henri. Quoique reprenant l'héritage d'Alphonse, c'est cette dernière pourtant qu'elle a choisie, se faisant appeler princesse et non reine ; cela, dans un premier temps, déplaît à Palencia, qui y voit un conseil pervers donné par Pacheco. Mais, princesse ou reine, héritière de toute façon, ce n'est pas uniquement pour elle que Dieu a frappé ; ce n'est pas elle seulement que Dieu a choisie comme pourrait le laisser croire un providentialisme flatteur. La succession passe par elle plus qu'elle n'y aboutit. Telle est sans doute l'intention de cette introduction qui fait fonction de prologue sans en être vraiment un, car il n'y a pas succession royale à proprement parler. Celle-ci se fera avec l'arrivée de Ferdinand, et c'est alors que réapparaîtront le *je* prologal et le prologue. La *merveille* (« mirabile dictus est »), c'est l'adhésion spontanée du peuple et des villes. Isabelle est légitimée, proclamée, comme fille de Jean II mais aussi comme sœur d'Alphonse ; elle n'est pas exaltée. Elle apparaît dans le deuil et la douleur après la mort de son frère et comme dans son ombre. C'est presque miraculeusement – en réalité, grâce à la trahison de Diego Arias – qu'Alphonse était devenu le maître de Ségovie ; amèrement Palencia doit reconnaître que cela ne lui a rien rapporté d'autre que la libération de sa sœur, ainsi mise à l'abri de l'iniquité[57].

Que devient ici l'auteur ? Il commence par faire ce qu'il exhorte à faire : élever son esprit. Il ne reprend pas les accusations d'empoisonnement contre Pacheco qui auraient déparé la méditation. Ces accusations, d'ailleurs, possibles dans le contexte de la mort et de l'émotion suscitée, étaient *indicibles* dans l'ouverture de la Décade suivante où elles auraient à la fois pris trop de force et rabaissé le ton ; mieux valait laisser toute la place à Dieu. De même, on peut remarquer l'absence de toute allusion à une miraculeuse béatitude. Le *je*, implicite, s'élève donc au-

57. « [...] ex multis rebus preteritis aliquid ocurrentium quemadmodum iam poterit uideri mistica possessio urbis Segobiensis. quæ nihil aliud alfonso regi fœlicitatis peperit quodquam soror helisabeth eriperetur e manibus iniquitatis » (*GH*, II, 11, 1 ; ms. *P*, fol. 1v° ; PyM I, 256a). Il est vrai qu'Isabelle à Ségovie n'avait pas suivi la reine Jeanne dans l'alcazar et avait rejoint son frère. Palencia lui adresse alors un de ses rares compliments : « Helisabeth autem Alfonsi regis soror germana secunda spes regnicolarum timoris expers permansit, et alacri fronte fratrem charissimum uisit, mutuaque leticia congratulantur sibi, quod ambobus Fortuna fauisset diuinaque clementia ambos eripuisset ab excidio tum vitæ tum quoque moribus infecto » (*GH*, I, 10, 1 ; TL, 2, p. 453, § 7). Cette *libération* de la sœur ne retrouverait-elle pas encore un motif plus traditionnel ?

dessus de ceux – en faisait-il partie ? – qui ont cru que rien ne viendrait briser le destin d'Alphonse[58]. Palencia est ici non seulement un homme politique avisé et un historien omniscient, mais aussi un sage et un guide qui accède à une forme plus haute de vérité. Qui, en tout cas, surmontant sa déception personnelle et poursuivant le combat et l'histoire, récupère de son mieux la mort de celui qu'il avait choisi. Quand aux belles métaphores succède le raisonnement sur les enchaînements des effets et des causes, Isabelle et ses partisans peuvent y trouver l'héritage, mais non la gloire. Mais Isabelle a préféré – préférera – les chroniqueurs qui donneront une image plus décente de son frère Henri à celui qui l'a transformé en monstre pour mieux exalter la nécessaire et juste proclamation d'Alphonse. En dépit de son apparente absence, l'auteur reste donc très présent, prêt à se transformer en acteur pour jouer un rôle donné comme essentiel dans cette deuxième Décade, où l'acteur Palencia va s'inscrire, sans oublier les jeux compliqués du monde, dans l'action mystérieuse de la Providence divine.

Rien, dans cette introduction, n'annonce Ferdinand, même si, on l'a vu, tout semble préparé pour lui. Ferdinand, qui va bientôt remplacer Alphonse, offre tous les avantages. Il est à la fois héritier, en Aragon, certes, mais aussi selon d'autres en Castille, et fondateur, car malgré tout cet héritier de la dynastie Trastamare vient d'ailleurs. Sans être excessivement louangeuse ni *providentielle*, sa présentation le fait apparaître comme le fils parfait, beau, courageux, obéissant, audacieux, déjà heureux à la guerre. À l'âge de treize ans il a remplacé son père aveugle, il a été les yeux du père à la bataille de Cervera[59]. Il n'y a pas accompli des exploits surhumains et il a même accepté, preuve de sa prudente sagesse, d'être mis à l'abri avant de diriger les opérations. Ce prince parfait – prince charmant –, qui ne laisse pas d'être au milieu de sérieuses intrigues politiques un vrai prince de conte, est venu, déguisé et traversant toutes les épreuves, épouser, donc délivrer, la princesse. Tout cela grâce à Palencia, parfait marieur qui consacre un long et magnifique chapitre au récit de cette dangereuse expédition matrimoniale dont il est lui-même le héros et qu'il construit à sa gloire[60]. En général, les contes et les romans s'arrêtent là. Mais c'est ici que commence l'histoire. Le grand passage, dans cette deuxième Décade, est donc le mariage aragonais et cette entrée, secrète, de Ferdinand en Castille grâce à l'habileté de Palencia qui a su déjouer tous les pièges et qui a retrouvé, auprès de Ferdinand, le rôle qu'il paraissait occuper auprès d'Alphonse.

58. « At tamen bone deus falso arbitrabantur homines eam felicitatis semitam ulterius alfonso parari » (*GH*, II, 11, 1 ; ms. *P*, fol. 1r° ; PyM I, 255b).

59. *GH*, I, 7, 7 ; TL, 2, p. 305, § 3.

60. *GH*, II, 12, 3 ; ms. *P*, fol. 32v°-39r° ; PyM I, 287-294.

Isabelle et Ferdinand sont devenus et resteront, jusqu'à la mort d'Henri, les princes de l'espoir. La frontière entre le bien et le mal représentée jusqu'ici par le couple Alphonse/Henri (avec la permanence des ombres incarnées surtout par Pacheco), puis plus brièvement par l'opposition Isabelle/Henri (et l'on sent bien que Pacheco a repris une influence plus pernicieuse encore), passe cette fois par l'opposition entre les princes et le roi. Et cependant ces princes, sous le regard lucide de Palencia, ne sont pas parfaits. Il est vrai que l'auteur se trouve ici confronté non seulement à deux partis, mais aussi à un authentique problème de duplication qui complique la simplicité du schéma antérieur. Pourtant, en dépit de quelques ombres, les princes agissent en bonne harmonie et l'auteur est avec eux.

Il a été fait allusion à la beauté d'Isabelle (« pulcherrimam »[61]), mais Palencia, pourtant grand utilisateur de prodiges, ne dit rien de sa nuit de prières pour éviter le mariage avec Girón. De même, il gomme ce qu'il pourrait y avoir de merveilleux dans la mort du *maestre*, le fameux vol de cigognes qui fera les délices de la *Crónica castellana*[62]. Pacheco la dissuade de prendre le titre de reine, ce qui n'est donc pas attribué à sa seule sagesse, ou à sa parfaite loyauté envers son frère Henri. Le grand flatteur a trouvé une proie sensible à la flatterie, car tel est bien déjà le point faible d'Isabelle[63]. On retrouvera par la suite ce mélange d'éloges et de réserves qui vont aller s'accentuant. L'archevêque Carrillo parle maintenant d'une *restauration* (« ad reparationem regnorum nate »[64]). Mais ces termes sont inclus dans un discours qui lui est prêté et qui est rapporté dans ce style indirect si cher à Palencia, à qui il permet de brouiller et de parasiter toutes les voix.

Isabelle a ses favoris, Chacón, sa femme et Gutierre de Cárdenas, et voici (déjà) avec les ragots soigneusement rapportés, et non pour les combattre, le deuxième défaut de la princesse, la mauvaise rétribution des services rendus[65]. Certes, elle est avisée (« solertissima virgo »), mais le goût de la flatterie peut fausser son jugement[66]. La princesse malheureuse, qu'il fallait

61. *GH*, I, 6, 10 ; TL, 2, p. 252, § 4.

62. Palencia rapporte la mauvaise mort de Pedro Girón, *maestre de Calatrava*, qui l'empêcha de mener à bien son projet de mariage et qui fut considérée, dit-il, comme un miracle. Mais il ne donne pas de précisions sur ces circonstances miraculeuses (*GH*, I, 9, 1 ; TL, 2, p. 399-400, § 2).

63. *GH*, II, 11, 4 ; ms. *P*, fol. 8r° ; PyM I, 262a.

64. *GH*, II, 12, 1 ; ms. *P*, fol. 28r° ; PyM I, 283b.

65. « [...] fertur quod prodigalius licito largita fuerit gundisaluo chaconi duo milia totidem guterrio de cardenes mille autem clare vxori chaconis tanquam ministris obsequentioribus » (*GH*, II, 12, 1 ; ms. *P*, fol. 28v° ; PyM I, 284a). On comprend mieux pourquoi Gutierre de Cárdenas, compagnon de Palencia dans l'expédition matrimoniale, fait si piètre figure dans le récit. C'est lui qui a été récompensé et Palencia se venge.

66. Déjà, avant le mariage, les *flatteurs* essaient de la convaincre de sa supériorité sur Ferdinand. Après avoir été sensible à cette adulation, elle se rend aux arguments de l'archevêque :

aider, ne tarde pas à faire preuve d'une énergie excessive, d'une ambition démesurée, en un mot à usurper le rôle qui revient à l'homme. Palencia est arrivé juste à temps à Talamanca pour la dissuader d'entreprendre en l'absence de son mari un voyage dangereux à Séville[67]. C'est une femme, d'ailleurs, bien mal entourée : Fray Alonso et Alarcón sèment la zizanie autour d'elle («jam tota domus flagrabat murmuratione mutua») et vont jusqu'à se battre[68]. Palencia parvient, difficilement, à la dissuader encore d'un autre voyage périlleux à Guadalajara, où les Mendoza lui ont tendu un véritable guet-apens[69].

Le motif pour lequel Palencia rapporte tout cela est louable puisqu'il s'agit en principe de dire toute la vérité. Mais pourquoi vraiment le fait-il ? Parce que son esprit chagrin et toujours à l'affût du mal ne peut s'empêcher de ternir un tableau trop parfait ? Parce qu'il est misogyne[70] ? Parce qu'il a pris parti pour Ferdinand ? Mais Ferdinand non plus n'est pas épargné. Ou tout simplement parce qu'il veut renforcer et rehausser son propre rôle à la fois en tant qu'acteur – conseiller sauveur par deux fois – et en tant qu'auteur lucide qui n'est jamais dupe de rien ? L'ignorance dans laquelle nous sommes pour ce qui concerne le temps réel de l'écriture nous empêche de répondre plus précisément à la véritable question : est-il en train de se créer une sorte de dette de reconnaissance princière ou royale ou de régler déjà quelques comptes personnels ? De même que dans les intrigues et les ricochets de l'histoire le *je* de Palencia apparaît et apparaîtra toujours comme le seul point fixe, le seul référent invariablement bon et sûr, il semble détourner à son profit le rôle de sauveur qu'incarne en principe le prince. N'est-il pas d'ailleurs le sauveur du prince[71] ?

«Visa est helisabeth aliquantum propensior adulantium sententie a probis hominibus negligende» (*GH*, II, 12, 4 ; ms. *P*, fol. 39v° ; PyM I, 295b).

67. *GH*, II, 18, 5 ; ms. *P*, fol. 155v° ; PyM II, 100b.

68. *Ibid.* ; PyM II, 100a.

69. *GH*, II, 18, 5 ; ms. *P*, fol. 156v° ; PyM II, 101b.

70. On a beaucoup parlé de la mysoginie de Palencia. L. Suárez Fernández en particulier s'en est plaint : «*La misoginia de Alfonso de Palencia ha jugado malas pasadas a los historiadores que han tomado al pie de la letra expresiones y juicios que responden no al reflejo simple de los sucesos sino a la peculiaridad psicológica de este autor, inmerso en una polémica de feministas y antifeministas que sacudió el siglo XV*» (Luis SUÁREZ FERNÁNDEZ, *La conquista del trono*, Madrid : Ediciones Rialp, 1989, p. 92, note 36). On peut également voir à ce sujet R. B. TATE, «La sociedad castellana en la obra de Alfonso de Palencia», *in : Actas del III coloquio de historia medieval andaluza. La sociedad medieval andaluza, grupos no privilegiados*, Jaén : Diputación provincial, 1986, p. 5-23, et *id.*, «Políticas sexuales...». Si la mysoginie ne saurait tout expliquer, il est certain que, pour Palencia, la femme et tout ce qu'il rapporte à elle, l'amour ou les fêtes par exemple, sont sources de désordre. Il craint pardessus tout l'usurpation du pouvoir et le monde à l'envers.

71. Palencia a été envoyé par le duc de Medina Sidonia pour solliciter l'aide de Ferdinand qui revient d'Aragon. Mais alors qu'il croit le trouver à Aranda, il apprend que le prince est à Ségovie. Il s'y rend donc à son tour ; Ferdinand, sachant que le roi le hait, le cache dans une dépense et c'est là, dans ces conditions un peu rocambolesques, que Palencia a entendu la *conspiration* qui avait pour but de livrer Ségovie à Pacheco. Cette «conspiration» semble bien

Après son mariage, on critique Ferdinand. Qui ? On ne sait. On le critique pour n'avoir pas assez aidé son père et s'être laissé prendre aux pièges de l'amour[72]. Cette accusation, fondée sur des « rumores » ou venant de Palencia lui-même, reviendra souvent. On sait que Palencia n'aime pas l'amour qui rend les hommes fous et les soumet aux femmes. L'amour, c'est en quelque sorte le monde à l'envers. Pourtant, le prince reste prudent. Il écoute en souriant les fanfaronnades de son cousin Enrique Fortuna[73]. Déjà avide de richesses, il demande les rentes du coupable, mais son père lui donne une leçon et refuse. La victoire d'Elne, qui donne l'occasion d'un merveilleux triomphe père/fils, réhabilite le prince des accusations portées contre lui[74]. Mais, de retour en Castille, il laisse voir un autre défaut, l'insouciance (« incuria »). Alors que la guerre sévit entre les comtes de Benavente et de Treviño, le prince s'amuse. Rodrigo Manrique ne le supporte pas et le tance vertement[75]. Ferdinand se corrige… un peu. Il est toujours trop pressé de rejoindre sa femme (« carissimam uisurus coniugem »), ce qui l'empêche de s'occuper d'affaires importantes. Le prince et la princesse savent flatter le peuple (« demulcendo animos popularum »). Mais le récit passe vite de ce pluriel « principes » au singulier de Ferdinand que le peuple acclame (« velut fauore diuino »[76]).

Voilà donc le couple – les princes – avant la mort du roi. Chacun a montré ses qualités et l'esquisse de ses défauts ; la princesse est autoritaire, ambitieuse, sensible à la flatterie. Elle a des préférences injustes et injustifiées et l'ambition la rend ingrate. Le prince est un peu mou, indolent, trop épris de sa femme. Un même trait les unit : l'art de feindre. Malgré tout, ils sont porteurs d'espoir. Le couple est séparé lorsque meurt le roi Henri à Madrid dans la nuit du 11 au 12 décembre 1474. Ferdinand se trouve à Saragosse en compagnie de Palencia, venu, une fois de plus, en mission. Si le hasard a bien fait les choses pour Palencia, il est moins favorable à Ferdinand, car Isabelle, à Ségovie, s'est aussitôt fait proclamer reine, reprenant d'ailleurs certains aspects de la mise en scène d'Ávila et surtout en se faisant précéder de l'épée que tient par la pointe Gutierre de Cárdenas[77]. Sur cette proclamation présentée comme usurpatrice s'achève la deuxième Décade.

avoir existé, mais qu'en est-il du rôle de Palencia ? (*GH*, II, 18, 10 ; ms. *P*, fol. 171r° ; PyM II, 114ab).

72. *GH*, II, 16, 4 ; ms. *P*, fol. 116r° ; PyM II, 59b.

73. *GH*, II, 17, 7 ; ms. *P*, fol. 138r° ; PyM II, 82a.

74. *GH*, II, 18, 6 ; ms. *P*, fol. 160r°-160v° ; PyM II, 104b.

75. « At rodericus manrique ferens egerrime principis incuriam quod ludis iocisque ea in tempestate uacaret inuectus est in eum uerbis grauibus acerrimo dignis monitore » (*GH*, II, 19, 2 ; ms. *P*, fol. 175v° ; PyM II, 120b).

76. *GH*, II, 19, 6 ; ms. *P*, fol. 181r° ; PyM II, 125a.

77. *GH*, II, 20, 10 ; ms. *P*, fol. 209v° ; PyM II, 155a. La signification de cette proclamation et de la *conjuración* du 24 décembre a été analysée par L. Suárez Fernández, *La conquista…*, p. 80-82. [Voir aussi *id.*, *Isabel reina*, Barcelone : Ariel, 2000 ; María Isabel del Valdivieso, « La

Le roi

C'est Ferdinand qui apparaît comme successeur[78] dans le prologue de la troisième Décade intégré, on l'a vu, au livre 1, mais pourtant autonome même s'il semble davantage relié au récit immédiatement antérieur dans un *continuum* moins vaste. Ce « successit » peut d'ailleurs être interprété de différentes façons et en quelque sorte à plusieurs niveaux. Cela peut signifier tout simplement que Ferdinand devient roi en Castille par son mariage avec Isabelle, comme le raconte en effet le début de la troisième Décade qui, en trois chapitres, rapporte le voyage de Saragosse à Ségovie où a lieu la proclamation[79]. Cela peut signifier aussi que Ferdinand vient après Henri dans une succession masculine de roi à roi. Mais le « successit » peut également faire référence à la légitimité de Ferdinand, véritable héritier selon le parti aragonais, pour deux raisons : parce qu'il est le seul descendant mâle des Trastamare et parce qu'il est le mari d'Isabelle. Même si en Castille le droit des femmes à la succession est préservé, si elles sont reines héritières et propriétaires du royaume, le droit naturel donne au mari une préséance sur la femme dans le mariage. Ce prologue est donc un compromis : Ferdinand, mari de la reine, est roi. Mais si la formulation choisie par Palencia préserve les droits d'Isabelle, elle proclame aussi la supériorité de Ferdinand. Le découpage et l'ordre du récit illustrent cette proclamation ; quant à la voix prologale qui la fait, elle peut être plus ou moins discordante ou même provocatrice selon le temps réel de l'écriture[80].

---

herencia del trono », *in :* Julio VALDEÓN (dir.), *Isabel la Católica y la política*, Valladolid : Ámbito, 2001, p. 15-49 ; et M. PARDO, « L'épée de la discorde… », p. 307-330.]

78. « […] iam uidetur operapretium præfari quemadmodum henrico uita functo cui iure hereditario coniugis reginae helisabeth successit in regnis castellæ et legionis inclitus fernandus aragonum princeps […] » (*GH*, III, 21, Prol. ; ms. *A*, fol. 1r° ; PyM II, 159a).

79. *GH*, III, 21, 4 ; ms. *A*, fol. 6r°-7v° ; PyM II, 165b. Cette proclamation de Ferdinand se trouve comme escamotée dans le récit de Palencia [il est vrai que Ferdinand est proclamé roi comme mari d'Isabelle, ce qui ne correspond pas aux prétentions du parti « aragonais »]. Elle est par contre magnifiquement racontée dans la *Crónica incompleta de los Reyes Católicos* (éd. cit., Título 12, p. 132-133). Une variante de ce récit se trouve au chapitre 93 du manuscrit A2 de la *Crónica castellana* (éd. cit, « Apéndice II », p. 483-484).

80. On sait que la *sentencia arbitral*, plus connue comme *Concordia de Segovia*, a établi l'égalité des rois. Celle-ci s'est trouvée ensuite condensée dans le célèbre « *Tanto monta* ». Sur les différentes significations de cette devise, ainsi que celles des emblèmes du joug et des flèches, voir l'analyse de Juan Antonio GONZÁLEZ IGLESIAS, « El humanista y los príncipes », *in :* V. GARCÍA DE LA CONCHA (dir.), *Antonio de Nebrija…*, p. 59-75). Le joug en particulier, qui peut être à la fois un symbole de puissance royale, d'union matrimoniale ou politique, apparaît étrangement dans le récit de Palencia lorsque, après avoir rapporté la victoire de Toro, il dit par quels prodiges elle fut annoncée. Le plus important sans doute est l'apparition miraculeuse, signalée par un Maure prophète et poète à un marin de Séville, d'un joug blanc incrusté dans le marbre noir d'un degré de l'escalier qui mène à l'église Santa María la Mayor. Sous le joug pousse une touffe de sparte. Ce prodige a été vu par de nombreux Sévillans, qui ont détruit le joug en

Ce prologue est bâti sur les thèmes du bien et du mal, de la joie et de la douleur, et finit sur l'acte décisif : *j'écris*. À la mort du roi Henri l'espérance a commencé à se faire jour parmi la « seconde » noblesse et le peuple (« perspecta spe mediocris nobilitatis atque populorum »[81]). Mais de nombreux grands essaient d'y faire obstacle en s'opposant au nouveau roi. Ils ne voient pas que Dieu a commencé à manifester ses merveilles depuis les premières négociations en vue du mariage des princes[82], ce qui permet d'espérer la victoire sur le mal. C'est fort de cet espoir ou de cette certitude que l'auteur apparaît en fin de prologue pour entreprendre la narration d'événements admirables (« quam ego mirabilium gestorum narrationem lætus aggredior »), rempli de joie et d'espérance après tant de tristesse. Après la tempête, il aperçoit les lumières du port ; après la nuit ténébreuse il voit poindre l'aurore[83]. Mais si le lecteur, après avoir lu la suite, revient au prologue, il ne peut s'empêcher d'être surpris. Qu'est devenue la joie, se dit-il, déçu et même frustré, peu accoutumé par le récit à cette lumière. S'il a rencontré en chemin des événements en effet admirables, cette troisième Décade est loin de réaliser les promesses prologales. Elle va très vite s'abîmer, au bout de trois chapitres, dans les intrigues de Ségovie et finira, deux ans plus tard, dans les intrigues tout aussi sombres et décevantes de Séville.

Palencia a pourtant pris ses précautions. Dans le prologue, qui est à la fois le résumé d'un déjà-fait et une annonce, il n'oublie pas de souligner la permanence des forces du mal : elles s'exaspèrent et se précisent dans une lutte qui s'annonce longue et qui peut en effet recouvrir l'ensemble de la troisième Décade ou plus encore. Mais le mal semble circonscrit à des forces contraires ; il peut, on le sait par la Décade antérieure, étendre sa force contagieuse à travers Isabelle et les conseillers qui l'entourent. Mais

---

voulant l'arracher. Palencia aussi a été témoin : « Interfui equidem & uidi quemadmodum ex sparto fibras euulsas multi singilati carpebant dictaque naute pro miraculo referebant » (*GH*, III, 25, 9 ; ms. *A*, fol. 91v° ; PyM II, 274). [Cet important témoignage a été repris par Diego de VALERA : « *Y esperando de ver esta maravilla, así hombres nobles como mugeres e cibdadanos e plebeyos vinieron a lo ver, e algunos hombres de poco saber quebraron el yugo de aquel marmol. Y entre los otros Alonso de Palencia, coronista, hombre muy prudente e digno de fee, vino a lo ver, e vido el esparto por muchas partes quebrado ; e las cosas dichas por este marinero, como por miraglo en muchas partes contava* » (*Crónica de los Reyes Católicos*, éd. cit., chap. 20, p. 75).] C'est, bien entendu, la royauté de Ferdinand consolidée par la victoire de Toro que Palencia exalte par ce prodige.

81. *GH*, III, 21, Prol. ; ms. *A*, fol. 1r° ; PyM II, 159a.

82. « Nec non libenter se oblitos prodiderunt tyranni summates multorum mirabilium quæ a temporibus initi connubii principum deus optimus maximus fecisset indicans majora facturum » (*ibid.*, PyM II, 159b).

83. « Quam ego mirabilium gestorum narrationem lætus aggredior. uelut qui post luem acerbi doloris licitam consequitur uoluptatem, et tamquam seuissima qui fuerit iactatus in altum procella : sed iam reuectus fauorabili aura inspiciat portum. et quemadmodum uidet quis gaudenter auroram ubi oppacitas tenebrarum diuturna mœstissimi ingesserint occasionem erroris » (*loc. cit.*).

le roi, dans ce prologue, semble incarner absolument le bien ; or il sera loin d'en être ainsi dans l'ensemble de la narration. Ce texte aurait-il donc été composé avant la fin décevante de cette Décade, c'est-à-dire avant l'amertume du séjour royal à Séville ? Il n'est pas aisé de faire la part de la joie éprouvée devant une réalisation et de celle que donne l'espoir ; car c'est bien l'espoir surtout que suggèrent les métaphores finales. Que Palencia ait voulu créer, par cette joyeuse attente prologale, non pas seulement un contraste avec le règne précédent, mais aussi un contraste avec la déception que provoquera ce qui suit est une autre affaire, et même si on le sait habile, rancunier et quelque peu pervers, rien n'autorise à lui prêter une aussi noire stratégie. Une chose pourtant ne saurait être niée. L'auteur, qui juge si sévèrement les rois à Séville à la fin de la troisième Décade, a, sinon écrit après, du moins gardé le prologue et, semble-t-il, sans le retoucher, car sa construction est parfaite[84].

Une autre explication, plus conforme à ce que suggère la « mirabilium gestorum narrationem », c'est-à-dire un déjà-fait (du moins en partie), serait de faire du *je* apparu à la fin de ce texte et comme sorti, avec le nouveau roi, des ténèbres et des tempêtes dans la lumière finale, une instance différente de l'instance auctorielle qui régit le récit, aussi bien postérieur qu'antérieur. En se préfaçant *après*, Palencia deviendrait plus solennel. Face au tout brouillé du récit qui, n'épargnant personne et se voulant aussi vrai que le réel peut l'être, se perd avec amertume mais avec complaisance dans les complexes méandres de cette réalité, se poserait cette *sententia*, à la fois prologale et finale, ouverture et bilan, proclamation et action de grâces. La joyeuse espérance serait celle, un peu suspecte, d'une sorte de hors-temps, de hors-jeu, celle de la venue du roi et du début du règne, qui s'opposerait parfaitement aussi bien au prologue initial qu'à la tristesse causée par la mort d'Alphonse, sur laquelle s'ouvrait la Décade précédente. De même que le deuil légitimait Alphonse, la joie contribue à grandir Ferdinand, le légitimant encore s'il en était besoin et, à travers lui, Alphonse encore, dont la mort a permis ce renouveau. On peut retrouver dans cette ligne successorale compliquée par la Providence un schéma narratif également compliqué : non une simple inversion, mais un « *engaste de inversión* » comme l'a si bien dit Maurice Molho à propos du Mio Cid[85].

Une explication plus simple paraît peu fondée : il s'agirait de considérer ce prologue comme un simple exercice rhétorique sans grand rapport avec ce qui précède ou avec ce qui suit et dans lequel les prises de position

84. R. B. TATE a souligné la beauté de ce prologue : « *La Década III va encabezada por el prólogo que contiene más carga poética de toda la obra* » (« Las *Décadas* de Alfonso de Palencia... », p. 233).

85. M. MOLHO, « Inversión y engaste de inversión : notas sobre la estructura del Cantar de Mio Cid », *in : Organizaciones textuales (textos hispánicos)*, Toulouse-Madrid : Université de Toulouse Le Mirail - Universidad complutense / UNED, 1981, p. 193-208.

politiques ou les sentiments plus personnels seraient comme dévitalisés dans l'*ornatus* des lieux communs. Quand on a quelque peu fréquenté Palencia et que l'on a vu ce que la rhétorique peut devenir entre ses mains, on ne croit pas beaucoup à cette explication. De toute façon, la joie de commencer la narration, d'entreprendre l'écriture permet de recréer un *avant* fictif devenu commencement de l'histoire et joyeuse espérance. Ce que le lecteur sait des princes et de l'auteur après la deuxième Décade permet, malgré quelques réserves, cet espoir, dans l'état de grâce prologale que partagent à la fois le roi, l'auteur et le lecteur.

Mais le contraste est quand même rude – et très probablement voulu, car Palencia est maître dans cet art – entre le voyage annoncé vers le havre métaphorique et celui qui, beaucoup plus sombre et difficile, commence dès le début du récit. Un hasard heureux a permis, on l'a vu, que Palencia se trouve à Saragosse auprès de Ferdinand quand celui-ci reçoit la nouvelle de la mort d'Henri. C'est donc ensemble qu'ils vont, dans les rigueurs de l'hiver, faire leur deuxième entrée en Castille. Une entrée en quelque sorte retardée par Isabelle, qui n'est plus comme autrefois la princesse impatiente, mais la reine presque usurpatrice du pouvoir. Palencia entre donc de nouveau avec Ferdinand dans son rôle préféré, celui de sage conseiller[86]. Il n'a pas trop des trois jours de voyage pour sermonner le roi, répondre à ses questions et le mettre en garde contre les ambitions de sa femme, en un mot, pour le convaincre qu'il est le roi. C'est sans doute pour Palencia son moment de gloire, en tout cas c'est à sa gloire qu'il en construit le récit, mais il ne va pas tarder à quitter Ségovie et ses intrigues. À Ségovie règne désormais le cardinal Mendoza, et Palencia n'attend même pas la « *sentencia arbitral* » du 15 janvier 1475, inique selon lui, pour prendre le chemin de l'Andalousie.

Si la quatrième Décade, telle qu'elle nous est parvenue dans l'unique manuscrit conservé, commence sans prologue ni introduction et par le récit des affaires portugaises, c'est peut-être, en effet, parce que, composée sans doute entre la troisième Décade et la « Guerre de Grenade » (on n'ose dire pour remplir un blanc, car il s'agit d'un texte superbe), elle s'inscrit en quelque sorte dans la continuité chronologique de la Décade antérieure et se considère couverte par le prologue qui la précède. Il n'y avait pas lieu ici de marquer un passage, encore moins une succession. Déjà, et en dépit de sa construction *royale*, on a vu que le début de la deuxième Décade n'était pas vraiment un prologue, et que le *je* prologal avait disparu. Mais on

86. *GH*, III, 21, 1 ; ms. *A*, fol. 3r° ; PyM II, 162a. Ferdinand s'étonne à la fois du geste d'Isabelle et du retard qu'elle a mis à leur annoncer tout cela. Il consulte donc Palencia et le savant juriste Alfonso de la Caballería qui les accompagne. [Voir M. PARDO, « L'épée de la discorde… ».]

peut prendre l'affaire à rebours et considérer que cette simple continuité chronologique est devenue grâce à l'organisation narrative une véritable unité de composition centrée sur l'Andalousie. Sans aller jusqu'à un véritable passage, on peut dire qu'il s'agit d'un seuil important et qui aurait bien mérité au moins une introduction. Cette introduction est peut-être justement le magnifique premier chapitre qui, rapportant et analysant les affaires portugaises, est dit « vice proemio » dans le titre et qui commence en effet par une sorte de formule d'ouverture : « origo rerum ».

Devant l'absence de prologue on peut aussi se poser deux questions. La première est un peu perverse : Palencia l'aurait-il fait exprès ? La seconde lui est liée : pouvait-il faire autrement ? Quoi qu'il en soit, le résultat est bon ; on ne saurait trouver meilleure façon d'aborder cette tumultueuse Décade dans laquelle le *je* acteur apparaît moins souvent mais avec force, et dans laquelle la voix de l'auteur accompagne en grinçant un discours dont il lui faut défendre la vérité contre la reine elle-même. L'évaluation que suppose un prologue était-elle seulement possible ? Quand on songe à la position incommode de Palencia vis-à-vis de la reine, que parfois il juge pourtant plus efficace que le roi, et aux remarques acerbes qu'il fait sur tout cela, on peut s'aventurer à imaginer, toujours avec les plus grandes réserves, que l'absence de prologue ou le peu qu'il en reste – « vice proemio », car il faut marquer un commencement – est peut-être volontaire. Les temps ne sont plus aux *prologues* heureux. Et d'ailleurs que dire ? Après ce qui s'est passé à Séville, triste fin de la troisième Décade, il est impossible de poursuivre sur les thèmes de la joie et de l'espoir. Enchaîner sur la permanence du mal et les malheurs des temps eût été possible, mais une chose est de les raconter, même en les commentant, et une autre de les figer dans un prologue. Les temps ne sont pas davantage aux prologues dénonciateurs.

On peut remonter dans le temps et résumer l'histoire. On a vu que Ségovie, où étaient arrivés Ferdinand et Palencia après la mort d'Henri IV, était loin de ressembler au havre métaphorique tant attendu. La seconde grande *causa*, à sa façon successorale, est celle qui a abouti à la fameuse *Concordia* entre les époux, après une crise grave. Palencia dénonce ce qu'il considère encore comme un monde à l'envers. Ferdinand n'a-t-il pas dû menacer de rentrer chez son père ? La reine, femme après tout, a peut-être été trompée par les flatteurs, mais elle aussi tente de séduire. Ferdinand reste, par amour, par faiblesse, mais change d'attitude. Plus cauteleux que jamais, il donne différentes explications de sa conduite, si bien que l'on ne sait que penser (« itaque diversis aut laudabatur aut improbabatur sententiis »[87]).

87. *GH*, III, 21, 5 ; ms. *A*, fol. 9r° ; PyM II, 169a.

Les voici donc rois tous deux. Les jugements portés sur Isabelle ne seront que très rarement tout à fait élogieux. Sa conduite est souvent ternie par un goût excessif de la flatterie et d'une gloire mal comprise, qui tente d'usurper à la fois le pouvoir royal et viril[88]. Elle s'entoure de favoris indignes de tant d'honneurs et de biens. Quand le roi et la reine décident de visiter Séville, on loue Ferdinand et on critique Isabelle. Sans doute s'agit-il des « rumores » propagées par les grands andalous, mais Palencia se fait un plaisir de les rapporter[89]. Sa misogynie s'en donne à cœur joie.

Le roi a nettoyé de son mieux la Castille des « latrones » ; il a fait face aux Portugais. Il inquiète suffisamment, dans sa nouvelle gloire populaire, pour que le cardinal Mendoza, essayant de sauver le pouvoir des grands, complote contre lui[90]. Mais après l'espoir, à Séville, c'est la déception. Il n'y a pas de vraie justice ; on accuse Ferdinand d'être trop soumis à sa femme et à ses conseillers. Quand éclate l'affaire de l'exportation du blé, les Basques accusent le roi – non la reine[91] – de paresse, d'avarice et de manque de charité. Palencia, qui quelques lignes plus haut avait accusé quant à lui *les rois*, a l'honnêteté, ou la malice, de rapporter leur voix. Honnête ou

88. Cette reine-là aime la vraie guerre ; elle a bien renforcé Tordesillas (*GH*, III, 22, 3 ; ms. *A*, fol. 23r° ; PyM II, 187b), bien pourvu aussi aux nécessités de Burgos où elle a été acclamée : « Et cum plausu mirabili civium admittitur atque cum choreis cantilenisque puerorum » (*GH*, III, 25, 3 ; ms. *A*, fol. 78r° ; PyM II, 259a). Elle descend dans les mines face à Toro. Mais sa conduite pendant l'émeute de Ségovie, si elle est habile (« sedulitas »), reste suspecte, et la faveur qu'elle accorde à Beatriz de Bobadilla et à Andrés de Cabrera lui vaut les accusations amères du noble Luis de Mesa (*GH*, III, 27, 3 ; ms. *A*, fol. 116r°-116v° ; PyM II, 306ab). Les jugements vont se faire encore plus réservés ; pendant que Ferdinand se bat à Cubillas et à Castronuño, la reine a entrepris un voyage en Estrémadure ; avant d'entrer à Trujillo, elle a demandé par lettre que les grands envoient des troupes à la frontière portugaise ; trois raisons possibles à cela, dit Palencia. Si les deux premières sont louables (combattre la forteresse ou repousser une attaque du prince Jean), la troisième est une nouvelle usurpation du pouvoir viril : on dit qu'elle voudrait aller à Batalha, où se trouve l'étendard royal, pour laver cet affront (*GH*, III, 29, 2 ; ms. *A*, fol. 151 ; PyM III, 35b).

89. Les Sévillans attendaient avec impatience la visite royale. Palencia a construit à sa façon deux *entrées*, dans lesquelles il se donne à nouveau le rôle de conseiller secret qu'il affectionne. Il va d'abord à la rencontre de la reine (*GH*, III, 29, 8 ; ms. *A*, fol. 159r°-160v° ; PyM III, 47ba), puis du roi (*GH*, III, 29, 10 ; ms. *A*, fol. 162v°-163r° ; PyM III, 50b-51a). Il les met en garde tous deux contre les dangers de Séville et de ses habitants. L'entrée pompeuse de la reine, déjà très critiquée, entre autres raisons parce qu'elle est venue la première, a tôt fait de décevoir, et les grands andalous font courir des rumeurs : « [...] præterea reginam insimulabant imprudentiæ quod præsumerat fœmino imperio excludere ab inveterata ciuitatem. [...] Sed anteriorem adventum uxoris multi condemnabant dicentes fæmineum regimen infructuosum fore ad tantæ malis negotia quantumcumque uirtutibus reginæ afficeretur summis » (*GH*, III, 29, 7 ; ms. *A*, fol. 149r° ; PyM III, 44a-45b). Quant à l'entrée du roi, elle est complètement manquée, car certains « seductores » l'ont fait entrer à Séville « post meridiana hora » et le peuple qui l'attendait s'est mis à l'abri de la chaleur. Tout cela, sans compter la mort de celui qui avait prononcé le discours de bienvenue à la reine, est considéré comme un mauvais augure. Ferdinand ne tarde pas à décevoir par son indolente apathie.

90. *GH*, III, 23, 2 ; ms. *A*, fol. 37r°-37v° ; PyM II, 207ab.

91. *GH*, III, 30, 1 ; ms. *A*, fol. 165r° ; PyM III, 57a.

pervers, il n'hésite pas à dire que si quelque chose de bon se faisait « in betica », cela était imputable à la reine[92]. Que lui a donc fait Ferdinand ? Décidément, il est méconnaissable, multipliant les injustices et les sottises ; le récit les fait s'enchaîner les unes aux autres dans une sorte de tourbillon vertigineux. Ne se croirait-on pas revenu aux jours sombres du règne précédent ? Le roi serait-il ensorcelé[93] ? De nombreux grands ont bien compris ou cru comprendre et la reine va être de plus en plus adulée afin que s'accentue la discorde[94]. Mais ils sont pris à leur propre piège, comme le montre l'affaire de l'attribution du *maestrazgo de Santiago*. Car les rois en réalité sont complices.

De quel côté est alors Palencia ? Il se contente, semble-t-il, de marquer les points, pour ne pas dire les coups. Il est contre tout le monde : contre la reine, qui approuve ce qu'a fait le roi, ou plutôt ce qu'elle lui a fait faire, contre le roi qui se montre injuste, ingrat, et qui est soumis à sa femme, contre les grands, qui voulaient qu'Isabelle commande mais qui sont maintenant furieux qu'elle le fasse. Tout est ébranlé dans ce que l'on ne peut considérer, du moins pas encore, comme la genèse d'un pouvoir nouveau. Palencia, en tout cas, ne semble pas le discerner dans cette corruption générale des mœurs et la troisième Décade finit apparemment sur un échec. Qu'est devenu l'espoir[95] ? On voit combien un prologue était difficile à ce moment-là et dans cette saisie de l'histoire.

Car la dégradation continue, s'accentue même dans la quatrième Décade[96]. Mais le roi et la reine deviennent de plus en plus complices. Les voici bien d'accord, à Carmona, pour sacrifier la loyauté de Gómez Méndez de Sotomayor. Palencia est amer, et noir son humour[97]. Certes, Ferdinand garde des qualités ; il est loyal envers son père[98], et même envers Louis XI qu'il refuse de vaincre par quelque moyen illicite[99]. Il aime

92. *GH*, III, 30, 2 ; ms. *A*, fol. 166v° ; PyM III, 58a. « Et si quid intentius ad laudem actitari in betica uidebatur id ab uxoris mente uerius emanabat. » À Jerez, les partisans du marquis de Cadix louent le roi. Mais les adversaires se moquent et l'affaire est grave (*GH*, III, 30, 5 ; ms. *A*, fol. 170r° ; PyM III, 63ab).

93. « Ascribentes hoc uel beticorum noxis uel forte occultiori peccato regis qui prorsus insolens noscebatur a domesticis postquam in beticam pervenisset atque mutatis in deterius moribus tabesceret. nullaque exercitatione afficeretur earum que laudari in tanto principe solebant sed uelut ueneficio sopitus et iners quod mente ualebat haud ostendebat effectibus » (*GH*, III, 30, 5 ; ms. *A*, fol. 172r° ; PyM III, 64ab).

94. *GH*, III, 30, 8 ; ms. *A*, fol. 176r° ; PyM III, 70b.

95. « Itaque ex desidia uel ignavia maiorum audacia minorum resultabat » (*GH*, III, 30, 9 ; ms. *A*, fol. 177r° ; PyM III, 72a).

96. Dès le début apparaît le problème du blé à Séville. Le roi, pourtant bien conseillé par Palencia, agit avec mollesse et quand il est parti pour pourvoir aux affaires de la *Hermandad*, c'est la reine qui se voit décerner des félicitations (*GH*, IV, 31, 6 ; LT, 1, p. 19 ; 2, p. 27).

97. *GH*, IV, 32, 10 ; LT, 1, p. 64 ; 2, p. 77.

98. *GH*, IV, 31, 10 ; LT, 1, p. 33 ; 2, p. 43.

99. *Loc. cit.*

réellement sa femme et craint pour elle les conséquences de l'accouchement proche[100]. C'est d'ailleurs sans complaisance que Palencia rapporte les naissances, à l'exception de la première qui a eu lieu au bon temps de l'amitié. Mais il fait preuve ensuite d'une certaine réserve, pour ne pas dire de répugnance, et il lui arrivera même d'associer un accouchement royal quelque peu « monstrueux » à un mauvais augure[101]. La naissance du prince Jean lui-même quoique annoncée à grand renfort de dates ne donne lieu à aucun triomphalisme[102]. D'ailleurs, le prince était malade le jour où à Tolède il a été *juré* en grande pompe comme héritier[103]. Palencia qui, ce jour-là, essuya le plus grand affront, pouvait-il trouver une meilleure façon de gâter la fête dans son récit ? Et de se poser, décidément, comme voix discordante ?

L'amour de Ferdinand pour Isabelle est toujours excessif (« insano erga uxorem amore »[104]). Le roi est accusé d'« insitam negligentiam », de se laisser séduire par les flatteurs (« assentatoria caterva hominum »[105]). Lorsqu'il doit partir en Aragon, Isabelle, enceinte, ne se laisse abattre ni par son état ni par les difficultés de toute sorte. Mais Palencia ajoute « natura tamen quum esset honores cupidissima »[106], ce qui détruit l'éloge. À Barcelone, Ferdinand ne fait rien de bon et déçoit (« natura inefficax »[107]). Car en Aragon aussi, où Ferdinand est maintenant roi, l'espoir est déçu : le passage se fait

100. *GH*, IV, 32, 1 ; LT, 1, p 34 ; 2, p. 44.

101. En 1482, la naissance de l'infante Marie sera rapportée comme une sorte de prodige. Il s'agira en effet d'un accouchement double, une deuxième infante étant née morte trente-cinq heures après la première. Cette naissance, tenue par certains pour un mauvais augure (« quædam aliquis futuræ cladis »), vient s'inscrire dans un récit qui prépare la défaite de l'expédition vers Loja (*BG*, 2 ; ms. *M*, fol. 15v° ; PyM III, p. 94b).

102. La naissance du prince Jean est, on le sait, un moment triomphal dans l'histoire du règne. Palencia, quant à lui, en profite pour rappeler que deux ans auparavant les oracles avaient pronostiqué cette conception et cette naissance à Séville, en précisant toutefois que le résultat serait plus favorable à la paix publique si le roi était le premier à fouler le sable du Guadalquivir. Mais la première fut la reine et, dit Palencia, « experiencia docuit obstacula plurima ob præcedentem Reginam exorta » (*GH*, IV, 32, 1 ; LT, 1, p. 35 ; 2, p. 45). Palencia, qui explique longuement le choix du nom ne s'étend pas sur les fastes du baptême. En réalité, il semble éprouver pour le prince un obscur sentiment d'inimitié. Tout autant que le fils, il voit en lui l'ennemi de Ferdinand, l'exaltation de la reine plus que du roi. C'est en effet la succession qui est en jeu, car Isabelle a fait ajouter une clause dangereuse : « Quod si contingat decessus reginæ superstite viro, liceat uxori ex testamento quem maluerit sceptro vel virum vel filium præfere » (*GH*, IV, 36, 1 ; LT, 1, p. 166-167 ; 2, p. 195). Ferdinand est vivement critiqué pour l'avoir acceptée : « Regemque licentius incusabant desidiæ, ignaviæ, nequitiæque » (*loc. cit.*).

103. « Summa cærimoniarum fuit confusa nimis, quum in perangusto loco astantibus atque altare coniugibus, princeps ægre – et ipse ægrotus » (*GH*, IV, 36, 1 ; LT, 1, p. 166 ; 2, p. 195).

104. *GH*, IV, 32, 2 ; LT, 1, p. 38 ; 2, p. 48. C'est l'archevêque Carrillo qui parle.

105. *GH*, IV, 33, 5 ; LT, 1, p. 74 ; 2, p. 91. Dans l'affaire de Moya on avait déjà accusé le roi et la reine : « non sine incusatione desidiæ Regis atque Reginæ ».

106. *GH*, IV, 34, 10 ; LT, 1, p. 125 ; 2, p. 146.

107. *GH*, IV, 35, 1 ; LT, 1, p. 130 ; 2, p. 151.

mal et les accusations se font graves[108]. Les langues se déchaînent, les *pasquines* apparaissent, mais Ferdinand s'en soucie peu. Certes, Palencia ne fait ici que «rapporter». Fait-il partie de ces «vieux» qui gardent malgré tout leur estime au roi («præter veterem hominum opinionem»[109]), ou bien, ayant tellement cru en lui, est-il le premier à le censurer ? Ferdinand ne montre pas plus de diligence envers les légats de Sicile ; il se fait maintenant accuser d'étroitesse de vues et d'être – encore ! – comme envoûté par sa femme qui, quant à elle, ne perd pas la tête[110]. Elle agit avec fermeté et, à la différence de Ferdinand, n'est pas femme à tolérer la liberté d'expression. Le roi s'en remet à elle («arbitrio eius omnia remittebat»). Et voilà de nouveau la porte ouverte aux favoris et aux abus de toute sorte qui s'engouffrent dans le récit, vertigineusement.

La solennelle reconnaissance du prince Jean comme héritier est présentée comme une orgueilleuse machination d'Isabelle dont la victime est Ferdinand, mais aussi Palencia[111] ; lequel s'empresse de rapporter, dès le chapitre suivant, l'étrange escroquerie de Luis Loreña. Une escroquerie *internationale*, qui se fonde aussi sur les divergences du couple que l'on vient de voir dans la somptueuse cérémonie du chapitre antérieur. Étrange affaire en vérité, dont on ne sait que penser... Mais une chose est sûre : cette petite nouvelle picaresque est une vengeance narrative. Après les pompes un peu truquées de Tolède, voici l'histoire de deux escrocs[112]. Palencia, décidément, aime les contrastes.

108. Des «litteras breves» apparaîssent à Saragosse «quibus iniquitas desidiaque Regis incusabatur acerbissime atque contumeliose» (*GH*, IV, 35, 1 ; LT, 1, p. 130 ; 2, p. 152).

109. *Loc. cit.* Curieusement, au chapitre suivant, Palencia fait allusion à son âge («seniam meam», *GH*, IV, 35, 2 ; LT, 1, p. 132 ; 2, p. 153).

110. *GH*, IV, 35, 7 ; LT, 1, p. 152 ; 2, p. 178.

111. *GH* IV, 36, 1 ; LT, 1, p. 167 ; 2, p. 196. Nous citons le texte dans la traduction que propose R. B. TATE en raison du caractère défectueux de celle de J. López de Toro et aussi, semble-t-il, de sa transcription (rappelons qu'il n'existe qu'un manuscrit de la quatrième Décade) : «*De todas las formas posibles se opuso la reina a cuantos ofrecían resistencia a su voluntad. Incluso había nombrado poco antes a un cronista que se sentía obligado a ella, puesto que ella sospechaba de la firmeza de mi lealtad a la cual yo me había comprometido bajo el juramento prestado. Y, aunque yo estaba presente, ella hubiera preferido que todo aquello se publicara estando yo ausente o sin ocupar un puesto oficial, cualquier que fuese. Yo, después de haber sido llamado por el rey, mantenía una versión de lo sucedido ; Fernando de Pulgar, a quien se había mandado de una manera excepcional redactar los anales, sostenía la otra versión en presencia de la reina y del cardenal* [*Pedro González de Mendoza*]. *Al darse cuenta de que yo había apercibido la secuencia confusa de los hechos, ella buscó con astucia la oportunidad para silenciarme sugiriendo a los procuradores que sería más justo y según los mejores usos que cuanto yo había escrito o iba a escribir, fuese sometido a la censura de algún sabio prelato. Yo, sin embargo, defendía con firmeza tanto como podía mi integridad profesional presentando argumentos sacados de la antigüedad en favor de mantener la veracidad bajo juramento. Porque era clarísimo que quien escribía la verdad siempre corría peligro cuando llegara a los oídos de los poderosos la versión histórica corrompida por las tachas del censor. Parecía que la reina quedaba satisfecha con esta respuesta inequívoca, ya que era tenida por maestra de disimulo y fingimiento. Mas fue evidente que los innumerables servicios que yo había prestado a su encumbramiento se habían desvanecido en el aire, acarreándome infinitos peligros e interminable labor*» («Alfonso de Palencia y los preceptos... », p. 42).

112. Certes les Cortes étaient aussi chargées du judiciaire ; mais Palencia y met de la complaisance. *GH*, IV, 36, 2 ; LT, 1, p. 168 ; 2, p. 197.

Un chapitre encore et les choses s'aggravent : ce qui a été un des actes essentiels ou du moins les plus significatifs de ces années de règne, la remise en ordre des *juros*, c'est-à-dire des rentes de la noblesse et des biens de la couronne, ne suscite guère que des critiques. Personne n'est content – il fallait s'y attendre –, mais Palencia moins que les autres. Cette mesure importante, qui en réalité établit à la fois les bases d'un nouveau pouvoir et celles d'un nouveau contrat avec la noblesse, est traitée ici en termes moraux. Il semble que Palencia accepte mal que l'on fasse en quelque sorte table rase du passé et que certaines *injustices* soient le prix à payer pour une nouvelle paix et pour une situation plus saine. N'a-t-on pas révoqué les *mercedes* accordées par Alphonse, ce qui revenait à le déclarer usurpateur, alors que celles d'Henri ont été le plus souvent maintenues ? On sent bien que l'injustice et l'ingratitude, inlassablement soulignées, sont devenues sa douloureuse obsession.

La reine est pourtant louée ainsi que ses deux principaux conseillers, Fray Tomás de Torquemada et Fray Hernando de Talavera. Mais, sous ces éloges, apparaît la critique : on reproche à la reine d'avoir ces médiateurs, et à ces médiateurs de promettre beaucoup mais de faire peu. Que de vaine agitation au domicile du Prior del Prado ! Que de promesses non tenues ! Pire encore, le seul éloge superlatif de la reine, comparable à ceux des chroniqueurs postérieurs, est placé dans la bouche même du prieur à qui il sert, hypocritement, de garantie. C'est par cet éloge qu'il trompe ceux qui viennent réclamer justice[113].

Rien d'étonnant à ce que ce chapitre grinçant finisse sur le récit d'un vol sacrilège à la chapelle royale de Séville[114]. Une fois de plus, un acte important de la monarchie voisine, par une étrange coïncidence narrative – voulue à n'en point douter –, avec un acte criminel. Les malheurs et les crimes *des temps* s'enchaînent comme attirés les uns par les autres dans une sorte d'obscure fatalité. Les critiques continuent ; à Tolède, le roi s'amuse et ne prête aucune attention aux affaires de Sicile, de Sardaigne et des Canaries, si bien que la reine elle-même en est choquée[115]. Quant à elle, elle continue d'accorder ses faveurs à la Bobadilla, et les ragots vont bon train, éclaboussant Mendoza et Benavente dont le lecteur connaît les liens – supposés – avec la dame et son complaisant mari[116]. Dans ce monde toujours à l'envers ce sont décidément les femmes qui commandent.

113. Palencia brosse un tableau vraiment satirique du domicile du prieur où affluent les quémandeurs : « Nemo enim a suo colloquio discedebat ægritudine affectus quin consolationis medelam reportaret. Pollicebatur ultro daturum se operam ut regina illustrissima, piissima, prudentissima natura mitis et perbenigna, quibus omnibus eam ipse extolebat vocabulis, statim provideret » (*GH*, IV, 36, 3 ; LT, 1, p. 172 ; 2, p. 202).

114. *GH*, IV, 36, 3 ; LT, 1, p. 172 ; 2, p. 203.

115. *GH*, IV, 36, 4 ; LT, 1, p. 176 ; 2, p. 207.

116. *GH*, IV, 36, 6 ; LT, 1, p. 183 ; 2, p. 213.

Dans quelle mesure Palencia parle-t-il en son propre nom ou se fait-il l'écho des critiques des Sévillans ou des «rumores»? Existe-t-il une certaine cohérence dans son attitude et ses jugements? Politique avisé sans doute, il reste surtout un moraliste et ne semble pas identifier des *nouveautés*, encore moins une nouvelle idée du prince ou de nouveaux principes de gouvernement[117]. Raisonnant en termes moraux et plus enclin peut-être à la critique qu'à la véritable réflexion – l'acuité de l'une ne devant pas faire exagérément illusion sur la profondeur de l'autre –, il donne à ce qu'il ne comprend pas et qui l'indigne les noms d'avarice, de cupidité, d'injustice, d'hypocrisie. Il s'acharne à montrer que l'on est presque revenu au mal antérieur – il existe chez lui un parti pris du mal et un goût du tableau sombre –, sans se rendre compte que ses vieilles accusations ne portent plus. Il s'était dit, et non sans quelque amère complaisance, comme dépassé par les forces du mal. Ici, il est comme dépassé par quelque chose qu'il ne comprend plus. Le monde semble s'être détraqué : le roi et la reine n'en font qu'à leur tête et réussissent. Il n'est pas certain que Palencia s'en réjouisse toujours. Sans le dire, il ne semble pas loin de déplorer l'absence d'une forme, ou d'une force, de vertueuse opposition.

Mais voici qu'apparaît une amélioration; les rois enfin se tournent vers l'étranger et, dans l'affaire Mendoza, l'avis du roi, qui suit d'ailleurs celui des grands, l'emporte sur la colère de la reine («reginæ furor»[118]). Tout se précipite alors et l'appel du maître de Rhodes semble réveiller Ferdinand[119]. Reste l'obstacle de la cupidité qui renforce de plus en plus la complicité entre les époux («sed obstabat haud parum avaricia evidentissima regis reginæque uxoris»[120]). Ils agissent désormais ensemble, feignent d'avoir des remords, mais dissimulent afin de reprendre Arévalo[121]. À peine ont-ils pris une disposition judicieuse pour le logement des courtisans à Medina qu'ils reviennent, toujours ensemble, à leur projet initial, jugé injuste par les grands, une fois de plus suivis par Palencia[122]. La haine des courtisans l'emporte chez lui sur la critique de ces grands qu'il dénonçait autrefois.

La quatrième Décade, telle que nous la connaissons, finit mal : les Turcs ont occupé Rhodes, Ferdinand est parti à Barcelone et Isabelle, seule, donne libre cours à sa cupidité. Cette fois ce n'est pas elle que l'on accuse d'écouter Fray Hernando de Talavera, mais le contraire. Sans se

117. [Il est vrai que cette «nouveauté» est une évaluation postérieure, d'ailleurs de plus en plus révisée.]
118. *GH*, IV, 36, 6; LT, 1, p. 185; 2, p. 216.
119. «Incendit vel incendere visa est» (*GH*, IV, 36, 7; LT, 1, p. 188; 2, p. 219).
120. *Loc. cit.*
121. *GH*, IV, 36, 8; LT, I, p. 190; II, p. 221.
122. *GH*, IV, 36, 10; LT, 1, 201; 2, p. 234.

soucier de donner à ses jugements une cohérence théorique, Palencia fait de ces années décisives et difficiles un tableau moins flatteur que n'a pu le laisser croire une historiographie régressivement louangeuse. Il a en tout cas montré, avant que se forme ou se reforme l'unité, les funestes effets de la duplication, devenue l'ennemie du prince, et la sienne.

Un seul point, mais d'importance, lie indéfectiblement le roi, la reine et Palencia. Il s'agit de la *Hermandad*, seule valeur présentée comme entièrement positive et seule authentique source d'ordre jusqu'ici. C'est à elle que l'on doit la seule amélioration sensible. Mais on est bien loin, encore plus loin peut-être qu'à la fin de la Décade antérieure, de la joyeuse annonce prologale qui la précédait.

Les rois

Le prologue revient, précédant la « Guerre de Grenade ». On sait qu'en 1483 Palencia dit poursuivre la rédaction de cette œuvre, dont neuf livres seulement et quelques lignes du dixième nous sont parvenus[123]. Le prologue, tel qu'il est, laisse à penser que cette guerre est entreprise mais non terminée, ce qui permet à Robert B. Tate de suggérer que Palencia avait peut-être l'habitude d'écrire ses prologues ou du moins d'en fixer les lignes générales, avant la rédaction de l'œuvre elle-même[124].

Le prologue (« prologus ») est donc là, complètement hors texte, alors qu'il ne s'agit aucunement de succession, ni apparemment de passage. Avec lui est revenu *j'écris*. En réalité le passage est ailleurs, dans l'œuvre elle-même qui constitue une unité de récit, la « Guerre de Grenade », dont le savant Palencia devait apprécier tout particulièrement l'intérêt, en l'inscrivant dans des modèles bien connus. Il s'agit donc d'une œuvre différente, à part entière si l'on ose dire, et qui, remontant par-delà la simple suite chronologique du règne – objet du second prologue, interne cette fois –, retrouve un *continuum* plus ample qui s'inscrit dans l'histoire plus ancienne, de même que la première Décade retrouvait les *Antigüedades de España*. Il s'agit d'un seuil important dans la longue histoire de la Reconquête, à laquelle, on l'a vu, Palencia s'intéressait.

Mais la « Guerre de Grenade » est aussi une cinquième Décade, la seule, curieusement, à correspondre à une durée de près de dix années,

123. « [...] *muy empleado en estos tales estudios no solamente a la continuación de la Guerra de Granada que he aceptado escriuir después de tres Decas de los anales de nuestro tiempo* » (*Universal vocabulario...*, *Mención*, 549b).

124. Le prologue commence ainsi : « Bellum aduersus granatenses mauros diu prætermissum et demum avide resumptum scripturus. afficior ingenti læticia nihil minus quam olim angore collidebar : dum annalium multorum fuit opus obscura narrare facinora » (*BG*, Prol. ; ms. *M*, fol. 1r° ; PyM III, 77a). Voir à ce sujet R. B. TATE, « Las *Décadas* de Alfonso de Palencia... », p. 235.

ce que Palencia ignorait probablement au début. Le sujet est sans doute mieux défini dans la « series » ou l'« ordo rerum » ; mais le récit est loin de négliger les autres affaires, intérieures ou internationales. Bien au contraire, Palencia, qui pourtant semble éloigné maintenant des centres de pouvoir, garde intact son goût pour l'analyse de l'état des esprits et pour les larges tours d'horizon. La « Guerre de Grenade » est donc parfaitement la suite de la quatrième Décade. C'est pourquoi le prologue sert à la fois de frontière et de pont. Il se situe au croisement de deux *continuum* : un plus large, la guerre contre les Maures, et un plus court, l'histoire du règne. Il n'est pas certain qu'il ne remplisse pas encore son rôle : introniser les rois.

Voici de nouveau le mal et le bien, la douleur et la joie, dans une sorte de réduction à la fois initiale et finale. Il peut s'agir, bien sûr, d'un simple schéma que Palencia se réservait la possibilité de développer. Cela semble pourtant difficile quand on considère la perfection très calculée de sa composition. Serait-ce une simple reprise, tardive et moins élaborée, des prologues antérieurs ? Le mal de l'un, le bien de l'autre…, bref, Palencia se répéterait-il ? Mais l'ensemble, à partir d'éléments comparables, est différent.

La difficulté de l'interprétation vient de ce qu'il n'est pas aisé de savoir par où passe exactement la frontière entre le passé et le futur. Il est fait allusion à deux « combats », à deux guerres en somme. La première, contre les « veteres regnicolarum insolentias », et la deuxième contre les ennemis de la foi. On sait que la deuxième, objet du récit, est entreprise, mais, semble-t-il, non finie. La première l'est-elle ? Dans ce cas la frontière entre le passé et le présent passerait entre les deux. Il faudrait donc considérer que les troisième et quatrième Décades (cette dernière peut-être non écrite encore ou non terminée) sont consacrées à la première guerre et doivent être portées au crédit de la victoire du bien. Cela est loin d'être évident, on l'a vu, mais non impossible comme réduction finale ou effet de prologue, ou effet de recul. Il faut d'ailleurs se garder aussi du piège de l'illusion narrative, les troisième et quatrième Décades ne recouvrant, après tout, que cinq années à peu près. Mais si le prologue de la troisième n'existait pas, la lecture de l'ensemble serait modifiée, et le lecteur ne retrouverait vraiment le bien qu'ici, au seuil de cette cinquième Décade.

Tout semble indiquer que la deuxième et vraie guerre vient enfin réaliser cette victoire, et définitivement lever le nuage de tristesse. Quelque chose a changé, qui indique une amélioration. Pour la première fois dans un prologue, et même dans le récit, les rois sont désignés par un pluriel emphatique : « […] virtus notissima duorum coniugum illustrissimorum propulsauit. » Serait-ce cette fois l'adhésion totale, la réconciliation, les rois proclamés tous deux ? Oui, mais sans oublier que la « virtus » est celle des deux « coniugum illustrissimorum » ainsi désignés : « serenissimi fernandi regis, huius nomini in ampliore Hispania quinti, Reginæque Helisabeth excellentissimæ hæredis regnorum Castellæ atque Legionis »[125]. Ce pluriel ne saurait être dû au fait que Ferdinand est désormais roi d'Aragon, car cela irait à l'encontre de la logique de Palencia ; il est en réalité une reconnaissance d'Isabelle. Palencia suit le chemin inverse de celui qu'a suivi la plus grande partie de l'historiographie castillane des Rois Catholiques, qui, après avoir exalté Isabelle, reconnaît les mérites de Ferdinand ; c'est sur lui en effet que viennent se porter les espoirs messianiques, absents d'ailleurs dans les Décades. Dans ce pluriel Ferdinand reste encore non seulement premier mais supérieur.

On retrouve les rois associés, et dans l'éloge, dans le prologue interne du premier chapitre :

> Est autem mentis nostræ nunc per scribere quod cœptum fuit bellum a fernando Castellæ & legionis atque Aragonum & Sicilia multarumque insularum rege [...] cum illustrissima coniuge Helisabeth[126].

L'unité semble bien s'être (re)formée, et autour de la guerre. C'est ainsi que le prologue joue encore son rôle, car, par cette guerre, les rois deviennent vraiment rois. Leur victoire, rapportée sans éloges excessifs ni triomphalisme aucun, est fatale à l'acteur vieillissant qui va disparaître du récit. Mais l'auteur reste, et aussi ce *je* prologal revêtu d'une autorité qui, pour être cette fois élogieuse, n'en reste pas moins mesurée et quelque peu hautaine. Si les signes sont inversés et si son esprit a tout lieu de s'élever[127], il ne rend pas grâce, il ne s'émerveille pas ; il juge, de façon positive cette fois, les événements qu'il va rapporter, et rappelle simplement que Dieu a donné aux rois les qualités nécessaires.

Telle est, pour Palencia, la Providence. Peu présente en réalité dans le déroulement narratif de l'histoire et dans l'enchaînement des effets et des causes – avec toutefois la très importante exception de la mort d'Alphonse et aussi, comme on le verra plus loin, de l'explication de la victoire de Baza, elle s'est comme réfugiée dans les prologues, lieu il est vrai de la topique, mais aussi de la réflexion et de la mise – ou remise – en place. Après ce qui peut ne représenter qu'une affirmation presque obligée, un lieu commun en somme, mais qui peut aussi traduire une réflexion plus personnelle et constituer de toute façon non un motif de gloire mais une leçon de modestie pour tous, sauf pour l'auteur dont la gloire est intacte

125. *BG*, Prol. ; ms. *M*, fol. 1r° ; PyM III, 77a.

126. *BG*, Prol. ; ms. *M*, fol. 1v° ; PyM III, 80a. Rappelons que les livres de la « Guerre de Grenade » ne sont pas divisés en chapitres.

127. « Id ipsum tamen infortunium virtus notissima duorum coniugum illustrissimorum propulsavit [...] quibus (ut videtur) diuinitas concessa est potestas arcendi veteres regnicolarum insolentias debellandique duros chrystianæ religionis in hispania hostes : eo euentu qui consequenter an nectitur » (*BG*, Prol. ; ms. *M*, fol. 1r° ; PyM III, 77b).

et ne dépend que de lui, la narration peut se plonger dans les intrigues et les actions des hommes.

À bien y regarder, on peut voir derrière ce *je* un peu cérémoniel l'aboutissement d'un itinéraire plus personnel ; l'auteur vieillissant donne aux rois en quelque sorte avec sa bénédiction un dernier – très léger – coup de griffe. La guerre a rétabli l'harmonie et la vertu perdues. Mais si elle a sauvé les rois, tout n'est pas idyllique ; il faut quand même attendre le livre 4 pour trouver de vrais éloges, et les choses ne commencent pas très bien[128]. Toutefois quand Isabelle et Ferdinand se retrouvent à Cordoue le 31 mai 1484, la joie est générale et, chose très rare chez Palencia, sans ombre. Isabelle a déjà été acclamée à Ubeda et à Baeza ; on a loué sa beauté et cette fois Palencia n'est pas du côté des ragots[129]. Isabelle fait preuve de sagesse : les temps ont changé.

Quant à Ferdinand, il est devenu un bon général, aimé de tous, sur le point de dépasser la gloire de son père[130]. Malgré quelques erreurs, sa science militaire croît de jour en jour et, s'il rapporte malgré tout quelques critiques, Palencia prend sa défense. Isabelle aussi a droit aux éloges : certes, elle a retrouvé sa vraie place de femme, car elle prie et elle soigne, mais on fait aussi le plus grand cas de ses conseils[131]. Il n'est plus nécessaire de prendre un ton provocateur pour dire « le roi ». Ce sont « les rois » maintenant et, quand ils entrent dans l'alcazar de Séville, le tableau est presque parfait. Les deux terribles époux, plus terribles que jamais en vérité, sont devenus « serenissimi coniuges ». C'est ainsi qu'ils affrontent Rodrigue Borgia, qu'ils reçoivent les nouvelles, qu'ils entendent en secret les projets du marquis de Cadix. Ils commencent à s'isoler. Un pas de plus dans l'harmonie est franchi au livre 6 où il est clairement dit que la reine aide le roi[132]. Quand Loja capitule, Palencia trouve même un style à la Pulgar pour évoquer les veilles, les prières, les ornements sacrés, l'hôpital qu'elle a fondé. Cette reine médiatrice et guérisseuse lui plaît davantage,

128. En 1482, le récit de l'accouchement de la reine est, on l'a vu, très ambigu. Voir *supra* note 101. Quant à Ferdinand, il semble toujours se plier aux désirs de sa femme.

129. *BG*, 4 ; ms. *M*, fol. 41v° ; PyM III, 120ab.

130. « [...] sub imperio regis qui simul cum dignitate suprema omnibus bonis artibus præpolebat » (*BG*, 4 ; ms. *M*, fol. 44r° ; PyM III, 121b).

131. « Secundum reginæ sententiam in omnibus perspicacissima » (*BG*, 4 ; ms. *M*, fol. 47v° ; PyM III, 126b). [La guerre de Grenade a surtout renforcé les qualités de Ferdinand, qui a pu être considéré comme un *héros*. Voir María Isabel del VAL VALDIVIESO, « Ascenso y caída de un "héroe" : Fernando el Católico en las *Décadas* de Alonso de Palencia », *Temas medievales*, 7, 1997, p. 37-55. Quant à Isabelle, on sait qu'elle méritera les éloges de Palencia dans les dédicaces des œuvres qu'il lui adressera dans ses vieux jours et en particulier dans celle qui précède sa traduction de Flavius Josèphe. Voir Madeleine PARDO, « Alfonso de Palencia traducteur ou les leçons de Flavius Josèphe » (à paraître).]

132. « [...] et undequoque cum sollertissima solicitudine coniugis reginæ merito laudatissimæ » (*BG*, VI ; ms. *M*, fol. 76v° ; PyM III, 160b).

mais sans excès, et le récit ne s'attarde pas. Les rois ne se quittent plus. Les ambassadeurs du roi Charles ne s'y trompent pas[133].

Le fait d'être deux – complices – permet la mise au point de stratégies redoutables, comme va l'apprendre à ses dépens le jeune duc d'Estúñiga. Les rois, à qui il est venu demander de l'aide pour faire valoir ses droits, et qui l'ont accueilli favorablement, non seulement ne font rien pour empêcher le *tumulte* de Plasencia, mais le retiennent et le trompent. Après que Ferdinand s'est dirigé vers Plasencia, la reine conseille au jeune héritier de livrer la forteresse au roi sans conditions. Les grands prennent peur et tout le monde murmure. Le récit de cette duperie est fait, comme tous les grands récits de Palencia, du croisement de plusieurs voix, et il n'est pas aisé d'y déceler la position de l'auteur, si tant est qu'il ait une position claire et cohérente. Il fait l'éloge du jeune duc et rapporte sans complaisance, mais sans critique non plus, l'attitude du roi et de la reine qu'il fait critiquer par certains grands, auxquels ils joint les « populares » (« inter magnates partim quoque apud populares »[134]). Au lieu d'approuver ou de désapprouver pleinement la politique royale de récupération ou d'appropriation des forteresses, il reprend, sans vraiment le dire, les thèmes majeurs de la cupidité, de l'injustice et de l'ingratitude, maintenant souterrains dans la narration. La conclusion, encore prêtée à ceux qui ont vu dans le passé se réaliser miraculeusement (« mirabiliter ») des choses contraires aux prévisions des hommes, souligne une fois de plus bien davantage la souveraine liberté de la Providence que les mérites des rois. Celui qui écrit fait-il partie de ces témoins du passé ? Ses remarques en tout cas n'ont rien d'admiratif et Palencia, comme ceux qu'il fait parler, semble plus « dépassé » que vraiment émerveillé.

Sacrifiant à la pompe royale, Palencia a fait allusion, au début du livre 9, à la magnificence des fêtes de Valladolid sur lesquelles a régné un couple parfait : une vraie reine de roman, belle, richement parée, entourée de magnifiques beautés, et un roi qui montre son adresse en tournoyant. Mais Palencia n'aime pas la fête et il passe vite, considérant que ce genre de récit est peu digne de l'histoire[135]. L'important est que toute cette pompe, destinée à impressionner les ambassadeurs bourguignons, cache aussi le secret des ambassades. Peu d'initiés ont été dans ce secret et Palencia, qui ne semble pas en faire partie, Palencia, naguère omniscient, en est réduit aux conjectures et aux rumeurs. On ne sait pas grand-chose non plus à propos de la deuxième ambassade, anglaise cette fois, tout aussi brillante

133. *BG*, 7 ; ms. *M*, fol. 90v° ; PyM III, 178a.

134. *BG*, 8 ; ms. *M*, fol. 127v° ; PyM III, 213ab-214a.

135. « At vero hæc et huiusmodi summatim tetegisse satis est. quum historicæ dignitati diffusior narratio ludorum minime congruat. nisi quantum rerum series exposcere visa sit » (*BG*, 9 ; ms. *M*, fol. 129r° ; PyM III, 216a).

mais plus courte[136]. Et quand la reine, en l'absence du roi, reçoit seule un messager du roi de France, puis un ambassadeur du roi de Hongrie, Palencia doit par deux fois, mais sans agressivité, avouer son ignorance.

Les hostilités ont cessé, mais l'écart s'est creusé. Devant ce couple de rois souverains, bien consolidé dans la complicité et qui a su s'isoler en sa majesté, ce couple, pour dire vrai, bon, presque parfait et qui réussit, que peut dire et faire le vieux Palencia, éloigné de la cour et sans doute des affaires ? Et pourtant, au livre 10, avant le triomphe final d'Almería et même avant le récit de la capitulation de Baza, il donne aux rois et aux *louangeurs* qui l'obsèdent une sévère leçon. Des historiens flatteurs, dit-il (« scriptores adulationi inservientes historiæque leges sponte corrumpentes ») attribueront peut-être la chute de Baza au pouvoir du roi ou à la faiblesse de l'ennemi. Mais il faut lutter contre ce poison de la flatterie (« virus vitanduum est ne catholicas inficiat mentes sub prætextu veritatis »). Le mérite de cette victoire – comme d'autres victoires passées – est dû à Dieu seul et les desseins de Dieu sont impénétrables (« Sunt proculdubio inescrutabilia dei iudicia nemoque potest perpendere siue metiri eius amplitudinem voluntatis »[137]). Le vieux chroniqueur a choisi la seule revanche possible. Après cette campagne de Baza et, d'une façon plus générale, après les triomphes de la guerre, il retrouve les thèmes et le ton de la méditation qui suivait la mort d'Alphonse, que tout le monde avait sans doute oublié sauf lui.

Mais Palencia est Palencia ; et si le livre 10 est à peine commencé, le court fragment qui reste a le temps de ramener le lecteur sur terre[138]. Sans le bref prologue qui ouvre la « Guerre de Grenade », les rois et leur histoire ne seraient pas vraiment dans les Décades ce qu'ils ont fini par devenir. Palencia a rendu les armes, mais non pas vraiment capitulé, et, venue de sa plume acerbe, cette légitimation prologale vaut toutes les flatteries du monde. Curieusement, le vieux Palencia revient aux traités de ses débuts ;

136. *BG*, 9 ; ms. *M*, fol. 129v° ; PyM III, 216-217.

137. « Sunt proculdubio inescrutabilia dei iudicia. nemoque potest perpendere siue metiri eius amplitudinem voluntatis. quæ humano nulla tenus committitur cogitatui Dominus ipse est. et nutu significat seruis velit nolitue aliquid arduum inter mortales sic aut aliter in fine terminari [...] quemadmodum catholicis innumerabilibus constat exemplis rerum memorabilium quae a primis sæculis contingere : hoc ipsum quoque fuerunt experti sæpe numero. principes nostri rex fernandus uxorque regina. Ideo nemini dubitundum quin imputent Baztensium deditionem dexteræ excelsi regis. Qui sumptus maximos amplissimosque apparatus nullius fuisse momenti docuit ; sed exinanitis omnibus victoriam eis uberiorem quam unquam cogitauissent, concessit » (*BG*, 9 ; ms. *M*, fol. 151r°-151v° ; PyM III, 233-234). L'importance de ce passage a été soulignée par R. B. TATE, « Un análisis historiográfico... », p. 235-236.

138. « Deditionum quarum facta mentio est mirabilis effectus atque subitus impulsus eorum qui se dediderunt exigunt : quod præter superni numinis uniuersa disponentis nutum, aliquem ad hoc ipsum humanæ fragilitatis motum inseramus » (*BG*, 10 ; ms. *M*, fol. 156v° ; PyM III, 240ab).

la « Guerre de Grenade » donne enfin l'impression d'avoir retrouvé, avec *El Orden* et *La Obediençia*, *La perfeçión del triunfo militar*. Jusque-là, au fond, tout n'avait été qu'une longue *Batalla campal de los lobos y de los perros*.

Les prologues des Décades articulent une histoire dont ils soulignent les seuils essentiels. Cette longue histoire, qui se veut celle d'une lutte entre le mal et le bien, la tyrannique corruption et le respect de l'ordre et des lois, insiste en vérité davantage sur les longs effets de la contagieuse destruction que sur le triomphe de la vertu. Elle est structurée par les successions royales, même lorsque la mort emporte le jeune roi sauveur ou lorsque les rois se succèdent en quelque sorte à eux-mêmes dans le nouvel avènement de leur victoire. Ces entrées royales sont doubles, puisque faites en compagnie de la voix prologale qui, passant de la douleur à la joie, dégrade ou légitime le roi par son autorité.

À première vue, la ligne des prologues, cohérente dans son déroulement, est fortement réductrice si on la compare à l'ensemble de la narration dont elle donne une version très simplifiée. Simplifiée, déformée ou autocensurée ? Le lecteur, passant de la narration aux prologues, serait tenté de penser que Palencia a en quelque sorte rejoint l'histoire officielle, pour ne pas dire les historiens louangeurs contre lesquels depuis le début il mène la guerre. Les prologues qui précèdent les Décades III et V présentent le roi, puis les rois de façon toujours élogieuse. La double voix de Palencia qui, dans l'ensemble de la narration, se veut sans doute le seul repère infailliblement juste et vrai, mais qui est aussi le lieu à partir duquel tout se brouille et s'embrouille, semble devenir dans les prologues une voix plus claire qui met de l'ordre dans un apparent désordre. Deviendrait-elle suspecte ?

Le *je* prologal, d'ailleurs, semble progressivement disparaître. Après le rôle très actif du premier prologue, où il lui fallait en quelque sorte substituer son œuvre de justice au roi défaillant, et après avoir accompagné, activement encore, l'espoir du nouveau règne, il dit à la fin sa joie, mais en donnant un témoignage mesuré et distant. Il se désengage progressivement de son prologue comme d'ailleurs il quitte le récit et la vie politique. La voix prologale, seule au début mais au cœur même de l'histoire, s'est comme éloignée avec le mal qu'elle a contribué à combattre, et devient solitaire.

Ne nous y fions pas trop. Les prologues, quoique réducteurs, restent les signes évidents d'une discordance. Ils introduisent un décalage important par rapport à une histoire plus officielle. L'avènement d'Henri apparaît à l'intérieur de la première Décade et non au début, et la proclamation d'Isabelle se trouve à la fin de la deuxième. Par contre, la deuxième Décade s'ouvre sur le deuil causé par la mort d'Alphonse, rapportée déjà à la fin de la première, la troisième sur la venue de Ferdinand, et il faut attendre la cinquième pour que les rois soient pleinement associés dans le pluriel qui a fait leur gloire. Il est aussi tout à fait remarquable que deux Décades soient consacrées à cinq ans de règne à peu près, ce qui revient à insister, dans un temps chronologiquement court mais narrativement très long, sur la difficile mise en place d'un règne habituellement réordonné rétroactivement à partir des années 1480. Ces années, lourdes et difficiles pour les rois et pour l'auteur, se situent entre le prologue de la troisième Décade et celui de la cinquième ; on a déjà dit que si le joyeux prologue de la troisième n'existait pas, la lecture serait considérablement modifiée et que le lecteur ne retrouverait vraiment le bien et la joie qu'au seuil de la « Guerre de Grenade ».

Palencia a le goût du tragique et chacune de ses Décades, même si l'on y trouve un espoir prologal ou central, va vers la tristesse. La première finit sur la mort d'Alphonse. La deuxième sur l'inquiétante proclamation d'Isabelle. La troisième sur l'amertume du séjour royal à Séville. La quatrième, incomplète il est vrai, se perd dans des intrigues bien sombres aussi. Enfin, la cinquième, en dépit de la joie prologale et des victoires de la guerre, ne peut s'empêcher de finir sur un sermon qui gâte la fête. Faut-il y voir un pessimisme profond ou un écho de frustrations personnelles ? L'obsession de la vérité, point de départ de l'ensemble comme justification et argument, ne devient-elle pas ici revanche ou vengeance ? Le commentaire sur la victoire de Baza nous semble aller au-delà de ce simple épisode et s'étendre à l'ensemble de l'histoire. Des critiques acerbes contre les historiens flatteurs étaient apparues après la guerre ludique de la reine Jeanne. Voici de nouveau des critiques, plus sérieuses, après une guerre plus sérieuse aussi. La boucle est fermée. Après la ligne des prologues voici une sorte d'épilogue dans lequel le *je* sort d'un silence de près de neuf livres pour donner la dernière leçon.

Palencia est l'homme des paradoxes et même des contradictions. S'il a mis en place l'impeccable structure formelle des Décades, il a su plonger aussi dans les remous du récit. S'il a laïcisé l'histoire en montrant l'importance des causes humaines et en démasquant les apparences de toutes sortes, il va à la fin démasquer la dernière, c'est-à-dire le détournement par certains historiens au profit de la gloire personnelle des rois des desseins de la Providence. Qui pouvait mieux que cet impitoyable analyste proclamer que Dieu est Dieu et qu'il fait selon sa volonté ? C'est ainsi, dans cette paradoxale et implacable cohérence, qu'avait commencé l'histoire avec la mort d'Alphonse, et c'est ainsi qu'elle finit.

TABLE DES MATIÈRES

Cet ouvrage est publié avec le concours
de la région Rhône-Alpes

RhôneAlpes Région

Achevé d'imprimer par Présence Graphique
2 rue de la Pinsonnière - 37260 Monts
N° d'imprimeur : 010722841-400